D0755752

BERLITZ POCKET DICTIONARIES FOR TRAVELLERS

| GB | USA | CDN | Danish, Dutch, Finnish, French, German, Italian, Norwegian, Spanish, Spanish (Latin-American), Swedish |

| F | B | CH | Allemand, Anglais, Danois, Espagnol, Finlandais, Italien, Néerlandais, Norvégien, Suédois |

| D | A | CH | Dänisch, Englisch, Finnisch, Französisch, Italienisch, Niederländisch, Norwegisch, Spanisch, Schwedisch |

| NL | B | Duits, Engels, Frans, Italiaans, Spaans |

| I | CH | Danese, Finlandese, Francese, Inglese, Norvegese, Olandese, Spagnolo, Svedese, Tedesco |

| E | MEX | Alemán, Danés, Finés, Francés, Holandés, Inglés, Italiano, Noruego, Sueco |

| DK | Engelsk, Fransk, Italiensk, Spansk, Tysk |

| SF | Englanti, Espanja, Italia, Ranska, Ruotsi, Saksa |

| N | Engelsk, Fransk, Italiensk, Spansk, Tysk |

| S | Engelska, Finska, Franska, Italienska, Spanska, Tyska |

BERLITZ®

englantilais-suomalainen
suomalais-englantilainen
sanakirja

english-finnish
finnish-english
dictionary

By the Staff of Editions Berlitz S.A., Lausanne, Switzerland

Library of Congress Catalog Card Number: 74-1980

First Printing
Printed in France

Imprimerie Bussière
18200 – St-Amand (482).

Editions Berlitz S.A.
8, avenue Bellefontaine
1003 Lausanne, Switzerland

SISÄLLYSLUETTELO

CONTENTS

ALKUSANAT

Ryhtyessään julkaisemaan uutta taskusanakirjasarjaa Berlitzin pyrkimyksenä on ollut luoda käytännön sanakirja yhtä hyvin turistien, liikemiesten kuin opiskelijoidenkin tarpeita vastaamaan. Tavanomaisen hakusanaston ohella Berlitzin sanakirjoissa on lyhyt kielioppi ja epäsäännöllisten verbien luettelo, minkä lisäksi Berlitz-sanakirjoihin liittyy erikoispiirteenä mm,:

* kunkin hakusanan kohdalle merkitty äännekirjoitus, jota on melkein yhtä helppo lukea kuin äidinkieltänne;
* liite, jossa selvitetään asianomaisen maan tyypillisimmät ruokalajit. Tämä on taskusanakirjoissa uusi ja varsin tarpeellinen sanasto jokaiselle vieraskielisten ruokalistojen kanssa tekemisiin joutuvalle. Ranskan, italian, espanjan ja saksan sanakirjoissa on lisäksi tärkeimpiä viiniseutuja esittävä kartta;
* käytännön tietoja, kuten aukioloajat, pyhäpäivät, liikennemerkit, puhelimen käyttö, ajanilmaukset, junat, tärkeimmät jokapäiväiset ilmaisut. Kansilehdeltä on nopeasti löydettävissä kätevä juomarahaopas.

Sanakirjaan sisältyy varsinaisen hakusanaston lisäksi kielelle ominaisia sanontoja eli idiomeja sekä eräitä puhekielen ilmaisuja. Tällaiset sanonnat löytyvät ilmaisun ensimmäisen tai olennaisimman sanan, usein myös preposition kohdalta.

Toimitustyössä ja valittaessa noin 9000 hakusanaa ja sanontaa on ensisijaisesti ajateltu turistien tarpeita. Uskommekin, että tämä sanakirja, joka suositun matkatulkkisarjamme tavoin on suunniteltu hyvin taskuun tai käsilaukkuun mahtuvaksi, tulee osoittautumaan hyvin tehokkaaksi nykyaikana, jolloin matkustaminen on jokaisen ulottuvilla. Opiskelijalle sanakirjamme tarjoaa juuri sen perussanaston, jota hän opintojensa alkuvaiheissa tarvitsee.

Tavallisesti taskusanakirjoja ei useinkaan uudisteta ja tarkisteta kustannusten vuoksi. Näin ei ole asianlaita Berlitzin suhteen. Berlitz-taskusanakirjojen toimitustyössä on käytetty apuna tietokoneita, ja tämän ansiosta jokainen uusi painos voidaan nopeasti ja säännöllisesti tarkistaa.

Mikäli sanakirjaa käyttäessänne huomaatte siitä puuttuvan jonkin olennaisen hakusanan tai sanonnan, jonka tulisi olla tämänlaajuisessa sanakirjassa, ilmoittanette siitä meille kirjeitse tai postikortilla. Kiitämme etukäteen hyvistä vihjeistä.

Olemme erittäin kiitollisia toim. joht. Alan R. Beesleylle, joka on suorittanut sanaston ja ruokalistojen perustarkistuksen, sekä äännekir-

joituksen laatijalle tri. T.J.A. Bennettille. Haluamme myös kiittää
Keter Publishing House Ltd: tä Jerusalemissa korvaamattomasta avusta
toimitustyön teknisissä vaiheissa samoin kuin Anita Aaltosta, Marie-
Françoise Allardia, Roger Haighia, Lea Théveniniä, Kaarina Turtiaa ja
Anne Virtasta heidän sanakirjan kokoonpanossa suomastaan avusta.

PREFACE

In creating a new pocket dictionary series, Berlitz was particularly eager to make each book highly practical for travellers, tourists, students, businessmen. Our series contains just about everything you normally find in dictionaries, including grammar and irregular verbs. But as a bonus Berlitz has also provided:

* Imitated pronunciation next to each foreign-word entry in a script almost as easy to read as your own language.
* A major supplement to help you read a restaurant menu – a novel and very useful feature in a pocket dictionary. In French, German, Italian and Spanish dictionaries, Berlitz has also added maps of principal wine regions.
* Practical information on opening and closing hours, public holidays, telling time, trains, road signs, using the telephone, basic phrases. And on the cover for quick reference, there's a tipping chart.

The dictionary contains idioms and some colloquial expressions as well as simple words. As in a glossary of idiomatic expressions, these may often be listed under the first word of the expression, usually a preposition.

In selecting approximately 9,000 words or expressions in each language for this dictionary, the editors had a traveller's needs in mind. Thus, this book – which like our successful phrase-book series is designed to slip into your pocket or purse easily – should prove valuable in the jumbo-jet age we live in. By the same token, it also offers a student the basic vocabulary he is most likely to encounter and use.

Usually, it is quite difficult and costly to update a pocket dictionary, and revisions are hence infrequent. This is not the case with Berlitz. Because these dictionaries were created with the aid of a computer data bank, we are able to revise rapidly and regularly. Thus, if you run into a word on your trip which you feel belongs in a Berlitz dictionary, tell us. Just write the word on a postcard and mail it to our editors. We thank you in advance.

We are most grateful to Mr. Alan R. Beesley for the basic research on the word list and menu reader, and to Dr. T.J.A. Bennett who devised the phonetic transcription. We also wish to thank the staff of Keter Publishing House Ltd., Jerusalem, for their invaluable editorial and technical aid and Anita Aaltonen, Marie-Françoise Allard, Roger Haigh, Lea Thévenin, Kaarina Turtia and Anne Virtanen for their assistance.

englanti-suomi
_____
english-finnish

ÄÄNTÄMISOHJEET

Sanakirjassa on käytetty yksinkertaistettua, suomen kielen kirjoitustavan mukaista äännekirjoitusta, joka mahdollisimman tarkoin jäljittelee sanan ääntämistä. Eräiden suomen kielelle vieraitten äänteiden kohdalla on käytetty alla olevassa taulukossa tarkemmin selitettyjä merkkejä.

Tavujako on merkitty tavuviivalla, ja isot kirjaimet osoittavat, millä tavulla on paino. Kaksoisvokaalit ääntyvät pitkinä.

On selvää, etteivät kahden eri kielen äänteet voi aivan täsmälleen vastata toisiaan. Tässä annettuja ohjeita noudattaen on kuitenkin täysin mahdollista päästä hyvin lähelle oikeaa ääntämistapaa. Kielelle ominaisen intonaation eli sävelkulun voi oppia vasta kuuntelemalla ja jäljittelemällä ao. kieltä äidinkielenään puhuvia henkilöitä.

Kirjaimet	Likimainen ääntämistapa	Symboli		Esimerkki
Konsonantit				
b, d, f, h, k, l, m, n, p, t, v	kuten suomessa			
c	1) e:n, i:n ja y:n jälkeen kuten s	s	civic	SI-vik
	2) muuten kuten k	k	cracker	KRÄ-kö
ch	kuten tš sanassa tšekki	tš	such	satš
chr	kuten kr sanassa krapu	kr	Christ	kraist
g	1) e:n, i:n ja y:n jälkeen kuten dž sanassa džonkki	dž	gin	džin
	2) muuten g sanassa golf	g	good	gud
j, dg	kuten dž sanassa džonkki	dž	judge	džadž
mb	sanan lopussa b ei äänny	m	lamb	läm
ph	kuten f sanassa fosfori	f	phrase	freiz
qu	ääntyy kuten ku sanassa kuikka	kw	quick	kwik
r	ei ole rullaava kuten suomessa: kieli koskettaa kitalakea vain kerran värähtämättä	r	rain	rein
s	1) vokaalien välissä kuten soinnillinen s	z	rose	rouz
	2) muuten kuten s	s	seven	Sɛ-vön
sh	kuten š sanassa šakki	š	shawl	šɔɔl
th	1) lausutaan s:nä pitäen kielen kärki hampaiden välissä ilman työntyessä hampaiden välistä	θ	thing	θing
	2) sama, mutta ilmavirta ei pääse lävitse	ð	this	ðis
w, wh	kuten ui sanassa uida	w	with	wið
x	1) kuten ks sanassa taksi	ks	six	siks
	2) kuten g + soinnillinen s	gz	exact	ig-ZÄKT
z, zz	kuten soinnillinen s	z	zone	zoun
y	kuten j sanassa joki	j	yellow	Jɛ-lou

Vokaalit

a	1) avoimessa tavussa suunnilleen kuten ei sanassa reima	ei	**safe**	seif
	2) suljetussa tavussa kuten ä sanassa väri	ä	**can**	kän
	3) r:n edellä kuten aa sanassa aari	aa	**car**	kaa
e	1) yhden tai useamman konsonantin edellä kuten sanassa keksi	ɛ	**red**	rɛd
	2) ennen konsonanttia, jota seuraa vokaali kuten ii sanassa kiitos	ii	**these**	ðiiz
	3) painottomassa tavussa kuten ö sanassa yö	ö	**better**	Bɛ-tö
i	1) ennen konsonanttia, jota seuraa vokaali kuten ai sanassa paita	ai	**fine**	fain
	2) suljetussa tavussa leveä, e:hen vivahtava i	i	**this**	ðis
o	1) ennen konsonanttia, jota seuraa vokaali kuten ou sanassa routa	ou	**note**	nout
	2) ennen konsonanttia, kuten sanassa kokka	ɔ	**hot**	hɔt
u	1) joskus ennen yhtä konsonanttia kuten sanassa uni	u	**put**	put
	2) kahden ja joskus yhden konsonantin seuratessa kuten sanassa sali	a	**much**	matš
	3) ennen konsonanttia, jota seuraa vokaali kuten ju sanassa juna	juu	**tune**	tjuun
y	1) yksitavuisissa sanoissa ai kuten sanassa tai	ai	**my**	mai
	2) muuten yleensä i kuten sanassa iso	i	**heavy**	Hɛ-vi

Kahden tai useamman kirjaimen muodostamat äänteet

ai, ay	kuten ei sanassa heila	ei	**day**	dei
au, aw	suunnilleen kuten o sanassa loka	ɔɔ	**raw**	rɔɔ
ei, ea, ie, ee	yleensä kuten ii sanassa hiiri	ii	**receipt**	ri-SIIT
ew	kuten ju sanassa juna	juu	**new**	njuu
oi, oy	kuten oi sanassa toivo	oi	**boy**	boi
oo	kuten u sanassa muna	u	**good**	gud
ow	kuten au sanassa sauna	au	**now**	nau

Huom.

er, ir, ur	kuten öö sanassa insinööri	ö	**better**	Bɛ-tö
		öö	**sir**	söö

ENGLANNIN KIELIOPIN PERUSPIIRTEET

Artikkelit

Englannin kielessä substantiiveja edeltää yleensä artikkeli, joka on epämääräinen, kun on kyse ensi kertaa mainitusta tai tuntemattomasta esineestä tai asiasta, ja määräävä, kun asia tai esine on tunnettu tai muuten määritelty.

Epämääräisen artikkelin muodot ovat *a* (konsonantilla alkavan sanan edessä) ja *an* (vokaalilla tai ääntymättömällä *h* — kirjaimella alkavan sanan edessä).

a coat   a week
an umbrella   an hour
(mutta: *a house* — *h* ääntyy)

Monikossa ei ole epämääräistä artikkelia:

people   small houses

Määräävän artikkelin muoto kaikissa tapauksissa, myös monikossa, on *the*.

the room   the rooms
the father   the fathers
the apple   the apples

Huomatkaa, että milloin on kyseessä tarkemmin määrittelemätön määrä, sanaa *some* käytetään sekä yksikössä että monikossa (suomessa sitä vastaa yleensä partitiivi).

I'd like some coffee please.
Haluaisin (hiukan) kahvia.
Bring me some cigarettes please.
Toisitteko minulle savukkeita.

Vastaavasti sanaa *any* käytetään näissä tapauksissa kielteisissä ja kysyvissä lauseissa.

There isn't any soap.
Täällä ei ole (yhtään) saippuaa.
Have you got any stamps?
Onko teillä postimerkkejä?

Huom. Englantilaiset käyttävät rakennetta *have you any*, amerikkalaiset *do you have*. *Have you got* on puhekielen käyttämä ilmaus molemmissa maissa.

Substantiivit

Edellä mainittiin jo, että substantiiveja edeltää lähes aina artikkeli (milloin ei ole muuta määrettä). Substantiivien monikko muodostetaan lisäämällä yksikkömuotoon pääte -(*e*)*s*. Se ääntyy soinnillisena tai soinnittomana s:nä sen mukaan, kumpaan ryhmään kuuluva äänne sitä edeltää.

cup — cups
car — cars
key — keys

Huomatkaa, että mikäli substantiivi päättyy *y*:hyn, monikkomuodon pääte on -*ies*, mutta jos *y*:tä edeltää vokaali, *y* säilyy monikossa.

lady — ladies
key — keys

Eräiden sanojen monikkomuoto on sama kuin yksikkö.

salmon, deer, sheep, trout, swine, grouse

Substantiivit, joiden pääte on -*fe* ja eräät -*f* — päätteiset sanat (*calf, loaf, self, sheaf, shelf, thief, wolf*) saavat monikossa päätteen -*ves*:

knife — knives
wolf — wolves

Muutamia epäsäännöllisiä monikkomuotoja.

man — men   foot — feet
woman — women   tooth — teeth
child — children   mouse — mice

Genetiivi
1) Mikäli omistajana on henkilö, käytetään useimmiten ns. s-genetiiviä, jolloin sanaan lisätään *'s*.

The boy's room   pojan huone
Anne's dress   Annen puku

Mikäli sana päättyy *s*-kirjaimeen, genetiiviä osoittaa pelkkä heittomerkki.
2) Jos omistajaa ilmaiseva sana tarkoittaa esinettä tai asiaa, käytetään ns. *of*-genetiiviä. Huomatkaa sanajärjestys, ts. genetiivi **seuraa** pääsanaa.

the boys' rooms
poikien huoneet
the key of the door
oven avain (oik. avain oven)
the end of the journey
matkan loppu (oik. loppu matkan)

Adjektiivit

Adjektiivit ovat taipumattomia. Niiden paikka on yleensä substantiivin edessä kuten suomen kielessä.

a large brown suitcase
suuri ruskea matkalaukku
large brown suitcases
suuret ruskeat matkalaukut

Vertailumuodot
Englannissa on kaksi tapaa muodostaa vertailuasteet.
1) Yksitavuisten ja useimpien kaksitavuisten adjektiivien vertailuasteet saadaan lisäämällä komparatiivissa pääte -*(e)r* ja superlatiivissa pääte -*(e)st* (huomaa *y*:n muutos -*ie*:ksi, vrt. monikkomuodot).

small — smaller — smallest
large — larger — largest
busy — busier — busiest

2) Useampitavuisten ja eräitten kaksitavuistenkin (varsinkin -*ful* ja -*less* päätteisten) adjektiivien vertailuasteet saadaan *more* ja *most* sanojen avulla.

expensive — more expensive —
most expensive
useful — more useful —
most useful

Superlatiivimuotoa edeltää tavallisesti määräävä artikkeli. Epäsäännöllisiä vertailumuotoja.

good — better — best
little — less — least
bad — worse — worst
much } — *more — most*
many }

Adverbit

Adverbit muodostetaan useimmiten lisäämällä pääte -*ly* adjektiiviin (paitsi jos adjektiivilla jo on tämä pääte).

quick — quickly
nopea — nopeasti

Adjektiivit, jotka päättyvät *y*-kirjaimeen (paitsi -*ly* päätteiset), saavat päätteen -*ily*.

easy — easily
helppo — helposti

Huomatkaa poikkeukset.

good — well hyvä — hyvin
fast — fast
nopea — nopeasti, kova

Pronominit

Persoona — ja possessiivipronominit

Yks.	Pers. pron. Subj. muoto	Obj. muoto	Poss. pron. Epäits. muoto	Its. muoto
1. pers.	*I*	*me*	*my*	*mine*
2. pers.	*you*	*you*	*your*	*yours*
3. pers. mask.	*he*	*him*	*his*	*his*
fem.	*she*	*her*	*her*	*hers*
neutri (se)	*it*	*it*	*its*	
Mon.				
1. pers.	*we*	*us*	*our*	*ours*
2. pers.	*you*	*you*	*your*	*yours*
3. pers.	*they*	*them*	*their*	*theirs*

Nykyenglanti ei tunne sinuttelumuotoja: *you* on alunperin monikon 2. pers. muoto, joka nykyisin tarkoittaa sekä sinä että te.

Subjektimuotoja käytetään kuten nimi sanoo silloin, kun pronomini on subjektina (huomatkaa, että yks. 1. pers. kirjoitetaan aina isolla 1:llä).

Objektimuotoa käytetään, kun sana on suoran objektin asemassa sekä myös adverbiaalina (kenelle, mille), samoin kuin prepositioiden kanssa.

I saw him
Näin hänet.
He gave me some flowers.
Hän antoi minulle kukkia.
He came with us.
Hän tuli meidän kanssamme.

Possessiivipronominin epäitsenäistä muotoa käytetään, kun substantiivi seuraa. Kun possessiivipronomini esiintyy yksin, käytetään **itsenäistä** muotoa.

Where's my key?
Missä avaimeni on?
That's not mine.
Se ei ole minun.
It's yours.
Se on teidän.

Demonstratiivipronominit

this — that   tämä — tuo, se
these — those
nämä — nuo, ne

Kaikkia näitä muotoja voidaan käyttää sekä substantiivin määreenä että yksinään. Usein esiintyvät myös muodot *this one, that one,* joissa sana *one* korvaa substantiivia, jota ei haluta toistaa.

Is that seat taken?
Onko tuo paikka varattu?
That's my seat.
Se on minun paikkani.
Those aren't my suitcases.
Nuo eivät ole minun matkalaukkujani.
I take that one. Otan tuon.

Verbit

Englannin kielen säännöllisten verbien taivutus on yksinkertainen, sillä persoonapääte esiintyy ainoastaan prees. yks. 3. persoonassa (-s, -es); muuten verbin muoto preesensissä on sama kuin infinitiivi eli perusmuoto.

he walks hän kävelee
he wishes hän toivoo

Preesensin käyttö on sama kuin suomen kielessä; ks. kuitenkin futuuri ja kestomuodot.

Imperfekti muodostetaan lisäämällä infinitiiviin pääte *-d* tai *-ed*.
Imperfektiä käytetään samoin kuin suomen kielessä.

I walked kävelin
he wished hän toivoi

Perfekti ja pluskvamperfekti

Nämä aikamuodot muodostetaan pääverbin partisiipin perfektimuodon ja *have*-apuverbin avulla. Partisiipin perfekti säännöllisillä verbeillä on samanlainen kuin imperfektimuoto. Näidenkään aikamuotojen käyttö ei sanottavasti eroa suomen kielestä.

I have walked olen kävellyt
he has wished hän on toivonut
I had talked olin puhunut
he had arrived hän oli saapunut

Have-apuverbin muotona perfektiä muodostettaessa on preesensmuoto ja pluskvamperfektissä imperfektimuoto; pääverbin partisiippimuoto on aina sama.

Partisiipin preesens (vastaa suomen 2. infinitiiviä ja 1. partisiippia) muodostetaan *-ing* päätteellä
Tätä muotoa käytetään mm. kestomuodoissa.

walking kävellen, kävelevä

Huomatkaa, että mikäli verbi päättyy konsonanttiin, jota edeltää lyhyt, painollinen vokaali, konsonantti kaksinkertaistuu partisiippimuodoissa.

stop — stopped — stopping

Verbit, jotka päättyvät *y*:hyn jota edeltää konsonantti, muodostavat prees. yks. 3. persoonan päätteellä *-ies* ja partisiipin perfektin ja imperfektin päätteellä *-ied*.

to satisfy — he satisfies
tyydyttää — hän tyydyttää
he satisfied, he has satisfied
hän tyydytti, hän on tyydyttänyt

Futuuri

Futuuri muodostetaan kahden apuverbin, *shall* ja *will*, avulla, jotka liitetään infinitiiviin. Pääsääntö on, että *shall*-apuverbiä käytetään 1. persoonissa ja *will*-apuverbiä muissa.

I shall see
näen, tulen näkemään
we shall go
menemme, tulemme menemään
you will give
annat, tulet antamaan
they will arrive
he saapuvat

Will 1. persoonissa käytettynä ilmaisee samalla päätöstä tai tahtoa.
Shall 2. ja 3. persoonissa käytettynä ilmaisee käskyä ja pakkoa:

I will go
menen (haluan mennä)
you shall leave
sinä lähdet (koska sinun on lähdettävä)

Ilmaus *I am going to* + infinitiivi ilmaisee myös futuuria, jossa sivupiirteenä on aikominen.

he's going to leave
hän lähtee, aikoo lähteä, on lähdössä

Imperatiivi

Imperatiivi eli käskymuoto on 2. persoonissa sama kuin infinitiivi.
2. ja 3. persoonissa käytetään apuverbiä *let* (antaa, sallia) sekä ao. pronominin objektimuotoa infinitiiviin yhdistettyinä.

Go!
Mene! Menkää!
Let us go.   Menkäämme.
Let him speak.   Puhukoon.

Konditionaali

Konditionaali eli ehtotapa muodostetaan kahden apuverbin avulla: *should* 1. persoonissa ja *would* 2. ja 3. persoonissa.

I should say
sanoisin
he would answer
hän vastaisi

Usein kuitenkin *would*-apuverbiä käytetään kaikissa persoonissa.
Huomatkaa, että *if* (jos) sanalla alkavissa sivulauseissa ei käytetä konditionaalia, vaan **imperfektiä**.

If I had money, I would buy a house.
Jos minulla olisi rahaa, ostaisin talon.
He would be glad if he knew this.
Hän olisi iloinen, jos hän tietäisi tämän.

Apuverbien taivutus

to be — olla

preesens	lyh. muoto	kielt. muoto	lyh. kielt. muoto		
I am	*I'm*	*I am not*	*I'm not*		
you are	*you're*	*you are not*	*you're not*	tai:	*you aren't*
he is	*he's*	*he is not*	*he's not*		*he isn't*
she is	*she's*	*she is not*	*she's not*		*she isn't*
it is	*it's*	*it is not*	*it's not*		*it isn't*
we are	*we're*	*we are not*	*we're not*		*we aren't*
you are	*you're*	*you are not*	*you're not*		*you aren't*
they are	*they're*	*they are not*	*they're not*		*they aren't*

Kysyvä muoto: *Am I? Are you?* jne.
Imperf. *I was, you were, he was, we were, you were, they were*
Perf. *I have been, you have been, he has been, we have been* jne.
Pl. perf. *I had been, you had been* jne.

Lyhennettyjä muotoja suositaan puhekielessä. Vaihtoehtoisten kielteisten muotojen valinta riippuu siitä, mitä sanaa halutaan korostaa: jos kieltosanaa korostetaan, käytetään muotoa *you're not*, jos verbiä korostetaan, muotoa *you aren't* jne.

to have — olla jollakulla

preesens	lyh. muoto		
I have	*I've*	kielt. muoto	*I have not (I haven't)*

you have	*you've*	kys. muoto	*have I? have you?*
he has	*he's*		
she has	*she's*	Imperf.	*I had, you had, he had*
it has	*it's*		*we had, you had, they had*
we have	*we've*	Perf.	*I have had, you have had,*
you have	*you've*		*he has had,* jne
they have	*they've*	Pl. perf.	*I had had, you had had* jne.

---

to do — tehdä; apuverbi kielt. ja kysyvissä muodoissa

preesens		
I do	kielt. muoto	*I do not (I don't)*
you do	kys. muoto	*do I?*
he does	Imperf.	*I did, you did* jne.
she does	Perf.	*I have done, you have done* jne.
it does	P. perf.	*I had done, you had done* jne.
we do		
you do		
they do		

Eräillä apuverbeillä on vain yksi tai kaksi muotoa (esim. infinitiivi puuttuu).	*can — could* voi *may — might* saattaa, voi *ought to* pitäisi *will — would* } ks. futuuri ja *shall — should* } konditionaali *must* täytyy
Muissa aikamuodoissa nämä korvataan muilla verbeillä tai rakenteilla. Esim. *may* verbiä korvaavat *to be allowed to, to be permitted to, must* verbiä korvaavat *to have to, to be obliged to,* ja *can* verbiä *to be able to.*	*He was able to move.* Hän kykeni liikkumaan. *I had to go.* Minun täytyi mennä.

Kysyvät ja kielteiset verbimuodot

Preesensin ja imperfektin kysyvät ja kielteiset verbimuodot muodostetaan käyttämällä apuverbiä *do* (imperf. *did*), johon kieltosana *not* liittyy, sekä pääverbin infinitiiviä. Kieltosanan paikka on apuverbin ja pääverbin välissä; kysymyslauseissa on käännetty sanajärjestys, ts. apuverbi on ennen subjektia pääverbin pysyessä aina viimeisenä.	Prees. *We do not (don't) like this hotel.* Emme pidä tästä hotellista. *Does he like this hotel?* Pitääkö hän tästä hotellista? Imperf. *We did not (didn't) like this hotel.* Emme pitäneet tästä hotellista. *Did he like this hotel?* Pitikö hän tästä hotellista?
Yhdistetyissä aikamuodoissa *do*-apuverbiä ei käytetä, vaan kieltosana *not* lisätään apuverbin *have* jälkeen; kysymykset muodostetaan vaihtamalla apuverbin ja subjektin paikkaa.	*We have not gone yet.* Emme ole vielä lähteneet. *They had not said anything.* He eivät olleet sanoneet mitään. *Have they arrived?* Ovatko he saapuneet?

Apuverbien kielteisiä ja kysyviä muotoja ei myöskään muodosteta *do*-apuverbin avulla vaan pelkällä *not*-kieltosanalla ja käännetyllä sanajärjestyksellä. Näihin verbeihin kuuluvat myös *to be* ja *to have*.

Are you happy?
Oletko onnellinen?
Can you come?
Voitteko tulla?
We cannot come.
(huom. kirjoitustapa)
Emme voi tulla.

Kestomuodot

Englannin kielessä käytetään erittäin runsaasti kestomuotoa eri aikamuodoissa. Se ilmaisee jatkuvaa, pitkäaikaista tekemistä (jota suomessa joskus ilmaistaan rakenteella olla tekemässä) ja muodostetaan *to be* apuverbin eri aikamuotojen ja pääverbin -*ing* muodon avulla, ts. *to be* ilmaisee halutun aikamuodon pääverbin pysyessä muuttumattomana.

infinitiivi	part. prees.	kestomuoto
to read	*reading*	*I'm reading* jne.
to write	*writing*	*I'm writing* jne.

Verratkaa verbimuotojen käyttöä seuraavissa lauseissa.

He was writing a letter when we came in.
Hän kirjoitti kirjettä kun tulimme sisään.
I have been waiting for you
Olen odottanut teitä.

Kielteiset ja kysyvät muodot saadaan ilman do-apuverbiä:
Are you reading? I am not reading.

«Tavan imperfekti»

Englannin kielessä käytetään apuverbiä *would* infinitiiviin liittyneenä ilmaisemaan tavanomaista tekemistä (aikamuotona suomessa imperfekti). Sen synonyyminä käytetään rakennetta *used to* (oli tapana).

I would drink (I'd drink) coffee now and then.
Join (minulla oli tapana juoda) silloin tällöin kahvia.
I used to take the train every day.
Matkustin (minulla oli tapana matkustaa) junalla joka päivä.

There is, there are

Sanonta *there is, there are* tarkoittaa suomeksi on, on olemassa (kielt. *there isn't, there aren't*, kys. *is there? are there?*).

There is a letter for you.
Teille on kirje.
Are there any flights to London?
Onko Lontooseen lentoja?

EPÄSÄÄNNÖLLISET VERBIT

Luettelossa esiintyvät ainoastaan epäsäännölliset muodot.

Infinitiivi	*Imperfekti*	*Partisiipin perfekti*
arise	arose	arisen
awake	awoke	awoke (awaked *tai* awoken)
be *(aikaisempaa taivutuskaavaa)*		
bear	bore	borne (born = *syntynyt*)
beat	beat	beaten
become	became	become
begin	began	begun
bend	bent	bent
bid	bade	bid (bidden)
bind	bound	bound
bite	bit	bit (bitten)
bleed	bled	bled
blow	blew	blown
break	broke	broken
breed	bred	bred
bring	brought	brought
build	built	built
burn	burnt	burnt
burst	burst	burst
buy	bought	bought
cast	cast	cast
catch	caught	caught
choose	chose	chosen
cling	clung	clung
come	came	come
cost	cost	cost
creep	crept	crept
cut	cut	cut
deal	dealt	dealt
do (he does)	did	done
draw	drew	drawn
dream	dreamt	dreamt
drink	drank	drunk
drive	drove	driven
dwell	dwelt	dwelt
eat	ate	eaten
fall	fell	fallen
feed	fed	fed
feel	felt	felt
fight	fought	fought
find	found	found
flee	fled	fled
fling	flung	flung
fly	flew	flown
forbid	forbade	forbidden
forget	forgot	forgotten
forgive	forgave	forgiven

Infinitiivi	Imperfekti	Partisiipin perfekti
freeze	froze	frozen
get	got	got
give	gave	given
go	went	gone
grow	grew	grown
hang	hung	hung
have *(aikaisempaa taivutuskaavaa)*		
hear	heard	heard
hide	hid	hid (hidden)
hit	hit	hit
hold	held	held
hurt	hurt	hurt
keep	kept	kept
kneel	knelt	knelt
knit	knit	knit
know	knew	known
lay	laid	laid
lead	led	led
lean	leant	leant
learn	learnt	learnt
leave	left	left
lie	lay	lain
light	lit	lit
lose	lost	lost
make	made	made
mean	meant	meant
meet	met	met
mistake	mistook	mistaken
mow	mowed	mown
pay	paid	paid
prove	proved	proved (proven)
put	put	put
read	read	read
ride	rode	ridden
ring	rang	rung
rise	rose	risen
run	ran	run
saw	sawed	sawn
say	said	said
see	saw	seen
seek	sought	sought
sell	sold	sold
send	sent	sent
set	set	set
sew	sewed	sewn
shake	shook	shaken
shave	shaved	shaved (shaven)
shine	shone	shone
shoot	shot	shot
show	showed	shown

Infinitiivi	*Imperfekti*	*Partisiipin perfekti*
shred	shred	shred
shrink	shrank	shrunk
shut	shut	shut
sing	sang	sung
sink	sank	sunk
sit	sat	sat
sleep	slept	slept
slide	slid	slid
sling	slung	slung
smell	smelt	smelt
sow	sowed	sown
speak	spoke	spoken
speed	sped	sped
spell	spelt	spelt
spend	spent	spent
spill	spilt	spilt
spin	spun	spun
spit	spit	spit
split	split	split
spoil	spoilt	spoilt
spread	spread	spread
spring	sprang	sprung
stand	stood	stood
steal	stole	stolen
stick	stuck	stuck
sting	stung	stung
strew	strewed	strewn
strike	struck	struck
string	strung	strung
swear	swore	sworn
sweat	sweat	sweat
sweep	swept	swept
swell	swelled	swollen
swim	swam	swum
take	took	taken
teach	taught	taught
tear	tore	torn
tell	told	told
think	thought	thought
throw	threw	thrown
understand	understood	understood
upset	upset	upset
wear	wore	worn
win	won	won
wind	wound	wound
withdraw	withdrew	withdrawn
write	wrote	written

KÄYTETYT LYHENTEET

KEY TO SYMBOLS AND ABBREVIATIONS

adjektiivi	**adj**	adjective
adverbi	**adv**	adverb
artikkeli	**art**	article
konjunktio	**conj**	conjunction
femiini (sukuinen)	**f**	feminine
taipumaton	**inv**	invariable
maskuliini (sukuinen)	**m**	masculine
substantiivi	**n**	noun
neutri (sukuinen)	**nt**	neuter
preteriti (mennyt aika, imperfekti)	**p**	past tense (preterite)
monikko	**pl**	plural
partisiipin perfekti	**pp**	past participle
partisiipin preesens	**ppr**	present participle
preesens	**pr**	present tense
prefiksi, etuliite	**pref**	prefix
prepositio	**prep**	preposition
pronomini	**pron**	pronoun
yksikkö	**sing**	singular
suffiksi, jälkiliite	**suf**	suffix
verbi, verbisanonta	**v**	verb, compound verb
epäsäännöllinen verbi	*	irregular verb
katso	→	see (cross-reference)

Huom. Sanonnat, joissa esiintyy adjektiivi, adverbi jne., on luokiteltu vastaavaan sanaluokkaan kuuluviksi.

englantilais-suomalainen

a [ei] *art* (an)
a little [ö LIT-öl] *n* vähäinen
  määrä
abbey [AB-i] *n* luostari
abbreviation [ö-brii-vi-EI-šön] *n*
ability [ö-BIL-i-ti] *n* kyky
able [EI-böl] *adj* kykenevä
aboard [ö-BɔɔD] *adv* laivassa
about [ö-BAUT] *prep* -sta,-stä; *adv*
  noin
above [ö-BAV] *prep* yli; *adv*
  yläpuolella
abroad [ö-BRɔɔD] *adv* ulkomailla
absence [AB-söns] *n* poissaolo
absent [AB-sönt] *adj* poissaoleva
absolutely [AB-söl-uut-li] *adv*
  ehdottomasti
abstract [AB-sträkt] *adj*
  abstraktinen
absurd [öb-SÖOD] *adj* järjetön
academy [ö-KAD-ö-mi] *n*
  akatemia
accelerate [äk-SɛL-ör-eit] *v*
  kiihdyttää
accelerator [äk-SɛL-ör-ei-tö] *n*
  kaasupoljin
accent [ÄK-sönt] *n* korostus
accept [ök-SɛPT] *v* ottaa vastaan
access [ÄK-sɛs] *n* pääsy

accessary [äk-SɛS-ör-i] *n*
  osasyyllinen
accessories [äk-SɛS-ör-iz] *pl*
  lisätarvikkeet *pl*
accident [AK-si-dönt] *n*
  onnettomuus
accidental [äk-si-DɛNT-öl] *adj*
  satunnainen
accommodate [ö-KɔM-ö-deit] *v*
  majoittaa
accommodations [ö-kɔm-ö-DEI-
  šönz] *pl* majoitus
accompany [ö-KAM-pö-ni] *v*
  saattaa
accomplish [ö-KɔM-pliš] *v*
  saattaa päätökseen
according to [ö-Kɔɔ-ding tuu]
  prep mukaan
account [ö-KAUNT] *n* selonteko;
  pankkitili
account for [ö-KAUNT fɔɔ] *v* tehdä
  tili
accurate [ÄK-ju-rit] *adj*
  täsmällinen
accuse [ö-KJUUZ] *v* syyttää
accustomed [ö-KAS-römd] *adj*
  tottunut
ace [eis] *n* ässä
ache [eik] *n* särky; *v* särkeä

achieve [ö-TŠIIV] v saavuttaa
achievement [ö-TŠIIV-mönt] n
saavutus
acknowledge [ök-NƆL-idž] v
ilmoittaa vastaanottaneensa
acquaintance [ö-KWEIN-töns] n
tuttava
acquire [ö-KWAIÖ] v hankkia
across [ö-KRƆS] adv toisella
puolella; prep toisella puolella
act [äkt] v käyttäytyä; n näytös;
teko
action [ÄK-šön] n teko
active [ÄK-tiv] adj aktiivinen
activity [äk-TIV-i-ti] n toiminta
actor [ÄK-tö] n näyttelijä
actress [ÄK-tris] n näyttelijätär
actual [ÄK-tju-öl] adj todellinen
acute [ö-KJUUT] adj terävä
add [äd] v laskea yhteen
addition [ö-DIŠ-ön] n
yhteenlasku
additional [ö-DIŠ-ön-öl] adj lisä-
address [ö-DRƐS] n osoite; v
osoittaa; puhutella
addressee [ä-drƐ-SII] n
vastaanottaja
adequate [ÄD-i-kwit] adj riittävä
adhesive tape [öd-HIIS-iv teip] n
laastari
adjective [ÄDŽ-ik-tiv] n adjektiivi
adjust [ö-DŽAST] v soveltaa
admiration [äd-mö-REI-šön] n
ihailu
admire [öd-MAIÖ] v ihailla
admission [öd-MIŠ-ön] n
sisäänpääsy
* admit [öd-MIT] v päästää sisään
admittance [öd-MIT-öns] n pääsy
adopt [ö-DƆPT] v omaksua
adult [ÄD-alt] adj aikuinen; n
aikuinen
advance [öd-VAANS] n
ennakkomaksu; v maksaa
ennakolta
advantage [öd-VAANT-idž] n etu
advantageous [äd-vön-TEI-džös]
adj edullinen
adventure [öd-VƐN-tšö] n
seikkailu
adverb [AD-vööb] n adverbi
advertisement [öd-VÖÖT-is-mönt]
n ilmoitus
advice [öd-VAIS] n neuvo
advise [öd-VAIZ] v neuvoa
aerial [ƐÖR-i-öl] n antenni
aeroplane [ƐÖR-ö-plein] n
lentokone
affair [ö-FƐÖ] n rakkaussuhde;
tehtävä
affect [ö-FƐKT] v vaikuttaa
affectionate [ö-FƐK-šön-it] adj
rakastava
affirmative [ö-FÖÖM-ö-tiv] adj
myöntävä
afford [ö-FƆƆD] v olla varaa
afraid [ö-FREID] adj peloissaan
Africa [ÄF-ri-kö] n Afrikka
African [ÄF-ri-kön] n
afrikkalainen; adj
afrikkalainen
after [AAF-tö] prep kuluttua; conj
sen jälkeen
afternoon [AAF-tö-nuun] n
iltapäivä
aftershave lotion [AAF-tö-šeiv
LOU-šön] n partavesi
afterwards [AAF-tö-wödz] adv
jälkeenpäin
again [ö-GƐN] adv taas
against [ö-GƐNST] prep vastaan
age [eidž] n ikä
aged [EIDŽ-id] adj ikääntynyt
agency [EI-džön-si] n välitysliike
agent [EI-džönt] n agentti
agree [ö-GRII] v olla samaa
mieltä; suostua
agreeable [ö-GRII-ö-böl] adj

miellyttävä

agreed [ö-GRIID] *adj* sovittu

agreement [ö-GRII-mönt] *n* sopimus

agriculture [AG-ri-kal-tšö] *n* maanviljelys

ahead [ö-HED] *adv* edellä

ahead of [ö-HED ɔv] edellä

aid [eid] *n* apu; *v* auttaa

ailment [EIL-mönt] *n* tauti

aim [eim] *v* pyrkiä; *n* tavoite

air [ɛö] *v* tuulettaa; *n* ilma

air conditioned [ɛö kön-DIŠ-önd] *adj* ilmastoitu

air conditioner [ɛö kön-DIŠ-ön-ö] *n* ilmastointilaite

air mail [ɛö meil] *n* lentoposti

air sickness [ɛö SIK-nis] *n* lentosairaus

aircraft [ɛö-kraaft] *n* lentokoneet *pl*

airfield [ɛö-fiild] *n* lentokenttä

airline [ɛö-lain] *n* lentoyhtiö

airplane [ɛö-plein] *n* lentokone

airport [ɛö-pɔɔt] *n* lentosatama

aisle [ail] *n* käytävä

alarm [ö-LAAM] *v* pelästyttää; *n* hälytys

alarm clock [ö-LAAM klɔk] *n* herätyskello

alcohol [AL-kö-hɔl] *n* alkoholi

alcoholic [äl-kö-HɔL-ik] *adj* alkoholipitoinen

alien [EIL-jön] *adj* ulkomaalainen

alike [ö-LAIK] *adj* kaltainen; *adv* samalla tavalla

alive [ö-LAIV] *adj* elossa

all [ɔɔl] *adj* kaikki

all in [ɔɔl in] kaiken kaikkiaan

all right [ɔɔl rait] hyvä on

alley [AL-i] *n* kuja

allow [ö-LAU] *v* sallia

allowed [ö-LAUD] *adj* sallittu

almond [AA-mönd] *n* manteli

almost [ɔɔL-moust] *adv* melkein

alone [ö-LOUN] *adv* yksin

along [ö-LɔNG] *prep* pitkin

aloud [ö-LAUD] *adv* ääneen

already [ɔɔl-RED-i] *adv* jo

also [ɔɔL-sou] *adv* myös

altar [ɔɔL-tö] *n* alttari

alter [ɔɔL-tö] *v* muuttaa

alteration [ɔɔl-tö-REI-šön] *n* muutos

alternate [ɔɔl-TÖÖ-nit] *adj* vuoroittainen

alternating current [ɔɔL-tö-neiting KAR-önt] *n* vaihtovirta

alternative [ɔɔl-TÖÖ-nö-tiv] *n* vaihtoehto

although [ɔɔl-ðou] *conj* vaikka

altitude [AL-ti-tjuud] *n* korkeus

altogether [ɔɔl-tö-GEð-ö] *adv* kaiken kaikkiaan

always [ɔɔL-wöz] *adv* aina

am [äm] *v* (*pr* **be**)

amaze [ö-MEIZ] *v* hämmästyttää

ambassador [äm-BÄS-ö-dö] *n* suurlähettiläs

ambitious [äm-BIŠ-ös] *adj* kunnianhimoinen

ambulance [AM-bju-löns] *n* ambulanssi

amenities [ö-MIIN-i-tiz] *pl* hyvä käyttäytyminen

America [ö-MER-i-kö] *n* Amerikka

American [ö-MER-i-kön] *n* amerikkalainen; *adj* amerikkalainen

amethyst [AM-i-Θist] *n* ametisti

amidst [ö-MIDST] *prep* keskellä

ammonia [ö-MOUN-jö] *n* ammoniakki

among [ö-MANG] *prep* joukossa

amount [ö-MAUNT] *v* nousta; *n* määrä; summa

amuse [ö-MJUUZ] v hauskuttaa;
huvitella

amusing [ö-MJUUZ-ing] adj
hauska

an [än] art (→ **a**)

anaemia [ö-NIIM-jö] n anemia

anaesthetic [än-is-ΘET-ik] n
nukutusaine

analyse [AN-ö-laiz] v analysoida

analysis [ö-NÄL-ö-sis] n (pl -ses)
analyysi

analyst [AN-ö-list] n
psykoanalyytikko

ancestor [AN-sis-tö] n esi-isä

anchovy [AN-tšöv-i] n anjovis

ancient [EIN-šönt] adj muinainen

and [änd] conj ja

and so on [önd sou on] ja niin
edespäin

angel [EIN-džöl] n enkeli

anger [ANG-gö] n suuttumus

angry [ANG-gri] adj vihainen

animal [AN-i-möl] n eläin

ankle [ANG-köl] n nilkka

annex [AN-εks] n lisärakennus

anniversary [än-i-VÖÖS-ö-ri] n
vuosipäivä

announce [ö-NAUNS] v ilmoittaa

announcement [ö-NAUNS-mönt] n
tiedoksianto

annoy [ö-NOI] v kiusata

annoying [ö-NOI-ing] adj
kiusallinen

anonymous [ö-NON-i-mös] adj
nimetön

another [ö-NAð-ö] adj toinen;
vielä yksi

answer [AAN-sö] n vastaus; v
vastata

ant [änt] n muurahainen

antibiotic [AN-ti-bai-oT-ik] n
antibiootti

anticipate [än-TIS-i-peit] v
odottaa

antifreeze [ÄN-ti-FRIIZ] n
pakkasneste

antique [än-TIIK] n
antiikkiesineet pl; adj
antiikkinen

antiquities [än-TIK-wi-tiz] pl
muinaisjäännökset pl

antiquity [än-TIK-wi-ti] n
muinaisaika

antiseptic [än-ti-sεp-tik] n
antiseptinen aine

anxious [ANGK-šös] adj
huolestunut; innokas

any [εN-i] adj mikä tahansa

anybody [εN-i-bod-i] pron kuka
tahansa

anyhow [εN-i-hau] adv miten
tahansa

anyone [εN-i-wan] pron joku

anything [εN-i-Θing] pron jokin

anyway [εN-i-wei] adv joka
tapauksessa

anywhere [εN-i-wεö] adv missä
tahansa

apart [ö-PAAT] adv erillään

apartment [ö-PAAT-mönt] n
huoneisto

apartment house [ö-PAAT-mönt
haus] n vuokratalo

aperitif [ö-PεR-i-tiv] n aperitiffi

apologize [ö-POL-ö-džaiz] v
pyytää anteeksi

apology [ö-POL-ö-dži] n
anteeksipyyntö

apparent [ö-PÄR-önt] adj
ilmeinen

appeal [ö-PIIL] n vetoomus

appear [ö-PIÖ] v tulla näkyviin;
näyttää joltakin

appearance [ö-PIÖR-öns] n
ulkonäkö

appendicitis [ö-pεn-di-SAI-tis] n
umpisuolen tulehdus

appetiser [AP-i-taiz-ö] n alkupala

appetising [ÄP-i-taiz-ing] *adj*
 maukas
appetite [ÄP-i-tait] *n* ruokahalu
applause [ö-PLOOZ] *n*
 suosionosoitus
apple [ÄP-öl] *n* omena
appliance [ö-PLAI-öns] *n* laite
apply [ö-PLAI] *v* käyttää
appointment [ö-POINT-mönt] *n*
 tapaaminen
appreciate [ö-PRII-ši-eit] *v*
 arvostaa
appreciation [ö-pri-ši-EI-šön] *n*
 arvostus
approach [ö-PROUTŠ] *n* pääsy; *v*
 lähestyä
appropriate [ö-PROU-pri-it] *adj*
 sopiva
approval [ö-PRUUV-öl] *n*
 hyväksyminen
approve [ö-PRUUV] *v* hyväksyä
approximately [ö-PROKS-im-öt-li]
 adv lähes
apricot [EI-pri-kot] *n* aprikoosi
April [EI-pröl] *n* huhtikuu
apron [EI-prön] *n* esiliina
Arab [ÄR-öb] *n* arabi; *adj*
 arabialainen
arcade [aa-KEID] *n* holvikäytävä
arch [aatš] *n* holvi
archbishop [AATš-biš-öp] *n*
 arkkipiispa
arched [aatšt] *adj* holvattu
architect [AAK-i-tɛkt] *n*
 arkkitehti
architecture [AAK-i-tɛk-tšö] *n*
 arkkitehtuuri
are [aa] *v* (*pr* be)
area [ɛö-ri-ö] *n* alue
area code [ɛö-ri-ö koud] *n*
 suuntanumero
argue [AA-gjuu] *v* väitellä
argument [AA-gju-mönt] *n*
 väittely

arid [ÄR-id] *adj* kuiva
* **arise** [ö-RAIZ] *v* saada alkunsa
arisen [ö-RIZ-ön] *v* (*pp* arise)
arithmetic [ö-RIΘ-mö-tik] *n*
 aritmetiikka
arm [aam] *n* käsivarsi
armchair [AAM-tšɛö] *n* nojatuoli
arms [aamz] *pl* aseet *pl*
army [AAM-i] *n* armeija
arose [ö-ROUZ] *v* (*p* arise)
around [ö-RAUND] *adv* ympäri;
 prep ympäri
arrange [ö-REINDŽ] *v* valmistella;
 järjestellä
arrangements [ö-REINDŽ-mönts]
 pl valmistelut *pl*
arrest [ö-RɛST] *n* pidätys; *v*
 pidättää
arrival [ö-RAIV-öl] *n* saapuminen
arrive [ö-RAIV] *v* saapua
arrow [ÄR-ou] *n* nuoli
art [aat] *n* ammattitaito; taide
art collection [aat kö-Lɛk-šön] *n*
 taidekokoelma
art exhibition [aat ɛks-i-BIš-ön]
 n taidenäyttely
art gallery [aat GÄL-ö-ri] *n*
 taidegalleria
artery [AA-tö-ri] *n* valtimo
artichoke [AA-ti-tšouk] *n*
 artisokka
article [AA-ti-köl] *n* tavara;
 artikkeli
artificial [aa-ti-FIš-öl] *adj*
 keinotekoinen
artist [AA-tist] *n* taiteilija
artistic [aa-TIS-tik] *adj*
 taiteellinen
as [äz] *conj* kuten
as a matter of fact [äz ö MÄT-ö öv
 fäkt] itse asiassa
as a rule [äz ö ruul] yleensä
as from [äz from] lähtien
as if [äz if] ikäänkuin

as regards [äz ri-GAADZ] mitä tulee

as soon as [äz suun äz] niin pian kuin

as well [äz wɛl] samoin

ascend [ö-SɛND] v nousta

ascent [ö-SɛNT] n nousu

ashamed [ö-ŠEIMD] adj häpeissään

ashes [ÄŠ-iz] pl tuhka

ashtray [ÄŠ-trei] n tuhkakuppi

Asia [EIŠ-ö] n Aasia

Asian [EIŠ-ön] n aasialainen; adj aasialainen

aside [ö-SAID] adv sivuun

ask [aask] v kutsua; pyytää; kysyä

asleep [ö-SLIIP] adj unessa

asparagus [ös-PÄR-ö-gös] n parsa

aspirin [ÄS-pö-rin] n aspiriini

ass [äs] n aasi

assembly [ö-SɛM-bli] n kokous

assets [ÄS-ɛts] pl varat pl

assist [ö-SIST] v auttaa

assistant [ö-SIS-tönt] n avustaja

associate [ö-SOU-ši-eit] v seurustella; n kumppani

association [ö-sou-si-EI-šön] n yhdistys

assorted [ö-SɔɔT-id] adj valikoitu

assortment [ö-SɔɔT-mönt] n valikoima

assume [ö-SJUUM] v olettaa

assure [ö-ŠUö] v vakuuttaa

asthma [ÄS-mö] n astma

astonish [ös-TɔN-iš] v hämmästyttää

astonishing [ös-TɔN-iš-ing] adj hämmästyttävä

at all [ät ɔɔl] ollenkaan

at any rate [ät ɛN-i reit] joka tapauksessa

at any time [ät ɛN-i taim] milloin tahansa

at best [ät bɛst] parhaassa tapauksessa

at first [ät fööst] ensiksi

at home [ät houm] kotona

at last [ät laast] viimein

at least [ät liist] ainakin

at once [ät wans] heti

at the latest [ät ðö LEIT-ist] viimeistään

ate [ɛt] v (p eat)

athletics [äΘ-LɛT-iks] pl yleisurheilu

Atlantic [ät-LÄN-tik] n Atlantti

atmosphere [ÄT-mös-fiö] n ilmakehä; ilmapiiri

atomic bomb [ö-TɔM-ik bɔml] n atomipommi

atomizer [ÄT-öm-aiz-ö] n ruiskupullo

attach [ö-TÄTŠ] v kiinnittää

attaché-case [ö-TÄŠ-i-keis] n asiakirjasalkku

attack [ö-TÄK] v hyökätä

attempt [ö-TɛMPT] v yrittää

attend [ö-TɛND] v huolehtia; käydä jossakin

attendant [ö-TɛND-önt] n palvelija

attention [ö-TɛN-šön] n tarkkaavaisuus

attitude [ÄT-i-tjuud] n asenne

attorney [ö-TÖÖ-ni] n asianajaja

attract [ö-TRÄKT] v vetää puoleensa

attraction [ö-TRÄK-šön] n vetovoima

attractive [ö-TRÄK-tiv] adj puoleensavetävä

auction [ɔɔK-šön] n huutokauppa

auctioneer [ɔɔk-šö-NIÖ] n huutokaupan pitäjä

audience [ɔɔD-i-öns] n yleisö

August [ɔɔ-göst] n elokuu

aunt [aant] n täti

Australia [ɔs-TREIL-jö] *n*
Australia
Australian [ɔs-TREIL-jön] *n*
australialainen; *adj*
australialainen
Austria [ɔs-tri-ö] *n* Itävalta
Austrian [ɔs-tri-ön] *n*
itävaltalainen; *adj*
itävaltalainen
authentic [oo-ϴεNT-ik] *adj*
oikeaperäinen
author [ɔcϴ-ö] *n* kirjailija
authority [ɔɔ-ϴOR-it-i] *n*
auktoriteetti
automat [ɔ-cc-tö-mät] *n*
automaatti
automatic [ɔɔ-tö-MÄT-ik] *adj*
automaattinen
automobile [ɔ-cc-tö-mö-biil] *n*
auto
automobile club [ɔɔ-tö-mö-biil
klab] *n* autoklubi
autonomous [ɔ-cc-TON-öm-ös] *adj*
autonominen
autumn [cc-töm] *n* syksy
available [ö-VEIL-ö-böl] *adj*
saatavissa oleva
avalanche [ÄV-ö-laanš] *n*
lumivyöry
avenue [ÄV-i-njuu] *n* puistotie
average [ÄV-ör-idž] *n* keskiarvo;
adj keskimääräinen
avoid [ö-VOID] *v* välttää
await [ö-WEIT] *v* odottaa
awake [ö-WEIK] *adj* hereillä; *v*
herättää
award [ö-wɔcD] *n* palkkio
aware [ö-wɜɔ] *adj* tietoinen
away [ö-WEI] *adv* poissa
awful [ɔc-ful] *adj* hirveä
awkward [ɔcK-wöd] *adj*
kiusallinen; kömpelö
awoke [ö-WOUK] *v* (*p* **awake**)
axe [äks] *n* kirves

axle [ÄKS-öl] *n* pyöränakseli

baby [BEI-bi] *n* vauva
babysitter [BEI-bi-SIT-ö] *n*
lapsenkaitsija
bachelor [BÄTŠ-ol-ö] *n* poikamies
back [bäk] *n* selkä; *adv* takaisin
backache [BÄK-eik] *n* selkäsärky
background [BÄK-graund] *n*
tausta
backwards [BÄK-wödz] *adv*
taaksepäin
bacon [BEI-kön] *n* pekoni
bad [bäd] *adj* huono
bag [bäg] *n* pussi; käsilaukku;
matkalaukku
baggage [BÄG-idž] *n*
matkatavarat *pl*
baggage office [BAG-idž ɔF-is] *n*
matkatavaratoimisto
bail [beil] *n* takaus
bait [beit] *n* syötti
bake [beik] *v* leipoa
baker [BEIK-ö] *n* leipuri
bakery [BEIK-ör-i] *n* leipomo
balance [BÄL-öns] *n* tasapaino
balance sheet [BÄL-öns šiit] *n*
tilinpäätös
balcony [BÄL-kö-ni] *n* parveke
bald [bɔɔld] *adj* kalju
ball [bɔɔl] *n* tanssiaiset *pl;* pallo
ballet [BÄL-ei] *n* baletti
ballpoint-pen [BɔɔL-point-PεN] *n*
kuulakärkikynä
ballroom [BɔɔL-ruum] *n*
tanssisali
banana [bö-NAA-nö] *n* banaani
band [bänd] *n* yhtye; side
bandage [BÄND-idž] *n* kääre
Band-Aid [BÄND-eid] *n* pikaside
bandit [BÄN-dit] *n* rosvo
bank [bängk] *v* tallettaa
pankkiin; *n* töyräs; pankki

bank account [bängk ö-KAUNT] *n*
pankkitili

banker [BÄNGK-ö] *n* pankkiiri

bank-note [BÄNGK-nout] *n* seteli

bank-rate [BÄNGK-reit] *n*
diskonttokorko

banquet [BÄNGK-wit] *n* juhla-
ateria

banqueting-hall [BÄNGK-wit-ing-
hɔɔl] *n* juhlasali

bar [baa] *n* tanko; baari

barber [BAAB-ö] *n* parturi

bare [bεö] *adj* paljas

barely [BEÖ-li] *adv* niukasti

bargain [BAA-gin] *n* hyvä kauppa;
v hieroa kauppaa

barley [BAA-li] *n* ohra

barmaid [BAA-meid] *n*
tarjoilijatar

barman [BAA-mön] *n* (*pl* -men)
baarimikko

barn [baan] *n* lato

barometer [bö-RɔM-i-tö] *n*
ilmapuntari

barracks [BÄR-öks] *pl* kasarmi

barrel [BÄR-öl] *n* tynnyri

barrier [BÄR-i-ö] *n* este

barrister [BÄR-is-tö] *n* asianajaja

bartender [BAA-tönd-ö] *n*
baarimikko

base [beis] *n* perusta

baseball [BEIS-bɔɔl] *n* pesäpallo

basement [BEIS-mönt] *n*
kellarikerros

basic [BEIS-ik] *adj* perus-

basin [BEI-sön] *n* vati

basis [BEI-sis] *n* (*pl* -ses) perusta

basket [BAAS-kit] *n* kori

bass [bäs] *n* ahven

batch [bätš] *n* erä

bath [baaⲐ] *n* kylpy

bath salts [baaⲐ sɔɔlts] *n*
kylpysuola

bath towel [baaⲐ TAU-öl] *n*
kylpypyyhe

bathe [beið] *v* kylpeä

bathing cap [BEIð-ing käp] *n*
uimalakki

bathing suit [BEIð-ing suut] *n*
uimapuku

bathrobe [BAAⲐ-roub] *n*
kylpytakki

bathroom [BAAⲐ-ruum] *n*
kylpyhuone

battery [BÄT-ör-i] *n* patteri

battle [BÄT-öl] *n* taistelu

bay [bei] *n* lahti

* **be** [bii] *v* olla; oll

beach [biitš] *n* ranta

beads [biidz] *pl* helminauha

bean [biin] *n* papu

* **bear** [bεö] *v* kärsiä; kantaa

beard [biöd] *n* parta

bearer [BEÖR-ö] *n* haltija

* **beat** [biit] *v* voittaa; lyödä

beaten [BIIT-ön] *v* (*pp* beat)

beautiful [BJUU-tö-ful] *adj* kaunis

beauty parlour [BJUU-ti PAA-lö] *n*
kauneussalonki

beauty salon [BJUU-ti SÄL-ɔɔngng]
n kauneussalonki

beauty treatment [BJUU-ti TRIIT-
mönt] *n* kauneuskäsittely

became [bi-KEIM] *v* (*p* become)

because [bi-Kɔz] *conj* koska

because of [bi-Kɔz ɔv] takia

* **become** [bi-KAM] *v* tulla
joksikin

bed [bεd] *n* vuode

bed and board [bεd önd bɔɔd]
täysihoito

bed and breakfast [bεd önd
BRεK-föst] puolihoito

bedding [BED-ing] *n*
vuodevaatteet *pl*

bedroom [BED-ruum] *n*
makuuhuone

bee [bii] *n* mehiläinen

beef [biif] *n* naudanliha
been [biin] *v* (*pp* **be**)
beetroot [BIIT-ruut] *n* punajuuri
before [bi-Fɔɔ] *adv* etukäteen;
  prep edessä; ennen; *conj*
  ennen kuin
beg [bɛg] *v* kerjätä
began [bi-GÄN] *v* (*p* **begin**)
beggar [BEG-ö] *n* kerjäläinen
* **begin** [bi-GIN] *v* alkaa
beginner [bi-GIN-ö] *n* vasta-
  alkaja
beginning [bi-GIN-ing] *n* alku
begun [bi-GAN] *v* (*pp* **begin**)
behave [bi-HEIV] *v* käyttäytyä
behaviour [bi-HEIV-jö] *n* käytös
behind [bi-HAIND] *prep* takana;
  adv jäljessä
beige [beiž] *adj* beige-värinen
being [BI-ing] *n* olento
Belgian [BEL-džön] *n*
  belgialainen; *adj* belgialainen
Belgium [BEL-džam] *n* Belgia
belief [bi-LIIF] *n* usko
believe [bi-LIIV] *v* uskoa
bell [bɛl] *n* kello
bellboy [BEL-boi] *n* hotellipoika
belong [bi-LɔNG] *v* kuulua
belongings [bi-LɔNG-ingz] *pl*
  omaisuus
below [bi-LOU] *adv* alas; *prep* alla
belt [bɛlt] *n* vyö
bench [bɛntš] *n* penkki
* **bend** [bɛnd] *v* taivuttaa; *n*
  mutka
beneath [bi-NIIƟ] *adv* alapuolella
benefit [BEN-i-fit] *n* hyöty
bent [bɛnt] *v* (*p*, *pp* **bend**)
beret [BER-ei] *n* baskeri
berry [BER-i] *n* marja
berth [bööƟ] *n* makuusija
beside [bi-SAID] *prep* vieressä
besides [bi-SAIDZ] *adv* sitäpaitsi
best [bɛst] *adj* paras

bet [bɛt] *n* vedonlyönti
better [BET-ö] *adj* parempi
betting office [BET-ing ɔF-is] *n*
  vedonlyöntitoimisto
between [bi-TWIIN] *prep* välissä
beverage [BEV-ör-idž] *n* juoma
beware [bi-WEö] *v* varoa
beyond [bi-JɔND] *prep* tuolla
  puolen; *adv* toisella puolella
Bible [BAI-böl] *n* raamattu
bicycle [BAI-si-köl] *n* polkupyörä
big [big] *adj* iso
bigger [BIG-ö] *adj* isompi
biggest [BIG-ist] *adj* isoin
bill [bil] *v* laskuttaa; *n* lasku
billiards [BIL-jödz] *n* biljardi
* **bind** [baind] *v* sitoa
binding [BAIND-ing] *n* nide
binoculars [bi-NɔK-ju-löz] *pl*
  kiikari
biology [bai-ɔL-ö-dži] *n* biologia
birch [böötš] *n* koivu
bird [bööd] *n* lintu
Biro [BAI-rou] *n* kuulakärkikynä
birth [bööƟ] *n* synty
birth certificate [bööƟ sö-TIF-i-
  kit] *n* syntymätodistus
birthday [bööƟ-dei] *n*
  syntymäpäivä
birthplace [bööƟ-pleis] *n*
  syntymäpaikka
biscuit [BIS-kit] *n* keksi
bishop [BIŠ-öp] *n* piispa
bit [bit] *v* (*p* **bite**); *n* palanen
* **bite** [bait] *v* purra; *n* suupala;
  purema
bitten [BIT-ön] *v* (*pp* **bite**)
bitter [BIT-ö] *adj* kitkerä
black [bläk] *adj* musta
black market [bläk MAA-kit] *n*
  musta pörssi
blackberry [BLÄK-bö-ri] *n*
  karhunvatukka
black-currant [BLÄK-KAR-önt] *n*

mustaherukka
blacksmith [BLÄK-smiΘ] *n* seppä
blade [bleid] *n* terä
blame [bleim] *n* syy; *v* moittia
blank [blängk] *adj* tyhjä
blanket [BLÄNGK-it] *n* huopa
blazer [BLEIZ-ö] *n* urheilutakki
bleach [bliitš] *v* valkaista
bled [blɛd] *v* (*p, pp* **bleed**)
* **bleed** [bliid] *v* vuotaa verta
bless [blɛs] *v* siunata
blessing [BLɛs-ing] *n* siunaus
blew [bluu] *v* (*p* **blow**)
blind [blaind] *adj* sokea; *n*
  sälekaihdin
blister [BLIS-tö] *n* rakkula
blizzard [BLIZ-öd] *n* lumimyrsky
block [blɔk] *v* tukkia; *n* möhkäle;
  kortteli
block of flats [blɔk öv fläts]
  kerrostalo
blonde [blɔnd] *n* vaaleaverikkö
blood [blad] *n* veri
blood-poisoning [BLAD-poiz-ön-
  ing] *n* verenmyrkytys
blood-pressure [BLAD-prɛš-ö] *n*
  verenpaine
blood-vessel [BLAD-vɛs-öl] *n*
  verisuoni
blot [blɔt] *n* tahra
blouse [blauz] *n* pusero
* **blow** [blou] *v* tuulla; *n* isku
blown [bloun] *v* (*pp* **blow**)
blow-out [BLOU-aut] *n*
  rengasrikko
blue [bluu] *adj* sininen
blunt [blant] *adj* tylsä
board [bɔɔd] *n* lauta; johtokunta
board and lodging [bɔɔd önd
  LɔDž-ing] täysihoito
boarder [BɔɔD-ö] *n*
  täysihoitolainen
boarding house [BɔɔD-ing haus]
  n täysihoitola

boat [bout] *n* vene
boatman [BOUT-mön] *n* (*pl* -**men**)
  venemies
bobby-pin [BɔB-i-pin] *n*
  hiusneula
body [BɔD-i] *n* ruumis
boil [boil] *v* kiehua; *n* paise
boiled [boild] *adj* keitetty
boiling water [BOIL-ing wɔɔ-tö]
  kiehuva vesi
bold [bould] *adj* rohkea
bomb [bɔm] *n* pommi
bone [boun] *n* luu
bonnet [BɔN-it] *n* konepelti
book [buk] *n* kirja; *v* varata
booking [BUK-ing] *n* varaus
bookmaker [BUK-meik-ö] *n*
  vedonlyönnin välittäjä
bookseller [BUK-sɛl-ö] *n*
  kirjakauppias
bookstand [BUK-ständ] *n*
  kirjamyymälä
bookstore [BUK-stɔɔ] *n*
  kirjakauppa
boot [buut] *n* tavarasäiliö; saapas
booth [buuð] *n* koju
border [BɔɔD-ö] *n* raja
bore [bɔɔ] *v* ikävystyttää
boring [BɔɔR-ing] *adj*
  ikävystyttävä
born [bɔɔn] *adj* synnynnäinen
borne [bɔɔn] *v* (*pp* **bear**)
borough [BAR-ö] *n* kauppala
borrow [BɔR-ou] *v* lainata
boss [bɔs] *n* päällikkö
botanical garden [bo-TÄN-ik-öl
  GAA-dön] *n* kasvitieteellinen
  puutarha
botany [BɔT-ön-i] *n* kasvitiede
both [bouΘ] *adj* molemmat
bother [Bɔ-ð-ö] *n* harmi; *v* vaivata
bottle [BɔT-öl] *n* pullo
bottle opener [BɔT-öl OU-pön-ö] *n*
  pullonavaaja

bottom [BɔT-öm] *n* alaosa
bought [bɔɔt] *v* (*p*, *pp* **buy**)
boulder [BOUL-döi] *n* lohkare
bound [baund] *v* (*p*, *pp* **bind**)
boundary [BAUND-ör-i] *n* raja
boutique [bu-TIIK] *n* putiikki
bow tie [bou tai] *n* rusetti
bowels [BAU-ölz] *pl* suolet *pl*
bowl [boul] *n* kulho
bowling [BOUL-ing] *n* keilailu
bowling alley [BOUL-ing AL-i] *n* keilarata
box [bɔks] *n* laatikko; *v* nyrkkeillä
box office [bɔks ɔF-is] *n* lippumyymälä
boxing match [BɔKS-ing mätš] *n* nyrkkeilyottelu
boy [boi] *n* poika
bra [braa] *n* rintaliivit *pl*
bracelet [BREIS-lit] *n* rannerengas
brain [brein] *n* aivot *pl*
brake [breik] *n* jarru
brake lights [breik laits] *pl* jarruvalot *pl*
branch [braantš] *n* oksa
branch off [braantš ɔf] *v* haarautua
brand [bränd] *n* merkki
brass [braas] *n* messinki
brassiere [bräs-i-ö] *n* rintaliivit *pl*
brave [breiv] *adj* rohkea
Brazil [brö-ZIL] *n* Brasilia
Brazilian [brö-ZIL-jön] *adj* brasilialainen; *n* brasilialainen
bread [brɛd] *n* leipä
breadth [brɛdƟ] *n* leveys
* **break** [breik] *v* särkeä
break down [breik daun] *v* joutua epäkuntoon
breakdown [BREIK-daun] *n*

konevika
breakfast [BRɛK-föst] *n* aamiainen
bream [briim] *n* lahna
breast [brɛst] *n* rinta
breath [brɛƟ] *n* henkäys
breathe [briið] *v* hengittää
breathing [BRIIð-ing] *n* hengitys
breed [briid] *n* rotu
breeze [briiz] *n* vieno tuuli
brewery [BRUU-ör-i] *n* olutpanimo
brick [brik] *n* tiili
bride [braid] *n* morsian
bridge [bridž] *n* hammassilta; silta; bridge-peli
brief [briif] *adj* lyhyt
briefcase [BRIIF-keis] *n* salkku
briefs [briifs] *pl* alushousut *pl*
bright [brait] *adj* älykäs; valoisa
brill [bril] *n* silokampela
brilliant [BRIL-jönt] *adj* loistava
brilliantine [BRIL-jön-tiin] *n* hiusöljy
* **bring** [bring] *v* tuoda
* **bring back** [bring bäk] *v* palauttaa
* **bring up** [bring ap] *v* esittää
brisk [brisk] *adj* reipas
British [BRIT-iš] *adj* brittiläinen
broad [brɔɔd] *adj* leveä
broadcast [BRɔɔD-kaast] *n* radiolähetys
brocade [bro-KEID] *n* brokadi
brochure [brou-šuö] *n* esittelylehtinen
broke [brouk] *v* (*p* **break**)
broken [BROUK-ön] *v* (*pp* **break**)
bronchitis [brɔn-KAIT-is] *n* keuhkoputken tulehdus
bronze [brɔnz] *n* pronssi
brooch [broutš] *n* rintaneula
brook [bruk] *n* puro
brother [BRAð-ö] *n* veli

brother-in-law [BRAð-ör-in-lɔɔ] n
lanko
brought [brɔɔt] v (p, pp bring)
brown [braun] adj ruskea
bruise [bruuz] n mustelma; v
saada mustelma
brunette [bruu-NɛT] n
ruskcaverikkö
brush [braš] v harjata; n harja
Brussels-sprouts [BRAS-öl-
SPRAUTS] n ruusukaali
bucket [BAK-it] n sanko
buckle [BAK-öl] n solki
bud [bad] n nuppu
budget [BADŽ-it] n budjetti
buffet [BU-fei] n seisova pöytä
bug [bag] n lude
* build [bild] v rakentaa
building [BILD-ing] n rakennus
built [bilt] v (p, pp build)
bulb [balb] n hehkulamppu
bulk [balk] n massa
bulky [BALK-i] adj paksu
bull [bul] n härkä
bullfight [BUL-fait] n
härkätaistelu
bull-ring [BUL-ring] n
härkätaisteluareena
bump [bamp] v törmätä; n
törmäys
bumper [BAMP-ö] n autonpuskuri
bumpy [BAMP-i] adj kuoppainen
bun [ban] n pulla
bunch [bantš] n kimppu; ryhmä
bunch of keys [bantš öv kiiz] n
nippu
bundle [BAN-döl] n käärö
bureau [bjuö-ROU] n lipasto
bureaucracy [bjuö-RɔK-rö-si] n
virkavaltaisuus
burial [BɛR-i-öl] n hautajaiset
* burn [böön] v polttaa; n
palohaava
burnt [böönt] v (p, pp burn)

* burst [bööst] v haljeta
bury [BɛR-i] v haudata
bus [bas] n bussi
bush [buš] n pensas
business [BIZ-nis] n toimi
business hours [BIZ-nis auöz] pl
konttoriaika
business suit [BIZ-nis suut] n
kokopuku
business trip [BIZ-nis trip] n
liikematka
businessman [BIZ-nis-mön] n (pl
-men) liikemies
bustle [BAS-öl] n hälinä
busy [BIZ-i] adj puuhassa oleva
but [bat] conj mutta
butcher [BUTŠ-ö] n teurastaja
butter [BAT-ö] n voi
butterfly [BAT-ö-flai] n perhonen
button [BAT-ön] n nappi
buttonhole [BAT-ön-houl] n
napinreikä
* buy [bai] v ostaa
buyer [BAI-ö] n ostaja
by air [bai eö] lentoteitse
by bus [bai bas] linja-autolla
by chance [bai tšaans]
sattumalta
by day [bai dei] päivällä
by far [bai faa] kaikkein
by heart [bai haat] ulkoa
by night [bai nait] yöllä
by no means [bai nou miinz] ei
suinkaan
by oneself [bai wan-SɛLF]
yksinään
by sea [bai sii] meritse
by the way [bai ðö wei]
sivumennen sanoen
by train [bai trein] rautateitse
bypass [BAI-paas] n ohitustie; v
kiertää

cab [käb] *n* taksi
cabaret [KAB-ö-rei] *n* kabaree
cabbage [KAB-idž] *n* kaali
cabdriver [KAB-draiv-ö] *n*
  taksinkuljettaja
cabin [KAB-in] *n* hytti
cable [KEI-böl] *v* sähköttää; *n*
  sähkösanoma
café [kä-FEI] *n* kahvi; kahvila
cafeteria [käf-i-TIÖR-i-ö] *n*
  itsepalvelukahvila
caffeine [KAF-iin] *n* kofeiini
cake [keik] *n* kakku
calculate [KAL-kju-leit] *v* laskea
calculation [käl-kju-LEI-šön] *n*
  arvio
calendar [KAL-in-dö] *n* kalenteri
calf [kaaf] *n* vasikka
calfskin [KAAF-skin] *n*
  vasikannahka
call [kɔɔl] *v* huutaa; soittaa; *n*
  huuto; puhelinsoitto;
  vieraskäynti
call on [kɔɔl ɔn] *v* käydä jonkun
  luona
call up [kaal ap] *v* soittaa
calm [kaam] *adj* rauhallinen
calm down [kaam daun] *v*
  rauhoittua
calorie [KAL-ör-i] *n* kalori
came [keim] *v* (*p* come)
camera [KAM-ör-ö] *n* kamera
camera store [KAM-ör-ö stɔɔ] *n*
  valokuvausliike
camp [kämp] *n* leiri; *v* leiriytyä
camp-bed [KAMP-bɛd] *n*
  telttasänky
camping [KAMP-ing] *n* telttailu
camping site [KAMP-ing sait] *n*
  leirintäalue
*** can** [kän] *v* voida; *n* tölkki
can opener [kän OU-pön-ö] *n*
  purkinavaaja
Canada [KAN-ö-dö] *n* Kanada

Canadian [kö-NEI-di-ön] *n*
  kanadalainen; *adj*
  kanadalainen
canal [kö-NAL] *n* kanava
cancel [KAN-söl] *v* peruuttaa
cancellation [kän-sɛ-LEI-šön] *n*
  peruutus
cancer [KAN-sö] *n* syöpä
candle [KAN-döl] *n* kynttilä
candy [KAN-di] *n* makeiset *pl*
canned [känd] *adj* tölkitetty
cannot [KAN-ɔt] *v* (**can not**)
canoe [kö-NUU] *n* kanootti
cap [käp] *n* lakki
capable [KEIP-ö-böl] *adj*
  kykenevä
capacity [kö-PAS-i-ti] *n*
  kapasiteetti
cape [keip] *n* hartiahuivi; niemi
capital [KAP-it-öl] *n* pääoma;
  pääkaupunki
capsule [KAP-sjuul] *n* kapseli
captain [KAP-tin] *n* kapteeni
car [kaa] *n* auto
car hire [kaa haiö] *n*
  autovuokraamo
car park [kaa paak] *n*
  pysäköimisalue
carafe [kö-RAAF] *n* karahvi
caramel [KAR-ö-mɛl] *n* karamelli
carat [KAR-öt] *n* karaatti
carbolic soap [kaa-BɔL-ik soup] *n*
  karbolisaippua
carbon paper [KAA-bön PEI-pö] *n*
  hiilipaperi
carburettor [KAA-bju-rɛt-ö] *n*
  kaasutin
card [kaad] *n* postikortti;
  pelikortti; käyntikortti
cardboard [KAAD-bɔɔd] *n* pahvi
cardigan [KAA-di-gön] *n*
  villatakki
cards [kaadz] *pl* korttipeli
care [kɛö] *v* huolehtia; *n* huoli

care for [keö fɔɔ] v välittää

career [kö-RIÖ] n elämänura

careful [keö-ful] adj varovainen

carfare [KAA-feö] n ajomaksu

cargo [KAA-gou] n lasti

carnival [KAA-ni-völ] n
karnevaali

carp [kaap] n karppi

carpenter [KAA-pin-tö] n
puuseppä

carpet [KAA-pit] n matto

carriage [KÄR-idž] n
lastenvaunut pl

carrot [KÄR-öt] n porkkana

carry [KÄR-il] v kantaa

carry on [KÄR-i ɔn] v jatkaa

carry out [KÄR-i aut] v toteuttaa

cart [kaat] n rattaat pl

carton [KAA-tön] n pahvilaatikko

cartridge [KAA-tridž] n patruuna

carve [kaav] v veistää; leikata

carving [KAAV-ing] n veistos

case [keis] n tapaus; oikeusjuttu;
matkalaukku

cash [käš] n käteinen raha; v
vaihtaa rahaksi

cash on delivery [käš ɔn di-LIV-
ör-i] jälkivaatimus

cashier [kä-ŠIÖ] n kassanhoitaja

cashmere [KÄŠ-miö] n kašmir

casino [kö-SII-nou] n kasino

cask [kaask] n tynnyri

* cast [kaast] v heittää

cast-iron [KAAST-AI-ön] n
valurauta

castle [KAAS-öl] n linna

castor-oil [KAAS-tör-OIL] n
risiiniöljy

casual [KÄž-ju-öl] adj huoleton

casualty [KÄž-ju-öl-ti] n uhri

cat [kät] n kissa

catacomb [KÄT-ö-koum] n
katakombi

catalogue [KÄT-ö-lɔg] n luettelo

catarrh [kö-TAA] n katarri

* catch [kätš] v ottaa kiinni

category [KÄT-i-gör-i] n
kategoria

cathedral [kö-Θ II-dröl] n
katedraali

Catholic [KAΘ-ö-lik] adj
katolinen

cattle [KÄT-öl] n nautakarja

caught [kɔɔt] v (p, pp catch)

cauliflower [KɔL-i-flau-ö] n
kukkakaali

cause [kɔɔz] n syy; v aiheuttaa

causeway [Kɔɔz-wei] n maantie

caution [Kɔɔ-šön] v varoittaa; n
varovaisuus

cave [keiv] n luola

caviar [KÄV-i-aa] n kaviaari

cease [siis] v lopettaa

ceiling [SIIL-ing] n sisäkatto

celebrate [SEL-i-breit] v juhlia

celebration [SEL-i-BREI-šön] n
juhla

celery [SEL-ör-i] n selleri

cell [sel] n selli

cellar [SEL-ö] n kellari

cement [si-MENT] n sementti

cemetery [SEM-i-tri] n
hautausmaa

censor [SEN-sö] n sensori

censorship [SEN-sö-šip] n
sensuuri

centigrade [SEN-ti-greid] adj
celsiusaste

centimetre [SEN-ti-mii-tö] n
senttimetri

central [SEN-tröl] adj keski-

central heating [SEN-tröl HIIT-
ing] n keskuslämmitys

central station [SEN-tröl STEI-šön]
n keskusasema

centralize [SEN-tröl-aiz] v
keskittää

centre [SEN-tö] n keskusta

century [SɛN-tšu-ri] *n* vuosisata
ceramics [si-RĀM-iks] *pl* keramiikka
cereal [SIŌR-i-öl] *n* corn flakes *pl*
ceremony [SɛR-i-mö-ni] *n* juhlamenot *pl*
certain [SÖÖ-tön] *adj* varma
certificate [sö-TIF-i-kit] *n* kirjallinen todistus
chain [tšein] *n* ketju
chain-store [TŠEIN-stɔɔ] *n* ketjumyymäläliike
chair [tšɛö] *n* tuoli
chairman [TŠɛö-mön] *n* (*pl* - men) puheenjohtaja
chalet [šĀL-ei] *n* alppimaja
chambermaid [TŠEIM-bö-meid] *n* siivooja
chance [tšaans] *n* sattuma
change [tšeindž] *n* vaihtoraha; muutos; *v* vaihtaa; muuttaa
channel [TŠĀN-öl] *n* kanava
chapel [TŠĀP-öl] *n* kappeli
character [KĀR-ik-tö] *n* luonne
characteristic [kär-ik-tö-RIS-tik] *adj* luonteenomainen
characterize [KĀR-ik-tö-raiz] *v* luonnehtia
charcoal [TŠAA-koul] *n* puuhiili
charge [tšaadž] *v* vaatia; *n* hinta
charge account [tšaadž ö-KAUNT] *n* luottotili
charge plate [tšaadž pleit] *n* luottokortti
charm [tšaam] *n* amuletti
chart [tšaat] *n* diagrammi
charter [TŠAAT-öl] *v* vuokrata
charter flight [TŠAAT-ö flait] *n* charterlento
chase [tšeis] *v* ajaa takaa
chassis [ŠĀS-i] *inv* auton alusta
chat [tšät] *n* juttelu
chauffeur [ŠOU-fö] *n* autonkuljettaja

cheap [tšiip] *adj* halpa
cheaper [TŠIIP-ö] *adj* halvempi
cheapest [TŠIIP-ist] *adj* halvin
cheat [tšiit] *v* petkuttaa
check [tšɛk] *v* viedä säilytykseen; *n* lasku; šekki
check in [tšɛk in] *v* ilmoittautua saapuessa; tarkistaa
check out [tšɛk aut] *v* ilmoittautua lähtiessä
check-book [TŠɛK-buk] *n* šekkivihko
check-room [TŠɛK-ruum] *n* säilytyshuone
check-up [TŠɛK-ap] *n* tarkastus
cheek [tšiik] *n* poski
cheek-bone [TŠIIK-boun] *n* poskipää
cheer [tšiö] *v* reipastuttaa
cheerful [TŠIŌ-ful] *adj* iloinen
cheese [tšiiz] *n* juusto
chef [šɛf] *n* keittiömestari
chemist [KɛM-ist] *n* apteekkari
chemistry [KɛM-is-tri] *n* kemia
cheque [tšɛk] *n* šekki
cheque-book [TŠɛK-buk] *n* šekkivihko
cherry [TŠɛR-i] *n* kirsikka
chess [tšɛs] *n* šakkipeli
chest [tšɛst] *n* rinta; laatikko
chestnut [TŠɛS-nat] *n* kastanja
chew [tšuu] *v* pureskella
chewing gum [TŠUU-ing gam] *n* purukumi
chicken [TŠIK-in] *n* kananpoika
chicken-pox [TŠIK-in-pɔks] *n* vesirokko
chief [tšiif] *adj* pää-
chilblain [TŠIL-blein] *n* kylmänkyhmy
child [tšaild] *n* (*pl* -ren) lapsı
chill [tšil] *n* viileys
chilly [TŠIL-i] *adj* kolea
chimney [TŠIM-ni] *n* savupiippu

chin [tšin] *n* leuka

china [TŠAI-nö] *n* posliiniesineet

China [TŠAI-nö] *n* Kiina

Chinese [tšai-NIIZ] *inv* kiinalainen; *adj* kiinalainen

chip [tšip] *n* pelimarkka

chiropodist [ki-RɔP-ö-dist] *n* jalkojenhoitaja

chisel [TŠIZ-öl] *n* taltta

chives [tšaivz] *pl* ruoholaukka

chocolate [TŠɔK-ö-lit] *n* suklaa; suklaajuoma

choice [tšois] *n* valinta

choir [kwaiö] *n* kuoro

choke [tšouk] *n* kuristusventtiili

* choose [tšuuz] *v* valita

chose [tšouz] *v* (*p* choose)

chosen [TŠOUZ-ön] *v* (*pp* choose)

Christ [kraist] Kristus

Christian [KRIST-jön] *n* kristitty

Christian name [KRIST-jön neim] *n* ristimänimi

Christmas [KRIS-mös] *n* joulu

chromium [KROU-mi-öm] *n* kromi

chronic [KRɔN-ik] *adj* krooninen

church [tšöötš] *n* kirkko

churchyard [TŠÖÖTŠ-jaad] *n* kirkkomaa

cigar [si-GAA] *n* sikari

cigarette [sig-ö-RɛT] *n* savuke

cigarette-case [sig-ö-RɛT-keis] *n* savukekotelo

cigarette-holder [sig-ö-RɛT-hould-ö] *n* imuke

cigarette-lighter [sig-ö-RɛT-lait-ö] *n* savukkeensytytin

cigar-store [si-GAA-stɔɔ] *n* sikarimyymälä

cinema [SIN-i-mö] *n* elokuvateatteri

circle [SÖÖ-köl] *v* ympäröidä; *n* ensimmäinen parvi

circulation [söö-kju-LEI-šön] *n* verenkierto

circumstances [SÖÖ-köm-stöns-iz] *pl* olosuhteet *pl*

circus [SÖÖ-kös] *n* sirkus

citizen [SIT-i-zön] *n* kansalainen

citizenship [SIT-i-zön-šip] *n* kansalaisoikeus

city [SIT-i] *n* kaupunki

civic [SIV-ik] *adj* kansalais-

civil [SIV-il] *adj* kohtelias; siviili

civil servant [SIV-il SÖÖ-vönt] *n* valtion virkamies

civil service [SIV-il SÖÖ-vis] *n* siviilihallinto

civilian [si-VIL-jön] *n* siviilihenkilö

civilization [siv-il-ai-ZEI-šön] *n* sivistys

claim [kleim] *n* vaatimus; *v* vaatia

clamp [klämp] *n* ruuvipuristin

clams [klämz] *pl* simpukka

clap [kläp] *v* taputtaa

clarify [KLÄR-i-fai] *v* selvittää

class [klaas] *n* luokka

classical [KLÄS-ik-öl] *adj* klassillinen

classroom [KLAAS-ruum] *n* luokkahuone

claw [klɔɔ] *n* kynsi

clay [klei] *n* savi

clean [kliin] *adj* puhdas; *v* puhdistaa

cleaning [KLIIN-ing] *n* puhdistus

cleaning fluid [KLIIN-ing FLUU-id] *n* puhdistusaine

clear [kliö] *adj* kirkas

clearing [KLIÖR-ing] *n* aukea

clergyman [KLÖÖ-dži-mön] *n* (*pl - men*) kirkonmies

clerk [klaak] *n* konttoristi

clever [KLɛV-ö] *adj* nokkela

client [KLAI-önt] *n* asiakas

cliff [klif] *n* kallio

climate [KLAI-mit] n ilmasto
climb [klaim] n kiipeäminen; v
    kiivetä
clinic [KLIN-ik] n klinikka
cloak [klouk] n mantteli
cloak-room [KLOUK-ruum] n
    vaatesäilö
clock [klɔk] n kello
close [klouz] v sulkea; adj
    läheinen
closed [klouzd] adj suljettu
closet [KLƆZ-it] n vaatekomero
closing time [KLOUZ-ing taim] n
    sulkemisaika
cloth [klɔθ] n kangas
clothes [klouðz] pl vaatteet pl
clothes-brush [KLOUZ-braš] n
    vaateharja
cloud [klaud] n pilvi
cloudburst [KLAUD-bööst] n
    kaatosade
cloudy [KLAUD-i] adj pilvinen
club [klab] n nuija; kerho;
    ristikortti
clumsy [KLAM-zi] adj kömpelö
clutch [klatš] n kytkin
coach [koutš] n linja-auto;
    rautatievaunu
coagulate [kou-ÄG-ju-leit] v
    hyytyä
coal [koul] n kivihiili
coast [koust] n rannikko
coat [kout] n takki
coat-hanger [KOUT-häng-ö] n
    vaateripustin
cockles [KƆK-ölz] pl
    sydänsimpukka
cocktail [KƆK-teil] n cocktail
cocoa [KOU-kou] n kaakao
coconut [KOU-kö-nat] n
    kookospähkinä
cod [kɔd] n turska
codeine [KOU-diin] n kodeiini
coffee [KƆF-i] n kahvi

coin [koin] n kolikko
coke [kouk] n koksi
cold [kould] n kylmyys;
    vilustuminen; adj kylmä
cold buffet [kould BU-fei] n
    seisova pöytä
cold cream [kould kriim] n
    ihovoide
collapse [kö-LÄPS] v romahtaa
collar [KƆL-ö] n kaulus
collar-bone [KƆL-ö-boun] n
    solisluu
colleague [KƆL-iig] n virkaveli
collect [kö-LƐKT] v koota
collection [kö-LƐK-šön] n
    kokoelma
collector [kö-LƐKT-ö] n keräilijä
college [KƆL-idž] n korkeampi
    oppilaitos
collide [kö-LAID] v törmätä
    yhteen
collision [kö-LIŽ-ön] n
    yhteentörmäys
colony [KƆL-ön-i] n siirtokunta
colour [KAL-ö] n väri
colourant [KAL-ör-önt] n väriaine
coloured [KAL-öd] adj värillinen
colour-film [KAL-ö-film] n
    värifilmi
colourful [KAL-ö-ful] adj värikäs
column [KƆL-öm] n pylväs
coma [KOU-mö] n horrostila
comb [koum] n kampa; v
    kammata
combination [kɔm-bi-NEI-šön] n
    yhdistelmä
combine [kɔm-BAIN] v yhdistää
* come [kam] v tulla
* come across [kam ö-KRƆS] v
    kohdata
comedian [kö-MII-di-ön] n
    koomikko
comedy [KƆM-i-di] n komedia
comfort [KAM-föt] n mukavuus

comfortable [KAM-föt-ö-böl] *adj*
mukava
comic [KƆM-ik] *adj* koominen
command [kö-MAAND] *v* käskeä
commence [kö-MENS] *v* alkaa
comment [KƆM-önt] *n*
huomautus; *v* huomauttaa
commerce [KƆM-ÖÖs] *n* kauppa
commercial [kö-MÖÖ-šöl] *n*
mainos; *adj* kaupallinen
commission [kö-MIŠ-ön] *n*
komissio
commit [kö-MIT] *v* uskoa jollekin
committee [kö-MIT-i] *n* komitea
common [KƆM-ön] *adj* julkinen
commune [KƆM-juun] *n* kunta
communicate [kö-MJUU-ni-keit] *v*
välittää tietoa
communication [kö-mjuu-ni-
KEI-šön] *n* tiedonvälitys
communism [KƆM-ju-nizm] *n*
kommunismi
communist [KƆM-ju-nist] *n*
kommunisti
community [kö-MJUUN-it-i] *n*
yhteisö
compact [KƆM-päkt] *n*
puuterirasia
company [KAM-pö-ni] *n* seura;
yhtiö
compare [köm-PEƆ] *v* verrata
comparison [köm-PÄR-i-sön] *n*
vertaus
compartment [köm-PAAT-mönt]
n osasto
compass [KAM-pös] *n* kompassi
compel [köm-PEL] *v* pakottaa
competition [kƆm-pi-TIŠ-ön] *n*
kilpailu
competitor [kƆm-PET-it-ö] *n*
kilpailija
complain [köm-PLEIN] *v* valittaa
complaint [köm-PLEINT] *n* valitus
complete [köm-PLIIT] *adj*

täydellinen
complex [KƆM-plEks] *n*
rakennuskompleksi; *adj*
monimutkainen
complexion [köm-PLEK-šön] *n*
ihonväri
compliment [kƆm-pli-MENT] *v*
lausua kohteliaisuuksia; *n*
kohteliaisuus
composer [köm-POUZ-ö] *n*
säveltäjä
composition [kƆm-pö-ZIŠ-ön] *n*
sävellys
comprise [köm-PRAIZ] *v* sisältää
compulsory [köm-PAL-sö-ri] *adj*
pakollinen
concentrate [KƆN-sEn-treit] *v*
keskittää
concentration [kƆn-sEn-TREI-
šön] *n* keskitys
concern [kön-SÖÖN] *v* koskea; *n*
yritys; huoli
concerned [kön-SÖÖND] *adj*
huolestunnut
concerning [kön-SÖÖN-ing] *prep*
mitä tulee
concert [KƆN-söt] *n* konsertti
concert hall [KƆN-söt hƆƆl] *n*
konserttisali
concierge [kƆng-si-EƆŽ] *n*
portinvartija
conclusion [kön-KLUU-žön] *n*
lopputulos
concussion [kön-KAŠ-ön] *n*
aivotärähdys
condensed milk [kön-DENST
milk] *n* tiivistetty maito
condenser [kön-DENS-ö] *n*
kondensaattori
condition [kön-DIŠ-ön] *n* ehto
conditional [kön-DIŠ-ön-öl] *adj*
ehdonalainen
conditions [kön-DIŠ-önz] *pl*
olosuhteet *pl*

conduct [kön-DAKT] v johtaa
conducted tour [kön-DAKT-id tuö]
n seuramatka
conductor [kön-DAKT-ö] n
rahastaja; orkesterinjohtaja
confectioner [kön-FEK-šön-ö] n
sokerileipuri
confession [kön-FEš-ön] n
tunnustus
confident [KƆN-fi-dönt] adj
luottavainen
confidential [kon-fi-DEN-šöl] adj
luottamuksellinen
confirm [kön-FÖÖM] v vahvistaa
confirmation [kon-fö-MEI-šön] n
vahvistus
confused [kön-FJUUZD] adj
hämmentynyt
confusion [kön-FJUU-žön] n
hämminki
congratulate [kön-GRÄT-ju-leit] v
onnitella
congratulations [kön-grät-ju-
LEI-šönz] pl onnittelut pl
congregation [kɔng-gri-GEI-šön]
n seurakunta
congress [KƆNG-grɛs] n kongressi
connect [kö-NɛKT] v yhdistää
connected with [kö-NɛKT-id wið]
yhteydessä
connection [kö-NɛK-šön] n
yhteys
connections [kö-NɛK-šönz] pl
yhteydet pl
conscience [KƆN-šöns] n
omatunto
conscious [KƆN-šös] adj tietoinen
conscript [KƆN-skript] n
asevelvollinen
consent [kön-SɛNT] n suostumus;
v suostua
consequently [KƆN-si-kwönt-li]
adv sentähden
conservative [kön-SÖÖ-vö-tiv]

adj konservatiivinen
consider [kön-SID-ö] v miettiä
considerate [kön-SID-ör-it] adj
huomaavainen
considering [kön-SID-ör-ing]
prep huomioon ottaen
consignment [kön-SAIN-mönt] n
tavaralähetys
consist [kön-SIST] v koostua
constipated [kon-sti-PEIT-id] adj
ummettunut
constipation [kon-sti-PEI-šön] n
ummetus
construct [kön-STRAKT] v
rakentaa
construction [kön-STRAK-šön] n
rakentaminen
consul [KƆN-söl] n konsuli
consulate [KƆN-sjul-it] n
konsulaatti
consult [kön-SALT] v neuvotella
consultation [kɔn-söl-TEI-šön] n
neuvottelu
consumer [kön-SJUUM-ö] n
kuluttaja
contact [KƆN-täkt] v ottaa yhteys
contact lenses [KƆN-täkt LɛNZ-iz]
pl piilolasit pl
contagious [kön-TEI-džös] adj
tarttuva
contain [kön-TEIN] v sisältää
container [kön-TEIN-ö] n säiliö
contemporary [kön-TɛM-pör-ör-
i] adj samanaikainen
content [kön-TɛNT] adj
tyytyväinen
contented [kön-TɛNT-id] adj
tyytyväinen
contents [KƆN-tɛnts] pl sisällys
contest [KƆN-tɛst] n ottelu
continent [KƆN-tin-önt] n
maanosa
continental [kɔn-ti-NɛN-töl] adj
mannermainen

continue [kön-TIN-juu] *v* jatkaa

continuous [kön-TIN-ju-ös] *adj*
jatkuva

contraceptive [kɔn-trö-sɛp-tiv] *n*
ehkäisyväline

contract [KƆN-träkt] *n* sopimus

contradict [kɔn-trö-DIKT] *v*
vastustaa

contrary [KƆN-trör-i] *adj*
päinvastainen

contrast [KƆN-träst] *n* vastakohta

contribute [kön-TRIB-juut] *v*
antaa avustuksena

contribution [kɔn-tri-BJUU-šön] *n*
avustus

control [kön-TROUL] *n*
käskyvalta; *v* hallita

controls [kön-TROULZ] *pl*
ohjauslaitteet *pl*

controversial [kɔn-trö-VÖÖ-šöl]
adj kiistanalainen

convenient [kön-VIIN-jönt] *adj*
sopiva

convent [KƆN-vönt] *n* luostari

conversation [kɔn-vö-SEI-šön] *n*
keskustelu

convict [kön-VIKT] *v* havaita
syylliseksi

conviction [kön-VIK-šön] *n*
vakaumus

convince [kön-VINS] *v* saada
vakuuttuneeksi

cook [kuk] *v* laittaa ruokaa; *n*
kokki

cooked [kukd] *adj* keitetty

cooker [KUK-ö] *n* liesi

cookery-book [KUK-ör-i-buk] *n*
keittokirja

cooking [KUK-ing] *n* ruuanlaitto

cool [kuul] *adj* viileä

co-operation [kou-ɔp-ö-REI-šön]
n yhteistyö

co-operative [kou-ɔp-ör-ö-tiv]
adj valmis yhteistyöhön

copper [KƆP-ö] *n* kupari

copy [KƆP-i] *n* jäljennös;
mallikappale

coral [KƆR-öl] *n* koralli

cordial [KƆɔ-di-öl] *adj*
sydämellinen

corduroy [KƆɔ-dö-roi] *n*
vakosametti

cork [kɔɔk] *n* korkki

corkscrew [KƆɔK-skruu] *n*
korkkiruuvi

corn [kɔɔn] *n* liikavarvas

corner [KƆɔ-nö] *n* kulma

cornfield [KƆɔN-fiild] *n* viljapelto

cornflakes [KƆɔN-fleiks] *pl*
maissihiutaleet *pl*

corn-on-the-cob [kɔɔn-ɔn-ðö-
KƆB] maissintähkä

correct [kö-RƐKT] *adj* oikea; *v*
korjata

correspond [kɔr-i-SPƆND] *v* olla
kirjeenvaihdossa

correspondence [kɔr-i-SPƆND-
öns] *n* kirjeenvaihto

corridor [KƆR-i-dɔɔ] *n* käytävä

corset [KƆɔ-sit] *n* korsetti

cosmetics [kɔz-MƐT-iks] *pl*
kauneudenhoitoaineet *pl*

* cost [kɔst] *v* maksaa; *n*
kustannukset *pl*

costume jewellery [KƆS-tjuum
DŽUU-öl-ri] *n* rihkamakorut

cosy [KOU-zi] *adj* kodikas

cot [kɔt] *n* telttasänky

cottage [KƆT-idž] *n* mökki

cotton [KƆT-ön] *n* puuvilla

cotton-wool [KƆT-ön-WUL] *n* vanu

couch [kautš] *n* leposohva

cough [kɔf] *v* yskiä; *n* yskä

cough-drops [KƆF-drɔps] *pl*
yskänpastillit *pl*

cough-lozenges [KƆF-LƆZ-indž-iz]
pl yskänpastillit *pl*

cough-mixture [KƆF-miks-tšö] *n*

yskänlääke
could [kud] v (p **can**)
council [KAUN-söl] n johtokunta
count [kaunt] v laskea
counter [KAUNT-ö] n myyntipöytä
counterfoil [KAUN-tö-foil] n kanta
country [KAN-tri] n maa;
  maaseutu
country house [KAN-tri haus] n
  kartano
countryman [KAN-tri-mön] n (pl -
  men) maamies
countryside [KAN-tri-said] n
  maaseutu
couple [KAP-öl] n pari
couple of [KAP-öl ɔv] muutama
coupon [KUU-pɔn] n kuponki
courage [KAR-idž] n rohkeus
courageous [kö--REI-džös] adj
  rohkea
course [kɔɔs] n joen juoksu;
  kilpa-ajorata; ruokalaji
court [kɔɔt] n tenniskenttä;
  tuomioistuin
cousin [KAZ-ön] n serkku
cover [KAV-ö] n kansi; v käsittää;
  peittää
cover charge [KAV-ö tšaadž] n
  palvelumaksu
cow [kau] n lehmä
coward [KAU-öd] n pelkuri
crab [kräb] n merirapu
crack [kräk] n halkeama
cracker [KRÄK-ö] n voileipäkeksi
cradle [KREI-döl] n kehto
cramp [krämp] n suonenveto
crash [kräš] v mennä rikki; n
  törmäys
crayfish [KREI-fiš] n rapu
crazy [KREI-zi] adj mieletön
cream [kriim] n kerma; voide;
  adj kermanvärinen
creamy [KRIIM-i] adj kermainen
crease [kriis] v rypistää; n laskos

create [kri-EIT] v luoda
creature [KRII-tšö] n
  luontokappale
credentials [kri-DƐN-šölz] pl
  valtakirja
credit [KRƐD-it] n luotto; v panna
  jnk tilille
credit card [KRƐD-it kaad] n
  luottokortti
creek [kriik] n lahdenpoukama
* **creep** [kriip] v ryömiä
crept [krɛpt] v (p, pp **creep**)
crescent [KRƐS-önt] adj
  puolikuunmuotoinen
crew [kruu] n miehistö
cricket [KRIK-it] n krikettipeli
cried [kraid] v (p, pp **cry**)
crime [kraim] n rikos
criminal [KRIM-in-öl] n rikollinen
crimson [KRIM-zön] adj
  karmiininpunainen
crisp [krisp] adj rapea
critic [KRIT-ik] n arvostelija
critical [KRIT-ik-öl] adj kriittinen
criticize [KRIT-i-saiz] v arvostella
crockery [KRƆK-ör-i] n saviastiat
  pl
crooked [KRUK-id] adj kiero
crop [krɔp] n sato
cross [krɔs] n risti
cross over [krɔs OUV-ö] v ylittää
crossing [KRƆS-ing] n
  ylityspaikka
cross-roads [KRƆS-roudz] n
  risteys
cross-walk [KRƆS-wɔɔk] n
  suojatie
crowd [kraud] n joukko
crowded [KRAUD-id] adj täpö
  täysi
crown [kraun] n kruunu
crucifix [KRUU-si-fiks] n
  ristiinnaulitun kuva
cruise [kruuz] n risteily

crumb [kram] *n* muru
crush [kraš] *v* murskata
crust [krast] *n* kuori
cry [krai] *v* huutaa; itkeä; *n* huuto
crystal [KRIS-töl] *n* kristalli
cube [kjuub] *n* kuutio
cucumber [KJUU-köm-bö] *n* kurkku
cuff-links [KAF-lingks] *pl* kalvosinnapit *pl*
cuffs [kafs] *pl* kalvosimet *pl*
cul-de-sac [KUL-dö-SÄK] *n* umpikuja
cultivate [KAL-ti-veit] *v* viljellä
cultivated [KAL-ti-veit-id] *adj* viljelty
culture [KAL-tšö] *n* kulttuuri
cultured [KAL-tšöd] *adj* sivistynyt
cup [kap] *n* kuppi
cupboard [KAB-öd] *n* kaappi
curator [kjuö-REIT-ö] *n* intendentti
curb [kööb] *v* hillitä; *n* kadun reunakivi
cure [kjuö] *n* parannuskeino; *v* parantaa
curio [KJUÖR-i-ou] *n* harvinaisuus
curious [KJUÖ-ri-ös] *adj* utelias; omituinen
curl [kööl] *n* kihara; *v* kähertää
curlers [KÖÖL-iz] *pl* papiljotit *pl*
curly [KÖÖL-i] *adj* kihara
currant [KAR-önt] *n* korintti
currency [KAR-ön-si] *n* maan valuutta
current [KAR-önt] *n* kulku; virta; *adj* nykyinen
curry [KAR-i] *n* curry
curse [köös] *n* kirous; *v* kirota
curtain [KÖÖ-tön] *n* verho
curve [kööv] *n* mutka
curved [köövd] *adj* kaareva

cushion [KUŠ-ön] *n* tyyny
custody [KAS-tö-di] *n* huosta
custom [KAS-töm] *n* tapa
customary [KAS-töm-ör-i] *adj* tavanomainen
customer [KAS-töm-ö] *n* asiakas
Customs [KAS-tömz] *pl* tulli
Customs duty [KAS-tömz DJUU-ti] *n* tullimaksu
Customs examination [KAS-tömz ig-zäm-i-NEI-šön] *n* tullitarkastus
Customs house [KAS-tömz haus] *n* tullikamari
Customs officer [KAS-tömz ɔF-is-ö] *n* tullivirkamies
* cut [kat] *v* leikata; *n* haava
* cut off [kat ɔf] *v* katkaista
cutlery [KAT-lör-i] *n* hienotakeet
cycle [SAI-köl] *n* jakso
cyclist [SAI-klist] *n* pyöräilijä
cylinder [SIL-in-dö] *n* sylinteri

dad [däd] *n* isä
daddy [DÄD-i] *n* isä
daily [DEI-li] *adj* päivittäinen
dairy [DEÖ-ri] *n* meijeri
dam [däm] *n* pato
damage [DÄM-idž] *n* vaurio; *v* vaurioittaa
damaged [DÄM-idžd] *adj* vaurioitunut
damp [dämp] *adj* kostea
dance [daans] *n* tanssi; *v* tanssia
dancer [DAANS-ö] *n* tanssija
dandruff [DÄN-dröf] *n* hilse
Dane [dein] *n* tanskalainen
danger [DEIN-džö] *n* vaara
dangerous [DEIN-džör-ös] *adj* vaarallinen
Danish [DEIN-iš] *adj* tanskalainen
dare [deÖ] *v* uskaltaa

daren't [dɛönt] v **(dare not)**
dark [daak] *adj* pimeä
darling [DAA-ling] *n* rakas
darn [daan] v parsia
darning wool [DAAN-ing wul] *n*
  parsinlanka
dash-board [DÄŠ-bɔɔd] *n*
  kojelauta
date [deit] *n* kohtaaminen;
  pävämäärä; taateli
daughter [Dɔɔ-tö] *n* tytär
dawn [dɔɔn] *n* aamunkoitto
day [dei] *n* päivä
day trip [dei trip] *n* päivämatka
daybreak [DEI-breik] *n*
  päivänkoitto
daylight [DEI-lait] *n* päivänvalo
dead [dɛd] *adj* kuollut
deaf [dɛf] *adj* kuuro
* **deal** [diil] v jakaa; *n* neuvottelu
* **deal with** [diil wið] v käsitellä
dealer [DIIL-ö] *n* osto-ja
  myyntimies
dealt [dɛlt] v (*p, pp* deal)
dear [diö] *adj* rakas; kallis
debit [DɛB-it] *n* debetpuoli
debt [dɛt] *n* velka
December [di-sɛm-bö] *n*
  joulukuu
decent [DII-sönt] *adj* säädyllinen
decide [di-SAID] v päättää
decided [di-SAID-id] *adj* päätetty
decision [di-SIŽ-ön] *n* päätös
deck [dɛk] *n* korttipakka; laivan
  kansi
deck-cabin [DɛK-käb-in] *n*
  kansihytti
deck-chair [DɛK-tšeö] *n* lepotuoli
declaration [dɛk-lö-REI-šön] *n*
  tulli-ilmoitus
declare [di-KLɛö] v ilmoittaa
  tullattavaksi
decor [DEI-kɔɔ] *n* koristelu
decrease [dii-KRIIS] v vähentää; *n*

vähennys
deduct [di-DAKT] v vähentää
deed [diid] *n* teko
deep [diip] *adj* syvä
deer [diö] *inv* hirvi
defeat [di-FIIT] v voittaa
defective [di-FɛKT-iv] *adj*
  virheellinen
defence [di-FɛNS] *n* puolustus
defend [di-FɛND] v puolustaa
deficit [DɛF-i-sit] *n* vajaus
define [di-FAIN] v määritellä
defined [di-FAIND] *adj* määritelty
definite [DɛF-i-nit] *adj* määrätty
definition [dɛf-i-NIŠ-ön] *n*
  määritelmä
degree [di-GRII] *n* oppiarvo; aste
delay [di-LEI] v viivyttää; *n*
  viivytys
deliberately [di-LIB-ör-öt-li] *adv*
  harkitusti
delicacy [DɛL-i-kö-si] *n* herkku
delicate [DɛL-i-kit] *adj* hieno
delicatessen [dɛl-i-kö-Tɛs-ön] *n*
  herkku
delicious [di-LIŠ-ös] *adj*
  herkullinen
delight [di-LAIT] *n* ilo
delighted [di-LAIT-id] *adj* iloinen
delightful [di-LAIT-ful] *adj*
  ihastuttava
delirious [di-LIR-i-ös] *adj*
  houraileva
deliver [di-LIV-ö] v jakaa
delivery [di-LIV-ör-i] *n* jakelu
demand [di-MAAND] v vaatia
democracy [di-MɔK-rö-si] *n*
  demokratia
democratic [dɛm-o-KRÄT-ik] *adj*
  demokraattinen
demonstration [dɛm-ön-STREI-
  šön] *n* mielenosoitus
Denmark [DɛN-maak] *n* Tanska
denomination [di-nɔm-i-NEI-šön]

n luokka
dense [dɛns] *adj* tiheä
dentist [DɛN-tist] *n*
  hammaslääkäri
denture [DɛN-tšö] *n* tekohampaat
  pl
deny [di-NAI] *v* kieltää
deodorant [dii-OU-dör-önt] *n*
  deodorantti
depart [di-PAAT] *v* lähteä
department [di-PAAT-mönt] *n*
  lääni
department store [di-PAAT-mönt
  stɔɔ] *n* tavaratalo
departure [di-PAA-tšö] *n* lähtö
depend [di-PɛND] *v* olla
  riippuvainen
deposit [di-PɔZ-it] *n* kerrostuma;
  talletus; *v* tallettaa
depot [DɛP-ou] *n* asema
depression [di-PRɛŠ-ön] *n*
  alakuloisuus
depth [dɛpΘ] *n* syvyys
deputy [DɛP-ju-ti] *n* sijainen
descend [di-SɛND] *v* laskeutua
descent [di-SɛNT] *n*
  laskeutuminen
describe [di-SKRAIB] *v* kuvailla
description [dis-KRIP-šön] *n*
  kuvaus
desert [DɛZ-öt] *n* autiomaa
deserve [di-ZÖÖV] *v* ansaita
design [di-ZAIN] *v* suunnitella; *n*
  muotoilu
desirable [di-ZAIÖR-ö-böl] *adj*
  tavoiteltava
desire [di-ZAIÖ] *v* haluta
desk [dɛsk] *n* kirjoituslipasto
despatch [dis-PÄTŠ] *n*
  pikasanoma
desperate [DɛS-pör-it] *adj*
  epätoivoinen
despise [dis-PAIZ] *v* halveksia
despite [dis-PAIT] *prep*

huolimatta
dessert [di-ZÖÖT] *n* jälkiruoka
destination [dɛs-ti-NEI-šön] *n*
  määränpää
destroy [dis-TROI] *v* hävittää
destruction [dis-TRAK-šön] *n*
  hävitys
detach [di-TÄŠ] *v* erottaa
detail [DII-teil] *n* yksityiskohta
detailed [DII-teild] *adj*
  yksityiskohtainen
detained [di-TEIND] *adj* pidätetty
detect [di-TɛKT] *v* havaita
detective story [di-TɛKT-iv STɔɔ-
  ri] *n* salapoliisiromaani
detergent [di-TÖÖ-džönt] *n*
  pesuaine
determined [di-TÖÖ-mind] *adj*
  päättäväinen
detour [di-TUÖ] *n* kiertotie
devaluation [dii-väl-ju-EI-šön] *n*
  devalvointi
devalue [dii-VÄL-juu] *v* alentaa
  arvoa
develop [di-VɛL-öp] *v* kehittää
development [di-VɛL-öp-mönt] *n*
  kehitys
devil [DɛV-öl] *n* piru
devote [di-VOUT] *v* omistaa
devoted [di-VOUT-id] *adj*
  omistautunut
dew [djuu] *n* kaste
diabetes [dai-ö-BII-tiiz] *n*
  sokeritauti
diabetic [dai-ö-BɛT-ik] *n*
  sokeritautinen
diagnose [DAI-ög-nouz] *v*
  määrittää
diagnosis [dai-ög-NOU-sis] (*pl* -
  ses) diagnoosi
diagonal [dai-AG-ö-nöl] *adj*
  vinosti poikittainen
diagram [DAI-ö-gräm] *n*
  kaavakuva

dial [DAI-öl] *n* numerolevy; *v* valita numero
dialect [DAI-ö-lɛkt] *n* murre
diamond [DAI-ö-mönd] *n* timantti
diamonds [DAI-ö-möndz] *pl* ruutu
diaper [DAI-ö-pö] *n* vauvanvaippa
diarrhoea [dai-ö-RI-ö] *n* ripuli
diary [DAI-ö-ri] *n* päiväkirja
dice [dais] *n* arpakuutio
dictaphone [DIK-tö-foun] *n* sanelukone
dictate [dik-TEIT] *v* sanella
dictation [dik-TEI-šön] *n* sanelu
dictionary [DIK-šön-ö-ri] *n* sanakirja
did [did] *v* (*p* **do**)
die [dai] *v* kuolla
died [daid] *v* (*p* **die**)
diesel [DIIZ-öl] *n* dieselmoottori
diet [DAI-öt] *n* dieetti
differ [DIF-öl] *v* olla erilainen
difference [DIF-ör-öns] *n* ero
different [DIF-ör-önt] *adj* erilainen
difficult [DIF-i-költ] *adj* vaikea
difficulty [DIF-i-köl-ti] *n* vaikeus
* **dig** [dig] *v* kaivaa
digest [di-DŽɛST] *v* sulattaa
digestible [di-DŽɛST-ö-böl] *adj* helpostisulava
digestion [di-DŽɛs-tšön] *n* ruoansulatus
dilute [dai-LJUUT] *v* laimentaa
diluted [dai-LJUUT-id] *adj* laimennettu
dim [dim] *adj* himmeä
dine [dain] *v* syödä päivällistä
dinghy [DING-gi] *n* jolla
dining car [DAIN-ing kaa] *n* ravintolavaunu
dining room [DAIN-ing ruum] *n* ruokasali
dinner [DIN-ö] *n* päivällinen

dinner jacket [DIN-ö DŽÄK-it] *n* smokki
diphtheria [dif-ΘIÖR-i-ö] *n* kurkkumätä
diplomat [DIP-lö-mät] *n* diplomaatti
direct [di-RɛKT] *v* ohjata; *adj* suora
direct current [di-RɛKT KAR-önt] *n* tasavirta
direction [di-RɛK-šön] *n* suunta
directions [di-RɛK-šönz] *pl* ohjeet *pl*
director [di-RɛK-tö] *n* johtaja
directory [di-RɛK-tö-ri] *n* luettelo
dirt [dööt] *n* lika
dirty [DÖÖT-i] *adj* likainen
disadvantage [dis-öd-VAAN-tidž] *n* haitta
disagree [dis-ö-GRII] *v* olla eri mieltä
disagreeable [dis-ö-GRII-ö-böl] *adj* epämiellyttävä
disappear [dis-ö-PIÖ] *v* kadota
disappoint [dis-ö-POINT] *v* pettää toiveet
disappointed [dis-ö-POINT-id] *adj* pettynyt
disapprove [dis-ö-PRUUV] *v* paheksua
disaster [diz-AAS-tö] *n* tuho
disc [disk] *n* äänilevy
discharge [dis-TŠAADŽ] *v* vapauttaa
discoloured [dis-KAL-öd] *adj* haalistunut
disconnect [dis-kö-NɛKT] *v* katkaista
discontented [dis-kön-TɛNT-id] *adj* tyytymätön
discontinued [dis-kön-TIN-juud] *adj* lakkautettu
discount [DIS-kaunt] *n* alennus
discover [dis-KAV-ö] *v* havaita

discovery [dis-KAV-ö-ri] *n* löytö

discuss [dis-KAS] *v* keskustella

discussion [dis-KAŠ-ön] *n* keskustelu

disease [di-ZIIZ] *n* sairaus

disembark [dis-im-BAAK] *v* nousta maihin

disgusted [dis-GAST-id] *adj* inhoa tunteva

disgusting [dis-GAST-ing] *adj* inhottava

dish [diš] *n* ruokavati; ruokalaji

dishonest [dis-ɔN-ist] *adj* epärehellinen

disinfect [dis-in-FɛKT] *v* desinfioida

disinfectant [dis-in-FɛKT-önt] *n* desinfioiva aine

dislike [dis-LAIK] *v* ei pitää

dislocated [dis-lo-KEIT-id] *adj* sijoiltaan mennyt

dismiss [dis-MIS] *v* lähettää pois

dispatch [dis-PÄTŠ] *v* lähettää matkaan

display [dis-PLEI] *v* näyttää; *n* näytös

displease [dis-PLIIZ] *v* ei miellyttää

displeased [dis-PLIIZD] *adj* tyytymätön

disposable [dis-POUZ-ö-böl] *adj* kertakäyttö-

dispute [dis-PJUUT] *n* väittely

dissatisfied [dis-SÄT-is-faid] *adj* tyytymätön

distance [DIS-töns] *n* etäisyys

distant [DIS-tönt] *adj* etäinen

distilled water [dis-TILD wɔɔ-tö] *n* tislattu vesi

distinct [dis-TINGKT] *adj* erilainen

distinguish [dis-TING-gwiš] *v* erottaa

distressing [dis-TRɛS-ing] *adj* tuskallinen

distributor [dis-TRIB-ju-tö] *n* jakelija

district [DIS-trikt] *n* alue

disturb [dis-TÖÖB] *v* häiritä

disturbance [dis-TÖÖB-öns] *n* häiriö

ditch [ditš] *n* oja

dive [daiv] *v* sukeltaa

diversion [dai-VÖÖ-šön] *n* ajanviete

divide [di-VAID] *v* jakaa

division [di-VIŽ-ön] *n* jako

divorce [di-Vɔɔs] *n* avioero

divorced [di-Vɔɔst] *adj* eronnut

dizzy [DIZ-i] *adj* huimausta tunteva

* **do** [duu] *v* tehdä

* **do without** [duu wi-ðAUT] *v* tulla toimeen ilman

dock [dɔk] *v* telakoida

docks [dɔks] *pl* satama-alue

doctor [DɔK-tö] *n* lääkäri

document [DɔK-ju-mönt] *n* asiakirja

dog [dɔg] *n* koira

doll [dɔl] *n* nukke

dome [doum] *n* kupoli

domestic [dö-MɛS-tik] *adj* kotimainen

domicile [DɔM-i-sail] *n* kotipaikka

donation [do-NEI-šön] *n* lahjoitus

done [dan] *v* (*pp* **do**)

donkey [DɔNG-ki] *n* aasi

don't [dount] *v* (**do not**)

door [dɔɔ] *n* ovi

door-bell [DɔɔBöl] *n* ovikello

door-keeper [Dɔɔ-kiip-öl] *n* ovenvartija

doorman [Dɔɔ-mön] *n* (*pl* -**men**) ovimikko

dormitory [DɔɔM-i-tri] *n* makuusali

dose [dous] *n* annos

double [DAB-öl] *n*
kaksinkertainen määrä
double bed [DAB-öl bɛd] *n*
kaksoisvuode
double room [DAB-öl ruum] *n*
kahden hengen huone
doubt [daut] *v* epäröidä
doubtful [DAUT-ful] *adj* epävarma
dough [dou] *n* taikina
down [daun] *adv* alaspäin
downhill [daun-HIL] *adv* mäkeä
alas
downpour [DAUN-pɔɔ] *n*
kaatosade
downstairs [daun-STƐƆZ] *adv* alas
portaita
downstream [daun-STRIIM] *adv*
myötävirtaan
downwards [DAUN-wödz] *adv*
alaspäin
dozen [DAZ-ön] *n* tusina
draft [draaft] *n* vekseli
drain [drein] *n* viemäri
drama [DRAAM-ö] *n* näytelmä
dramatic [drö-MÄT-ik] *adj*
dramaattinen
dramatist [DRÄM-ö-tist] *n*
näytelmäkirjailija
drank [drängk] *v* (*p* drink)
draper [DREIP-öl] *n*
kangaskauppias
drapery [DREIP-ör-i] *n*
kangastavarat *pl*
drapes [dreips] *pl* verho
draught [draaft] *n* veto
draughts [draafts] *pl* tammipeli
* draw [drɔɔ] *v* piirtää; vetää;
nostaa rahaa; *n* arvannosto
drawer [DRƆƆ-ö] *n* pöytälaatikko
drawing [DRƆƆ-ing] *n* piirustus
drawing pin [DRƆƆ-ing pin] *n*
nasta
drawn [drɔɔn] *v* (*pp* draw)
* dream [driim] *v* nähdä unta

dress [drɛs] *v* pukea; *n* leninki
dress up [drɛs ap] *v* pukeutua
hienoksi
dressing gown [DRƐS-ing gaun] *n*
aamutakki
dressmaker [DRƐS-meik-öl] *n*
ompelija
drew [druu] *v* (*p* draw)
dried [draid] *adj* kuivunut
drink [dringk] *n* juoma; *v* juoda
drinking fountain [DRINGK-ing
FAUN-tin] *n* juomalaite
drinking water [DRINGK-ing wɔɔ-
tö] *n* juomavesi
drip-dry [DRIP-drai] *adj* itsestään
siliävä
drive [draiv] *n* ajelu; ajotie; *v*
ajaa
driven [DRIV-ön] *v* (*pp* drive)
driver [DRAIV-öl *n* ajaja
driving [DRAIV-ing] *n* ajo
driving licence [DRAIV-ing LAI-
söns] *n* ajokortti
driving-wheel [DRAIV-ing-wiil] *n*
käyttöratas
drop [drɔp] *n* tippa; *v* pudottaa
drop in [drɔp in] *v* pistäytyä
drops [drɔps] *pl* tipat *pl*
drought [draut] *n* kuivuus
drove [drouv] *v* (*p* drive)
drown [draun] *v* hukkua
drug [drag] *n* lääkeaine
druggist [DRAG-ist] *n* apteekkari
drugstore [DRAG-stɔɔ] *n* apteekki
drunk [drangk] *v* (*pp* drink)
drunken [DRANGK-ön] *adj*
humalainen
dry [drai] *v* kuivua; *adj* kuiva
dry-clean [DRAI-kliin] *v* pestä
kemiallisesti
dry-cleaner [drai-KLIIN-ö] *n*
kemiallinen pesu
dryer [DRAI-ö] *n* kuivauslaite
dual carriage-way [DJUU-öl KÄR-

idž-wei] n kaksisuuntainen tie
duck [dak] n ankka
due [djuu] adj odotettavissa
dues [djuuz] pl velvollisuus
dug [dag] v (p, pp dig)
dull [dal] adj ikävystyttävä;
  laimea
dumb [dam] adj mykkä
during [DJUÖR-ing] prep kuluessa
dusk [dask] n hämärä
dust [dast] n pöly
dusty [DAST-i] adj pölyinen
Dutch [datš] adj hollantilainen;
  alankomainen
Dutchman [DATŠ-mön] n (pl -
  men) hollantilainen
dutiable [DJUU-ti-ö-böl] adj
  tullinalainen
duty [DJUU-ti] n tulli
duty-free [DJUU-ti-frii] adj
  tulliton
dye [dai] n väri; v värjätä
dynamo [DAIN-ö-mou] n dynamo
dysentery [DIS-ön-tri] n
  punatauti

each [iitš] adj kukin
each one [iitš wan] pron
  jokainen
each other [iitš Aδ-ö] toinen
  toistaan
eager [IIG-ö] adj innokas
ear [iö] n korva
earache [IÖR-eik] n korvasärky
early [ÖÖ-li] adj varhainen; adv
  aikaisin
earn [öön] v ansaita
earnings [ÖÖN-ingz] pl ansio
earplug [IÖ-plag] n korvatulppa
earrings [IÖR-ingz] n
  korvarenkaat pl
earth [ööΘ] n maaperä
Earth [ööΘ] n maa

earthenware [ööΘ-ön-wεö] n
  saviastia
earthquake [ööΘ-kweik] n
  maanjäristys
east [iist] n itä
Easter [IIST-ö] n pääsiäinen
eastern [IIST-ön] adj itäinen
easy [IIZ-i] adj helppo
easy chair [IIZ-i tšεö] n nojatuoli
* eat [iit] v syödä
eat out [iit aut] syödä ulkona
eaten [IIT-ön] (pp eat)
ebony [εB-ön-i] n eebenpuu
echo [εK-ou] n kaiku
economic [ii-kö-NɔM-ik] adj
  taloustieteellinen
economical [ii-kö-NɔM-ik-öl] adj
  taloudellinen
economist [i-KɔN-ö-mist] n
  taloustieteilijä
economize [i-KɔN-ö-maiz] v olla
  taloudellinen
economy [i-KɔN-ö-mi] n
  taloudellisuus
edge [εdž] n reuna
edible [εD-i-böl] adj syötävä
edition [i-DIŠ-ön] n painos
educate [εD-ju-keit] v kouluttaa
education [εd-ju-KEI-šön] n
  koulutus
eel [iil] n ankerias
effect [i-FεKT] n vaikutus
effective [i-FεK-tiv] adj tehokas
efficient [i-FIŠ-önt] adj tehokas
effort [εF-öt] n ponnistus
egg [εg] n muna
egg-cup [εG-kap] n munakuppi
egg-plant [εG-plaant] n
  munakoiso
Egypt [II-džipt] n Egypti
Egyptian [i-DŽIP-šön] n
  egyptiläinen; adj egyptiläinen
eiderdown [AI-dö-daun] n
  untuvapeite

eight [eit] *adj* kahdeksan
eighteen [EI-tiin] *adj*
  kahdeksantoista
eighteenth [EI-tiinΘ] *adj*
  kahdeksastoista
eighth [eitΘ] *adj* kahdeksas
eighty [EI-ti] *adj*
  kahdeksankymmentä
either [AI-ðö] *pron* jompikumpi
either... or [AI-ðö ɔɔ] *conj*
  joko . . . tai
elastic [i-LÄS-tik] *n* kuminauha
elbow [EL-bou] *n* kyynärpää
elder [ELD-ö] *adj* vanhempi
elderly [ELD-ö-li] *adj* vanhahko
eldest [ELD-ist] *adj* vanhin
elect [i-LEKT] *v* valita
election [i-LEK-šön] *n* vaalit
electric [i-LEK-trik] *adj* sähkö-
electric razor [i-LEK-trik REIZ-ö]
  n parranajokone
electrician [el-ik-TRIŠ-ön] *n*
  sähköasentaja
electricity [el-ik-TRIS-i-ti] *n*
  sähkö
elegance [EL-i-göns] *n* eleganssi
elegant [EL-i-gönt] *adj* elegantti
element [EL-i-mönt] *n* perusaine
elevator [EL-i-veit-ö] *n* hissi
eleven [i-LEV-ön] *adj* yksitoista
eleventh [i-LEV-önΘ] *adj*
  yhdestoista
elm [elm] *n* jalava
else [els] *adv* muutoin
elsewhere [els-weö] *adv* muualla
embankment [im-BÄNGK-mönt] *n*
  pengerrys
embark [im-BAAK] *v* astua
  laivaan
embarkation [em-baa-KEI-šön] *n*
  laivaan nousu
embarrass [im-BÄR-ös] *v* saattaa
  hämilleen
embarrassed [im-BÄR-öst] *adj*

  häkeltynyt
embassy [EM-bö-si] *n*
  suurlähetystö
embrace [im-BREIS] *v* syleillä
embroidery [im-BROID-ör-i] *n*
  koruompelu
emerald [EM-ör-öld] *n* smaragdi
emergency [i-MÖÖ-džön-si] *n*
  hätätilanne
emergency exit [i-MÖÖ-džön-si
  EKS-it] *n* varauloskäytävä
emigrant [EM-i-grönt] *n*
  siirtolainen
emigrate [EM-i-greit] *v* muuttaa
  maasta
emotion [i-MOU-šön] *n*
  mielenliikutus
emphasize [EM-fö-saiz] *v*
  korostaa
empire [EM-paiö] *n* imperiumi
employ [im-PLOI] *v* antaa työtä;
  käyttää
employee [em-ploi-II] *n*
  työntekijä
employer [im-PLOI-ö] *n*
  työnantaja
employment [im-PLOI-mönt] *n*
  toimi
empty [EMP-ti] *adj* tyhjä
enable [i-NEI-böl] *v* tehdä
  kykeneväksi
enamel [i-NÄM-öl] *n* emalji
enchanting [in-TŠAANT-ing] *adj*
  hurmaava
encircle [in-SÖÖ-köl] *v*
  ympäröidä
enclose [in-KLOUZ] *v* liittää oheen
enclosure [in-KLOUŽ-ö] *n* liite
encounter [in-KAUNT-ö] *v*
  kohdata
encyclopaedia [en-sai-klo-PII-di-
  ö] *n* tietosanakirja
end [end] *v* lopettaa; *n* loppu; pää
ending [END-ing] *n* loppu

endive [εn-div] *n* endivia

endorse [in-dɔɔs] *v* kirjoittaa selkäpuolelle

enemy [εn-i-mi] *n* vihollinen

energetic [εn-ö-džεt-ik] *adj* tarmokas

energy [εn-ö-dži] *n* energia

engage [in-GEIDŽ] *v* varata

engaged [in-GEIDŽD] *adj* varattu; kihloissa

engagement [in-GEIDŽ-mönt] *n* sitoumus

engagement ring [in-GEIDŽ-mönt ring] *n* kihlasormus

engine [εn-džin] *n* moottori

engineer [εn-dži-NIÖ] *n* insinööri

England [ING-glönd] *n* Englanti

English [ING-gliš] *n* englantilainen

English Channel [ING-gliš TŠÄN-öl] *n* Englannin kanaali

Englishman [ING-gliš-mön] *n* (*pl* -men) englantilainen

engrave [in-GREIV] *v* kaivertaa

engraving [in-GREIV-ing] *n* kaiverrus

enjoy [in-DŽOI] *v* nauttia

enjoyable [in-DŽOI-ö-böl] *adj* nautittava

enlarge [in-LAADŽ] *v* suurentaa

enlargement [in-LAADŽ-mönt] *n* suurennus

enormous [i-Nɔɔ-mös] *adj* suunnaton

enough [i-NAF] *adj* kylliksi

enquire [in-KWAIÖ] *v* tiedustella

enquiry [in-KWAIÖR-i] *n* tiedustelu

enquiry-office [in-KWAIÖR-i-ɔf-is] *n* tiedonantotoimisto

enter [εn-tö] *v* mennä sisään

enterprise [εn-tö-praiz] *n* yritys

enterprising [εn-tö-praiz-ing] *adj* yritteliäs

entertain [εn-tö-TEIN] *v* kestitä

entertaining [εn-tö-TEIN-ing] *adj* viihdyttävä

entertainment [εn-tö-TEIN-mönt] *n* viihde

enthusiastic [in-Θjuu-zi-ÄS-tik] *adj* innostunut

entire [in-TAIÖ] *adj* kokonainen

entirely [in-TAIÖ-li] *adv* täysin

entrance [εn-tröns] *n* sisäänkäytävä

entry [εn-tri] *n* merkintä; sisäänkäynti

envelope [εn-vil-oup] *n* kirjekuori

envy [εn-vi] *n* kateus

epidemic [εp-i-DεM-ik] *n* epidemia

epilepsy [εP-i-lεp-si] *n* kaatumatauti

equal [IIK-wöl] *adj* yhtäläinen

equality [i-KWɔL-i-ti] *n* tasa-arvoisuus

equator [i-KWEI-tö] *n* päiväntasaaja

equip [i-KWIP] *v* varustaa

equipment [i-KWIP-mönt] *n* varusteet *pl*

equivalent [i-KWIV-ö-lönt] *adj* samanarvoinen

eraser [i-REIZ-ö] *n* pyyhekumi

erect [i-RεKT] *v* pystyttää

err [öö] *v* erehtyä

errand [εR-önd] *n* tehtävä

error [εR-öl] *n* erehdys

escalator [εs-kö-leit-ö] *n* rullaportaat *pl*

escape [is-KEIP] *v* paeta

escort [is-KɔɔT] *v* saattaa; *n* saattue

especially [is-PεŠ-öl-i] *adv* erityisen

esplanade [εs-plö-NAAD] *n* esplanadi

essay [ɛs-ei] *n* essee
essence [ɛs-öns] *n* olennainen
  osa
essential [i-sɛn-šöl] *adj*
  luonteenomainen
estate [is-TEIT] *n* maatila
estimate [ɛs-ti-meit] *v* arvioida;
  n arvio
estuary [ɛs-tju-ör-i] *n* joen suu
Europe [JUÖR-öp] *n* Eurooppa
European [juör-ö-PII-ön] *adj*
  eurooppalainen
evaluate [i-VÄL-ju-eit] *v* arvioida
evaporate [i-VÄP-ör-eit] *v*
  haihtua
even [IIV-ön] *adv* jopa
evening [IIV-ning] *n* ilta
evening dress [IIV-ning drɛs] *n*
  iltapuku
event [i-VɛNT] *n* tapahtuma
eventually [i-vɛn-tju-öl-i] *adv*
  lopulta
every [ɛV-ri] *adj* joka
everybody [ɛv-ri-bɔd-i] *pron*
  jokainen
everyday [ɛv-ri-dei] *adj*
  jokapäiväinen
everyone [ɛv-ri-wan] *pron*
  jokainen
everything [ɛv-ri-Θing] *pron*
  kaikki
everywhere [ɛv-ri-wɛö] *adv*
  kaikkialla
evident [ɛv-i-dönt] *adj* selvä
evil [II-vil] *adj* paha
exact [ig-ZÄKT] *adj* täsmällinen
exactly [ig-ZÄKT-li] *adv*
  täsmälleen
exaggerate [ig-ZÄDŽ-ör-eit] *v*
  liioitella
examination [ig-zäm-i-NEI-šön]
  n tutkinto
examine [ig-ZÄM-in] *v* tutkia
example [ig-ZAAM-pöl] *n*
  esimerkki
excavation [ɛks-kö-VEI-šön] *n*
  kaivaus
exceed [ik-SIID] *v* ylittää
excellent [ɛks-öl-önt] *adj*
  erinomainen
except [ik-sɛPT] *prep*
  lukuunottamatta
exception [ik-sɛP-šön] *n*
  poikkeus
exceptional [ik-sɛP-šön-öl] *adj*
  poikkeuksellinen
excess baggage [ik-sɛs BÄG-idž]
  n liikapaino
exchange [iks-TŠEINDŽ] *n*
  puhelinkeskus; *v* vaihtaa
exchange office [iks-TŠEINDŽ ɔf-
  is] *n* rahanvaihto
exchange rate [iks-TŠEINDŽ reit]
  n kurssi
excite [ik-SAIT] *v* kiihottaa
excitement [ik-SAIT-mönt] *n*
  kiihtymys
exciting [ik-SAIT-ing] *adj*
  jännittävä
exclaim [iks-KLEIM] *v* huudahtaa
exclamation [ɛks-klö-MEI-šön] *n*
  huudahdus
exclude [iks-KLUUD] *v* sulkea pois
exclusive [iks-KLUUS-iv] *adj*
  poissulkeva
excursion [iks-KÖÖ-šön] *n* retki
excuse [iks-KJUUZ] *v* antaa
  anteeksi
executive [ig-zɛK-ju-tiv] *n*
  toimeenpanija
exempt [ig-zɛMPT] *v* vapauttaa
exemption [ig-zɛMP-šön] *n*
  erivapaus
exercise [ɛks-ö-saiz] *n* harjoitus
exhaust [ig-zɔɔst] *n* poistoputki
exhausted [ig-zɔɔst-id] *adj*
  uupunut
exhibit [ig-ZIB-it] *v* asettaa

näytteille

exhibition [ɛks-i-BIŠ-ön] *n*
näyttely

exist [ig-ZIST] *v* olla olemassa

exit [ɛKS-it] *n* uloskäytävä

expand [iks-PÄND] *v* levittää

expect [iks-PɛKT] *v* odottaa

expedition [ɛks-pi-DIŠ-ön] *n*
tutkimusretki

expenditure [iks-PɛND-i-tšö] *n*
kulutus

expense [iks-PɛNS] *n* meno

expensive [iks-PɛNS-iv] *adj* kallis

experience [iks-PIÖR-i-öns] *n*
kokemus; *v* kokea

experienced [iks-PIÖR-i-önst] *adj*
kokenut

experiment [iks-PɛR-i-mɛnt] *v*
kokeilla; *n* koe

expert [ɛKS-pööt] *n* asiantuntija

expire [iks-PAIÖ] *v* kulua umpeen

expiry [iks-PAIÖR-i] *n*
erääntymisaika

explain [iks-PLEIN] *v* selittää

explanation [ɛks-plö-NEI-šön] *n*
selitys

explode [iks-PLOUD] *v* räjähtää

explore [iks-PLƆƆ] *v* tutkia

explosive [iks-PLOUS-iv] *n*
räjähdysaine

export [ɛks-PƆƆT] *v* viedä maasta

exports [ɛKS-pƆƆts] *pl*
vientitavarat *pl*

exposure [iks-POU-žö] *n* valotus

exposure metre [iks-POU-žö MII-
tö] *n* valotusmittari

express [iks-PRɛS] *adj* pika; *v*
lausua

express letter [iks-PRɛS LɛT-ö] *n*
pikakirje

express train [iks-PRɛS trein] *n*
pikajuna

expression [iks-PRɛŠ-ön] *n*
ilmaus

exquisite [ɛKS-kwiz-it] *adj*
hienonhieno

extend [iks-TɛND] *v* levittää

extension [iks-TɛN-šön] *n*
sisäinen linja

extension cord [iks-TɛN-šön
kƆƆd] *n* jatkojohto

extensive [iks-TɛNS-iv] *adj*
laajakantoinen

exterior [ɛks-TIÖR-i-ö] *adj* ulko~

extinguish [iks-TING-gwiš] *v*
tukahduttaa

extinguisher [iks-TING-gwiš-ö] *n*
sammutin

extra [ɛKS-trö] *adj* ylimääräinen

extract [iks-TRÄKT] *v* vetää ulos

extraction [iks-TRÄK-šön] *n* vetää
pois

extraordinary [iks-TRƆƆD-nör-i]
adj epätavallinen

extras [ɛKS-tröz] *pl* ylimääräinen
maksu

extravagant [iks-TRÄV-i-gönt] *adj*
kohtuuton

extreme [iks-TRIIM] *adj*
äärimmäinen

eye [ai] *n* silmä

eyeball [AI-bƆƆl] *n* silmämuna

eyebrow [AI-brau] *n* kulmakarva

eyelash [AI-läš] *n* silmäripsi

eye-liner [AI-lain-ö] *n* eye-liner

eye-pencil [AI-pɛn-söl] *n*
kulmakynä

eye-shadow [AI-šäd-ou] *n*
silmäehostus

fabric [FÄB-rik] *n* kangas

façade [fö-SAAD] *n* julkisivu

face [feis] *v* kohdata; *n* kasvot *pl*

face cream [feis kriim] *n*
kasvovoide

face massage [feis mö-SAAŽ] *n*
kasvojenhieronta

feeble

face pack [feis päk] *n*
  kasvonaamio
face powder [feis PAU-dö] *n*
  kasvojauhe
facilities [fö-SIL-i-tiz] *pl*
  mahdollisuudet *pl*
fact [fäkt] *n* tosiasia
factory [FÄK-tör-i] *n* tehdas
factual [FÄK-tju-öl] *adj*
  tosiasiallinen
faculty [FÄK-öl-ti] *n* kyky;
  tiedekunta
fad [fäd] *n* muotivillitys
fade [feid] *v* haalistua
faience [fei-JAANGS] *n* fajanssi
fail [feil] *v* epäonnistua
failure [FEIL-jö] *n*
  epäonnistuminen
faint [feint] *adj* heikko; *v* pyörtyä
fair [fɛö] *adj* oikeudenmukainen;
  n messut *pl*
fairhaired [fɛö-hɛöd] *adj*
  vaaleatukkainen
fairly [fɛö-li] *adv* melko
faith [feiƟ] *n* usko
faithful [FEIƟ-ful] *adj* uskollinen
fall [fɔɔl] *n; v* pudota
fallen [FɔɔL-ön] *v* (*pp* fall)
false [fɔɔls] *adj* väärä
false teeth [fɔɔls tiiƟ] *pl*
  tekohampaat *pl*
fame [feim] *n* kuuluisuus
familiar [fö-MIL-jö] *adj* tuttu
family [FÄM-il-i] *n* perhe
family name [FÄM-il-i neim] *n*
  sukunimi
famous [FEIM-ös] *adj* kuuluisa
fan [fän] *n* tuuletin
fan-belt [FÄN-bɛlt] *n*
  tuuletinremmi
fancy [FÄN-si] *n* päähänpisto; *v*
  pitää paljon
fantastic [fän-TÄS-tik] *adj*
  mielikuvituksellinen

far [faa] *adj* kaukana
faraway [FAAR-ö-wei] *adj*
  kaukainen
fare [fɛö] *n* kuljetusmaksu
farm [faam] *n* maatila
farmer [FAAM-ö] *n* maanviljelijä
farmhouse [FAAM-haus] *n*
  maalaistalo
far-off [FAAR-ɔf] *adj* etäinen
farther [FAA-ðö] *adj* etäisempi
farthest [FAA-ðist] *adj* etäisin
fashion [FÄS-ön] *n* muoti
fashionable [FÄS-ön-ö-böl] *adj*
  muodikas
fast [faast] *adj* nopea
fasten [FAAS-ön] *v* kiinnittää
fastener [FAAS-ön-ö] *n* kiinnitin
fat [fät] *n* rasva; *adj* rasvainen;
  lihava
fatal [FEIT-öl] *adj* kohtalokas
fate [feit] *n* kohtalo
father [FAA-ðö] *n* isä
father-in-law [FAA-ðör-in-lɔɔ] *n*
  appi
fatty [FAT-i] *adj* rasvainen
faucet [Fɔɔ-sit] *n* hana
fault [fɔɔlt] *n* vika
faulty [FɔɔLT-i] *adj* virheellinen
favour [FEIV-ö] *n* suosionosoitus
favourable [FEIV-ör-ö-böl] *adj*
  suotuisa
favourite [FEIV-ör-it] *n* suosikki
fawn [fɔɔn] *adj* kellanruskea
fear [fiö] *v* pelätä; *n* pelko
feast [fiist] *n* juhla
feather [fɛð-ö] *n* höyhen
feature [FII-tSö] *n* kasvojen osa
February [FɛB-ru-ör-i] *n*
  helmikuu
fed [fɛd] *v* (*p, pp* feed)
federal [FɛD-ör-öl] *adj* liitto
federation [fɛd-ö-REI-šön] *n* liitto
fee [fii] *n* palkkio
feeble [FII-böl] *adj* heikko

*feed [fiid] v ruokkia

*feel [fiil] v tuntea

feeling [FIIL-ing] n tunne

fell [fɛl] v (p fall)

felt [fɛlt] n huopa

female [FII-meil] adj
  naispuolinen

feminine [FɛM-in-in] adj
  naisellinen

fence [fɛns] n aita

fender [FɛN-dö] n suojus;
  lokasuoja

ferry boat [FɛR-i bout] n lautta

fertile [FÖÖ-tail] adj
  hedelmällinen

festival [FɛS-töv-öl] n festivaalit
  pl

festive [FɛS-tiv] adj juhlava

fetch [fɛtš] v noutaa

feudal [FJUUD-öl] adj feodaali∼

fever [FII-vö] n kuume

fever blister [FII-vö BLIS-tö] n
  kuumerakkula

feverish [FII-vör-iš] adj
  kuumeinen

few [fjuu] adj harva

fiancé [fi-AANGN-sei] n sulhanen

fiancée [fi-AANGN-sei] n morsian

fibre [FAI-bö] n säie

fiction [FIK-šön] n tarina

field [fiild] n pelto

field glasses [fiild GLAAS-iz] pl
  kiikari

fierce [fiös] adj villi

fifteen [FIF-tiin] adj viisitoista

fifteenth [FIF-tiinΘ] adj
  viidestoista

fifth [fifΘ] adj viides

fifty [FIF-ti] adj viisikymmentä

fig [fig] n viikuna

fight [fait] n taistelu; v taistella

figure [FIG-ö] n muoto

file [fail] n viila; jono

fill [fil] v täyttää

fill in [fil in] v täyttää

fill out [fil aut] v tankata täyteen

fill up [fil ap] v täyttää

filling [FIL-ing] n täyte; paikka

filling station [FIL-ing STEI-šön] n
  bensiiniasema

film [film] n elokuva; filmi; v
  elokuvata

filter [FIL-tö] n suodatin

filter tip [FIL-tö tip] n
  savukkeensuodatin

filthy [FILΘ-i] adj saastainen

final [FAI-nöl] adj viimeinen

financial [fai-NAN-šöl] adj
  finanssi-

*find [faind] v löytää

fine [fain] adj hieno; n sakko

finger [FING-gö] n sormi

finish [FIN-iš] v lopettaa; n loppu

Finland [FIN-lönd] n Suomi

Finn [fin] n suomalainen

Finnish [FIN-iš] adj suomalainen

fire [šaiö] v erottaa; n tuli

fire alarm [faiör ö-LAAM] n
  palohälytys

fire escape [faiö is-KEIP] n
  palotikkaat

fire extinguisher [faiö iks-TING-
  gwiš-ö] n tulensammutin

fire hydrant [faiö HAI-drönt] n
  paloposti

fireplace [FAIÖ-pleis] n takka

fireproof [FAIÖ-pruuf] adj
  tulenkestävä

firm [fööm] adj luja; n liike

first [fööst] adj ensimmäinen

first aid [fööst eid] n ensiapu

first name [fööst neim] n
  etunimi

first-aid kit [FÖÖST-eid kit] n
  ensiapulaukku

first-aid post [FÖÖST-eid poust] n
  ensiapuasema

first-rate [FÖÖST-reit] adj

ensiluokkainen
fish [fiš] v kalastaa; n kala
fish shop [fiš šop] n kalakauppa
fisherman [FIŠ-ö-mön] n (pl -
men) kalastaja
fishing [FIŠ-ing] n kalastus
fishing hook [FIŠ-ing huk] n
    kalastuskoukku
fishing licence [FIŠ-ing LAI-söns]
    n kalastuslupa
fishing line [FIŠ-ing lain] n
    ongensiima
fishing net [FIŠ-ing nɛt] n
    kalastusverkko
fishing rod [FIŠ-ing rod] n
    ongenvapa
fishing tackle [FIŠ-ing TÄK-öl] n
    kalastustarvikkeet pl
fist [fist] n nyrkki
fit [fit] v sopia
fitting [FIT-ing] n sovitus
fitting room [FIT-ing ruum] n
    sovitushuone
five [faiv] adj viisi
five hundred [faiv HAN-dröd] adj
    viisisataa
fix [fiks] v korjata
fixed [fikst] adj pysyvä
fixed price [fikst prais] n kiinteä
    hinta
fjord [fjourd] n vuono
flag [fläg] n lippu
flame [fleim] n liekki
flannel [FLÄN-öl] n flanelli
flash-bulb [FLÄŠ-balb] n
    salamavalolamppu
flash-light [FLÄŠ-lait] n
    taskulamppu
flat [flät] adj tasainen; n
    rengasrikko; huoneisto
flavour [FLEI-vö] v maustaa; n
    maku
fleet [fliit] n laivasto
flesh [flɛš] n liha

flew [fluu] v (p fly)
flex [flɛks] n sähköjohdin
flight [flait] n lento
flint [flint] n piikivi
float [flout] v kellua
flock [flok] n lauma
flood [flad] n tulva
floor [floo] n lattia; kerros
floor-show [FLoo-shou] n lava-
    show
florist [FLOR-ist] n
    kukkakauppias
flour [flauö] n jauho
flow [flou] v virrata
flower [FLAU-ö] n kukka
flower-shop [FLAU-ö-šop] n
    kukkakauppa
flown [floun] v (pp fly)
flu [fluu] n influenssa
fluent [FLUU-önt] adj sujuva
fluid [FLUU-id] n neste
fly [flai] n kärpänen; v lentää
focus [FOU-kös] n fokus
fog [fog] n sumu
foggy [FOG-i] adj sumuinen
fold [fould] v taittaa
folk [fouk] n kansa
folk-dance [FOUK-daans] n
    kansantanssi
folklore [FOUK-loo] n
    kansantietous
folk-song [FOUK-song] n
    kansanlaulu
follow [FOL-ou] v seurata
following [FOL-ou-ing] adj
    seuraava
food [fuud] n ruoka
food poisoning [fuud POIZ-ön-
    ing] n ruokamyrkytys
food-stuffs [FUUD-stafs] pl
    ravintoaineet pl
foolish [FUUL-iš] adj hassu
foot [fut] n (pl feet) jalka
foot powder [fut PAU-dö] n

jalkajauhe
football [FUT-bɔɔl] *n* jalkapallo
football match [FUT-bɔɔl mätš] *n*
  jalkapallo-ottelu
foot-brake [FUT-breik] *n*
  jalkajarru
footpath [FUT-paaΘ] *n* kävelytie
footwear [FUT-wɛö] *n* jalkineet *pl*
for [fɔɔ] *prep* -lle
for example [för ig-ZAAM-pöl]
  esimerkiksi
for hire [fö haiö] vuokrattavana
for instance [för IN-stöns]
  esimerkiksi
for sale [fö seil] myytävänä
forbade [fö-BEID] *v* (*p* forbid)
* **forbid** [fö-BID] *v* kieltää
forbidden [fö-BID-ön] *v* (*pp*
  forbid)
force [fɔɔs] *n* voima; *v* pakottaa
ford [fɔɔd] *n* kahlaamo
* **forecast** [fɔɔ-KAAST] *v* ennustaa;
  n ennuste
foreground [fɔɔ-graund] *n* etuala
forehead [fɔR-id] *n* otsa
foreign [fɔR-in] *adj*
  ulkomaalainen
foreign currency [fɔR-in KAR-ön-
  si] *n* ulkomaanvaluutta
foreigner [fɔR-in-ö] *n*
  ulkomaalainen
foreman [fɔɔ-mön] *n* (*pl* -men)
  työnjohtaja
forest [fɔR-ist] *n* metsä
forgave [fö-GEIV] *v* (*p* forgive)
* **forget** [fö-GɛT] *v* unohtaa
* **forgive** [fö-GIV] *v* antaa anteeksi
forgiven [fö-GIV-ön] *v* (*pp* forgive)
forgot [fö-GɔT] *v* (*p* forget)
forgotten [fö-GɔT-ön] *v* (*pp* forget)
fork [fɔɔk] *v* haarautua; *n*
  haarukka; haarautuma
form [fɔɔm] *v* muodostaa; *n*
  muoto; lomake

formal [FɔɔM-öl] *adj* muodollinen
formality [fɔɔ-MÄL-i-ti] *n*
  muodollisuus
former [FɔɔM-ö] *adj* edellinen
formerly [FɔɔM-ö-li] *adv* ennen
formula [FɔɔM-ju-lö] *n* kaava
fortnight [FɔɔT-nait] *n* kaksi
  viikkoa
fortress [fɔɔ-tris] *n* linnoitus
fortunate [fɔɔ-tšö-nit] *adj*
  onnekas
fortune [fɔɔ-tšön] *n* kohtalo
forty [fɔɔ-ti] *adj* neljäkymmentä
forward [fɔɔ-wöd] *adv* eteenpäin;
  v lähettää edelleen
fought [fɔɔt] *v* (*p, pp* fight)
found [faund] *v* (*p, pp* find)
found [faund] *v* perustaa
foundation [faun-DEI-šön] *n*
  säätiö
foundation cream [faun-DEI-šön
  kriim] *n* alusvoide
fountain [FAUN-tin] *n*
  suihkukaivo
fountain pen [FAUN-tin pɛn] *n*
  täytekynä
four [fɔɔ] *adj* neljä
fourteen [fɔɔ-tiin] *adj* neljätoista
fourteenth [fɔɔ-tiinΘ] *adj*
  neljästoista
fourth [fɔɔΘ] *adj* neljäs
fowl [faul] *n* siipikarja
fox [fɔks] *n* kettu
foyer [FOI-jö] *n* lämpiö
fraction [FRÄK-šön] *n* osa
fracture [FRÄK-tšö] *n* murtuma; *v*
  murtua
fragile [FRÄ-džail] *adj* hauras
frame [freim] *n* kehys
frames [freimz] *pl* sangat *pl*
France [fraans] *n* Ranska
fraud [frɔɔd] *n* petos
free [frii] *adj* vapaa
free of charge [frii öv tšaadž]

ilmainen
free ticket [frii TIK-it] *n*
vapaalippu
freedom [FRII-döm] *n* vapaus
* **freeze** [friiz] *v* jäätyä
freezing [FRIIZ-ing] *adj* jäätävä
freezing point [FRIIZ-ing point] *n*
jäätymispiste
freight [freit] *n* rahti
French [frɛntš] *adj* ranskalainen
Frenchman [FRɛNTš-mön] *n* (*pl* -
men) ranskalainen
frequency [FRII-kwön-si] *n*
toistuminen
frequent [FRII-kwönt] *adj*
toistuva
fresh [frɛš] *adj* tuore
fresh water [frɛš wɔɔ-tö] *n* makea
vesi
Friday [FRAI-di] *n* perjantai
fridge [fridž] *n* jääkaappi
fried [fraid] *adj* paistettu
friend [frɛnd] *n* ystävä
friendly [FRɛND-li] *adj*
ystävällinen
friendship [FRɛND-šip] *n*
ystävyys
fright [frait] *n* pelko
frighten [FRAIT-ön] *v* pelästyttää
frightened [FRAIT-önd] *adj*
pelästynyt
frightful [FRAIT-ful] *adj* hirvittävä
frock [frɔk] *n* leninki
frog [frɔg] *n* sammakko
from [frɔm] *prep* -sta,stä
front [frant] *n* etupuoli
frontier [FRAN-tiö] *n* raja
frost [frɔst] *n* routa
frozen [FROUZ-ön] *adj* jäätynyt
frozen food [FROUZ-ön fuud] *n*
pakasteet *pl*
fruit [fruut] *n* hedelmä
fry [frai] *v* paistaa
fuel [FJU-öl] *n* polttoaine;

bensiini
full [ful] *adj* täysinäinen
full board [ful bɔɔd] *n* täysihoito
full stop [ful stɔp] *n* piste
full up [ful ap] täpötäynnä
fun [fan] *n* huvi
function [FANGK-šön] *n* toiminta
funeral [FJUUN-ör-öl] *n*
hautajaiset *pl*
funnel [FAN-öl] *n* suppilo
funny [FAN-i] *adj* omituinen;
lystikäs
fur [föö] *n* turkis
fur coat [föö kout] *n* turkki
furious [FJUÖR-i-ös] *adj* raivoisa
furnish [FÖÖ-niš] *v* kalustaa
furnished flat [FÖÖ-ništ flät] *n*
kalustettu huoneisto
furnished room [FÖÖ-ništ ruum]
n kalustettu huone
furniture [FÖÖ-ni-tšö] *n*
huonekalut *pl*
furrier [FAR-i-ö] *n* turkkuri
further [FÖÖ-ðö] *adj* etäisempi
furthermore [FÖÖ-ðö-mɔɔ] *adv*
lisäksi
furthest [FÖÖ-ðist] *adj* etäisin
fuse [fjuuz] *n* sulake
fuss [fas] *n* hälinä
future [FJUU-tšö] *n* tulevaisuus

gable [GEI-böl] *n* pääty
gadget [GADž-it] *n* vekotin
gaiety [GEI-ö-ti] *n* iloisuus
gain [gein] *n* lisäansio; *v*
saavuttaa
gale [geil] *n* myrsky
gallery [GAL-ö-ri] *n* taidegalleria;
ylin parvi
gamble [GÄM-böl] *v* pelata
uhkapeliä
gambling [GAM-bling] *n* uhkapeli
game [geim] *n* riista; peli

gangway [GÄNG-wei] *n* laskusilta
gaol [dżeil] *n* vankila
gap [gäp] *n* aukko
garage [GÄR-aaż] *n* autotalli; *v* ajaa talliin
garbage [GAA-bidż] *n* jätteet *pl*
garden [GAA-dön] *n* puutarha
gardener [GAA-dön-ö] *n* puutarhuri
gargle [GAA-göl] *v* kurlata
garlic [GAA-lik] *n* valkosipuli
gas [gäs] *n* bensini; kaasu
gas cooker [gäs KUK-ö] *n* kaasuliesi
gas station [gäs STEI-šön] *n* huoltoasema
gas stove [gäs stouv] *n* kaasuliesi
gasoline [GÄS-ö-liin] *n* bensiini
gastric [GÄS-trik] *adj* vatsa∼
gastric ulcer [GÄS-trik UL-sö] *n* vatsahaava
gasworks [GÄS-wööks] *n* kaasulaitos
gate [geit] *n* portti
gather [GÄð-ö] *v* kokoontua
gauge [geidż] *n* mitta
gauze [gɔɔz] *n* harsokangas
gave [geiv] *v* (*p* give)
gay [gei] *adj* iloinen
gaze [geiz] *v* tuijottaa
gazetteer [gäz-i-TIÖ] *n* maantieteellinen sanakirja
gear [giöl] *n* kalusteet *pl;* vaihde
gear-box [GIÖ-bɔks] *n* vaihdelaatikko
gear-lever [GIÖ-liiv-ö] *n* vaihdetanko
gem [dżɛm] *n* jalokivi
gender [DŻɛN-dö] *n* suku
general [DŻɛN-ör-öl] *n* kenraali; *adj* yleinen
general practitioner [DŻɛN-ör-öl präk-TIŠ-ön-ö] *n* yleislääkäri
generate [DŻɛN-ör-eit] *v* tuottaa

generation [dżɛn-ö-REI-šön] *n* sukupolvi
generator [DŻɛN-ör-eit-ö] *n* generaattori
generous [DŻɛN-ör-ös] *adj* antelias
gentle [DŻɛN-töl] *adj* lempeä
gentleman [DŻɛN-töl-mön] *n* (*pl* - men) herrasmies
genuine [DŻɛN-ju-in] *adj* aito
geography [dżi-ɔG-rö-fi] *n* maantiede
geology [dżi-ɔL-ö-dżi] *n* geologia
geometry [dżi-ɔM-i-tri] *n* geometria
germ [dżööm] *n* basilli
German [DŻÖÖ-mön] *n* saksalainen; *adj* saksalainen
Germany [DŻÖÖ-mön-i] *n* Saksa
* get [gɛt] *v* saada
* get back [gɛt bäk] *v* palata
* get off [gɛt ɔf] *v* laskeutua
* get on [gɛt ɔn] *v* menestyä; nousta
* get up [gɛt ap] *v* nousta
ghost [goust] *n* aave
giddiness [GID-i-nis] *n* huimaus
giddy [GID-i] *adj* huimausta tunteva
gift [gift] *n* lahja
gifted [GIFT-id] *adj* lahjakas
gilt [gilt] *adj* kullattu
ginger [DŻIN-dżö] *n* inkivääri
girdle [GÖÖ-döl] *n* liivit
girl [gööl] *n* tyttö
* give [giv] *v* antaa
* give in [giv in] *v* antaa myöten
* give up [giv ap] *v* luopua
given [GIV-ön] *v* (*pp* give)
glacier [GLÄS-i-ö] *n* jäätikkö
glad [gläd] *adj* iloinen
glamorous [GLÄM-ör-ös] *adj* tenhoava
glance [glaans] *n* silmäys; *v*

silmäillä
gland [gländ] n rauhanen
glare [glεö] n räikeä valo
glass [glaas] n lasi
glasses [GLAAS-iz] pl silmälasit pl
glaze [gleiz] v lasittaa
glen [glεn] n kapea laakso
glide [glaid] v liukua
glider [GLAID-ö] n purjelentokone
glimpse [glimps] n vilahdus; v
  nähdä vilahdukselta
global [GLOUB-öl] adj
  maailmanlaajuinen
globe [gloub] n maapallo
gloom [gluum] n synkkyys
gloomy [GLUUM-i] adj synkkä
glorious [GLƆɔ-ri-ös] adj loistava
glory [GLƆɔ-ri] n kunnia
glossy [GLƆS-i] adj kiiltävä
glove [glav] n hansikas
glow [glou] n hehku; v hehkua
glue [gluu] n liima
* go [gou] v mennä
* go ahead [gou ö-HεD] v jatkaa
* go away [gou ö-WEI] v mennä
  pois
* go back [gou bäk] v mennä
  takaisin
* go home [gou houm] v mennä
  kotiin
* go in [gou in] v mennä sisään
* go on [gou ɔn] v jatkaa
* go out [gou aut] v mennä ulos
* go through [gou Θruu] v kestää
goal [goul] n maali; päämäärä
goalkeeper [GOUL-kiip-ö] n
  maalivahti
goat [gout] n vuohi
God [gɔd] n Jumala
goggles [GƆG-ölz] pl
  suojussilmälasit pl
gold [gould] n kulta
gold leaf [gould liif] n lehtikulta
golden [GOUL-dön] adj

kullankeltainen
goldmine [GOULD-main] n
  kultakaivos
goldsmith [GOULD-smiΘ] n
  kultaseppä
golf [gɔlf] n golf
golf-club [GƆLF-klab] n golfmaila
golf-course [GƆLF-kɔɔs] n
  golfkenttä
golf-links [GƆLF-lingks] n
  golfkenttä
gondola [GƆN-dö-lö] n gondoli
gone [gɔn] v (pp go)
good [gud] adj hyvä
good-humoured [gud-HJUU-möd]
  adj hyväntuulinen
good-looking [GUD-luk-ing] adj
  hyvännäköinen
good-natured [gud-NEI-tšöd] adj
  hyväntahtoinen
goods [gudz] pl tavarat pl
goods-train [GUDZ-trein] n
  tavarajuna
good-tempered [gud-TεM-pöd]
  adj hyväntuulinen
good-will [gud-WIL] n hyväntahto
goose [guus] n (pl geese) hanhi
gooseberry [GUZ-bö-ri] n
  karviaismarja
gorgeous [GƆɔ-džös] adj loistava
gossip [GƆS-ip] n juoru; v juoruta
got [gɔt] v (p,pp get)
gout [gaut] n kihti
govern [GAV-ön] v hallita
governess [GAV-ö-nös] n
  kotiopettajatar
government [GAV-ö-mönt] n
  hallitus
governor [GAV-ön-ö] n
  kuvernööri
gown [gaun] n iltapuku
grace [greis] n sulo
graceful [GREIS-ful] adj suloinen
grade [greid] v luokitella; n aste

gradient [GREID-i-önt] *n*
kaltevuus

gradual [GRÄD-ju-öl] *adj*
asteittainen

graduate [GRÄD-ju-eit] *v* saada
oppiarvo

grain [grein] *n* jyvä

gram [gräm] *n* gramma

grammar [GRÄM-ö] *n* kielioppi

grammar school [GRÄM-ö skuul]
n lukio

grammatical [grö-MÄT-ik-öl] *adj*
kieliopillinen

gramophone [GRÄM-ö-foun] *n*
levysoitin

grand [gränd] *adj* suuri

granddaughter [GRÄN-dɔɔ-tö] *n*
pojantytär; tyttärentytär

grandfather [GRÄN-faa-ðö] *n*
isoisä

grandmother [GRÄN-mað-ö] *n*
isoäiti

grandparents [GRÄN-pɛör-önts]
pl isovanhemmat *pl*

grandson [GRÄN-san] *n*
pojanpoika; tyttärenpoika

granite [GRÄN-it] *n* graniitti

grant [graant] *v* suoda; *n*
apuraha

grapefruit [GREIP-fruut] *n* greippi

grapes [greips] *pl* viinirypäleet
pl

graph [gräf] *n* käyrä

graphic [GRÄF-ik] *adj*
havainnollinen

grasp [graasp] *v* tarttua

grass [graas] *n* nurmikko

grassy [GRAAS-i] *adj* ruohoinen

grate [greit] *v* raapia

grateful [GREIT-ful] *adj*
kiitollinen

grating [GREIT-ing] *n* ristikko

gratis [GRÄ-tis] *adv* ilmainen

gratitude [GRÄT-i-tjuud] *n*
kiitollisuus

gratuity [grö-TJUU-i-ti] *n*
juomaraha

grave [greiv] *adj* vakava; *n* hauta

gravel [GRÄV-öl] *n* sora

gravestone [GREIV-stoun] *n*
hautakivi

graveyard [GREIV-jaad] *n*
hautausmaa

graze [greiz] *v* laiduntaa

grease [griis] *n* rasva; *v* rasvata

greasy [GRIIS-i] *adj* rasvainen

great [greit] *adj* suuri

Great Britain [greit BRIT-ön] *n*
Iso-Britannia

Greece [griis] *n* Kreikka

greed [griid] *n* ahneus

greedy [GRIID-i] *adj* ahne

Greek [griik] *n* kreikkalainen;
adj kreikkalainen

green [griin] *adj* vihreä

green card [griin kaad] *n* auton
vakuutuskortti

greengrocer [GRIIN-grous-ö] *n*
vihanneskauppias

greenhouse [GRIIN-haus] *n*
kasvihuone

greens [griinz] *pl* vihannekset *pl*

greet [griit] *v* tervehtiä

greetings [GRIIT-ingz] *pl*
tervehdys

grew [gruu] *v* (*p* grow)

grey [grei] *adj* harmaa

grief [griif] *n* suru

grill [gril] *v* paahtaa; *n* paahdin

grilled [grild] *adj* paahdettu

grill-room [GRIL-ruum] *n* grilli

grin [grin] *v* virnistää; *n*
virnistys

* **grind** [graind] *v* jauhaa

grip [grip] *n* matkalaukku; *v*
tarttua

grocer [GROUS-ö] *n*
siirtomaatavarakauppias

groceries [GROUS-ör-iz] *pl*
  siirtomaatavarat *pl*
grocery [GROUS-ör-i] *n*
  siirtomaatavarakauppa
groove [gruuv] *n* uurre
gross [grous] *adj* kokonais-
grotto [GROT-ou] *n* luola
ground [graund] *n* maa
ground-floor [GRAUND-flɔɔ] *n*
  pohjakerros
grounds [graundz] *pl* maat *pl*
group [gruup] *n* ryhmä
grouse [graus] *inv* metsäkana
grove [grouv] *n* metsikkö
* **grow** [grou] *v* kasvaa
grown [groun] *v* (*pp* **grow**)
grown-up [GROUN-ap] *n* aikuinen
growth [grouΘ] *n* kasvu
grumble [GRAM-böl] *v* nurista
* **guarantee** [gär-ön-TII] *v* taata; *n*
  takuu
guarantor [gär-ön-Tɔɔ] *n* takaaja
guard [gaad] *v* vartioida; *n* vartio
guess [gɛs] *v* arvata; *n* arvaus
guest [gɛst] *n* vieras
guest-house [GƐST-haus] *n*
  täysihoitola
guest-room [GƐST-ruum] *n*
  vierashuone
guide [gaid] *n* opas; *v* opastaa
guidebook [GAID-buk] *n*
  opaskirja
guilty [GIL-ti] *adj* syyllinen
guitar [gi-TAA] *n* kitara
gulf [galf] *n* merenlahti
gum [gam] *n* liima; purukumi;
  hammasliha
gun [gan] *n* tykki; revolveri
gust [gast] *n* tuulenpuuska
gusty [GAS-ti] *adj* tuulinen
gutter [GAT-ö] *n* katuoja
gym shoes [džim šuuz] *pl*
  voimistelutossut *pl*
gymnasium [džim-NEI-zi-öm] *n*

voimistelusali
gymnast [DŽIM-näst] *n*
  voimistelija
gymnastics [džim-NÄS-tiks] *pl*
  voimistelu
gynaecologist [gain-i-KɔL-ö-
  džist] *n* gynekologi
gypsy [DŽIP-si] *n* mustalainen

haberdasher [HÄB-ö-däš-ö] *n*
  lyhyttavarakauppias
haberdashery [HÄB-ö-däš-ör-i] *n*
  lyhyttavaraliike
habit [HÄB-it] *n* tapa
habitable [HÄB-it-ö-böl] *adj*
  asuttava
habitual [hö-BIT-ju-öl] *adj*
  tavanomainen
had [häd] *v* (*p,pp* **have**)
haddock [HÄD-ök] *n* kolja
hadn't [HÄD-önt] *v* (**had not**)
haemorrhage [HƐM-ör-idž] *n*
  verenvuoto
haemorrhoids [HƐM-ör-oidz] *pl*
  peräpukamat
hail [heil] *n* raesade
hair [hɛö] *n* tukka
hair cream [hɛö kriim] *n*
  hiusvoide
hair piece [hɛö piis] *n* tekotukka
hair rollers [hɛö ROUL-ɛz] *pl*
  papiljotit *pl*
hair set [hɛö sɛt] *n* kampaus
hair tonic [hɛö TɔN-ik] *n* hiusvesi
hairbrush [HƐÖ-braš] *n* hiusharja
haircut [HƐÖ-kat] *n* tukanleikkuu
hairdresser [HƐÖ-drɛs-ö] *n*
  kampaaja
hair-dryer [HƐÖ-drai-ö] *n*
  tukankuivaaja
hairgrip [HƐÖ-grip] *n* hiussolki
hairnet [HƐÖ-nɛt] *n* hiusverkko
hair-oil [HƐÖR-oil] *n* hiusöljy

hairpin [HEÖ-pin] *n* hiusneula

half [haaf] *adv* puoleksi; *n* puolikas; *adj* puoli~

half fare [haaf fɛö] *n* puolitaksa

half price [haaf prais] *n* puolihinta

halibut [HĂL-i-böt] *n* pallas

hall [hɔɔl] *n* eteinen; sali

halt [hɔɔlt] *v* pysähtyä

halve [haav] *v* puolittaa

ham [häm] *n* kinkku

hamlet [HĂM-lit] *n* pikkukylä

hammer [HĂM-ö] *n* vasara

hammock [HĂM-ök] *n* riippumatto

hamper [HĂM-pö] *n* kori

hand [händ] *n* käsi

hand baggage [händ BĂG-idž] *n* käsimatkatavarat *pl*

hand cream [händ kriim] *n* käsivoide

handbag [HĂND-bäg] *n* käsilaukku

handbook [HĂND-buk] *n* käsikirja

hand-brake [HĂND-breik] *n* käsijarru

handful [HĂND-ful] *n* kourallinen

handicraft [HĂN-di-kraaft] *n* käsityö

handkerchief [HĂNG-kö-tšif] *n* nenäliina

handle [HĂN-döl] *v* pidellä; *n* kahva

handmade [HĂND-meid] *adj* käsintehty

handsome [HĂN-söm] *adj* komea

handwork [HĂND-wöök] *n* käsityö

handwriting [HĂND-wrait-ing] *n* käsinkirjoitus

handy [HĂN-di] *adj* kädenulottuvilla

* **hang** [häng] *v* ripustaa

hanger [HĂNG-ö] *n* ripustin

happen [HĂP-ön] *v* tapahtua

happening [HĂP-ön-ing] *n* tapahtuma

happiness [HĂP-i-nis] *n* onni

happy [HĂP-i] *adj* onnellinen

harbour [HAA-bö] *n* satama

hard [haad] *adv* kovasti; *adj* kova

hardly [HAAD-li] *adv* tuskin

hardware [HAAD-wɛö] *n* rautatavara

hardware store [HAAD-wɛö stɔɔ] *n* rautakauppa

harm [haam] *v* vahingoittaa; *n* vahinko

harmful [HAAM-ful] *adj* vahingollinen

harmless [HAAM-lis] *adj* vaaraton

harsh [haaš] *adj* karkea

harvest [HAA-vist] *n* sato

has [häz] *v* (*pr* have)

hasn't [HĂZ-önt] *v* (**has not**)

haste [heist] *n* kiire

hasten [HEIS-ön] *v* kiirehtiä

hasty [HEIS-ti] *adj* kiireinen

hat [hät] *n* hattu

hate [heit] *v* vihata; inhota; *n* viha

* **have** [häv] *v* olla

* **have to** [häv tu] *v* täytyä

haven't [HĂV-önt] *v* (**have not**)

haversack [HĂV-ö-säk] *n* reppu

hay [hei] *n* heinä

hay-fever [HEI-fiiv-ö] *n* heinänuha

haze [heiz] *n* usva

hazy [HEIZ-i] *adj* usvainen

he [hii] *pron* hän

head [hɛd] *n* pää

headache [HƐD-eik] *n* päänsärky

heading [HƐD-ing] *n* otsikko

headlamp [HƐD-lämp] *n* etuvalo

headland [HƐD-lönd] *n* niemi

headlight [HƐD-lait] *n* etuvalo

headline [HƐD-lain] *n* otsikko

headlong [HED-loŋg] *adv* suin
   päin
headmaster [HED-maas-tö] *n*
   rehtori
headquarters [HED-kwɔɔ-töz] *n*
   päämaja
head-waiter [hɛd-WEIT-ö] *n*
   hovimestari
heal [hiil] *v* parantaa
health [hɛlΘ] *n* terveys
health certificate [hɛlΘ sö-TIF-i-
   kit] *n* terveystodistus
healthy [HɛlΘ-i] *adj* terve
heap [hiip] *n* kasa
* **hear** [hiö] *v* kuulla
heard [hööd] *v* (*p, pp* **hear**)
hearing [HIÖR-ing] *n* kuulo
heart [haat] *n* sydän
heartburn [HAAT-böön] *n*
   närästys
hearth [haaΘ] *n* tulisija
hearts [haats] *pl* hertta
hearty [HAAT-i] *adj* sydämellinen
heat [hiit] *v* lämmittää; *n*
   kuumuus
heater [HIIT-öl] *n* lämmityslaite
heath [hiiΘ] *n* nummi
heather [HEð-öl] *n* kanerva
heating [HIIT-ing] *n* lämmitys
heating pad [HIIT-ing päd] *n*
   lämpötyyny
heaven [HEV-ön] *n* taivas
heavenly [HEV-ön-li] *adj*
   taivaallinen
heavy [HEV-i] *adj* raskas
Hebrew [HII-bruu] *n* heprea
hedge [hɛdž] *n* pensasaita
heel [hiil] *n* kantapää
height [hait] *n* korkeus
held [hɛld] *v* (*p,pp* **hold**)
helicopter [HɛL-i-kɔp-töl] *n*
   helikopteri
he'll [hiil] *v* (**he will**)
hell [hɛl] *n* helvetti

help [hɛlp] *v* auttaa; *n* apu
helper [HɛLP-ö] *n* auttaja
helpful [HɛLP-ful] *adj* avulias
helping [HɛLP-ing] *n* ruoka-
   annos
hom [hɛm] *n* päärmo
hen [hɛn] *n* kana
her [höö] *pron* hänelle; hänet;
   adj hänen
herb [hööb] *n* yrtti
herd [hööd] *n* lauma
here [hiö] *adv* täällä
hernia [HÖÖ-ni-ö] *n* tyrä
hero [HIÖR-ou] *n* sankari
herring [HɛR-ing] *n* silli
herself [höö-SɛLF] *pron* itse;
   itsensä
he's [hiiz] *v* (**he is, he has**)
hesitate [HɛZ-i-teit] *v* epäröidä
hiccup [HIK-ap] *n* hikka
hid [hid] *v* (*p,pp* **hide**)
* **hide** [haid] *v* piilottaa
hideous [HID-i-ös] *adj* kamala
hi-fi [HAI-FAI] *n* hi-fi-
high [hai] *adj* korkea
high season [hai SIIZ-ön] *n*
   sesonkiaika
high tide [hai taid] *n* nousuvesi
highway [HAI-wei] *n* maantie
hijack [HAI-džäk] *v* kaapata
hike [haik] *v* retkeillä
hill [hil] *n* mäki
hillock [HIL-ök] *n* kumpu
hillside [HIL-said] *n* rinne
hilltop [HIL-tɔp] *n* mäen huippu
hilly [HIL-i] *adj* mäkinen
him [him] *pron* hänelle; hänet
himself [him-SɛLF] *pron* itsensä;
   itse
hinder [HIN-dö] *v* estää
hinge [hindž] *n* sarana
hip [hip] *n* lanne
hire [haiö] *v* vuokrata
hire-purchase [haiö-PÖÖ-tšös] *n*

vähittäismaksujärjestelmä
his [hiz] *adj* hänen
historian [his-TOU-ri-ön] *n*
  historioitsija
historic [his-TƆR-ik] *adj*
  historiallinen
historical [his-TƆR-ik-öl] *adj*
  historiallinen
history [HIS-tör-i] *n* historia
* hit [hit] *v* iskeä; *n* hitti
hitchhike [HITŠ-haik] *v*
  matkustaa peukalokyydillä
hitchhiker [HITŠ-haik-ö] *n*
  peukalokyytiläinen
hoarse [hɔɔs] *adj* käheä
hobby [HƆB-i] *n* mieliharrastus
hockey [HƆK-i] *n* jääkiekkoilu
* hold [hould] *v* pitää; tarttua; *n*
  lastiruuma
* hold on [hould ɔn] *v* pitää
  kiinni
* hold up [hould ap] *v* tukea
hole [houl] *n* reikä
holiday [HƆL-ö-dei] *n* pyhäpäivä
holiday camp [HƆL-ö-dei kämp] *n*
  lomaleiri
holidays [HƆL-ö-deiz] *pl* loma
Holland [HƆL-önd] *n* Hollanti
hollow [HƆL-ou] *adj* ontto
holy [HOU-li] *adj* pyhä
home [houm] *n* koti
home-made [HOUM-meid] *adj*
  kotitekoinen
homesickness [HOUM-sik-nis] *n*
  koti-ikävä
honest [ƆN-ist] *adj* rehellinen
honestly [ƆN-ist-li] *adv*
  rehellisesti
honesty [ƆN-is-ti] *n* rehellisyys
honey [HAN-i] *n* hunaja
honeymoon [HAN-i-muun] *n*
  kuherruskuukausi
honorable [ƆN-ör-ö-böl] *adj*
  kunniakas

honour [ƆN-ö] *n* kunnia
hood [hud] *n* auton konepelti
hook [huk] *n* koukku
hoot [huut] *v* soittaa autontorvea
hooter [HUUT-ö] *n* autontorvi
hop [hɔp] *v* hyppiä
hope [houp] *v* toivoa; *n* toivo
hopeful [HOUP-ful] *adj* toiveikas
hops [hɔps] *pl* humalakasvi
horizon [hö-RAI-zön] *n*
  taivaanranta
horizontal [hɔr-i-zƆN-töl] *adj*
  vaakasuora
horn [hɔɔn] *n* äänitorvi
horrible [HƆR-ö-böl] *adj*
  hirvittävä
hors-d'œuvre [] *n* alkuruoka
horse [hɔɔs] *n* hevonen
horse-power [HƆƆS-pau-ö] *n*
  hevosvoima
horse-race [HƆƆS-reis] *n*
  ratsastuskilpailu
horse-radish [HƆƆS-räd-iš] *n*
  piparjuuri
hosiery [HOU-žör-i] *n*
  trikootavarat *pl*
hospitable [HƆS-pit-ö-böl] *adj*
  vieraanvarainen
hospital [HƆS-pit-öl] *n* sairaala
hospitality [hɔs-pi-TÄL-i-ti] *n*
  vieraanvaraisuus
host [houst] *n* isäntä
hostel [HƆS-töl] *n* retkeilymaja
hostess [HOUS-tis] *n* emäntä
hot [hɔt] *adj* kuuma
hotel [hou-TƐL] *n* hotelli
hot-water bottle [hɔt-wɔɔ-tö BƆT-
  öl] *n* kuumavesipullo
hour [auö] *n* tunti
hourly [AUÖ-li] *adj* jokatuntinen
house [haus] *n* talo
house-agent [HAUS-ei-džönt] *n*
  kiinteistövälittäjä
household [HAUS-hould] *n* talous

housekeeper [HAUS-kiip-ö] *n*
  taloudenhoitaja
housekeeping [HAUS-kiip-ing] *n*
  taloudenhoito
housemaid [HAUS-meid] *n*
  sisäkkö
housewife [HAUS-waif] *n*
  perheenemäntä
housework [HAUS-wöök] *n*
  kotityöt *pl*
hovercraft [HƆV-ö-kraaft] *n*
  ilmatyynyalus
how [hau] *adv* kuinka
however [hau-ɛv-ö] *conj*
  kuitenkin
hug [hag] *v* sulkea syliinsä
huge [hjuudž] *adj* suunnaton
human [HJUU-mön] *adj*
  inhimillinen
human being [HJUU-mön BII-ing]
  n ihminen
humanity [hju-MÄN-it-i] *n*
  ihmiskunta
humble [HAM-böl] *adj* nöyrä
humid [HJUU-mid] *adj* kostea
humorous [HJUU-mör-ös] *adj*
  humoristinen
humour [HJUU-möl] *n* huumori
hundred [HAN-dröd] *n* sata
hung [hang] *v* (*p, pp* hang)
Hungarian [hang-GEÖR-i-ön] *n*
  unkarilainen; *adj*
  unkarilainen
Hungary [HANG-gör-i] *n* Unkari
hunger [HANG-gö] *n* nälkä
hungry [HANG-gri] *adj* nälkäinen
hunt [hant] *v* metsästää; *n*
  metsästys
hunt for [hant fɔɔ] *v* etsiä
hunter [HAN-tö] *n* metsästäjä
hurricane [HAR-i-kön] *n*
  pyörremyrsky
hurricane lamp [HAR-i-kön
  lämp] *n* myrskylyhty

hurry [HAR-i] *n* kiire; *v* kiirehtiä
*** hurt** [hööt] *v* haavoittaa
hurtful [HÖÖT-ful] *adj*
  vahingollinen
husband [HAZ-bönd] *n* aviomies
hut [hat] *n* maja
hydrogen [HAI-dri-džön] *n* vety
hygienic [hai-DŽIIN-ik] *adj*
  hygieeninen
hymn [him] *n* hymni
hyphen [HAI-fön] *n* yhdysviiva
hysterical [his-TɛR-ik-öl] *adj*
  hysteerinen

I [ai] *pron* minä
ice [ais] *n* jää
icebag [AIS-bäg] *n* jääpussi
ice-cream [AIS-kriim] *n* jäätelö
iced drink [aist dringk] *n*
  jääjuoma
Iceland [AIS-lönd] *n* Islanti
ice-water [AIS-wɔɔ-tö] *n* jäävesi
I'd [aid] *v* (**I should, I would, I
  had**)
I'd rather [aid RAA-ðö] *v* (**I would
  rather**)
idea [ai-DI-ö] *n* ajatus
ideal [ai-DI-öl] *adj* ihanteellinen;
  n ihanne
identical [ai-DɛN-tik-öl] *adj*
  identtinen
identification [ai-dɛn-ti-fi-KEI-
  šön] *n* tunnistaminen
identity [ai-DɛN-ti-ti] *n*
  henkilöllisyys
identity card [ai-DɛN-ti-ti kaad] *n*
  henkilöllisyystodistus
idiom [ID-i-öm] *n* idiomi
idiomatic [id-i-ö-MÄT-ik] *adj*
  idiomaattinen
idiot [ID-i-öt] *n* idiootti
idle [AI-döl] *adj* toimeton
if [if] *conj* jos

ignition [ig-NIŠ-ön] *n* sytytyslaite
ignorant [IG-nör-önt] *adj*
 tietämätön
ignore [ig-Nɔɔ] *v* olla välittämättä
ill [il] *adj* sairas
I'll [ail] *v* (**I shall, I will**)
illegal [i-LIIG-öl] *adj* laiton
illegible [i-LEDŽ-ö-böl] *adj*
 epäselvä
illness [IL-nis] *n* sairaus
illuminate [i-LUU-min-eit] *v*
 valaista
illumination [i-luu-mi-NEI-šön] *n*
 valaistus
illustrate [IL-ös-treit] *v* valaista
illustration [il-ös-TREI-šön] *n*
 selittäväkuva
I'm [aim] *v* (**I am**)
imaginary [i-MÄDŽ-in-ör-i] *adj*
 kuviteltu
imagination [i-mädž-i-NEI-šön] *n*
 mielikuvitus
imagine [i-MÄDZ-in] *v* kuvitella
imitate [IM-i-teit] *v* jäljitellä
imitation [im-i-TEI-šön] *n*
 jäljittely
immediate [i-MII-djöt] *adj*
 välitön
immediately [i-MII-djöt-li] *adj*
 välittömästi
immense [i-MENS] *adj* valtava
immersion heater [i-MÖÖ-šön
 HIIT-öl] *n* vedenlämmittäjä
immigrant [IM-i-grönt] *n*
 maahanmuuttaja
immigrate [IM-i-greit] *v* muuttaa
 maahan
immunity [i-MJUUN-it-i] *n*
 immuniteetti
immunize [IM-juu-naiz] *v*
 immunisoida
impassable [im-PAAS-ö-böl] *adj*
 mahdoton kulkea
impatient [im-PEI-šönt] *adj*

kärsimätön
imperfect [im-PÖÖ-fikt] *adj*
 epätäydellinen
imperial [im-PIÖR-i-öl] *adj*
 valtakunnan-
impertinence [im-PÖÖ-tin-öns] *n*
 hävyttömyys
impertinent [im-PÖÖ-tin-önt] *adj*
 hävytön
implement [IM-pli-mönt] *n*
 työväline
imply [im-PLAI] *v* vihjata
impolite [im-pö-LAIT] *adj*
 epäkohtelias
import [im-PɔɔT] *v* tuottaa
 maahan
import duty [IM-pɔɔt DJUU-ti] *n*
 tuontitulli
importance [im-PɔɔT-öns] *n*
 tärkeys
important [im-PɔɔT-önt] *adj*
 tärkeä
imported [im-PɔɔT-id] *adj*
 tuotettu
importer [im-PɔɔT-ö] *n*
 maahantuoja
imports [IM-pɔɔts] *pl*
 tuontitavarat *pl*
imposing [im-POUZ-ing] *adj*
 vaikuttava
impossible [im-PɔS-i-böl] *adj*
 mahdoton
impress [im-PRES] *v* tehdä
 vaikutus
impression [im-PREŠ-ön] *n*
 vaikutelma
impressive [im-PRES-iv] *adj*
 vaikuttava
imprison [im-PRIZ-ön] *v* vangita
imprisonment [im-PRIZ-ön-
 mönt] *n* vangitseminen
improbable [im-PRɔB-ö-böl] *adj*
 epätodennäköinen
improper [im-PRɔP-ö] *adj*

sopimaton

improve [im-PRUUV] *v* parantaa

improved [im-PRUUVD] *adj*
parannettu

improvement [im-PRUUV-mönt] *n*
parannus

impudent [IM-pju-dönt] *adj*
julkea

impulse [IM-pals] *n* mielijohde

impulsive [im-PALS-iv] *adj*
impulsiivinen

in [in] *adv* sisään; *prep* -ssa

in a hurry [in ö HAR-i] kiire

in advance [in öd-VAANS]
etukäteen

in fact [in fäkt] itse asiassa

in front of [in frant ov] *prep*
edessä

in general [in DŽEN-ör-öl]
yleensä

in love [in lav] rakastunut

in order [in OO-dö] kunnossa

in particular [in pö-TIK-ju-lö]
erikoisesti

in reply [in ri-PLAI] vastaukseksi

in spite of [in spait ov] *prep*
huolimatta

in the meantime [in ðö MIIN-
taim] sillä välin

in time [in taim] ajoissa

in writing [in RAIT-ing]
kirjallisesti

inaccessible [in-äk-SES-ö-böl]
adj luoksepääsemätön

inaccurate [in-ÄK-jur-it] *adj*
epätarkka

inadequate [in-AD-i-kwit] *adj*
riittämätön

incapable [in-KEIP-ö-böl] *adj*
kykenemätön

incident [IN-si-dönt] *n*
tapahtuma

incidental [in-si-DENT-öl] *adj*
satunnainen

incline [in-KLAIN] *n* kalteva taso

include [in-KLUUD] *v* sisällyttää

included [in-KLUUD-id] *adj*
sisällytettynä

inclusive [in-KLUUS-iv] *adj*
mukaan luettuna

income [IN-köm] *n* tulot *pl*

income-tax [IN-köm-täks] *n*
tulovero

incoming [IN-kam-ing] *adj*
sisääntuleva

incompetent [in-KOM-pi-tönt] *adj*
epäpätevä

incomplete [in-köm-PLIIT] *adj*
epätäydellinen

inconvenience [in-kön-VIIN-jöns]
n epämukavuus

inconvenient [in-kön-VIIN-jönt]
adj epämukava

incorrect [in-kö-REKT] *adj*
virheellinen

increase [IN-kriis] *n*
lisääntyminen; *v* lisätä

incredible [in-KRED-i-böl] *adj*
uskomaton

incurable [in-KJUÖR-ö-böl] *adj*
parantumaton

indeed [in-DIID] *adv* todella

indefinite [in-DEF-i-nit] *adj*
epämääräinen

indemnity [in-DEM-ni-ti] *n*
vahingon korvaus

independence [in-di-PEND-öns] *n*
itsenäisyys

independent [in-di-PEND-önt] *adj*
itsenäinen

index [IN-deks] *n* aakkosellinen
luettelo

India [IN-di-ö] *n* Intia

Indian [IN-di-ön] *n* intialainen

indicate [IN-di-keit] *v* osoittaa

indication [in-di-KEI-šön] *n*
osoitus

indicator [in-di-KEIT-ö] *n*

suuntaviitta
indigestion [in-di-DŽɛs-tšön] *n*
ruuansulatushäiriö
indirect [in-di-RɛKT] *adj*
epäsuora
indistinct [in-dis-TINGKT] *adj*
epäselvä
individual [in-di-VID-ju-öl] *adj*
yksilöllinen; *n* yksilö
indoor [IN-dɔɔ] *adj* sisä-
indoors [in-DɔɔZ] *adv* sisällä
industrial [in-DAS-tri-öl] *adj*
teollisuus-
industrious [in-DAS-tri-ös] *adj*
ahkera
industry [IN-dös-tri] *n* teollisuus
inedible [in-ɛD-i-böl] *adj*
syötäväksi kelpaamaton
inefficient [in-i-FIŠ-önt] *adj*
saamaton
inexact [in-ig-ZÄKT] *adj*
epätarkka
inexpensive [in-iks-PɛNS-iv] *adj*
halpa
inexperienced [in-iks-PIÖR-i-
önst] *adj* kokematon
infant [IN-fönt] *n* imeväinen
infantry [IN-fönt-ri] *n* jalkaväki
infect [in-FɛKT] *v* tartuttaa
infection [in-FɛK-šön] *n* tartunta
infectious [in-FɛK-šös] *adj*
tarttuva
inferior [in-FIÖR-i-ö] *adj*
huonompi
infinitive [in-FIN-i-tiv] *n*
infinitiivi
infirmary [in-FÖÖM-ör-i] *n*
sairastupa
inflammable [in-FLÄM-ö-böl] *adj*
tulenarka
inflammation [in-flö-MEI-šön] *n*
tulehdus
inflatable [in-FLEIT-ö-böl] *adj*
puhallettava

inflate [in-FLEIT] *v* puhaltaa
ilmaa täyteen
inflation [in-FLEI-šön] *n* inflaatio
influence [in-flu-öns] *n* vaikutus;
v vaikuttaa
influential [in-flu-ɛN-šöl] *adj*
vaikutusvaltainen
influenza [in-flu-ɛN-zö] *n*
influenssa
inform [in-FƆƆM] *v* tiedoittaa
informal [in-FƆƆM-öl] *adj*
epävirallinen
information [in-fö-MEI-šön] *n*
tieto
infra-red [IN-frö-RɛD] *adj*
infranpunainen
infrequent [in-FRIIK-wönt] *adj*
harvinainen
ingredient [in-GRIID-i-önt] *n*
aines
inhabit [in-HÄB-it] *v* asua
inhabitable [in-HÄB-it-ö-böl] *adj*
asumiskelpoinen
inhabitant [in-HÄB-it-önt] *n*
asukas
inhospitable [in-HƆS-pit-ö-böl]
adj epävieraanvarainen
initial [i-NIŠ-öl] *v* merkitä
nimikirjaimensa; *n*
nimikirjain; *adj* alkuperäinen
inject [in-DŽɛKT] *v* ruiskuttaa
injection [in-DŽɛK-šön] *n* ruiske
injure [IN-džö] *v* vahingoittaa
injured [IN-džöd] *adj*
loukkaantunut
injury [IN-džör-i] *n* vamma
injustice [in-DŽAS-tis] *n* vääryys
ink [ingk] *n* muste
inlet [IN-lɛt] *n* lahdelma
inn [in] *n* majatalo
inner [IN-ö] *adj* sisäinen
inner tube [IN-ö tjuub] *n*
sisärengas
innkeeper [IN-kiip-ö] *n*

majatalon isäntä
innocent [IN-ö-sönt] *adj* viaton
inoculate [i-NɔK-ju-leit] *v*
rokottaa
inoculation [i-nɔk-ju-LEI-šön] *n*
rokotus
inquire [in-KWAIÖ] *v* tiedustella
inquiry [in-KWAIÖR-i] *n* tiedustelu
inquiry office [in-KWAIÖR-i ɔF-is]
n tiedonantotoimisto
inquisitive [in-KWIZ-i-tiv] *adj*
tiedonhaluinen
insane [in-SEIN] *adj* mieletön
insanitary [in-SÄN-i-tör-i] *adj*
epäterveellinen
inscription [in-SKRIP-šön] *n*
kaiverrus
insect [IN-sɛkt] *n* hyönteinen
insect bite [IN-sɛkt bait] *n*
hyönteisen purema
insect repellent [IN-sɛkt ri-PɛL-
önt] *n* hyönteisvoide
insecticide [in-SɛK-ti-said] *n*
hyönteismyrkky
insensible [in-SɛN-sö-böl] *adj*
tunteeton
insert [in-SÖÖT] *v* panna
johonkin
inside [IN-said] *adj* sisä-; *adv*
sisässä
insides [IN-saidz] *pl* sisälmykset
pl
insignificant [in-sig-NIF-i-könt]
adj merkityksetön
insincere [in-sin-SIÖ] *adj*
vilpillinen
insist [in-SIST] *v* väittää
insolent [IN-söl-önt] *adj* röyhkeä
insomnia [in-SɔM-ni-ö] *n*
unettomuus
inspect [in-SPɛKT] *v* tarkastaa
inspection [in-SPɛK-šön] *n*
tarkastus
inspector [in-SPɛK-tö] *n*

tarkastaja
install [in-STɔɔL] *v* asentaa
installation [in-stö-LEI-šön] *n*
asennus
instalment [in-STɔɔL-mönt] *n*
osamaksuerä
instance [IN-stöns] *n* esimerkki
instant [IN-stönt] *n* hetki
instantly [IN-stönt-li] *adv*
välittömästi
instead of [in-STɛD ɔv] sijasta
institute [IN-sti-tjuut] *n* laitos; *v*
perustaa
institution [in-sti-TJUU-šön] *n*
institutio
instruct [in-STRAKT] *v* opettaa
instruction [in-STRAK-šön] *n*
ohjaus
instructor [in-STRAK-tö] *n*
ohjaaja
instrument [IN-stru-mönt] *n*
työväline
insufficient [in-sö-FIŠ-önt] *adj*
riittämätön
insulate [IN-sju-leit] *v* eristää
insulation [in-sju-LEI-šön] *n*
eriste
insulator [in-sju-LEIT-ö] *n* eristin
insult [in-SALT] *v* loukata; *n*
loukkaus
insurance [in-ŠUÖR-öns] *n*
vakuutus
insurance policy [in-ŠUÖR-öns
PɔL-i-si] *n* vakuutuskirja
insure [in-ŠUÖ] *v* vakuuttaa
intact [in-TÄKT] *adj*
vahingoittumaton
intellect [IN-ti-lɛkt] *n* äly
intellectual [in-ti-LɛK-tju-öl] *adj*
älyllinen
intelligence [in-TɛL-i-džöns] *n*
älykkyys
intelligent [in-TɛL-i-džönt] *adj*
älykäs

intend [in-TEND] v aikoa

intense [in-TENS] adj
intensiivinen

intention [in-TEN-šön] n aikomus

intentional [in-TEN-šön-öl] adj
tahallinen

interest [IN-trist] n korko;
mielenkiinto; v kiinnostaa

interested [IN-trist-id] adj
kiinnostunut

interesting [IN-trist-ing] adj
mielenkiintoinen

interfere [in-tö-FIÖ] v keskeyttää

interfere with [in-tö-FIÖ wið] v
sekaantua

interference [in-tö-FIÖR-öns] n
väliintulo

interim [IN-tör-im] n väliaikais~

interior [in-TIÖR-i-ö] n sisusta

interlude [IN-tö-luud] n väliaika

intermission [in-tö-MIŠ-ön] n
väliaika

internal [in-TÖÖ-nöl] adj sisäinen

international [in-tö-NÄŠ-ön-öl]
adj kansainvälinen

interpret [in-TÖÖ-prit] v tulkita

interpreter [in-TÖÖ-prit-ö] n
tulkki

interrogate [in-TER-ö-geit] v
kuulustella

interrogative [in-tö-ROG-ö-tiv]
adj kysyvä

interrupt [in-tö-RAPT] v
keskeyttää

interruption [in-tö-RAP-šön] n
keskeytys

intersection [in-tö-SEK-šön] n
leikkauspiste

interval [IN-tö-völ] n väli

interview [IN-tö-vjuu] n
haastattelu

intestine [in-TES-tin] n suolisto

intimate [IN-ti-mit] adj läheinen

into [IN-tu] prep sisään

intoxicated [in-TOKS-i-keit-id]
adj päihtynyt

introduce [in-trö-DJUUS] v tuoda
sisään; esitellä

introduction [in-trö-DAK-šön] n
johdanto; esittely

invade [in-VEID] v hyökätä

invalid [in-VÄL-id] adj
kykenemätön; n invaliidi

invent [in-VENT] v keksiä

invention [in-VEN-šön] n
keksintö

inventor [in-VEN-tö] n keksijä

inventory [IN-vEn-tri] n
inventaario

invest [in-VEST] v sijoittaa

investigate [in-VES-ti-geit] v
tutkia

investment [in-VEST-mönt] n
sijoitus

investor [in-VES-tö] n sijoittaja

invisible [in-VIZ-i-böl] adj
näkymätön

invitation [in-vi-TEI-šön] n kutsu

invite [in-VAIT] v kutsua

invoice [IN-vois] n tavaralasku

involve [in-VOLV] v sekaantua

inwards [IN-wödz] adv
sisäänpäin

iodine [AI-ö-diin] n jodi

Ireland [AIÖ-lönd] n Irlanti

Irish [AIÖR-iš] n irlantilainen; adj
irlantilainen

iron [AI-ön] n silitysrauta; rauta;
v silittää

ironworks [AI-ön-wöks] n
rautatehdas

irregular [i-REG-ju-lö] adj
epäsäännöllinen

irritable [IR-it-ö-böl] adj ärtyisä

irritate [IR-i-teit] v ärsyttää

is [iz] v (pr be)

island [AI-lönd] n saari

isn't [IZ-önt] v (**is not**)

isolated [ai-sö-LEIT-id] *adj*
eristetty
isolation [ai-sö-LEI-šön] *n*
eristäytyminen
Israel [IZ-reil] *n* Israel
Israeli [iz-REIL-i] *n* israelilainen;
adj israelilainen
issue [IS-juu] *v* julkaista
isthmus [IS-mös] *n* kannas
it [it] *pron* se
Italian [i-TÄL-jön] *n* italialainen;
adj italialainen
italics [i-TÄL-iks] *pl*
vinokirjaimet
Italy [IT-ö-li] *n* Italia
itch [itš] *n* syyhy
item [AIT-öm] *n* artikkeli
itinerant [i-TIN-ör-önt] *adj*
kiertävä
itinerary [ai-TIN-ör-ör-i] *n*
matkasuunnitelma
it's [its] *v* (**it is, it has**)
I've [aiv] *v* (**I have**)
ivory [AIV-ör-i] *n* norsunluu

jack [džäk] *n* väkivipu; sotamies
jacket [DŽÄK-it] *n* pikkutakki
jade [džeid] *n* jadekivi
jail [džeil] *n* vankila
jam [džäm] *n* ruuhka
January [DŽÄN-ju-ör-i] *n*
tammikuu
Japan [džö-PÄN] *n* Japani
Japanese [džäp-ö-NIIZ] *n*
japanilainen; *adj* japanilainen
jar [džaa] *n* ruukku
jaundice [DŽOON-dis] *n* keltatauti
jaw [džoo] *n* leukapieli
jazz [džäz] *n* jazz
jealous [DŽEL-ös] *adj*
mustasukkainen
jeans [džiinz] *pl* farmarihousut
pl

jeep [džiip] *n* maastoauto
jelly [DŽEL-i] *n* hyytelö
jersey [DŽÖÖ-zi] *n* jersey;
villapaita
jet [džet] *n* suihkulentokone
jetty [DŽET-i] *n* laituri
Jew [džuu] *n* juutalainen
jewel [DŽUU-öl] *n* jalokivi
jeweller [DŽUU-öl-ö] *n*
jalokivikauppias
jewellery [DŽUU-öl-ri] *n* korut *pl*
Jewish [DŽUU-iš] *adj* juutalainen
job [džob] *n* toimi
jockey [DŽŌK-i] *n* kilparatsastaja
join [džoin] *v* liittää yhteen
joint [džoint] *n* nivel
jointly [DŽOINT-li] *adv* yhdessä
joke [džouk] *n* vitsi; pila
joker [DŽOUK-ö] *n* jokeri
jolly [DŽOL-i] *adj* iloinen
journal [DŽÖÖ-nöl] *n*
aikakausjulkaisu
journalism [DŽÖÖ-nöl-izm] *n*
sanomalehtiala
journalist [DŽÖÖ-nöl-ist] *n*
sanomalehtimies
journey [DŽÖÖ-ni] *n* matka
joy [džoi] *n* ilo
joyful [DŽOI-ful] *adj* iloinen
judge [džadž] *n* tuomari; *v*
tuomita
judgment [DŽADŽ-mönt] *n* tuomio
jug [džag] *n* kannu
Jugoslav [juu-gou-SLAAV] *adj*
jugoslavialainen; *n* jugoslaavi
Jugoslavia [juu-gou-SLAAV-jö] *n*
Jugoslavia
juice [džuus] *n* mehu
juicy [DŽUUS-i] *adj* mehukas
July [džu-LAI] *n* heinäkuu
jump [džamp] *v* hypätä; *n* hyppy
jumper [DŽAMP-ö] *n* neulepusero
junction [DŽANGK-šön] *n* risteys
June [džuun] *n* kesäkuu

jungle [DŽANG-göl] n viidakko
junk [džangk] n romu
jury [DŽUOR-i] n tuomaristo
just [džast] adv juuri; adj oikeudenmukainen
justice [DŽAS-tis] n oikeudenmukaisuus
juvenile [DŽUU-vi-nail] adj nuorekas

keen [kiin] adj pureva
* keep [kiip] v pidellä
* keep off [kiip of] v pysyä poissa
* keep on [kiip on] v jatkaa
* keep quiet [kiip KWAI-öt] v vaieta
keg [kɛg] n pieni tynnyri
kennel [KƐN-öl] n koiratarha
kept [kɛpt] v (p, pp keep)
kerosene [KƐR-ö-siin] n lamppuöljy
kettle [KƐT-öl] n vesipannu
key [kii] n avain
keyhole [KII-houl] n avaimenreikä
khaki [KAAK-i] n khaki-kangas
kick [kik] v potkaista
kick-off [KIK-of] n avajaispotku
kid [kid] v kiusoitella; n lapsi; vohlannahka
kidney [KID-ni] n munuainen
kill [kil] v tappaa
kilogram [KIL-ö-gräm] n kilo
kilometre [KIL-ö-mii-tö] n kilometri
kind [kaind] adj ystävällinen; n laji
kindergarten [KIN-dö-gaa-tön] n lastentarha
king [king] n kuningas
kingdom [KING-döm] n kuningaskunta
kiosk [KI-osk] n kioski

kiss [kis] n suudelma; v suudella
kit [kit] n varusteet
kitchen [KITŠ-in] n keittiö
kleenex [KLIIN-öks] n paperinenäliina
knapsack [NÄP-säk] n selkäreppu
knave [neiv] n sotamies
knee [nii] n polvi
* kneel [niil] v polvistua
knelt [nɛlt] v (p, pp kneel)
knew [njuu] v (p know)
knife [naif] n veitsi
knit [nit] v kutoa
knitting [NIT-ing] n neuletyö
knob [nob] n kädensija
knock [nok] n kolkutus; v kolkuttaa
knock against [nok ö-GƐNST] v törmätä
knock down [nok daun] v iskeä maahan
knot [not] n solmu
* know [nou] v tuntea; tietää
knowledge [NOL-idž] n tiedot pl
known [noun] v (pp know)
knuckle [NAK-öl] n rysty

label [LEIB-öl] n nimilippu; v varustaa nimilipulla
laboratory [lö-BOR-ö-tri] n laboratorio
labour [LEIB-ö] n työ
labour permit [LEIB-ö PÖÖ-mit] n työlupa
labourer [LEIB-ör-ö] n työläinen
labour-saving [LEIB-ö-seiv-ing] adj työtäsäästävä
lace [leis] n pitsi
laces [LEIS-iz] pl kengännauhat pl
lack [läk] n puute; v olla jotakin vailla
lacquer [LÄK-ö] n lakka

lad [läd] n poika
ladder [LÄD-ö] n tikapuut pl
ladies' room [LEID-iz ruum] n naistenhuone
lady [LEID-i] n hieno nainen
lain [lein] v (pp **lie**)
lake [leik] n järvi
lakeside [LEIK-said] n järvenranta
lamb [läm] n karitsan liha
lame [leim] adj rampa
lamp [lämp] n lamppu
lamp-post [LÄMP-poust] n lyhtypylväs
lampshade [LÄMP-šeid] n lampunvarjostin
land [länd] n maa; v nousta maihin
landing [LÄN-ding] n maihintulo
landlady [LÄND-leid-i] n vuokraemäntä
landlord [LÄND-lood] n vuokraisäntä
landmark [LÄND-maak] n maamerkki
landscape [LÄND-skeip] n maisema
lane [lein] n kuja
language [LÄNG-gwidž] n kieli
lantern [LÄN-tön] n lyhty
lapel [lö-PEL] n käänne
lard [laad] n ihra
larder [LAAD-ö] n ruokakaappi
large [laadž] adj suuri
last [laast] v kestää; adj viimeinen
lasting [LAAST-ing] adj kestävä
latchkey [LÄTŠ-kii] n avain
late [leit] adj myöhäinen
lately [LEIT-li] adv viime aikoina
later [LEIT-ö] adj myöhemmin
latest [LEIT-ist] adj viimeinen
Latin America [LÄT-in ö-MER-i-kö] n Latinalainen Amerikka

Latin American [LÄT-in ö-MER-i-kön] adj latinalais-amerikkalainen; n latinalais-amerikkalainen
laugh [laaf] v nauraa; n nauru
laughter [LAAF tö] n nauru
launch [loontš] v panna käyntiin
launderette [loon-dör-ET] n itsepalvelupesula
laundry [LOON-dri] n pesula; pyykki
lavatory [LÄV-ö-tri] n pesuhuone
law [loo] n laki
law courts [loo koots] pl oikeusistuin
lawful [LOO-ful] adj laillinen
lawn [loon] n nurmi
lawyer [LOO-jö] n lakimies
laxative [LÄKS-ö-tiv] n ulostusaine
* **lay** [lei] v asettaa
lazy [LEIZ-i] adj laiska
lead [lɛd] n lyijy; talutushihna; v johtaa
leader [LIID-ö] n johtaja
leading [LIID-ing] adj johtava
leaf [liif] n lehti
leak [liik] v vuotaa; n vuoto
* **lean** [liin] v nojautua; adj laiha
* **leap** [liip] v hyppiä
leap-year [LIIP-jöö] n karkausvuosi
* **learn** [löön] v oppia
learner [LÖÖN-ö] n oppilas
learnt [löönt] v (p, pp **learn**)
lease [liis] n vuokrasopimus
least [liist] adj pienin; n vähin
leather [Lɛð-ö] n nahka
* **leave** [liiv] v lähteä; jättää
* **leave out** [liiv aut] v jättää pois
lecture [Lɛk-tšö] n esitelmä
lecturer [Lɛk-tšör-ö] n luennoitsija
led [lɛd] v (p, pp **lead**)

left [lɛft] adj vasen
left luggage office [lɛft LAG-idž
ɔF-is] n tavarasäilö
left-hand [LɛFT-händ] adj vasen
leg [lɛg] n sääri
legal [LIIG-öl] adj laillinen
legation [li-GEI-šön] n lähetystö
leisure [LɛŽ-ö] n vapaa-aika
lemon [LɛM-ön] n sitruuna
* lend [lɛnd] v lainata
length [lɛngϴ] n pituus
lengthen [LɛNGϴ-ön] v pidentää
lengthways [LɛNGϴ-weiz] adv
pitkittäin
lens [lɛnz] n linssi
lent [lɛnt] v (p, pp lend)
less [lɛs] adv vähemmän
lessen [LɛS-ön] v vähentää
lesson [LɛS-ön] n oppitunti
* let [lɛt] v sallia; vuokrata
letter [LɛT-ö] n kirje
letter of credit [LɛT-ör öv KRɛD-it]
n kreditiivi
letterbox [LɛT-ö-bɔks] n
kirjelaatikko
lettuce [LɛT-is] n salaatti
level [LɛV-öl] adj tasainen
level crossing [LɛV-öl KRƆS-ing] n
tasoylikäytävä
lever [LIIV-ö] n vipu
levis [LII-vaiz] n farmarihousut
pl
liability [lai-ö-BIL-i-ti] n
vastuuvelvollisuus
liable [LAI-ö-böl] adj vastuussa
liberal [LIB-ör-öl] adj
vapaamielinen
liberty [LIB-ö-ti] n vapaus
library [LAIB-rö-ri] n kirjasto
licence [LAI-söns] n lupa
license [LAI-söns] v myöntää
lupa
lid [lid] n kansi
* lie [lai] v maata; n valhe

* lie down [lai daun] v paneutua
maata
life [laif] n elämä
life insurance [laif in-ŠUÖR-öns]
n henkivakuutus
lifetime [LAIF-taim] n elinaika
lift [lift] v nostaa; n hissi
light [lait] n valo; adj kevyt;
vaalea; v sytyttää
light bulb [lait balb] n
hehkulamppu
light meal [lait miil] n kevyt
ateria
lighter [LAIT-ö] n sytytin
lighthouse [LAIT-haus] n
majakka
lighting [LAIT-ing] n valaistus
lightning [LAIT-ning] n salama
like [laik] v pitää jostakin; adj
kaltainen; prep kuten
likely [LAIK-li] adv
todennäköisesti
likewise [LAIK-waiz] adv samoin
limb [lim] n raaja
lime [laim] n lime
limit [LIM-it] n raja; v rajoittaa
limited [LIM-it-id] adj rajoitettu
limp [limp] v nilkuttaa; adj veltto
line [lain] n rivi; jono
linen [LIN-in] n liinavaatteet pl;
pellava
liner [LAIN-ö] n vuorolaiva
lingerie [LAANG-žör-i] n
alusvaatteet pl
lining [LAIN-ing] n vuoraus
link [lingk] n yhdysside; v liittää
yhteen
links [lingks] pl kalvosinnapit pl;
golf-kenttä
lip [lip] n huuli
lipsalve [LIP-saav] n huulivoide
lipstick [LIP-stik] n huulipuna
liquid [LIK-wid] n nestemäinen
liquorice [LIK-ö-ris] n lakritsi

list [list] *n* luettelo; *v* merkitä
  luetteloon
listen [LIS-ön] *v* kuunnella
listener [LIS-nö] *n* kuuntelija
lit [lit] *v* (*p, pp* light)
literary [LIT-ör-ör-i] *adj*
  kirjallisuus-
literature [LIT-rö-tšö] *n*
  kirjallisuus
litre [LII-tö] *n* litra
litter [LIT-ö] *n* roskat *pl*
little [LIT-öl] *adj* pieni
little by little [LIT-öl bai LIT-öl]
  vähitellen
live [laiv] *adj* elävä; *v* elää
lively [LAIV-li] *adj* eloisa
liver [LIV-ö] *n* maksa
living [LIV-ing] *n* elämä
living-room [LIV-ing-ruum] *n*
  olohuone
load [loud] *n* lasti; *v* lastata
loaf [louf] *n* leipä
loan [loun] *n* laina
lobby [LOB-i] *n* eteishalli
lobster [LOB-stö] *n* hummeri
local [LOUK-öl] *adj* paikallinen
local call [LOUK-öl kool] *n*
  paikallispuhelu
local train [LOUK-öl trein] *n*
  paikallisjuna
locality [lou-KÄL-i-ti] *n*
  paikkakunta
locate [lou-KEIT] *v* paikantaa
location [lou-KEI-šön] *n* sijainti
lock [lok] *n* lukko; *v* lukita
lock up [lok ap] *v* lukita sisään
locomotive [LOU-kö-mou-tiv] *n*
  veturi
lodge [lodž] *v* majoittaa
lodger [LODŽ-ö] *n* vuokralainen
lodgings [LODŽ-ingz] *pl* vuokra-
  asunto *pl*
log [log] *n* halko
logic [LODŽ-ik] *n* logiikka

lonely [LOUN-li] *adj* yksinäinen
long [long] *adj* pitkä
long ago [long ö-GOU] *adv* aikoja
  sitten
long for [long foo] *v* ikävöidä
longer [LONG-gö] *adj* pitempi
longing [LONG-ing] *n* kaipaus
longitude [LONG-gi-tjuud] *n*
  pituusaste
long-playing record [LONG-plei-
  ing REK-ood] *n* long-play-levy
look [luk] *v* katsoa; *n* ulkonäkö
look after [luk AAF-tö] *v* hoitaa
look at [luk ät] *v* katsella
look for [luk foo] *v* hakea
look out [luk aut] *v* olla
  varuillaan
look up [luk ap] *v* hakea
looking-glass [LUK-ing-glaas] *n*
  peili
loose [luus] *adj* irtonainen
loosen [LUUS-ön] *v* irrottaa
lord [lood] *n* lordi
lorry [LOR-i] *n* kuorma-auto
* lose [luuz] *v* kadottaa
loss [los] *n* menetys
lost [lost] *v* (*p, pp* lose)
lost and found [lost önd faund]
  löytötavarat *pl*
lost property office [lost PROP-ö-ti
  OF-is] *n* löytötavaratoimisto
lot [lot] *n* kohtalo; suuri määrä
lotion [LOU-šön] *n* kasvovesi
lottery [LOT-ör-i] *n* arpajaiset
loud [laud] *adj* äänekäs
loud-speaker [LAUD-spiik-ö] *n*
  kovaääninen
lounge [laundž] *n* eteishalli
love [lav] *n* rakkaus; *v* rakastaa
lovely [LAV-li] *adj* viehättävä
love-story [LAV-stoo-ri] *n*
  rakkauskertomus
low [lou] *adj* matala
low season [lou SIIZ-ön] *n*

laskukausi
low tide [lou taid] *n* laskuvesi
lower [LOU-ö] *adj* alempi
lower berth [LOU-ö bööΘ] *n*
  alavuode
lowland [LOU-lönd] *n* alamaa
loyal [LOI-öl] *adj* uskollinen
lubricate [LUU-bri-keit] *v* voidella
lubrication [luu-bri-KEI-šön] *n*
  voitelu
lubrication oil [luu-bri-KEI-šön
  oil] *n* voiteluöljy
lubrication system [luu-bri-KEI-
  šön SIS-tim] *n* voitelukoneisto
luck [lak] *n* onni
lucky [LAK-i] *adj* onnekas
lucky charm [LAK-i tšaam] *n*
  maskotti
luggage [LAG-idž] *n* matkatavarat
  pl
luggage rack [LAG-idž räk] *n*
  matkatavarahylly
luggage van [LAG-idž vän] *n*
  tavaravaunu
lukewarm [LUUK-wɔɔm] *adj*
  haalea
lumbago [lam-BEI-gou] *n*
  noidannuoli
luminous [LUU-min-ös] *adj*
  valoisa
lump [lamp] *n* möykky
lump sum [lamp sam] *n* pyöreä
  summa
lumpy [LAMP-i] *adj*
  möykkymäinen
lunch [lantš] *n* lounas
lunch time [lantš taim] *n*
  lounasaika
luncheon [LANTŠ-ön] *n* lounas
lung [lang] *n* keuhko
luxurious [lag-ŽUɔR-i-ös] *adj*
  ylellinen
luxury [LAK-šör-i] *n* ylellisyys
lying [LAI-ing] *n* valehteleminen

machine [mö-ŠIIN] *n* kone
machinery [mö-ŠIIN-ör-i] *n*
  koneisto
mackerel [MÄK-röl] *n* makrilli
mackintosh [MÄK-in-tɔš] *n*
  sadetakki
mad [mäd] *adj* mieletön
madam [MAD-öm] *n* rouva
made [meid] *v* (*p, pp* **make**)
made of [meid ɔv] tehty jostakin
made-to-order [meid-tu-ɔɔ-dö]
  adj tilauksesta valmistettu
magazine [mäg-ö-ZIIN] *n*
  aikakauslehti
magic [MÄDŽ-ik] *n* taika
magistrate [MÄDŽ-is-treit] *n*
  rauhantuomari
magnetic [mäg-NET-ik] *adj*
  magneettinen
magneto [mäg-NII-tou] *n*
  magneetti
magnificent [mäg-NIF-i-sönt] *adj*
  upea
maid [meid] *n* palvelustyttö
maiden name [MEID-ön neim] *n*
  tyttönimi
mail [meil] *v* postittaa; *n* posti
mail-box [MEIL-bɔks] *n*
  postilaatikko
main [mein] *adj* pää-
main line [mein lain] *n* pääreitti
main road [mein roud] *n* päätie
main street [mein striit] *n*
  pääkatu
mainland [MEIN-lönd] *n*
  mannermaa
maintain [mɛn-TEIN] *v* ylläpitää
maintenance [MEIN-tin-öns] *n*
  ylläpito
maize [meiz] *n* maissi
major [MEI-džö] *adj* suurempi
majority [mö-DŽɔR-it-i] *n*

enemmisto
* **make** [meik] v tehdä
make-up [MEIK-ap] n ehostus
malaria [mö-LₑÖR-i-ö] n malaria
male [meil] adj miespuolinen
mallet [MÄL-it] n nuija
mammal [MÄM-öl] n nisäkäs
man [män] n (pl **men**) mies
manage [MÄN-idž] v johtaa
management [MÄN-idž-mönt] n
  johto
manager [MÄN-idž-ö] n johtaja
mandarin [MÄN-dör-in] n
  mandariini
manicure [MÄN-i-kjuö] v hoitaa
  käsiä; n käsienhoito
mankind [män-KAIND] n
  ihmiskunta
mannequin [MÄN-i-kin] n
  mallinukke
manner [MÄN-ö] n tapa
manners [MÄN-öz] pl käytös
manor house [MÄN-ö haus] n
  herraskartano
mansion [MÄN-šön] n
  herraskartano
manual [MÄN-ju-öl] adj käsi-
manufacture [män-ju-FÄK-tšö] v
  valmistaa
manufactured [män-ju-FÄK-tšöd]
  adj tehdasvalmisteinen
manufacturer [män-ju-FÄK-tšör-
  ö] n valmistaja
manuscript [MÄN-ju-skript] n
  käsikirjoitus
many [MₑN-i] adj monta
map [mäp] n kartta
marble [MAA-böl] n marmori
march [maatš] n marssi; v
  marssia
March [maatš] n maaliskuu
margarine [MAA-džör-iin] n
  margariini
margin [MAA-džin] n reuna

maritime [MÄR-i-taim] adj
  merenranta-
mark [maak] v merkitä; n
  merkki
market [MAA-kit] n tori
market place [MAA-kit pleis] n
  kauppatori
marmalade [MAA-mö-leid] n
  marmelaadi
marriage [MÄR-idž] n avioliitto
married [MÄR-id] adj naimisissa
  oleva
married couple [MÄR-id KAP-öl] n
  aviopari
marry [MÄR-i] v mennä naimisiin
marsh [maaš] n suo
marshy [MAAŠ-i] adj soinen
marvel [MAA-völ] n ihme; v
  ihmetellä
marvellous [MAA-vil-ös] adj
  ihmeellinen
mascara [mäs-KAA-rö] n
  silmäripsiväri
masculine [MAAS-kju-lin] adj
  miehekäs
mass [mäs] n paljous
Mass [mäs] n messu
massage [mö-SAADŽ] v hieroa; n
  hieronta
masseur [mä-SÖÖ] n hieroja
massive [MÄS-iv] adj jykevä
mass-production [mäs-prö-DAK-
  šön] n massatuotanto
master [MAAS-tö] n mestari; v
  hallita
masterpiece [MAAS-tö-piis] n
  mestariteos
mat [mät] n ovimatto
match [mätš] n kilpailu;
  tulitikku
match-box [MÄTŠ-bɔks] n
  tulitikkulaatikko
material [mö-TIÖR-i-öl] n kangas
mathematics [mäΘ-i-MÄT-iks] n

matematiikka
matter [MÄT-ö] *n* aine; asia; *v* olla
  tärkeää
mattress [MÄT-ris] *n* patja
mature [mö-TJUÖ] *adj* kypsä
maturity [mö-TJUÖR-it-i] *n*
  kypsyys
mauve [mouv] *adj*
  malvanvärinen
* **may** [mei] *v* voida
May [mei] *n* toukokuu
May Day [mei dei] *n* vapunpäivä
maybe [MEI-bii] *adv* kenties
mayor [mEö] *n* pormestari
me [mii] *pron* minulle; minut
meadow [MED-ou] *n* niitty
meal [miil] *n* ateria
* **mean** [miin] *v* tarkoittaa; *n*
  keskimäärä; *adj* halpamainen
meaning [MIIN-ing] *n* merkitys
meaningless [MIIN-ing-lis] *adj*
  merkityksetön
means [miinz] *pl* keino; varat *pl*
meant [mEnt] *v* (*p, pp* **mean**)
meanwhile [MIIN-wail] *adv* sillä
  välin
measles [MII-zölz] *n* tuhkarokko
measure [mEż-ö] *v* mitata; *n*
  mitta
meat [miit] *n* liha
mechanic [mi-KÄN-ik] *n*
  mekaanikko
mechanical [mi-KÄN-ik-öl] *adj*
  mekaaninen
mechanism [mEK-ö-nizm] *n*
  koneisto
medal [mED-öl] *n* mitali
mediaeval [mEd-i-II-völ] *adj*
  keskiaikainen
medical [mED-ik-öl] *adj*
  lääketieteellinen
medical examination [mED-ik-öl
  ig-zäm-i-NEI-šön] *n*
  lääkärintarkastus

medicine [mED-sin] *n* lääke
Mediterranean [mEd-i-tö-REI-ni-
  ön] *n* Välimeri
medium [MII-di-öm] *adj* keski-
* **meet** [miit] *v* kohdata
meeting [MIIT-ing] *n* tapaaminen
meeting-place [MIIT-ing-pleis] *n*
  kohtaamispaikka
mellow [mEL-ou] *adj* mehukas
melodrama [mEL-ö-draa-mö] *n*
  melodraama
melody [mEL-ö-di] *n* sävel
melon [mEL-ön] *n* meloni
melt [mElt] *v* sulaa
melted [MELT-id] *adj* sulanut
member [mEm-bö] *n* jäsen
membership [mEm-bö-šip] *n*
  jäsenyys
memo [mEm-ou] *n* muistio
memorable [mEm-ör-ö-böl] *adj*
  ikimuistettava
memorial [mi-mɔɔ-ri-öl] *n*
  muistomerkki
memorize [mEm-ö-raiz] *v* painaa
  muistiin
memory [mEm-ö-ri] *n* muisti
mend [mEnd] *v* korjata
men's room [mEnz ruum] *n*
  miestenhuone
mental [mEn-töl] *adj* henkinen
mention [mEn-šön] *n* maininta; *v*
  mainita
menu [mEn-juu] *n* ruokalista
merchandise [MÖÖ-tšön-daiz] *n*
  myyntitavarat *pl*
merchant [MÖÖ-tšönt] *n* kauppias
merit [mER-it] *v* ansaita; *n* ansio
merry [mER-i] *adj* iloinen
mesh [mEš] *n* verkko
mess [mEs] *n* sekasotku
mess up [mEs ap] *v* sotkea
message [mEs-idž] *n* viesti
messenger [mEs-in-džö] *n*
  sanansaattaja

met [mɛt] *v* (*p, pp* **meet**)

metal [mɛt-öl] *n* metalli; *adj*
metallinen

meter [MII-tö] *n* mittari

method [mɛΘ-öd] *n* menetelmä

methodical [mi-Θɒᴅ-ik-öl] *adj*
metodinen

methylated spirits [mɛΘ-il-eit-id
SPIR-its] *n* (*abbr* **meths**)
talousprii

metre [MII-tö] *n* metri

metric [MɛT-rik] *adj* metri-

Mexican [MɛKS-i-kön] *adj*
meksikolainen; *n*
meksikolainen

Mexico [MɛKS-i-kou] *n* Meksiko

mezzanine [Mɛz-ö-niin] *n*
välikerros

microphone [MAIK-rö-foun] *n*
mikrofoni

midday [MID-dei] *n* keskipäivä

middle [MID-öl] *adj*
keskimmäinen

middle-class [MID-öl-KLAAS] *n*
keskiluokka

midnight [MID-nait] *n* keskiyö

midsummer [MID-sam-ö] *n*
juhannus

midway [mid-WEI] *adv*
puolivälissä

might [mait] *v* (*p* **may**); *n* mahti

mightn't [MAIT-önt] *v* (**might not**)

mighty [MAIT-i] *adj* mahtava

migraine [MI-grein] *n* migreeni

mild [maild] *adj* mieto

mile [mail] *n* maili

mileage [MAIL-idž] *n* mailimäärä

milepost [MAIL-poust] *n*
mailipylväs

milestone [MAIL-stoun] *n*
mailipylväs

military [MIL-i-tör-i] *adj* sotilas

milk [milk] *n* maito

milk-bar [MILK-baa] *n* baari

milkman [MILK-mön] *n* (*pl* -**men**)
maitokauppias

milk-shake [MILK-šeik] *n* pirtelö

milky [MILK-i] *adj* maitoinen

mill [mil] *n* mylly

miller [MIL-ö] *n* mylläri

milliner [MIL-in-ö] *n* modisti

million [MIL-jön] *n* miljoona

millionaire [mil-jön-ɛö] *n*
miljonääri

mince [mins] *v* hakata hienoksi

mind [maind] *v* varoa; huolehtia;
n mieli

mine [main] *n* kaivos

miner [MAIN-ö] *n* kaivosmies

mineral [MIN-ör-öl] *n*
kivennäinen

mineral water [MIN-ör-öl wɔɔ-tö]
n kivennäisvesi

miniature [MIN-jö-tšö] *n*
pienoiskuva

minimum [MIN-im-öm] *n* minimi

mining [MAIN-ing] *n* kaivostyö

minister [MIN-is-tö] *n* pappi;
ministeri

ministry [MIN-is-tri] *n* ministeriö

minor [MAIN-ö] *adj* vähäinen

minority [mai-NɔR-it-i] *n*
vähemmistö

mint [mint] *n* minttu

minus [MAIN-ös] *prep* miinus

minute [mai-NJUUT] *adj* pienen
pieni; *n* minuutti

miracle [MIR-ö-köl] *n* ihme

miraculous [mi-RÄK-ju-lös] *adj*
ihmeellinen

mirror [MIR-ö] *n* peili

miscellaneous [mis-i-LEIN-i-ös]
adj sekalainen

mischief [MIS-tšif] *n*
vallattomuus

mischievous [MIS-tšiv-ös] *adj*
vallaton

miserable [MIZ-ör-ö-böl] *adj*

kurja
misery [MIZ-ör-i] *n* kurjuus
misfortune [mis-Fɔɔ-tšön] *n*
huono onni
mislaid [mis-LEID] *v* (*p, pp*
mislay)
* **mislay** [mis-LEI] *v* hukata
mispronounce [mis-prö-NAUNS] *v*
ääntää väärin
miss [mis] *v* kaivata; neiti
missing [MIS-ing] *adj* puuttuva
missing person [MIS-ing PÖÖ-sön]
n kadonnut henkilö
mist [mist] *n* usva
* **mistake** [mis-TEIK] *v* erehtyä; *n*
virhe
mistaken [mis-TEIK-ön] *adj*
virheellinen
mistook [mis-TUK] *v* (*p* mistake)
misty [MIST-i] *adj* usvainen
* **misunderstand** [mis-an-dö-
STÄND] *v* käsittää väärin
misunderstanding [mis-an-dö-
STÄND-ing] *n* väärinkäsitys
mittens [MIT-önz] *pl* lapaset *pl*
mix [miks] *v* sekoittaa
mixed [mikst] *adj* sekoitettu
mixer [MIKS-ö] *n* vatkain
mixture [MIKS-tšö] *n* seos
mobile [MOU-bail] *adj* liikkuva
model [MɔD-öl] *n* malli
moderate [MɔD-ör-it] *adj*
kohtuullinen
modern [MɔD-ön] *adj*
nykyaikainen
modest [MɔD-ist] *adj* vaatimaton
modify [MɔD-i-fai] *v* muuttaa
mohair [MOU-hɛö] *n* mohair
moist [moist] *adj* kostea
moisten [MOIS-ön] *v* kostuttaa
moisture [MOIS-tšö] *n* kosteus
moisturizing cream [MOIS-tšör-
aiz-ing kriim] *n* kosteusvoide
moment [MOU-mönt] *n* hetki

momentary [MOU-mön-tör-i] *adj*
hetkellinen
monastery [MɔN-ös-tri] *n* luostari
Monday [MAN-di] *n* maanantai
money [MAN-i] *n* raha
money exchange [MAN-i iks-
TŠEINDŽ] *n* rahanvaihto
money order [MAN-i ɔɔ-dö] *n*
maksuosoitus
monk [mangk] *n* munkki
monopoly [mö-NɔP-ö-li] *n*
yksinoikeus
monotonous [mö-NɔT-ö-nös] *adj*
yksitoikkoinen
month [manΘ] *n* kuukausi
monthly [MANΘ-li] *adj*
kuukausittainen
monument [MɔN-ju-mönt] *n*
muistomerkki
mood [muud] *n* mieliala
moon [muun] *n* kuu
moonlight [MUUN-lait] *n*
kuunvalo
moor [muö] *n* nummi
moral [MɔR-öl] *adj* moraalinen
morality [mö-RÄL-it-i] *n* moraali
morals [MɔR-ölz] *pl* tavat *pl*
more [mɔɔ] *adj* useammat
more and more [mɔɔ önd mɔɔ]
yhä enemmän
moreover [mɔɔ-ROU-vö] *adv*
lisäksi
morning [MɔɔN-ing] *n* aamu
morphia [Mɔɔ-fi-ö] *n* morfiini
mortgage [Mɔɔ-gidž] *n*
kiinnityslaina
mosaic [mö-ZEI-ik] *n* mosaiikki
mosque [mɔsk] *n* moskeija
mosquito [mös-KII-tou] *n* sääski
mosquito bite [mös-KII-tou bait]
n sääskenpurema
mosquito net [mös-KII-tou nɛt] *n*
hyttysverkko
most [moust] *adj* useimmat

most of all [lɛɛ moust öv ɔɔl] etenkin

mostly [MOUST-li] *adv* enimmäkseen

motel [mou-TɛL] *n* motelli

moth [mɔθ] *n* koi

mother [MAð-ö] *n* äiti

mother country [MAð-ö KAN-tri] *n* isänmaa

mother tongue [MAð-ö tang] *n* äidinkieli

mother-in-law [MAð-ör-in-lɔɔ] *n* anoppi

mother-of-pearl [MAð-ör-öv-pööl] *n* helmiäinen

motion [MOU-šön] *n* liike

motor [MOU-tö] *v* ajaa autolla; *n* moottori

motorboat [MOU-tö-bout] *n* moottorivene

motorcar [MOU-tö-kaa] *n* auto

motorcycle [MOU-tö-sai-köl] *n* moottoripyörä

motoring [MOU-tör-ing] *n* autoilu

motorist [MOU-tör-ist] *n* autoilija

mound [maund] *n* valli

mount [maunt] *v* nousta

mountain [MAUNT-in] *n* vuori

mountain range [MAUNT-in reindž] *n* vuorijono

mountaineering [maunt-in-IÖR-ing] *n* vuoristokiipeily

mountainous [MAUNT-in-ös] *adj* vuorinen

mouse [maus] *n* (*pl* **mice**) hiiri

moustache [mös-TAAŚ] *n* viikset *pl*

mouth [mauθ] *n* suu

mouthwash [MAUΘ-wɔš] *n* suuvesi

movable [MUUV-ö-böl] *adj* liikkuva

move [muuv] *n* siirto; *v* muuttaa

move in [muuv in] *v* muuttaa sisään

move out [muuv aut] *v* muuttaa pois

movement [MUUV-mönt] *n* liike

movie [MUUV-i] *n* elokuva

movie camera [MUUV-i KÄM-ör-ö] *n* elokuvakamera

much [matš] *adv* paljon

mud [mad] *n* lieju

muddle [MAD-öl] *n* sotku

muddle up [MAD-öl ap] *v* sekoittaa

muddy [MAD-i] *adj* liejuinen

mud-guard [MAD-gaad] *n* kurasuojus

mug [mag] *n* muki

mulberry [MAL-bö-ri] *n* silkkiäismarja

mullet [MAL-it] *n* mullokala

multiplication [mal-ti-pli-KEI-šön] *n* kertolasku

multiply [MAL-ti-plai] *v* kertoa

mumps [mamps] *n* sikotauti

municipal [mjuu-NIS-i-pöl] *adj* kunnallis-

municipality [mjuu-nis-i-PÄL-it-i] *n* kaupunginhallitus

murder [MÖÖ-dö] *v* murhata; *n* murha

muscle [MAS-öl] *n* lihas

museum [mju-ZI-öm] *n* museo

mushroom [MAŠ-ruum] *n* sieni

music [MJUU-zik] *n* musiikki

music hall [MJUU-zik hɔɔl] *n* revyyteatteri

music shop [MJUU-zik šɔp] *n* musiikkikauppa

musical [MJUU-zik-öl] *adj* musikaalinen

musical comedy [MJUU-zik-öl kɔm-i-di] *n* musiikkikomedia

musical instrument [MJUU-zik-öl IN-stru-mönt] *n* soitin

musician [mju-ZIŚ-ön] *n* muusikko

muslin [MAZ-lin] *n* musliini
mussel [MAS-öl] *n* simpukka
* **must** [mast] *v* täytyä
mustard [MAS-töd] *n* sinappi
mustn't [MAS-önt] *v* (**must not**)
mutton [MAT-ön] *n* lampaanliha
my [mai] *adj* minun
myself [mai-sɛLF] *pron* itse;
    itseni
mysterious [mis-TIÖR-i-ös] *adj*
    salaperäinen
mystery [MIS-tör-i] *n* mysteerio
myth [miΘ] *n* myytti

nail [neil] *n* kynsi; naula
nail-brush [NEIL-braš] *n*
    kynsiharja
nail-file [NEIL-fail] *n* kynsiviila
nail-scissors [NEIL-siz-öz] *pl*
    kynsisakset
naked [NEIK-id] *adj* alaston
name [neim] *v* nimittää; *n* nimi
napkin [NÄP-kin] *n* lautasliina
nappy [NÄP-i] *n* kapalo
narcotic [naa-KɔT-ik] *n*
    huumausaine
narrow [NÄR-ou] *adj* kapea
nasty [NAAS-til] *adj* häijy
nation [NEI-šön] *n* kansa
national [NÄš-nöl] *adj*
    kansallinen
national anthem [NÄš-nöl ÄN-
    Θöm] *n* kansallislaulu
national dress [NÄš-nöl drɛs] *n*
    kansallispuku
national park [NÄš-nöl paak] *n*
    kansallispuisto
nationality [näš-ö-NÄL-it-i] *n*
    kansallisuus
native [NEIT-iv] *adj*
    syntyperäinen
native country [NEIT-iv KAN-tri] *n*
    synnyinmaa

native language [NEIT-iv LÄNG-
    gwidž] *n* äidinkieli
natural [NÄTš-röl] *adj*
    luonnollinen
nature [NEI-tšö] *n* luonteenlaatu;
    luonto
naughty [NɔɔT-i] *adj* tuhma
nausea [Nɔɔ-sjö] *n* pahoinvointi
navigable [NÄV-ig-ö-böl] *adj*
    merenkulkukelpoinen
navigate [NÄV-i-geit] *v* ohjata
navigation [näv-i-GEI-šön] *n*
    merenkulku
navy [NEI-vi] *n* laivasto
near [niö] *adj* läheinen
nearby [NIÖ-bai] *adj* lähellä oleva
nearer [NIÖR-ö] *adj* lähempi
nearest [NIÖR-ist] *adj* läheisin
nearly [NIÖ-li] *adv* melkein
neat [niit] *adj* siisti;
    sekoittamaton
necessary [NɛS-is-ör-i] *adj*
    välttämätön
necessity [ni-sɛs-it-i] *n*
    välttämättömyys
neck [nɛk] *n* kaula
necklace [NɛK-lis] *n* kaulanauha
necktie [NɛK-tai] *n* solmio
need [niid] *n* tarve; *v* tarvita;
    pitää
needle [NIID-öl] *n* neula
needlework [NIID-öl-wöök] *n*
    käsityö
needn't [NIID-önt] *v* (**need not**)
negative [NɛG-ö-tiv] *adj*
    kielteinen; *n* negatiivi
neglect [ni-GLɛKT] *v* laiminlyödä;
    n laiminlyönti
negligee [NɛG-lii-žei] *n* kotipuku
negotiate [ni-GOU-ši-eit] *v*
    neuvotella
negotiation [ni-gou-ši-EI-šön] *n*
    neuvottelu
negro [NII-grou] *n* neekeri

neighbour [NEI-bö] *n* naapuri
neighbourhood [NEI-bö-hud] *n*
  lähitienoo
neighbouring [NEI-bör-ing] *adj*
  naapuri-
neither [NAI-öö] *pron* ei
  kumpikaan
neither . . . nor [NAI-Θö nɔɔ]
  conj ei . . . .eikä
neon [NII-ɔn] *n* neon
nephew [NEV-ju] *n* veljenpoika;
  sisarenpoika
nerve [nööv] *n* hermo
nervous [NÖÖV-ös] *adj*
  hermostunut
nest [nɛst] *n* pesä
net [nɛt] *n* verkko
Netherlands [Nɛð-ö-löndz] *pl*
  Alankomaat *pl*
network [NɛT-wöök] *n*
  verkkoryhmä
neuralgia [njuö-RÄL-džö] *n*
  hermosärky
neurosis [njuö-ROU-sis] *n*
  neuroosi
neuter [NJUU-tö] *adj*
  neutrisukuinen
neutral [NJUU-tröl] *adj*
  puolueeton
never [NEV-ö] *adv* ei koskaan
nevertheless [nɛv-ö-ðö-LɛS] *adv*
  siitä huolimatta
new [njuu] *adj* uusi
New Year [njuu jöö] *n* uusi vuosi
New Year's Day [njuu jööz dei] *n*
  uudenvuodenpäivä
news [njuuz] *n* uutislähetys;
  uutinen
news-agent [NJUUZ-ei-džönt] *n*
  sanomalehtikauppias
newspaper [NJUUZ-pei-pö] *n*
  sanomalehti
news-reel [NJUUZ-riil] *n*
  uutisfilmi

news-stand [NJUUZ-ständ] *n*
  sanomalehtikoju
next [nɛkst] *adj* seuraava
next to [nɛkst tu] *prep* vieressä
next-door [nɛkst-DOO] *adv*
  naapurissa
nice [nais] *adj* miellyttävä
niece [niis] *n* veljentytär;
  sisarentytär
night [nait] *n* yö
night train [nait trein] *n* yöjuna
night-club [NAIT-klab] *n* yökerho
night-cream [NAIT-kriim] *n*
  yövoide
nightdress [NAIT-drɛs] *n* yöpaita
night-flight [NAIT-flait] *n* yölento
nightly [NAIT-li] *adj* joka öinen
night-rate [NAIT-reit] *n* yötaksa
nil [nil] *n* nolla
nine [nain] *adj* yhdeksän
nineteen [NAIN-tiin] *adj*
  yhdeksäntoista
nineteenth [NAIN-tiinΘ] *adj*
  yhdeksästoista
ninety [NAIN-ti] *adj*
  yhdeksänkymmentä
ninth [nainΘ] *adj* yhdeksäs
no [nou] ei; *adj* ei mitään
no admittance [nou öd-MIT-öns]
  pääsy kielletty
no entry [nou ɛn-tri] pääsy
  kielletty
no longer [nou LɔNG-gö] ei enää
no more [nou mɔɔ] ei enää
no one [nou wan] *pron* ei kukaan
no overtaking [nou ou-vö-TEIK-
  ing] ohitus kielletty
no parking [nou PAAK-ing]
  pysäköinti kielletty
no pedestrians [nou pi-Dɛs-tri-
  önz] jalankulkijoilta pääsy
  kielletty
no smoking [nou SMOUK-ing]
  tupakointi kielletty

nobody [NOU-böd-i] *pron* ei kukaan
nod [nɔd] *n* nyökkäys
noise [noiz] *n* melu
noisy [NOIZ-i] *adj* meluisa
none [nan] *pron* ei yhtään
nonsense [NɔN-söns] *n* hölynpöly
noon [nuun] *n* keskipäivä
normal [Nɔɔ-möl] *adj* normaali
north [nɔɔΘ] *n* pohjoinen
north-east [nɔɔΘ-IIST] *n* koillinen
northerly [NɔɔΘ-ö-li] *adj* pohjoinen
northern [NɔɔΘ-ön] *adj* pohjois-
northwards [NɔɔΘ-wödz] *adv* pohjoiseen
north-west [nɔɔΘ-wɛST] *n* luode
Norway [Nɔɔ-wei] *n* Norja
Norwegian [nɔɔ-wII-džön] *n* norjalainen; *adj* norjalainen
nose [nouz] *n* nenä
nostril [Nɔs-tril] *n* sierain
not [nɔt] *adv* ei
not at all [nɔt öt ɔɔl] ei lainkaan
note [nout] *v* merkitä muistiin; *n* seteli; muistilappu
notebook [NOUT-buk] *n* muistiinpanokirja
noted [NOUT-id] *adj* tunnettu
notepaper [NOUT-pei-pö] *n* kirjepaperi
nothing [naΘ-ing] *n* ei mitään
notice [NOU-tis] *v* kiinnittää huomiota; *n* tiedonanto
noticeable [NOU-tis-ö-böl] *adj* havaittava
notify [NOU-ti-fai] *v* ilmoittaa
noun [naun] *n* substantiivi
novel [Nɔv-öl] *n* romaani
novelist [Nɔv-öl-ist] *n* romaanikirjailija
November [no-vɛM-bö] *n* marraskuu

now [nau] *adv* nyt
now and then [nau önd ðɛn] silloin tällöin
nowadays [NAU-ö-deiz] *adv* nykyään
nowhere [NOU-wɛö] *adv* ei missään
nozzle [NɔZ-öl] *n* suukappale
nuclear [NJUU-kliö] *adj* ydin-
nuisance [NJUU-söns] *n* harmi
numb [nam] *adj* turta
number [NAM-bö] *n* lukumäärä; numero
numerous [NJUU-mör-ös] *adj* lukuisa
nun [nan] *n* nunna
nurse [nöös] *n* sairaanhoitaja
nursery [NÖÖS-ri] *n* lastenhuone
nut [nat] *n* mutteri; pähkinä
nutmeg [NAT-mɛg] *n* muskottipähkinä
nutritious [njuu-TRIŠ-ös] *adj* ravitseva
nylon [NAI-lɔn] *n* nailon

oak [ouk] *n* tammi
oar [ɔɔ] *n* airo
oats [outs] *pl* kaura
obedience [o-BII-di-öns] *n* tottelevaisuus
obedient [o-BII-di-önt] *adj* tottelevainen
obey [o-BEI] *v* totella
object [öb-DžɛKT] *v* vastustaa; *n* esine
objection [öb-Džɛk-šön] *n* vastustus
obligatory [ɔ-BLIG-ö-tör-i] *adj* pakollinen
obliging [ö-BLAIDž-ing] *adj* avulias
oblong [ɔB-lɔng] *adj* pitkulainen
observation [ɔb-zÖÖ-vEI-šön] *n*

havaitseminen
observatory [öb-ZOOV-ö-tri] *n*
 tähtitorni
observe [öb-ZOOV] *v* huomata
obstacle [OB-stök-öl] *n* este
obtain [öb-TEIN] *v* saavuttaa
obvious [OB-vi-ös] *adj* ilmeinen
occasion [ö-KEI-žön] *n* tilaisuus
occasionally [o-KEI-žön-öl-i] *adv*
 silloin tällöin
occupant [OK-ju-pönt] *n* haltija
occupation [ok-ju-PEI-šön] *n*
 toimi
occupied [OK-ju-paid] *adj* varattu
occupy [OK-ju-pai] *v* ottaa
 haltuunsa
occur [ö-KOO] *v* tapahtua
occurrence [ö-KAR-öns] *n*
 tapahtuma
ocean [OU-šön] *n* valtameri
October [ok-TOU-bö] *n* lokakuu
octopus [OK-tö-pös] *n* mustekala
oculist [OK-ju-list] *n* silmälääkäri
odd [od] *adj* pariton;
 kummallinen
odds [odz] *pl* mahdollisuudet *pl*
odour [OU-dö] *n* haju
of [ov] *prep* -n
of course [öv koos] tietenkin
off season [of SIIZ-ön] hiljainen
 kausi
offence [o-FÖNS] *n* rikkomus
offend [o-FÖND] *v* loukata
offensive [o-FÖN-siv] *adj*
 loukkaava
offer [OF-ö] *v* tarjota; *n* tarjous
office [OF-is] *n* toimisto
office hours [OF-is auöz] *pl*
 toimistoaika
office work [OF-is wöök] *n*
 toimistotyö
officer [OF-is-ö] *n* upseeri
official [ö-FIŠ-öl] *adj* virallinen
off-licence [OF-lai-söns] *n*

alkoholiliike
often [oo-fön] *adv* usein
oil [oil] *n* petroli
oil fuel [oil FJU-öl] *n* polttoöljy
oil pressure [oil PRÆŠ-ö] *n*
 öljypaine
oil-painting [OIL-peint-ing] *n*
 öljymaalaus
oil-well [OIL-wÆl] *n* öljylähde
oily [OIL-i] *adj* öljyinen
ointment [OINT-mönt] *n* voide
old [ould] *adj* vanha
older [OUL-dö] *adj* vanhempi
oldest [OUL-dist] *adj* vanhin
old-fashioned [OULD-fäš-önd] *adj*
 vanhanaikainen
olive [OL-iv] *n* oliivi
olive oil [OL-iv oil] *n* oliiviöljy
omit [o-MIT] *v* jättää pois
on account of [on ö-KAUNT ov]
 johdosta
on approval [on ö-PRUUV-öl]
 nähtäväksi
on behalf of [on bi-HAAF ov]
 jonkun nimeen
on business [on BIZ-nis]
 liikeasioissa
on credit [on KRÆD-it] velaksi
on foot [on fut] jalan
on holiday [on HOL-ö-dei] lomalla
on the average [on ði AV-ör-idž]
 keskimäärin
on time [on taim] ajoissa
on top of [on top ov] *prep* päällä
once [wans] *adv* kerran
once more [wans moo] *adv*
 kerran vielä
oncoming [ON-kam-ing] *adj*
 lähestyvä
one [wan] *adj* yksi; *pron* joku
oneself [wan-SÆLF] *pron* itse
one-way traffic [WAN-wei TRÄF-
 ik] *n* yksisuuntainen
onion [AN-jön] *n* sipuli

only [OUN-li] *adv* ainoastaan; *adj* ainoa

onwards [ɔN-wödz] *adv* eteenpäin

opal [OU-pöl] *n* opaali

open [OU-pön] *v* avata; *adj* aukinainen

open air [OU-pön εö] *n* ulkona

opener [OU-pön-ö] *n* säilykerasian avaaja

opening [OU-pön-ing] *n* aukko

opera [ɔP-ör-ö] *n* ooppera

opera house [ɔP-ör-ö haus] *n* oopperatalo

operate [ɔP-ö-reit] *v* toimia

operation [ɔp-ö-REI-šön] *n* leikkaus; toiminta

operator [ɔP-ö-reit-ö] *n* puhelinvälittäjä

operetta [ɔp-ö-RET-ö] *n* operetti

opinion [ö-PIN-jön] *n* mielipide

opportunity [ɔp-ö-TJUUN-it-i] *n* tilaisuus

oppose [ö-POUZ] *v* vastustaa

opposite [ɔP-ö-zit] *adj* päinvastainen; *prep* vastapäätä

optician [ɔp-TIŠ-ön] *n* optikko

optional [ɔP-šön-öl] *adj* valinnais-

or [ɔɔ] *conj* tai

oral [OU-röl] *adj* suullinen

orange [ɔR-indž] *n* appelsiini; *adj* oranssinvärinen

orchard [ɔɔ-tšöd] *n* hedelmätarha

orchestra [ɔɔ-kis-trö] *n* orkesteri

orchestra seat [ɔɔ-kis-trö siit] *n* permanto

order [ɔɔ-dö] *n* tilaus; *v* tilata; käskeä

ordinary [ɔɔD-nör-i] *adj* tavallinen

organic [ɔɔ-GÄN-ik] *adj* elimellinen

organisation [ɔɔ-gän-ai-ZEI-šön] *n* järjestö

organize [ɔɔ-gän-aiz] *v* organisoida

Orient [OU-ri-önt] *n* itämaat *pl*

Oriental [OU-ri-εNT-öl] *adj* itämainen

orientate [OU-ri-εn-teit] *v* suunnistautua

origin [ɔR-i-džin] *n* alkuperä

original [ö-RIDŽ-ön-öl] *adj* alkuperäinen

orlon [ɔɔ-lɔn] *n* orlon

ornament [ɔɔ-nö-mönt] *n* koristeornamentti

ornamental [ɔɔ-nö-MENT-öl] *adj* koristeellinen

orthodox [ɔɔ-Θö-dɔks] *adj* oikeaoppinen

other [Aö-ö] *adj* toinen

otherwise [Aö-ö-waiz] *adv* toisin; *conj* muutoin

* ought [ɔɔt] *v* pitäisi

oughtn't [ɔɔT-önt] *v* (ought not)

our [auö] *adj* meidän

ourselves [auö-SεLVZ] *pron* itse; itsemme

out [aut] *adv* ulos

out of date [aut öv deit] vanhentunut

out of order [aut öv ɔɔ-dö] epäkunnossa

out of sight [aut öv sait] poissa näykinistä

out of the way [aut öv ðö wei] syrjäinen

outboard [AUT-bɔɔd] *adj* ulkolaita-

outdoors [aut-Dɔɔz] *adv* ulkona

outfit [AUT-fit] *n* varusteet *pl*

outlook [AUT-luk] *n* katsantokanta

output [AUT-put] *n* tuotanto

outside [aut-SAID] adv ulkona

outsize [AUT-saiz] n erikoissuuri koko

outskirts [AUT-skööts] pl laitaosa

outstanding [aut-STÄND-ing] adj huomattava

outwards [AUT-wödz] adv ulospäin

oval [OU-völ] adj soikea

oven [AV-ön] n uuni

over [OU-vö] prep yläpuolella; adv yli; adj ohi

over there [OU-vö ðɛö] tuolla

overalls [OU-vör-ɔɔlz] pl suojapuku

overboard [ou-vö-BɔɔD] adv yli laidan

overcharge [ou-vö-TŠAADŽ] v vaatia liikaa

overcoat [OU-vö-kout] n päällystakki

overdue [ou-vö-DJUU] adj erääntynyt

* overeat [ou-vör-IIT] v syödä liikaa

overhaul [ou-vö-HɔɔL] v tarkastaa

overhead [ou-vö-HɛD] adv yläpuolella

overlook [ou-vö-LUK] v jättää huomioonottamatta

overnight [ou-vö-NAIT] adv yli yön

overseas [ou-vö-SIIZ] adv meren takainen

oversight [OU-vö-sait] n erehdys

* oversleep [ou-vö-SLIIP] v nukkua liikaa

* overtake [ou-vö-TEIK] v tavoittaa

overtime [OU-vö-taim] n yliaika

overtired [ou-vö-taiöd] adj yliväsynyt

overture [OU-vö-tšö] n alkusoitto

overweight [OU-vö-weit] n liikapaino

overwork [ou-vö-WÖÖK] v teettää liikaa työtä

owe [ou] v olla velkaa

owing to [OU-ing tu] prep johdosta

own [oun] adj oma; v omistaa

owner [OUN-ö] n omistaja

ox [ɔks] n härkä

oxygen [ɔKS-i-džön] n happi

oyster [OIS-tö] n osteri

pace [peis] n tahti

Pacific Ocean [pö-SIF-ik OU-šön] n Tyyni Valtameri

pack [päk] v pakata

pack of cards [päk öv kaadz] n korttipakka

pack up [päk ap] v pakata

package [PÄK-idž] n paketti

packet [PÄK-it] n aski

packing [PÄK-ing] n pakkaus

packing case [PÄK-ing keis] n pakkilaatikko

pad [päd] n täyte

paddle [PÄD-öl] v meloa; n mela

padlock [PÄD-lɔk] n riippulukko

page [peidž] n sivu

pageboy [PEIDŽ-boi] n hotellipoika

paid [peid] v (p, pp pay)

pail [peil] n sanko

painful [PEIN-ful] adj tuskallinen

painless [PEIN-lis] adj tuskaton

pains [peinz] pl vaivannäkö

paint [peint] n maali

paintbox [PEINT-bɔks] n maalilaatikko

paintbrush [PEINT-braš] n pensseli

painted [PEINT-id] adj maalattu

painter [PEINT-ö] n maalari

painting [PEINT-ing] n maalaus
pair [pεö] n pari
Pakistan [päk-i-STÄN] n Pakistan
Pakistani [päk-i-STÄN-i] n
  pakistanilainen
palace [PÄL-is] n palatsi
pale [peill adj kalpea
palm [paam] n palmu; kämmen
pan [pän] n pannu
panties [PÄN-tiz] pl alushousut pl
pants [pänts] pl housut pl
pantsuit [PÄNT-suut] n
  housupuku
panty-girdle [PÄN-ti-gööd-öl] n
  housuliivit pl
panty-hose [PÄN-ti-houz] n
  sukkahousut pl
paper [PEI-pö] n sanomalehti;
  paperi
paper napkin [PEI-pö NÄP-kin] n
  paperilautasliina
paper-back [PEI-pö-bäk] n
  paperikantinen kirja
paper-bag [PEI-pö-bäg] n
  paperikassi
papers [PEI-pöz] pl asiapaperit pl
parade [pö-REID] n paraati
paraffin [PÄR-ö-fin] n petrooli
paragraph [PÄR-ö-graaf] n
  kappale
parallel [PÄR-öl-εl] adj
  yhdensuuntainen
paralyse [PÄR-ö-laiz] v
  halvaannuttaa
paralysed [pär-ö-laizd] adj
  halvaantanut
parcel [PAA-söl] n paketti
pardon [PAA-dön] n anteeksianto
parents [PεÖR-önts] pl
  vanhemmat pl
parents-in-law [PεÖR-önts-in-
  lɔɔl] pl appivanhemmat pl
parish [PÄR-iš] n seurakunta
park [paak] v pysäköidä; n

pysäköimispaikka; puisto
parking [PAAK-ing] n pysäköinti
parking time [PAAK-ing taim] n
  pysäköimisaika
parking fee [PAAK-ing fii] n
  pysäköintimaksu
parking light [PAAK-ing lait] n
  pysäköintivalo
parking meter [PAAK-ing MII-tö] r.
  pysäköintimittari
parking zone [PAAK-ing zoun] n
  paikoitusalue
parliament [PAA-lö-mönt] n
  parlamentti
parsley [PAAS-li] n persilja
parsnip [PAAS-nip] n
  palsternakka
parsonage [PAA-sön-idž] n
  pappila
part [paat] n osa
participate [paa-TIS-i-peit] v
  ottaa osaa
particular [pö-TIK-ju-lö] adj
  erityinen
particulars [pö-TIK-ju-löz] pl
  tarkemmat tiedot
parting [PAAT-ing] n jakaus; lähtö
partly [PAAT-li] adv osittain
partner [PAAT-nö] n kumppani
party [PAA-ti] n seurue;
  yllätyskutsut pl
pass [paas] v ohittaa; n sola
pass through [paas Θruu] v
  kulkea läpi
pass by [paas bai] v mennä
  ohitse
passage [PÄS-idž] n kappale;
  ohimatka
passenger [PÄS-in-džö] n
  matkustaja
passenger train [PÄS-in-džö
  trein] n henkilöjuna
passer-by [paas-ö-BAI] n
  ohikulkija

passive [PAS-iv] *adj* passiivinen

passport [PAAS-pɔɔt] *n* passi

passport control [PAAS-pɔɔt kön-TROUL] *n* passikontrolli

passport photograph [PAAS-pɔɔt FOU-tö-graaf] *n* passikuva

past [paast] *n* mennyt aika; *adj* mennyt

paste [peist] *n* tahna

pastry shop [PEIS-tri šop] *n* leipomo

patch [pätš] *v* paikata; *n* paikka

path [paaΘ] *n* polku

patience [PEI-šöns] *n* kärsivällisyys

patient [PEI-šönt] *n* potilas; *adj* kärsivällinen

patriot [PEI-tri-öt] *n* isänmaanystävä

patrol [pö-TROUL] *n* partio

patron [PEI-trön] *n* vakioasiakas

pattern [PÄT-ön] *n* mallipiirustus

pause [pɔɔz] *n* tauko; *v* pitää tauko

pavement [PEIV-mönt] *n* jalkakäytävä

pavilion [pö-VIL-jön] *n* paviljonki

pawn [pɔɔn] *v* pantata

pawnbroker [PɔɔN-brouk-ö] *n* panttilainaaja

* pay [pei] *v* maksaa

* pay attention to [pei ö-TEN-šön tu] *v* kiinnittää huomiota

pay-desk [PEI-dɛsk] *n* kassa

payee [pei-II] *n* maksunsaaja

payment [PEI-mönt] *n* maksu

pea [piil] *n* herne

peace [piis] *n* rauha

peaceful [PIIS-ful] *adj* rauhallinen

peach [piitš] *n* persikka

peak [piik] *n* huippu

peak season [piik SII-zön] *n* huippusesonki

peanut [PII-nat] *n* maapähkinä

pear [pɛö] *n* päärynä

pearl [pööl] *n* helmi

peasant [PEZ-önt] *n* talonpoika

pebble [PɛB-öl] *n* pikkukivi

peculiar [pi-KJUUL-jö] *adj* omituinen

pedal [PED-öl] *n* poljin

pedestrian [pi-DɛS-tri-ön] *n* jalankulkija

pedestrian crossing [pi-DɛS-tri-ön KRɔS-ing] *n* suojatie

pedicure [PɛD-i-kjuö] *n* jalkojenhoito

peel [piil] *v* kuoria; *n* kuori

peg [pɛg] *n* tappi

pen [pɛn] *n* kynä

penalty [PɛN-öl-ti] *n* sakko

pencil [PɛN-sil] *n* lyijykynä

pencil-sharpener [PɛN-sil-šaap-nö] *n* teroitin

pendant [PɛN-dönt] *n* riipus

penicillin [pɛn-i-SIL-in] *n* penisilliini

peninsula [pɛn-IN-sju-lö] *n* niemimaa

penknife [PɛN-naif] *n* kynäveitsi

pension [PɛN-šön] *n* eläke; täysihoitola

people [PII-pöl] *n* ihmiset *pl;* kansa

pepper [PɛP-ö] *n* pippuri

peppermint [PɛP-ö-mint] *n* piparminttu

per annum [pör AN-öm] *adv* vuosittain

per day [pöö dei] päivittäin

per person [pöö Pöö-sön] henkeä kohti

percent [pö-SɛNT] *n* prosentti

percentage [pö-SɛNT-idž] *n* prosenttimäärä

perch [pöötš] *n* ahven

percolator [PÖö-kö-leit-ö] *n*

aromikeitin
perfect [PÖÖ-fikt] *adj* täydellinen
perform [pö-FƆƆM] *v* esittää
performance [pö-FƆƆM-öns] *n*
esitys
perfume [PÖÖ-fjuum] *n* hajuvesi
perhaps [pö-HÄPS] *adv* ehkä
period [PIÖR-i-öd] *n* ajanjakso
periodical [piör-i-ƆD-ik-öl] *n*
aikakauslehti
periodically [piör-i-ƆD-i-köl-i]
adv aika ajoin
perishable [PƐR-iš-ö-böl] *adj*
helposti pahentuva
perm [pööm] *n* permanentti
permanent [PÖÖ-mö-nönt] *adj*
pysyvä
permanent press [PÖÖ-mö-nönt
prƐs] kestolaskos
permit [pö-MIT] *v* sallia; *n* lupa
peroxide [pö-RƆKS-aid] *n*
superoksidi
perpendicular [pöö-pön-DIK-ju-
lö] *adj* kohtisuora
person [PÖÖ-sön] *n* henkilö
personal [PÖÖ-sön-öl] *adj*
henkilökohtainen
personal call [PÖÖ-sön-öl kƆƆl] *n*
henkilöpuhelu
personality [pöö-sö-NÄL-it-i] *n*
persoonallisuus
personnel [pöö-sö-NƐL] *n*
henkilökunta
perspiration [pöö-spö-REI-šön] *n*
hiki
perspire [pös-PAIÖ] *v* hikoilla
persuade [pö-SWEID] *v* saada
vakuuttuneeksi
pet [pƐt] *n* lemmikkieläin
petal [PƐT-öl] *n* terälehti
petrol [PƐT-röl] *n* bensiini
petrol pump [PƐT-röl pamp] *n*
bensiinipumppu
petrol station [PƐT-röl STEI-šön] *n*

bensiiniasema
petrol tank [PƐT-röl tängk] *n*
bensiinisäiliö
petroleum [pö-TROUL-i-öm] *n*
petroli
petty [PƐT-i] *adj* vähäpätöinen
petty cash [PƐT-i käš] *n*
pikkuraha
pewter [PJUU-tö] *n* tina
pharmaceuticals [faa-mö-SJUUT-
ik-ölz] *pl* lääkeaineet *pl*
pharmacy [FAA-mö-si] *n*
apteekki
pheasant [FƐZ-önt] *n* fasaani
philosopher [fi-LƆS-ö-fö] *n*
filosofi
philosophy [fi-LƆS-ö-fi] *n*
filosofia
phone [foun] *n* puhelin; *v* soittaa
phonetic [fo-NƐT-ik] *adj*
foneettinen
photo [FOUT-ou] *n* valokuva
photo store [FOUT-ou stƆƆ] *n*
valokuvausliike
photograph [FOUT-ö-graaf] *n*
valokuva; *v* valokuvata
photographer [fö-TƆG-rö-fö] *n*
valokuvaaja
photography [fö-TƆG-rö-fi] *n*
valokuvaus
photostat [FOUT-ö-stät] *n*
valokopiokone
phrase [freiz] *n* sanonta
phrase book [freiz buk] *n*
sanakirja
physical [FIZ-ik-öl] *adj* fyysinen
physician [fi-ZIŠ-ön] *n* lääkäri
physicist [FIZ-i-sist] *n* fyysikko
physics [FIZ-iks] *n* fysiikka
pianist [PII-ö-nist] *n* pianisti
piano [pi-ÄN-ou] *n* piano
pick [pik] *n* valinta; *v* valikoida
pick up [pik ap] *v* poimia
pickerel [PIK-ör-öl] *n* nuori hauki

pickled [PIK-öld] adj säilötty
pickles [PIK-ölz] pl pikkelsi
pick-up [PIK-ap] n pieni kuorma-
auto
picnic [PIK-nik] n huviretki; vi
tehdä huviretki
picture [PIK-tšö] n kuva
picture postcard [PIK-tšö POUST-
kaad] n kuvapostikortti
pictures [PIK-tšöz] pl elokuvat pl
picturesque [pik-tšö-RESK] adj
maalauksellinen
piece [piis] n pala
pier [piö] n laituri
pierce [piös] v tunkea
pig [pig] n sika
pigeon [PIDŽ-in] n kyyhkynen
pigskin [PIG-skin] n siannahka
pike [paik] n hauki
pilchard [PIL-tšöd] n sardiini
pile [pail] n kasa; v kasata
piles [pailz] pl peräpukamat pl
pilgrim [PIL-grim] n
pyhiinvaeltaja
pilgrimage [PIL-grim-idz] n
pyhiinvaellusmatka
pill [pil] n pilleri
pillar [PIL-ö] n pilari
pillar-box [PIL-ö-boks] n
postilaatikko
pillow [PIL-ou] n tyyny
pillowcase [PIL-ou-keis] n
tyynyliina
pilot [PAIL-öt] n lentäjä
pimple [PIM-pöl] n näppylä
pin [pin] n nuppineula; v
kiinnittää
pinch [pintš] v nipistää
pineapple [PAIN-äp-öl] n ananas
pink [pingk] n vaaleanpunainen
pipe [paip] n putki; piippu
pipe cleaner [paip KLIIN-ö] n
piipunpuhdistaja
pipe tobacco [paip tö-BÄK-ou] n

piipputupakka
pistol [PIS-töl] n pistooli
piston [PIS-tön] n mäntä
piston-rod [PIS-tön-rɔd] n
männänvarsi
pity [PIT-i] n sääli; vahinko
place [pleis] v asettaa; n paikka
plaice [pleis] n punakampela
plain [plein] adj yksinkertainen;
n tasanko
plan [plän] v suunnitella; n
suunnitelma
plane [plein] n lentokone
planet [PLÄN-it] n planeetta
planetarium [plän-i-TEÖR-i-öm]
n planetaario
plank [plängk] n lankku
plant [plaant] n teollisuuslaitos;
kasvi; v istuttaa
plantation [plän-TEI-šön] n
viljelys
plaster [PLAAS-tö] n kipsilaasti
plastic [PLÄS-tik] n muovi
plate [pleit] n lautanen
platform [PLÄT-fɔɔm] n
asemalaituri
platform ticket [PLÄT-fɔɔm TIK-it]
n asemalaiturilippu
platinum [PLÄT-in-öm] n platina
play [plei] v leikkiä; n näytelmä
player [PLEI-ö] n pelaaja
playground [PLEI-graund] n
leikkikenttä
playing-cards [PLEI-ing-kaadz]
pl pelikortit pl
playwright [PLEI-rait] n
näytelmäkirjailija
pleasant [PLEZ-önt] adj
miellyttävä
please [pliiz] v miellyttää
pleased [pliizd] adj tyytyväinen
pleasing [PLIIZ-ing] adj
miellyttävä
pleasure [PLEŽ-ö] n mielihyvä

plenty [PLƐN-ti] *n* runsaus
pliers [PLAI-öz] *pl* taivutuspihdit
  pl
plot [plɔt] *n* maatilkku; juoni
plough [plau] *n* aura
plug [plag] *n* pistotulppa
plug in [plag in] *v* kytkeä
plum [plam] *n* luumu
plumber [PLAM-ö] *n* putkimies
plural [PLUÖR-öl] *n* monikko
plus [plas] *prep* ynnä
pneumatic [nju-MÄT-ik] *adj* ilma-
pneumonia [nju-MOU-ni-ö] *n*
  keuhkokuume
pocket [PƆK-it] *n* tasku
pocket-book [PƆK-it-buk] *n*
  lompakko
pocket-comb [PƆK-it-koum] *n*
  taskukampa
pocket-knife [PƆK-it-naif] *n*
  taskuveitsi
pocket-watch [PƆK-it-wɔtš] *n*
  taskukello
poem [POU-im] *n* runo
poet [POU-it] *n* runoilija
poetry [POU-it-ri] *n* runous
point [point] *v* osoittaa; *n* kohta;
  kärki
pointed [POINT-id] *adj* suippo
poison [POIZ-ön] *n* myrkky
poisonous [POIZ-ön-ös] *adj*
  myrkyllinen
pole [poul] *n* paalu
police [pö-LIIS] *inv* poliisivoimat
  pl
policeman [pö-LIIS-mön] *n* (*pl*
  -men) poliisi
police-station [pö-LIIS-stei-šön]
  n poliisiasema
policy [PƆL-i-si] *n* vakuutuskirja;
  menettelytapa
polish [PƆL-iš] *n* kiillotusaine; *v*
  kiillottaa
polite [pö-LAIT] *adj* kohtelias

political [pö-LIT-i-köl] *adj*
  poliittinen
politician [pɔl-i-TIŠ-ön] *n*
  poliitikko
politics [PƆL-i-tiks] *pl* politiikka
pond [pɔnd] *n* lampi
pony [POUN-i] *n* poni
poor [puö] *adj* köyhä
pop in [pɔp in] *v* pistäytyä
pop music [pɔp MJUU-zik] *n* pop-
  musiikki
pope [poup] *n* paavi
poplin [PƆP-lin] *n* popliini
popular [PƆP-ju-lö] *adj* suosittu
population [pɔp-ju-LEI-šön] *n*
  väestö
populous [PƆP-ju-lös] *adj*
  runsasväestöinen
porcelain [PƆƆS-lin] *n* porsliini
pork [pɔɔk] *n* sianliha
port [pɔɔt] *n* satama
portable [PƆƆT-ö-böl] *adj*
  kannettava
porter [PƆƆT-ö] *n* kantaja
porthole [PƆƆT-houl] *n* ikkuna-
  aukko
portion [PƆƆ-šön] *n* annos
portrait [PƆƆT-rit] *n* muotokuva
Portugal [PƆƆ-tju-göl] *n* Portugali
Portuguese [pɔɔ-tju-GIIZ] *n*
  portugalilainen; *adj*
  portugalilainen
position [pö-ZIŠ-ön] *n* asema;
  asento
positive [PƆZ-ö-tiv] *adj*
  myönteinen; *n* positiivi
possess [pö-ZƐS] *v* omistaa
possession [pö-ZƐŠ-ön] *n*
  omaisuus
possessions [pö-ZƐŠ-önz] *pl*
  omistus
possibility [pɔs-ö-BIL-it-i] *n*
  mahdollisuus
possible [PƆS-ö-böl] *adj*

mahdollinen
post [poust] *v* panna postiin; *n*
pylväs; posti; asema
postage [POUST-idž] *n* postimaksu
postage stamp [POUST-idž stämp]
n postimerkki
postal order [POUST-öl ɔɔ-dö] *n*
postiosoitus
postal service [POUST-öl söö-vis]
n postipalvelu
postcard [POUST-kaad] *n*
postikortti
poste restante [poust rɛs-TAANGT]
poste restante
postman [POUST-mön] *n* (*pl* -
men) postinkantaja
post-office [POUST-ɔf-is] *n*
postitoimisto
postpone [pous-POUN] *v* siirtää
tuonnemmaksi
pot [pɔt] *n* pannu
potable [POUT-ö-böl] *adj* juotava
potato [pö-TEI-tou] *n* peruna
pottery [PƆT-ör-i] *n* saviastiat *pl*
pouch [pautš] *n* massi
poultry [POUL-tri] *n* siipikarja
pound [paund] *n* naula
pour [pɔɔ] *v* kaataa
powder [PAU-dö] *n* jauhe
powdered milk [PAU-död milk] *n*
pulverimaito
powder-puff [PAU-dö-paf] *n*
puuterihuisku
powder-room [PAU-dö-ruum] *n*
naistenhuone
power [PAU-ö] *n* voima; kyky
power station [PAU-ö STEI-šön] *n*
voimalaitos
powerful [PAU-ö-ful] *adj*
voimakas
practical [PRAK-tik-öl] *adj*
käytännöllinen
practice [PRAK-tis] *n* harjoittelu
practise [PRAK-tis] *v* harjoittaa

praise [preiz] *v* ylistää; *n* ylistys
pram [präm] *n* lapsenvaunut *pl*
prawn [prɔɔn] *n* katkarapu
pray [prei] *v* rukoilla
prayer [prɛöl *n* rukous
precaution [pri-KƆɔ-šön] *n*
varovaisuustoimenpide
precede [pri-SIID] *v* edeltää
preceding [pri-SIID-ing] *adj*
edellinen
precious [PRƐŠ-ös] *adj*
kallisarvoinen
precipice [PRƐS-i-pis] *n* jyrkänne
precise [pri-SAIS] *adj* tarkka
prefer [pri-FÖÖ] *v* pitää
parempana
preferable [PRƐF-ör-ö-böl] *adj*
mieluisampi
preference [PRƐF-ör-öns] *n*
etusija
prefix [PRII-fiks] *n* etuliite
pregnant [PRƐG-nönt] *adj*
raskaana oleva
preliminary [pri-LIM-in-ör-i] *n*
alustava
premier [PRƐM-jö] *n* pääministeri
premium [PRIIM-i-öm] *n*
vakuutusmaksu
prepaid [PRII-peid] *adj* ennakolta
maksettu
preparation [prɛp-ö-REI-šön] *n*
valmistaminen
prepare [pri-PƐɔ] *v* valmistaa
prepared [pri-PƐÖD] *adj* valmis
preposition [prɛp-ö-ziš-ön] *n*
prepositio
prescribe [pri-SKRAIB] *v* määrätä
prescription [pri-SKRIP-šön] *n*
lääkemääräys
presence [PRƐZ-öns] *n* läsnäolo
present [pri-zɛNT] *v* esitellä; *adj*
nykyinen; läsnäoleva; *n* lahja
presently [PRƐZ-önt-li] *adv* pian
preservation [prɛz-ö-VEI-šön] *n*

säilyttäminen
preserve [pri-ZOOV] *v* säilyttää
president [PREZ-i-dönt] *n*
  presidentti
press [pres] *n* sanomalehdistö; *v*
  prässätä; pusertaa
pressed [prest] *adj* prässätty
pressing [PRES-ing] *adj* kiireinen;
  n prässääminen
pressure [PREŠ-ö] *n* paine
presumably [pri-ZJUUM-öb-li] *adv*
  otaksuttavasti
pretence [pri-TENS] *n* teeskentely
pretend [pri-TEND] *v* teeskennellä
pretty [PRIT-i] *adj* sievä
prevent [pri-VENT] *v* ehkäistä
preventive [pri-VEN-tiv] *adj*
  ehkäisevä
previous [PRIIV-i-ös] *adj* edeltävä
pre-war [PRII-wɔɔ] *adj* sotaa
  edeltävä
price [prais] *v* hinnoittaa; *n*
  hinta
price list [prais list] *n*
  hintaluettelo
pride [praid] *n* ylpeys
priest [priist] *n* pappi
primary [PRAIM-ör-i] *adj* pää-
prince [prins] *n* prinssi
princess [prin-SES] *n* prinsessa
principal [PRIN-sö-pöl] *adj* pää-;
  n rehtori
principle [PRIN-sö-pöl] *n* periaate
print [print] *v* painaa; *n*
  vaskipiirros; kopio
priority [prai-ɔR-it-i] *n* etuoikeus
prison [PRIZ-ön] *n* vankila
prisoner [PRIZ-ön-öl] *n* vanki
privacy [PRAIV-ö-si] *n*
  yksityiselämä
private [PRAIV-it] *adj* yksityinen
private house [PRAIV-it haus] *n*
  yksityinen talo
private property [PRAIV-it PRɔP-ö-

ti] *n* yksityisomaisuus
prize [praiz] *n* palkinto
probable [PRɔB-ö-böl] *adj*
  todennäköinen
problem [PRɔB-löm] *n* probleema
procedure [prö-SII-džö] *n*
  menettelytapa
proceed [prö-SIID] *v* edetä
process [PROU-sös] *n* prosessi
produce [prö-DJUUS] *v* tuottaa; *n*
  tuote
producer [prö-DJUUS-öl] *n* tuottaja
product [PRɔD-ökt] *n* tuote
production [prö-DAK-šön] *n*
  tuotanto
profession [prö-FÖŠ-ön] *n*
  ammatti
professional [prö-FEŠ-ön-öl] *adj*
  ammatti-
professor [prö-FES-ö] *n*
  professori
profit [PRɔF-it] *n* voitto
profitable [PRɔF-it-ö-böl] *adj*
  tuottoisa
programme [PROU-gräm] *n*
  ohjelma
progress [PROU-gres] *n*
  eteneminen
progressive [prö-GRES-iv] *adj*
  edistyvä
prohibit [prö-HIB-it] *v* kieltää
prohibited [prö-HIB-it-id] *adj*
  kielletty
prohibition [prou-i-BIŠ-ön] *n*
  kielto
prohibitive [prö-HIB-i-tiv] *adj*
  estävä
project [PRɔDŽ-ekt] *n*
  suunnitelma
promenade [prɔm-i-NAAD] *n*
  kävelypaikka
promise [PRɔM-is] *n* lupaus; *v*
  luvata
prompt [prɔmpt] *adj* ripeä

pronoun [PROU-naun] *n*
pronomini
pronounce [prö-NAUNS] *v* ääntää
pronunciation [prö-nan-si-EI-šön] *n* ääntäminen
proof [pruuf] *n* todiste
propaganda [prɔp-ö-GÄN-dö] *n*
propaganda
propel [prö-PEL] *v* työntää
propeller [prö-PEL-ö] *n* potkuri
proper [PRɔP-öl] *adj* sopiva
property [PRɔP-ö-ti] *n* omaisuus
proportion [prö-Pɔ-šön] *n* suhde
proposal [prö-POUZ-öl] *n* ehdotus
propose [prö-POUZ] *v* ehdottaa
proprietor [prö-PRAI-ö-tö] *n*
omistaja
prospectus [prös-PEK-tös] *n*
esittely
prosperity [prɔs-PER-it-i] *n*
vauraus
prosperous [PRɔS-pör-ös] *adj*
menestyksellinen
protect [prö-TEKT] *v* suojella
protection [prö-TEK-šön] *n*
suojelus
protest [prö-TEST] *v* esittää
vastalause; *n* vastalause
Protestant [PRɔT-is-tönt] *adj*
protestanttinen
proud [praud] *adj* ylpeä
prove [pruuv] *v* todistaa
proverb [PRɔV-öb] *n* sananlasku
provide [prö-VAID] *v* varustaa
provided [prö-VAID-id] *conj*
edellyttäen että
province [PRɔV-ins] *n* maakunta
provincial [prö-VIN-šöl] *adj*
maalais-
provisions [prö-VIŽ-önz] *pl*
varusteet *pl*
prune [pruun] *n* kuivattu luumu
psychiatrist [sai-KAI-ö-trist] *n*
psykiatri

psychoanalyst [sai-ko-ÄN-ö-list]
n psykoanalyytikko
psychological [sai-kö-LɔDŽ-i-köl]
adj psykologinen
psychologist [sai-KɔL-ö-džist] *n*
psykologi
psychology [sai-KɔL-ö-dži] *n*
psykologia
pub [pab] *n* krouvi
public [PAB-lik] *adj* julkinen; *n*
yleisö
public announcement [PAB-lik ö-NAUNS-mönt] *n* julkinen
tiedotus
public house [PAB-lik haus] *n*
krouvi
public notice [PAB-lik NOU-tis] *n*
julkinen tiedote
public relations [PAB-lik ri-LEI-šönz] *pl* suhdetoiminta
publication [pab-li-KEI-šön] *n*
julkaiseminen
publicity [pab-LIS-it-i] *n*
mainonta
publish [PAB-liš] *v* julkaista
publisher [PAB-liš-ö] *n*
kustantaja
pull [pul] *v* vetää
pull in [pul in] *v* saapua
pull out [pul aut] *v* lähteä
pull up [pul ap] *v* pysähtyä
Pullman car [PUL-mön kaa] *n*
Pullman makuuvaunu
pullover [pul-OU-vö] *n* villapaita
pulse [pals] *n* valtimo
pumice stone [PAM-is stoun] *n*
hohkakivi
pump [pamp] *v* pumputa; *n*
pumppu
pumpernickel [PUM-pö-nik-öl] *n*
pumppernikkeli
punch [pantš] *n* nyrkinisku
punctual [PANGK-tju-öl] *adj*
täsmällinen

puncture [PANGK-tšö] *n*
puhkeaminen

punctured [PANGK-tšöd] *adj*
puhki mennyt

punish [PAN-iš] *v* rangaista

punishment [PAN-iš-mönt] *n*
rangaistus

pupil [PJUU-pil] *n* oppilas

purchase [PÖÖ-tšös] *v* ostaa; *n*
ostos

purchase tax [PÖÖ-tšös täks] *n*
liikevaihtovero

purchaser [PÖÖ-tšös-ö] *n* ostaja

pure [pjuö] *adj* puhdas

purple [PÖÖ-pöl] *n*
purppuranpunainen

purpose [PÖÖ-pös] *n* tarkoitus

purse [pöös] *n* kukkaro

push [puš] *v* työntää

* **put** [put] *v* asettaa

* **put off** [put of] *v* lykätä

* **put on** [put on] *v* pukea ylleen

* **put out** [put aut] *v* sammuttaa

puzzle [PAZ-öl] *n* arvoitus

pyjamas [pö-DŽAA-möz] *pl*
yöpuku

pylon [PAI-lon] *n*
korkeajännitetolppa

quail [kweil] *n* viiriäinen

quaint [kweint] *adj* harvinainen

qualification [kwol-i-fi-KEI-šön]
n pätevyys

qualify [KWOL-i-fai] *v* olla pätevä

quality [KWOL-it-i] *n* laatu

quantity [KWON-ti-ti] *n* määrä

quarantine [KWOR-ön-tiin] *n*
karanteeni

quarrel [KWOR-öl] *v* riidellä; *n*
riita

quarry [KWOR-i] *n* louhos

quarter [KWOO-tö] *n* neljännes;
kaupunginosa

quarterly [KWOO-tö-li] *adj*
kausittainen

quay [kii] *n* satamalaituri

queen [kwiin] *n* kuningatar

queer [kwiö] *adj* omituinen

query [KWIÖR-i] *v* kysellä; *n*
tiedustelu

question [KWES-tšön] *n* kysymys

question mark [KWES-tšön maak]
n kysymysmerkki

queue [kjuu] *v* jonottaa; *n* jono

quick [kwik] *adj* nopea; *adv*
nopeasti

quiet [KWAI-öt] *adj* hiljainen

quilt [kwilt] *n* täkki

quinine [KWIN-iin] *n* kiniini

quit [kwit] *v* lopettaa

quite [kwait] *adv* täysin

quiz [kwiz] *n* (*pl* **quizzes**)
tietokilpailu

quota [KWOUT-ö] *n* kiintiö

quotation [kwou-TEI-šön] *n*
lainaus

quotation marks [kwou-TEI-šön
maaks] *pl* lainausmerkit *pl*

quote [kwout] *v* siteerata

rabbit [RAB-it] *n* kaniini

race [reis] *n* rotu; kilpa

racecourse [REIS-koos] *n*
kilparata

racehorse [REIS-hoos] *n*
kilpahevonen

race-track [REIS-träk] *n*
kilparata

racial [REI-šöl] *adj* rotu-

rack [räk] *n* auton kattoteline

racquet [RÄK-it] *n* maila

radiator [REI-di-eit-ö] *n*
lämpöpatteri

radio [REI-di-ou] *n* radio

radish [RÄD-iš] *n* retiisi

radius [REI-di-ös] *n* (*pl* **radii**)

säde
rag [räg] *n* riepu
rail [reil] *n* raide
railing [REIL-ing] *n* kaiteet *pl*
railroad [REIL-roud] *n* rautatie
railway [REIL-wei] *n* rautatie
rain [rein] *v* sataa; *n* sade
rainbow [REIN-bou] *n*
  sateenkaari
raincoat [REIN-kout] *n* sadetakki
rainfall [REIN-fɔɔl] *n* sadekuuro
rainproof [REIN-pruuf] *adj*
  sateenpitävä
rain-water [REIN-wɔɔ-tö] *n*
  sadevesi
rainy [REIN-i] *adj* sateinen
raise [reiz] *v* nostaa
raisin [REIZ-ön] *n* rusina
rally [RÄL-i] *n* joukkokokous
ramp [rämp] *n* rinne
ran [rän] *v* (*p* **run**)
rancid [RÄN-sid] *adj* eltaantunut
rang [räng] *v* (*p* **ring**)
range [reindž] *n* ala
range-finder [REINDŽ-faind-ö] *n*
  etäisyysmittari
rank [rängk] *n* rivi; ala
rapid [RÄP-id] *adj* nopea
rapids [RÄP-idz] *pl* koski
rare [rɛö] *adj* harvinainen
rash [räš] *n* ihottuma
rasher [RÄŠ-ö] *n* viipale
raspberry [RAAZ-bö-ri] *n* vadelma
rat [rät] *n* rotta
rate of exchange [reit öv iks-
  TŠEINDŽ] *n* kurssi
rather [RAA-ðö] *adv* pikemmin
raw [rɔɔ] *adj* raaka
raw material [rɔɔ mö-TIÖR-i-öl] *n*
  raaka-aine
ray [rei] *n* säde
rayon [REI-ɔn] *n* raijon
razor [REIZ-ö] *n* parranajokone
razor-blade [REIZ-ö-bleid] *n*

partaterä
reach [riitš] *v* saavuttaa
read [rɛd] *v* (*p, pp* **read**); lukea
readdress [RII-Ö-DRɛS] *v* vaihtaa
  osoite
reading [RIID-ing] *n* lukeminen
reading-lamp [RIID-ing-lämp] *n*
  lukulamppu
reading-room [RIID-ing-ruum] *n*
  lukusali
ready [RɛD-i] *adj* valmis
ready-made [RɛD-i-meid] *adj*
  valmisvaate
real [riöl] *adj* todellinen
realise [RI-öl-aiz] *v* käsittää
really [RIÖL-i] *adv* todella
rear [riö] *v* kasvattaa; *adj*
  takaosa
rear wheel [riö wiil] *n* takapyörä
rear-light [riö--LAIT] *n* takavalo
reason [RIIZ-ön] *n* syy
reasonable [RIIZ-ön-ö-böl] *adj*
  järkevä
rebate [RII-beit] *n* alennus
receipt [ri-SIIT] *n* kuitti
receive [ri-SIIV] *v* vastaanottaa
receiver [ri-SIIV-ö] *n* kuuloke
recent [RII-sönt] *adj* uusi
reception [ri-SɛP-šön] *n*
  vastaanotto
reception office [ri-SɛP-šön ɔF-is]
  n vastaanottohuone
receptionist [ri-SɛP-šön-ist] *n*
  vastaanottoapulainen
recharge [ri-TŠAADŽ] *v* ladata
  uudestaan
recipe [RɛS-i-pi] *n* ruokaresepti
recital [ri-SAIT-öl] *n*
  musiikkiesitys
reckon [RɛK-ön] *v* arvioida
recognise [RɛK-ög-naiz] *v*
  tunnistaa
recognition [rɛk-ög-NIŠ-ön] *n*
  tunnistus

recommence [RII-kö-MƐNS] v
aloittaa uudestaan

recommend [rɛk-ö-MƐND] v
suositella

recommendation [rɛk-ö-mɛn-
DEI-šön] n suosittelu

recommended [rɛk-ö-MƐND-id]
adj suositeltava

record [ri-KƆƆD] v kirjoittaa
muistiin; n selonteko; äänilevy

record player [REK-ɔɔd PLEI-ö] n
levysoitin

record shop [REK-ɔɔd šɔp] n
äänilevykauppa

recorder [ri-KƆƆD-ö] n nauhuri

recover [ri-KAV-ö] v toipua

recovery [ri-KAV-ör-i] n
toipuminen

recreation [rɛk-ri-EI-šön] n
virkistys

recreation centre [rɛk-ri-EI-šön
SƐN-tö] n virkistyskeskus

recreation ground [rɛk-ri-EI-šön
graund] n leikkikenttä

recruit [ri-KRUUT] n alokas

rectangle [REK-täng-göl] n
suorakulmio

rectangular [rɛk-TANG-gju-lö] adj
suorakulmainen

rector [REK-tö] n kirkkoherra

rectory [REK-tör-i] n pappila

red [rɛd] adj punainen

Red Cross [rɛd krɔs] n Punainen
Risti

reduce [ri-DJUUS] v alentaa

reduction [ri-DAK-šön] n alennus

reed [riid] n suuhine

reef [riif] n riutta

refer to [ri-FÖÖ tu] v
kääntyää.â.â.âpuoleen

reference [REF-röns] n viite

refill [RII-fil] n varasäiliö

reflect [ri-FLƐKT] v heijastaa

reflection [ri-FLƐK-šön] n
heijastus

reflector [ri-FLƐK-tö] n heijastin

refresh [ri-FRƐŠ] v virkistää

refreshment [ri-FRƐŠ-mönt] n
virkistys

refrigerator [ri-FRIDŽ-ö-reit-ö] n
jääkaappi

refund [ri-FAND] v suorittaa
takaisin; n takaisinmaksu

refusal [ri-FJUUZ-öl] n
kieltäytyminen

refuse [ri-FJUUZ] v kieltäytyä; n
jätteet pl

regard [ri-GAAD] v pitää jonakin

regarding [ri-GAAD-ing] prep
mit . . . tulee

regards [ri-GAADZ] pl terveiset pl

regatta [ri-GAT-ö] n
purjehduskilpailu

region [RII-džön] n seutu

regional [RII-džön-öl] adj
alueellinen

register [REDŽ-is-tö] v
kirjoittautua; kirjata

registered letter [REDŽ-is-töd
LET-ö] n kirjattu kirje

registration [redž-is-TREI-šön] n
sisäänkirjoittautuminen

registration form [redž-is-TREI-
šön fɔɔm] n
ilmoittautumislomake

regret [ri-GRƐT] n pahoittelu; v
olla pahoillaan

regular [REG-ju-lö] adj
vakinainen

regulate [REG-ju-leit] v sääntää

regulation [rɛg-ju-LEI-šön] n
sääntely

reign [rein] n hallitusaika

reimburse [ri-im-BOOS] v
suorittaa takaisin

reject [RII-džɛkt] n hylkytavara;
v hylätä

related [ri-LEIT-id] adj sukua

oleva

relations [ri-LEI-šönz] *pl* suhteet
pl

relative [RɛL-ö-tiv] *n* sukulainen;
adj suhteellinen

relax [ri-LĀKS] *v* rentoutua

relaxation [ri-läks-EI-šön] *n*
rentoutuminen

reliable [ri-LAI-ö-böl] *adj*
luotettava

relic [RɛL-ik] *n* pyhäinjäännös

relief [ri-LIIF] *n* helpotus;
kohokuva

relieve [ri-LIIV] *v* helpottaa

relieved [ri-LIIVD] *adj*
helpottunut

religion [ri-LIDŽ-ön] *n* uskonto

religious [ri-LIDŽ-ös] *adj*
uskonnollinen

rely [ri-LAI] *v* luottaa

remain [ri-MEIN] *v* jäädä jäljelle

remainder [ri-MEIN-dö] *n*
jäännös

remaining [ri-MEIN-ing] *adj*
jäljellä oleva

remark [ri-MAAK] *n* huomautus; *v*
huomauttaa

remarkable [ri-MAAK-ö-böl] *adj*
merkittävä

remedy [RɛM-i-di] *n*
parannuskeino

remember [ri-MɛM-bö] *v* muistaa

remind [ri-MAIND] *v* muistuttaa

remit [ri-MIT] *v* lähettää rahaa

remittance [ri-MIT-öns] *n*
rahalähetys

remnant [RɛM-nönt] *n* jäännös

remote [ri-MOUT] *adj* kaukainen

removal [ri-MUUV-öl] *n*
siirtäminen

remove [ri-MUUV] *v* siirtää

remunerate [ri-MJUU-nö-reit] *v*
korvata

remuneration [ri-mjuu-nör-EI-

šön] *n* korvaus

renew [ri-NJUU] *v* pidentää;
uudistaa

rent [rɛnt] *v* vuokrata; *n* vuokra

rental [RɛN-töl] *n* vuokra-

reopen [ri-OU-pön] *v* avata
uudelleen

repair [ri-PɛÖ] *v* korjata

repair shop [ri-PɛÖ šop] *n*
korjauspaja

repairs [ri-PɛÖZ] *pl* korjaus

* **repay** [ri-PEI] *v* maksaa takaisin

repayment [ri-PEI-mönt] *n*
takaisinmaksu

repeat [ri-PIIT] *v* toistaa

repellent [ri-PɛL-önt] *adj*
vastenmielinen

repetition [rɛp-i-TIŠ-ön] *n*
toistaminen

replace [ri-PLEIS] *v* korvata

reply [ri-PLAI] *v* vastata; *n*
vastaus

report [ri-PɔɔT] *v* tiedoittaa; *n*
selonteko

represent [rɛp-ri-zɛNT] *v* edustaa

representation [rɛp-ri-zɛn-TEI-
šön] *n* edustus

representative [rɛp-ri-zɛNT-ö-
tiv] *adj* edustava

reproduce [rii-prö-DJUUS] *v*
jäljentää

reproduction [rii-prö-DAK-šön] *n*
jäljennös

reptile [RɛP-tail] *n* matelija

republic [ri-PAB-lik] *n* tasavalta

republican [ri-PAB-lik-ön] *adj*
tasavaltalainen

request [ri-KWɛST] *n* pyyntö; *v*
pyytää

require [ri-KWAIÖ] *v* vaatia

requirement [ri-KWAIÖ-mönt] *n*
vaatimus

requisite [RɛK-wi-zit] *adj*
tarpeellinen

rescue [RES-kjuu] v pelastaa; n
pelastaminen
research [ri-SÖÖTŠ] n tieteellinen
tutkimus
resemble [ri-ZEM-böl] v
muistuttaa
resent [ri-ZENT] v panna
pahakseen
reservation [REZ-ö-VEI-šön] n
varaus
reserve [ri-ZÖÖV] v varata
reserved [ri-ZÖÖVD] adj varattu
reserved seat [ri-ZÖÖVD siit] n
varattu paikka
reservoir [REZ-ö-vwaa] n
vesisäiliö
reside [ri-ZAID] v asua
residence [REZ-i-döns] n
asuinpaikka
residence permit [REZ-i-döns
PÖÖ-mit] n oleskelulupa
resident [REZ-i-dönt] n
vakinainen asukas
resign [ri-ZAIN] v erota
resignation [REZ-ig-NEI-šön] n
ero
resort [ri-ZƆƆT] n
lomanviettopaikka
respect [ri-SPEKT] v kunnioittaa
respectable [ri-SPEK-tö-böl] adj
kunniallinen
respectful [ri-SPEKT-full] adj
kunnioittava
respective [ri-SPEK-tiv] adj
asianomainen
respects [ri-SPEKS] pl
kunnioittavat terveiset pl
responsible [ri-SPƆN-sö-böl] adj
vastuunalainen
rest [REST] n jäännös; lepo; v
levätä
restaurant [RES-tö-rɔɔngng] n
ravintola
restful [REST-full] adj rauhallinen

rest-house [REST-haus] n
lepokoti
restless [REST-lis] adj levoton
result [ri-ZALT] v aiheutua; n
seuraus
retail [RII-teil] v myydä vähittäin
retail trade [RII-teil treid] n
vähittäiskauppa
retailer [RII-teil-ö] n
vähittäiskauppias
retire [ri-TAIÖ] v mennä
eläkkeelle
retired [ri-TAIÖD] adj eläkkeellä
oleva
return [ri-TEEN] v palata; n paluu
return flight [ri-TÖÖN flait] n
meno-paluulento
return journey [ri-TÖÖN DŽÖÖ-ni]
n paluumatka
return ticket [ri-TÖÖN TIK-it] n
meno-ja paluulippu
revenue [REV-in-juu] n tulot pl
reverse [ri-VÖÖS] v peruuttaa; n
peruutusvaihde;
vastoinkäyminen
review [ri-VJUU] v silmätä
taaksepäin; n aikakauskirja
revise [ri-VAIZ] v tarkistaa
revision [ri-VIŽ-ön] n tarkistettu
painos
revolution [REV-ö-LUU-šön] n
vallankumous
revue [ri-VJUU] n revyy
reward [ri-WƆƆD] v palkita; n
palkinto
rheumatism [RUU-mö-tizm] n
reumatismi
rhubarb [RUU-bɔɔb] n raparperi
rhyme [raim] n loppusointu
rhythm [riðm] n rytmi
rib [rib] n kylkiluu
ribbon [RIB-ön] n nauha
rice [rais] n riisi
rich [ritš] adj rikas

riches [RITŠ-iz] pl rikkaus

ridden [RID-ön] v (pp ride)

ride [raid] n ajelu; v ajaa autolla

rider [RAID-ö] n ratsastaja

ridge [ridž] n vuorenharjanne

ridiculous [ri-DIK ju-lös] adj
naurettava

riding [RAID-ing] n ratsastus

rifle [RAI-föl] v kivääri

right [rait] adj oikea;
oikeanpuolinen

right away [rait ö-WEI]
viipymättä

right here [rait hiö] aivan tässä

right-hand [RAIT-händ] adj
oikeanpuoleinen

right-of-way [rait-öv-WEI] n
etuajo-oikeus

rights [raits] pl oikeus

rim [rim] n reunama; vanne

ring [ring] n soitto; sormus; v
soittaa

* ring up [ring ap] v soittaa
puhelimella

rink [ringk] n luistinrata

rinse [rins] n värihuuhtelu

ripe [raip] adj kypsä

* rise [raiz] v nousta

risen [RIZ-ön] v (pp rise)

risk [risk] n vaara

risky [RISK-i] adj vaarallinen

river [RIV-ö] n joki

river-bank [RIV-ö-bängk] n
jokipenger

riverside [RIV-ö-said] n joenvarsi

roach [routš] n särki

road [roud] n tie

road map [roud mäp] n tiekartta

road up [roud ap] tietyö

roadhouse [ROUD-haus] n
majatalo

roadside [ROUD-said] n tiepuoli

rob [rob] v ryöstää

robber [ROB-ö] n rosvo

robbery [ROB-ör-i] n ryöstö

rock [rok] n kallio; v keinutella

rock-and-roll [rok-önd-ROUL] n
rock-and-roll

rocket [ROK-it] n ohjus

rocky [ROK-i] adj kallioinen

rod [rod] n tanko

rode [roud] v (p ride)

roe [rou] n mäti

roll [roul] n sämpylä; rulla; v
kierittää

roller-skating [ROUL-ö-SKEIT-ing]
n rullaluistelu

romance [ro-MÄNS] n romanssi

romantic [ro-MÄN-tik] adj
romanttinen

roof [ruuf] n katto

room [ruum] n huone

room and board [ruum önd bood]
n täysihoito

room service [ruum SÖÖ-vis] n
huonepalvelu

roomy [RUUM-i] adj tilava

root [ruut] n juuri

rope [roup] n köysi

rosary [ROUZ-ör-i] n
rukousnauha

rose [rouz] v (p rise); n ruusu; adj
ruusunpunainen

rouge [ruuž] n poskipuna

rough [raf] adj epätasainen

roulette [ruu-LET] n rulettipeli

round [raund] adj pyöreä

round trip [raund trip] n
kiertomatka

roundabout [RAUND-ö-baut] n
liikenneympyrä

rounded [RAUND-id] adj
pyöristetty

route [ruut] n tie

routine [ruu-TIIN] n rutiini

row [rou] v soutaa; n rivi; riita

rowing-boat [ROU-ing-bout] n
soutuvene

royal [ROI-öl] *adj* kuninkaallinen
rub [rab] *v* hieroa
rubber [RAB-ö] *n* kumi;
  pyyhekumi
rubbish [RAB-iš] *n* roskat *pl*
ruby [RUU-bi] *n* rubiini
rucksack [RUK-säk] *n* selkäreppu
rudder [RAD-ö] *n* peräsin
rude [ruud] *adj* karkea
rug [rag] *n* pieni matto
ruin [RUU-in] *v* tuhota
ruins [RUU-inz] *pl* raunio
rule [ruul] *v* hallita
ruler [RUU-lö] *n* hallitsija;
  viivoitin
rumour [RUU-mö] *n* huhu
* **run** [ran] *v* juosta
* **run into** [ran IN-tu] *v* kohdata
  sattumalta
runaway [RUN-ö-wei] *n*
  pakolainen
running water [RAN-ing wɔɔ-tö] *n*
  juokseva vesi
runway [RAN-wei] *n* kiitorata
rural [RUÖR-öl] *adj* maalais-
rush [raš] *n* kaisla; *v* rynnätä
rush-hour [RAŠ-auö] *n* ruuhka-
  aika
  ust [rast] *n* ruoste
rustic [RAS-tik] *adj* maalais-
rusty [RAS-ti] *adj* ruosteinen

saccharin [SÄK-ö-rin] *n* sakariini
sack [säk] *n* säkki
sacred [SEIK-rid] *adj* pyhä
sacrifice [SÄK-ri-fais] *n* uhraus
sad [säd] *adj* surullinen
saddle [SÄD-öl] *n* satula
safe [seif] *n* kassakaappi; *adj*
  turvassa oleva
safety [SEIF-ti] *n* turvallisuus
safety belt [SEIF-ti bɛlt] *n*
  turvavyö

safety pin [SEIF-ti pin] *n*
  hakaneula
safety razor [SEIF-ti REIZ-ö] *n*
  parranajokone
said [sɛd] *v* (*p, pp* say)
sail [seil] *v* matkustaa laivalla; *n*
  purje
sailing [SEIL-ing] *n* laivamatka
sailing boat [SEIL-ing bout] *n*
  purjevene
sailor [SEIL-ö] *n* merimies
saint [seint] *n* pyhimys
salad oil [SÄL-öd oil] *n*
  salaattiöljy
salami [sö-LAA-mi] *n* salami-
  makkara
salaried [SÄL-ör-id] *adj* palkattu
salary [SÄL-ör-i] *n* palkka
sale [seil] *n* myynti
saleable [SEIL-ö-böl] *adj*
  kaupaksi menevä
sales [seilz] *pl* alennusmyynti
salesgirl [SEILZ-gööl] *n* myyjätär
salesman [SEILZ-mön] *n* (*pl* -
  men) myyjä
salmon [SÄM-ön] *n* lohi
salon [sö-LɔNG] *n* salonki
saloon [sö-LUUN] *n* kapakka
salt [sɔɔlt] *n* suola
saltcellar [SɔɔLT-sɛl-ö] *n* suola-
  astia
salty [SɔɔLT-i] *adj* suolainen
salve [saav] *n* voide
same [seim] *adj* samanlainen
sample [SAAM-pöl] *n* malli
sand [sänd] *n* hiekka
sandal [SÄN-döl] *n* sandaali
sandwich [SÄN-widž] *n* voileipä
sandy [SÄND-i] *adj* hiekkainen
sang [säng] *v* (*p* sing)
sanitary [SÄN-i-tör-i] *adj* terveys-
sanitary napkin [SÄN-i-tör-i NÄP-
  kin] *n* terveysside
sank [sängk] *v* (*p* sink)

sapphire [SAF-alö] n safiiri
sardine [saa-DIIN] n sardiini
satin [SAT-in] n atlassilkki
satisfaction [sät-is-FÄK-šön] n
tyydytys
satisfied [SAT-is-faid] adj
tyytyväinen
satisfy [SAT-is-fai] v tyydyttää
Saturday [SAT-ö-di] n lauantai
saucepan [SOOS-pön] n
paistinpannu
saucer [SOO-sö] n teevati
sauna [SOO-nö] n sauna
sausage [SOS-idž] n makkara
sausages [SOS-idž-iz] pl nakit pl
savage [SÄV-idž] adj villi
save [seiv] v pelastaa; säästää
savings [SEIV-ingz] pl
säästörahat pl
savings bank [SEIV-ingz bängk] n
säästöpankki
saviour [SEIV-jö] n pelastaja
savoury [SEIV-ör-i] adj maukas
saw [soo] n saha
* say [sei] v sanoa
scale [skeil] n mittakaava
scales [skeilz] pl vaaka
scallion [SKÄL-jön] n pieni sipuli
scallop [SKOL-öp] n
kampasimpukka
scar [skaa] n arpi
scarce [skeös] adj niukka
scarcely [SKEÖS-li] adv tuskin
scarcity [SKEÖS-it-i] n niukkuus
scare [skeö] v pelästyttää
scarf [skaaf] n kaulaliina
scarlet [SKAA-lit] adj
helakanpunainen
scatter [SKÄT-ö] v sirotella
scene [siin] n tapahtumapaikka
scenery [SIIN-ör-i] n maisema
scenic [SII-nik] adj
maisemallinen
scent [sent] n hajuvesi

schedule [ŠED-juul] n aikataulu
scheme [skiim] n suunnitelma
scholar [SKOL-ö] n oppinut
scholarship [SKOL-ö-šip] n
apuraha
school [skuul] n koulu
schoolboy [SKUUL-boi] n
koulupoika
schoolgirl [SKUUL-gööl] n
koulutyttö
schoolmaster [SKUUL-maas-tö] n
rehtori
schoolteacher [SKUUL-tiitš-ö] n
opettaja
science [SAI-öns] n tiede
scientific [sai-ön-TIF-ik] adj
tieteellinen
scientist [SAI-ön-tist] n tiedemies
scissors [SIZ-öz] pl sakset pl
scold [skould] v torua
scooter [SKUUT-ö] n skootteri
score [skoo] n pistemäärä; v
saada pisteitä
scorn [skoon] v halveksia; n
ylenkatse
Scot [skot] n skotlantilainen
Scotch [skotš] adj
skotlantilainen
scotch tape [skotš teip] n teippi
Scotland [SKOT-lönd] n Skotlanti
Scottish [SKOT-iš] adj
skotlantilainen
scrap [skräp] n pala
scrape [skreip] v raapia
scratch [skrätš] v naarmuttaa; n
naarmu
scream [skriim] v kirkua; n
kirkaisu
screen [skriin] n suojus;
valkokangas
screw [skruu] n ruuvi; v ruuvata
screwdriver [SKRUU-draiv-ö] n
ruuvitaltta
scrub [skrab] v hangata; n

pensaikko
sculptor [SKALP-tö] *n*
   kuvanveistäjä
sculpture [SKALP-tšö] *n* veistos
sea [sii] *n* meri
sea-bird [SII-bööd] *n* merilintu
seacoast [SII-koust] *n*
   merenranta
seagull [SII-gal] *n* lokki
seal [siil] *n* leima
seam [siim] *n* sauma
seaman [SII-mön] *n* (*pl* **-men**)
   merimies
seamless [SIIM-lis] *adj* saumaton
seaport [SII-pɔɔt] *n*
   satamakaupunki
search [söötš] *n* etsintä; *v* etsiä
seascape [SII-skeip] *n*
   merimaisema
sea-shell [SII-šöl] *n* simpukka
seashore [SII-šɔɔ] *n* merenranta
seasickness [SII-sik-nis] *n*
   merisairaus
seaside [SII-said] *n*
   merenrannikko
seaside resort [SII-said ri-zɔɔt] *n*
   merikylpylä
season [SIIZ-ön] *n* vuodenaika
season ticket [SIIZ-ön TIK-it] *n*
   kausilippu
seasoning [SIIZ-ön-ing] *n* höyste
seat [siit] *n* istuin; istumapaikka
seat belt [siit bɛlt] *n* turvavyö
seated [SIIT-id] *adj* istuva
sea-urchin [SII-öö-tšin] *n*
   merisiili
sea-water [SII-wɔɔ-tö] *n* merivesi
second [SɛK-önd] *adj* toinen; *n*
   sekunti
secondary [SɛK-önd-ör-i] *adj*
   toisarvoinen
second-class [SɛK-önd-klaas] *adj*
   toisen luokan-
second-hand [SɛK-önd-händ] *adj*

käytetty
secret [SII-krit] *adj* salainen; *n*
   salaisuus
secretary [SɛK-rö-tri] *n* sihteeri
section [SɛK-šön] *n* osasto
secure [si-KJUÖ] *adj* varma
sedate [si-DEIT] *adj* tyyni
sedative [SɛD-ö-tiv] *n*
   rauhoittava lääke
* **see** [sii] *v* nähdä
* **see to** [sii tu] *v* huolehtia
seed [siid] *n* siemen
* **seek** [siik] *v* etsiä
seem [siim] *v* näyttää
seen [siin] *v* (*pp* **see**)
seize [siiz] *v* kaapata
seldom [SɛL-döm] *adv* harvoin
select [si-LɛKT] *adj* valikoitu
selection [si-Lɛk-šön] *n* valinta
self-drive [SɛLF-draiv] *adj*
   vuokra-auto
self-employed [SɛLF-im-PLOID] *adj*
   itsenäinen yrittäjä
self-government [sɛlf-GAV-ö-
   mönt] *n* itsehallinto
selfish [SɛL-fiš] *adj* itsekäs
self-service [SɛLF-SÖÖ-vis] *n*
   itsepalvelu
self-service restaurant [sɛlf-SÖÖ-
   vis RɛS-tö-rɔɔngng] *n*
   itsepalveluravintola
* **sell** [sɛl] *v* myydä
seltzer [SɛL-tsö] *n* mineraalivesi
semicircle [SɛM-i-söö-köl] *n*
   puoliympyrä
semicolon [SɛM-i-KOU-lön] *n*
   puolipiste
senate [SɛN-it] *n* senaatti
senator [SɛN-öt-ö] *n* senaattori
* **send** [sɛnd] *v* lähettää
* **send back** [sɛnd bäk] *v*
   palauttaa
* **send for** [sɛnd fɔɔ] *v* lähettää
   noutamaan

* **send off** [sɛnd ɔf] v lähettää
sensation [sɛn-SEI-šön] n
 sensaatio; tunne
sensational [sɛn-SEI-šön-öl] adj
 huomiota herättävä
sense [sɛns] n aisti; ymmärrys;
 merkitys; v aistita
senseless [sɛns-lis] adj järjetön
sensible [sɛn-sö-böll] adj järkevä
sensitive [sɛn-si-tiv] adj herkkä
sent [sɛnt] v (p, pp send)
sentence [sɛn-töns] v tuomita; n
 tuomio; lause
sentimental [sɛn-ti-mɛn-töl] adj
 tunteellinen
separate [sɛp-ö-reit] v erottaa;
 adj erillään oleva
September [sɛp-TɛM-bö] n
 syyskuu
septic [sɛp-tik] adj septinen
series [SIÖR-iiz] n sarja
serious [SIÖR-i-ös] adj vakava
serum [SIÖR-öm] n seerumi
servant [SOO-vönt] n palvelija
serve [sööv] v palvella
service [SÖÖ-vis] n palvelus
service charge [SÖÖ-vis tšaadž] n
 palvelumaksu
service station [SÖÖ-vis STEI-šön]
 n huoltoasema
serviette [söö-vi-ɛt] n lautasliina
set [sɛt] n joukko; v asettaa
set menu [sɛt mɛn-juu] n
 määrätty ruokalista
* **set out** [sɛt aut] v lähteä
setting [sɛt-ing] n puitteet pl;
 kampaus
setting lotion [sɛt-ing LOU-šön] n
 kampausneste
settle [sɛt-öl] v järjestää
settle down [sɛt-öl daun] v
 asettua asumaan
settle up [sɛt-öl ap] v maksaa
settlement [sɛt-öl-mönt] n

 sopimus
seven [sɛv-ön] adj seitsemän
seventeen [sɛv-ön-tiin] adj
 seitsemäntoista
seventeenth [sɛv-ön-tiinΘ] adj
 seitsemästoista
seventh [sɛv-önΘ] adj seitsemäs
seventy [sɛv-ön-ti] adj
 seitsemänkymmentä
several [sɛv-röl] adj useat
severe [si-VIÖ] adj vakava
* **sew** [sou] v ommella
* **sew on** [sou ɔn] v ommella
 kiinni
sewing [SOU-ing] n ompelutyö
sewing-machine [SOU-ing-mö-
 šiin] n ompelukone
sex [sɛks] n sukupuoli
shade [šeid] n vivahdus; varjo
shadow [ŠAD-ou] n varjo
shady [ŠEID-i] adj varjoisa
* **shake** [šeik] v ravistaa
shaken [ŠEIK-ön] v (pp shake)
* **shall** [šäl] v pitää
shallow [ŠAL-ou] adj matala
shame [šeim] n häpeä
shampoo [šäm-PUU] n
 tukanpesuaine
shan't [šaant] v (shall not)
shape [šeip] n muoto
share [šɛö] n osa; osake; v jakaa
sharp [šaap] adj terävä
sharpen [ŠAAP-ön] v teroittaa
* **shave** [šeiv] v ajaa partansa
shaver [ŠEI-vö] n parranajokone
shaving-brush [ŠEI-ving-braš] n
 partasuti
shaving-cream [ŠEI-ving-kriim]
 n parranajovaahdoke
shaving-soap [ŠEI-ving-soup] n
 parranajosaippua
shawl [šɔɔl] n hartiahuivi
she [šii] pron hän
shed [šɛd] n vaja

sheep [šiip] *inv* lammas
sheer [šiö] *adj* ilmavan ohut
sheet [šiit] *n* lehti; lakana
shelf [šelf] *n* hylly
shell [šel] *n* simpukka
shell-fish [šel-fiš] *n*
  kuoriaiseläin
shelter [šel-tö] *n* suoja; *v* suojata
shepherd [šep-öd] *n* paimen
she's [šiiz] *v* (she is, she has)
* **shine** [šain] *v* kiiltää
ship [šip] *n* laiva; *v* rahdata
shipping line [šip-ing lain] *n*
  laivayhtiö
shirt [šööt] *n* paita
shiver [šiv-öl] *v* väristä
shivery [šiv-ör-i] *adj* värisevä
shock [šok] *n* järkytys; *v*
  järkyttää
shock absorber [šok öb-sɔɔB-ö] *n*
  iskunvaimentaja
shocking [šok-ing] *adj*
  järkyttävä
shoe [šuu] *n* kenkä
shoe polish [šuu pɔl-iš] *n*
  kengänkiilloke
shoe-lace [šuu-leis] *n*
  kengännauha
shoemaker [šuu-meik-ö] *n*
  suutari
shoe-shine [šuu-šain] *n*
  kengänkiillotus
shoe-shop [šuu-šop] *n*
  kenkäkauppa
shone [šon] *v* (p, pp shine)
shook [šuk] *v* (p shake)
* **shoot** [šuut] *v* ampua
shop [šop] *v* käydä ostoksilla; *n*
  kauppa
shop assistant [šop ö-sis-tönt] *n*
  myymäläapulainen
shopkeeper [šop-kiip-ö] *n*
  kaupan omistaja
shopping [šop-ing] *n* ostokset *pl*

shopping bag [šop-ing bäg] *n*
  ostoslaukku
shopping centre [šop-ing sen-tö]
  n ostoskeskus
shop-window [šop-win-dou] *n*
  näyteikkuna
shore [šɔɔ] *n* ranta
short [šɔɔt] *adj* lyhyt
short circuit [šɔɔt sɔɔ-kit] *n*
  oikosulku
shortage [šɔɔt-idž] *n* puute
shorten [šɔɔt-ön] *v* lyhentää
shorthand [šɔɔt-händ] *n*
  pikakirjoitus
shortly [šɔɔt-li] *adv* pian
shorts [šɔɔts] *pl* alushousut *pl;*
  šortsit
short-sighted [šɔɔt-sait-id] *adj*
  likinäköinen
shot [šɔt] *v* (p, pp shoot); *n*
  laukaus
should [šud] *v* (p shall)
shoulder [šoul-dö] *n* hartia
shouldn't [šud-önt] *v* (should not)
shout [šaut] *n* huuto; *v* huutaa
* **show** [šou] *v* näyttää; osoittaa;
  n esitys
shower [šau-ö] *n* sadekuuro;
  suihku
shown [šoun] *v* (pp show)
showroom [šou-ruum] *n*
  näyttelysali
shrank [šrängk] *v* (p shrink)
shriek [šriik] *n* kirkaisu; *v*
  kirkua
shrimp [šrimp] *n* katkarapu
shrine [šrain] *n*
  pyhäinjäännöslipas
* **shrink** [šringk] *v* kutistua
shrub [šrab] *n* pensas
shrunk [šrangk] *v* (pp shrink)
shuffle [šaf-öl] *v* sekoittaa
* **shut** [šat] *v* sulkea; sulkea
  sisään; *adj* suljettu

shutter [ŠAT-ö] n ikkunaluukku

shy [šai] adj ujo

sick [sik] adj sairas

sickness [SIK-nis] n sairaus

side [said] n puoli

sideburns [SAID-böönz] pl
poskiparta

sidelight [SAID-lait] n sivuvalo

sidewalk [SAID-wɔɔk] n
jalkakäytävä

sideways [SAID-weiz] adv sivulle

sight [sait] n näky

sights [saits] pl nähtävyys

sign [sain] n tunnus; merkki; v
allekirjoittaa

signal [SIG-nöl] n signaali

signature [SIG-ni-tšö] n
nimikirjoitus

signpost [SAIN-poust] n tienviitta

silence [SAIL-öns] n hiljaisuus

silencer [SAIL-ön-sö] n
äänenvaimennin

silent [SAIL-önt] adj äänetön

silk [silk] n silkki

silken [SILK-ön] adj silkkinen

silly [SIL-i] adj typerä

silver [SIL-vö] n hopea

silversmith [SIL-vö-smiΘ] n
hopeaseppä

silverware [SIL-vö-wɛö] n hopeat
pl

silvery [SIL-vör-i] adj
hopeanheleä

similar [SIM-il-ö] adj
samanlainen

similarity [sim-i-LAR-it-i] n
samanlaisuus

simple [SIM-pöl] adj
yksinkertainen

simply [SIM-pli] adv
yksinkertaisesti

simultaneous [si-möl-TEIN-jös]
adj samanaikainen

since [sins] conj sen jälkeen kun;

prep siitä asti; adv sen jälkeen

sincere [sin-SIÖ] adj vilpitön

* sing [sing] v laulaa

singer [SING-ö] n laulaja

single [SING-göl] adj yhden
hengen-; naimaton

single bed [SING-göl bɛd] n yhden
hengen sänky

single room [SING-göl ruum] n
yhden hengen huone

single ticket [SIN-göl TIK-it] n
menolippu

singular [SING-gju-lö] n yksikkö

sink [singk] n allas; v vajota

siphon [SAI-fön] n sifooni

sir [söö] herra

sirloin [SÖÖ-loin] n härän
selkäliha

sister [SIS-tö] n sisko

sister-in-law [SIS-tör-in-lɔɔ] n
käly

* sit [sit] v istua

* sit down [sit daun] v istuutua

site [sait] n tontti

sitting-room [SIT-ing-ruum] n
olohuone

situated [SIT-ju-eit-id] adj
sijaitseva

situation [sit-ju-EI-šön] n tilanne

six [siks] adj kuusi

sixteen [SIKS-tiin] adj kuusitoista

sixteenth [SIKS-tiinΘ] adj
kuudestoista

sixth [siksΘ] adj kuudes

sixty [SIKS-ti] n kuusikymmentä

size [saiz] n suuruus; koko

skate [skeit] v luistella; n luistin

skating [SKEIT-ing] n luistelu

skating-rink [SKEIT-ing-ringk] n
luistinrata

skeleton [SKƐL-i-tön] n luuranko

sketch [skɛtš] n luonnos; v tehdä
luonnos

sketchbook [SKƐTŠ-buk] n

luonnoskirja
ski [skii] v hiihtää; n suksi
ski boots [skii buuts] pl
  hiihtokengät pl
skid [skid] v liukastua
skier [SKII-ö] n hiihtäjä
skiing [SKII-ing] n hiihto
ski-jump [SKII-džamp] n
  mäkihyppy
ski-lift [SKII-lift] n hiihtohissi
skill [skil] n taito
skilled [skild] adj taitava
skillful [SKIL-ful] adj taitava
skin [skin] n iho
skin cream [skin kriim] n
  ihovoide
ski-pants [SKII-pänts] pl
  hiihtohousut pl
ski-poles [SKII-poulz] pl
  hiihtosauvat pl
skirt [skööt] n hame
skull [skal] n kallo
sky [skai] n taivas
sky-scraper [SKAI-skreip-ö] n
  pilvenpiirtäjä
slacks [släks] pl pitkät housut pl
slang [släng] n slangi
slant [slaant] v kallistua
slanting [SLAANT-ing] adj kalteva
slave [sleiv] n orja
sledge [slɛdž] n reki
sleep [sliip] n uni; v nukkua
sleeping-bag [SLIIP-ing-bäg] n
  makuupussi
sleeping-berth [SLIIP-ing-bööΘ]
  n makuusija
sleeping-car [SLIIP-ing-kaa] n
  makuuvaunu
sleeping-pill [SLIIP-ing-pil] n
  unipilleri
sleepy [SLIIP-i] adj uninen
sleeve [sliiv] n hiha
sleigh [slei] n reki
slender [SLɛN-dö] adj solakka

slept [slɛpt] v (p, pp **sleep**)
slice [slais] n palanen
sliced [slaist] adj paloiteltu
slide [slaid] n diapositiivi;
  liukuminen; v liukua
slight [slait] adj vähäinen
slim [slim] adj solakka
slip [slip] n alushame;
  horjahdus; v kompastua;
  livahtaa
slipper [SLIP-ö] n tohveli
slippery [SLIP-ör-i] adj liukas
slope [sloup] n kaltevuus; v
  kallistua
sloping [SLOUP-ing] adj kalteva
slot [slɔt] n lovi
slot-machine [SLɔT-mö-šiin] n
  automaatti
slow [slou] adj hidasjärkinen;
  hidas
slow down [slou daun] v
  hiljentää vauhtia
slum [slam] n köyhälistökortteli
slush [slaš] n lumisohju
small [smɔɔl] adj pieni
small change [smɔɔl tšeindž] n
  pikkurahat
smallpox [SMɔɔL-pɔks] n
  isorokko
smart [smaat] adj älykäs
* **smell** [smɛl] v haistaa; n haju
smelly [SMɛL-i] adj
  pahanhajuinen
smile [smail] v hymyillä; n hymy
smith [smiΘ] n seppä
smog [smɔg] n savu
smoke [smouk] v tupakoida; n
  savu
smoked [smoukt] adj savustettu
smokeless [SMOUK-lis] adj
  savuton
smoker [SMOUK-ö] n tupakoitsija
smoke-room [SMOUK-ruum] n
  tupakkahuone

smoking compartment [SMOUK-ing köm-PAAT-mönt] *n*
tupakka-osasto
smooth [smuuð] *adj* sileä
smuggle [SMAG-öl] *v*
salakuljettaa
snack [snäk] *n* välipala
snack-bar [SNÄK-baa] *n*
pikabaari
snail [sneil] *n* etana
snapshot [SNÄP-šot] *n* valokuva
sneakers [SNIIK-öz] *pl*
kumitossut *pl*
sneeze [sniiz] *v* aivastaa
sneezing [SNIIZ-ing] *n* aivastus
snorkel [SNɔɔ-köl] *n*
hengitysputki
snow [snou] *n* lumi; *v* sataa lunta
snowstorm [SNOU-stɔɔm] *n*
lumimyrsky
snowy [SNOU-i] *adj* luminen
so [sou] *adv* siten; niin; *conj* siis
so far [sou faa] *adv* tähän asti
so that [sou ðät] *conj* joten
soak [souk] *v* liottaa
soap [soup] *n* saippua
soap powder [soup PAU-dö] *n*
pesupulveri
so-called [sou-kɔɔld] *adj* niin
sanottu
soccer [SɔK-ö] *n* jalkapallopeli
social [SOU-šöl] *adj*
yhteiskunnallinen
socialist [SOU-šöl-ist] *adj*
sosialisti
society [sö-SAI-ö-ti] *n* seura;
yhteiskunta
sock [sɔk] *n* puolisukka
socket [SɔK-it] *n* kosketin
soda-fountain [SOU-dö FAUN-tin]
n makeiskioski
soda-water [SOU-dö-wɔɔ-tö] *n*
soodavesi
sofa [SOU-fö] *n* sohva

soft [sɔft] *adj* pehmeä
soft drink [sɔft dringk] *n*
alkoholiton juoma
soften [SɔF-ön] *v* pehmittää
softener [SɔF-ön-ö] *n* pehmentäjä
soil [soil] *n* maa
soiled [soild] *adj* likainen
sold [sould] *v* (*p,pp* sell)
sold out [sould aut] *adj*
loppuunmyyty
soldier [SOUL-džö] *n* sotilas
sole [soul] *n* meriantura;
kengänpohja; *adj* ainoa
solemn [SɔL-öm] *adj* juhlallinen
solicitor [sö-LIS-it-ö] *n* asianajaja
solid [SɔL-id] *adj* kiinteä; *n*
kiinteä aine
soluble [SɔL-ju-böl] *adj*
liukeneva
solution [sö-LUU-šön] *n* ratkaisu;
liuos
solve [sɔlv] *v* ratkaista
some [sam] *adj* jotkut
some more [sam mɔɔ] vähän
lisää
some time [sam taim] joskus
somebody [SAM-böd-i] *pron* joku
someone [SAM-wan] *pron* joku
something [SAM-Θing] *pron*
jotakin
sometimes [SAM-taimz] *adv*
toisinaan
somewhat [SAM-wɔt] *adv* hiukan
somewhere [SAM-wɛö] *adv*
jossain
son [san] *n* poika
song [sɔng] *n* laulu
son-in-law [SAN-in-lɔɔ] *n* vävy
soon [suun] *adv* pian
sooner [SUUN-ö] *adv* pikemmin
sore [sɔɔ] *adj* kipeä; *n* kipeä
kohta
sore throat [sɔɔ Θrout] *n*
kaulakipu

sorrow [SOR-ou] *n* suru
sorry [SOR-i] *adj* pahoillaan oleva
sort [soot] *n* laji; *v* lajitella
soul [soul] *n* sielu
sound [saund] *n* ääni; *v*
  kuulostaa; kuulua
soundproof [SAUND-pruuf] *adj*
  äänieristetty
soup-plate [SUUP-pleit] *n*
  soppalautanen
soupspoon [SUUP-spuun] *n*
  soppalusikka
sour [sauöl] *adj* hapan
south [sauϴ] *n* etelä
South Africa [sauϴ AF-ri-kö] *n*
  Etelä-Afrikka
south-east [sauϴ-IIST] *n* kaakko
southern [SAð-ön] *adj* eteläinen
southwards [SAUϴ-wödz] *adv*
  etelään päin
south-west [sauϴ-WEST] *n* lounas
souvenir [SUU-vö-niö] *n*
  muistoesine
* **sow** [sou] *v* kylvää
spa [spaa] *n* terveyskylpylä
space [speis] *v* asettaa
  välimatkojen päähän; *n* väli;
  avaruus
spacious [SPEI-šös] *adj* tilava
spade [speid] *n* lapio
spades [speidz] *pl* pata
Spain [spein] *n* Espanja
Spanish [SPÄN-iš] *n*
  espanjalainen; *adj*
  espanjalainen
spare [speö] *v* selviytyä ilman;
  adj ylimääräinen
spare part [speö paat] *n* varaosa
spare room [speö ruum] *n*
  vierashuone
spare time [speö taim] *n*
  joutoaika
spare tyre [speö taiö] *n*
  vararengas

spare wheel [speö wiil] *n*
  varapyörä
spares [speöz] *pl* varaosat *pl*
spark [spaak] *n* kipinä
sparking-plug [SPAAK-ing-plag] *n*
  sytytystulppa
sparkling [SPAAK-ling] *adj*
  kipinöivä; vaahtoava
* **speak** [spiik] *v* puhua
special [SPEŠ-öl] *adj* erikoinen
special delivery [SPEŠ-öl di-LIV-
  ör-i] pika-
specialise [SPEŠ-ö-laiz] *v*
  erikoistua
specialist [SPEŠ-öl-ist] *n* alan
  erikoistuntija
speciality [speš-i-ÄL-it-i] *n*
  erikoisuus
specimen [SPES-i-min] *n*
  näytekappale
spectacle [SPEK-tök-öli] *n* näytös
spectacles [SPEK-tök-ölz] *pl*
  silmälasit *pl*
spectator [spek-TEIT-ö] *n*
  katselija
speech [spiitš] *n* puhekyky; puhe
* **speed** [spiid] *v* ajaa nopeasti; *n*
  nopeus
speed limit [spiid LIM-it] *n*
  nopeusrajoitus
speeding [SPIID-ing] *n* liian nopea
  ajo
speedometer [spi-DOM-it-ö] *n*
  nopeusmittari
* **spell** [spel] *v* tavata
spelling [SPEL-ing] *n* tavaaminen
* **spend** [spend] *v* viettää; tuhlata
spent [spent] *v* (*p, pp* **spend**)
sphere [sfiö] *n* kuula; piiri
spice [spais] *n* mauste
spiced [spaist] *adj* maustettu
spicy [SPAIS-i] *adj* maustettu
* **spill** [spil] *v* kaataa
* **spin** [spin] *v* pyörittää; kehrätä

spinach [SPIN-idž] *n* pinaatti

spine [spain] *n* selkäranka

spinster [SPIN-stö] *n* ikäneito

spire [spaiö] *n* huippu

spirit [SPIR-it] *n* henki;
henkiolento; mieliala

spirit stove [SPIR-it stouv] *n*
spriiliesi

* spit [spit] *v* sylkeä

splash [spläš] *v* räiskyttää

splendid [SPLɛN-did] *adj* loistava

splint [splint] *n* lasta

splinter [SPLIN-tö] *n* sirpale

* split [split] *v* pirstoa

* spoil [spoil] *v* turmella

spoke [spouk] *v* (*p* speak); *n*
piena

sponge [spandž] *n* pesusieni

spoon [spuun] *n* lusikka

spoonful [SPUUN-ful] *n*
lusikallinen

sport [spɔɔt] *n* urheilu

sports car [spɔɔts kaa] *n*
urheiluauto

sports jacket [spɔɔts DŽÄK-it] *n*
urheilutakki

sportsman [SPƆƆTS-mön] *n* (*pl* -
men) urheilija

sportswear [SPƆƆTS-wɛö] *n*
urheiluasusteet *pl*

spot [spɔt] *n* tahra; paikka

spotless [SPƆT-lis] *adj* tahraton

sprain [sprein] *n* nyrjähdys; *v*
nyrjäyttää

* spread [sprɛd] *v* levittää

spring [spring] *n* kevät; jousi;
lähde

springtime [SPRING-taim] *n*
kevätaika

sprouts [sprauts] *pl* ruusukaali

square [skwɛö] *adj*
neliönmuotoinen; *n* neliö;
toriaukio

squash [skwɔš] *n* mehu; kurpitsa

stable [STEI-böl] *adj* pysyvä

stadium [STEI-di-öm] *n* stadion

staff [staaf] *n* henkilökunta

stage [steidž] *n* lava; vaihe

stain [stein] *v* tahrata; *n* tahra

stain remover [stein ri-MUUV-ö] *n*
tahranpoistoaine

stained [stɛind] *adj* tahrainen

stained glass [steind glaas] *n*
lasimaalaus

stainless [STEIN-lis] *adj* tahraton

stainless steel [STEIN-lis stiil] *n*
ruostumaton teräs

staircase [STEÖ-keis] *n* portaikko

stairs [stɛöz] *pl* portaat *pl*

stale [steil] *adj* vanhentunut

stall [stɔɔl] *n*
etupermantopaikka

stamp [stämp] *v* varustaa
postimerkillä; *n* postimerkki

stamp machine [stämp mö-ŠIIN]
n postimerkkiautomaatti

stand [ständ] *n* katsojaparveke;
v seisoa

standard [STÄN-död] *adj* vakio-

standard of living [STÄN-död öv
LIV-ing] elintaso

star [staa] *n* tähti

starch [staatš] *n* tärkki; *v* tärkätä

stare [stɛö] *v* tuijottaa

start [staat] *n* alku; *v* aloittaa

starter [STAAT-ö] *n* käynnistin

starting point [STAAT-ing point] *n*
lähtökohta

state [steit] *v* esittää; *n* valtio; tila

statement [STEIT-mönt] *n*
lausunto

States, the [ðö steits] *pl*
Yhdysvallat *pl*

statesman [STEITS-mön] *n* (*pl* -
men) valtiomies

station [STEI-šön] *n* asema

station master [STEI-šön MAAS-tö]
n asemapäällikkö

stationary [STEI-šön-ör-i] *adj*
paikallaan pysyvä
stationer [STEI-šön-ö] *n*
paperikauppa
stationery [STEI-šön-ör-i] *n*
kirjoitustarvikkeet *pl*
statue [STÄT-juu] *n* kuvapatsas
stay [stei] *v* asua; jäädä
steady [STED-i] *adj* luja
steak [steik] *n* pihvipaisti
* steal [stiil] *v* varastaa
steam [stiim] *n* höyry
steamer [STIIM-ö] *n* höyrylaiva
steel [stiil] *n* teräs
steep [stiip] *adj* äkkijyrkkä
steeple [STII-pöl] *n* kirkkotapuli
steering [STIÖR-ing] *n* ohjaus
steering-wheel [STIÖR-ing-wiil] *n*
ohjauspyörä
stenographer [ste-NOG-rö-fö] *n*
pikakirjoittaja
step [step] *v* astua; *n* porras
sterilize [STER-i-laiz] *v*
sterilisoida
sterilized [STER-i-laizd] *adj*
sterilisoitu
steward [STJU-öd] *n* hovimestari
stewardess [STJU-öd-ös] *n*
lentoemäntä
* stick [stik] *v* kiinnittää; *n* keppi
sticky [STIK-i] *adj* tahmea
stiff [stif] *adj* kankea
still [stil] *adv* sittenkin; vielä; *adj*
hiljainen
stimulant [STIM-ju-lönt] *n*
piristysaine
* sting [sting] *v* pistää; *n* pisto
stipulate [STIP-ju-leit] *v* panna
ehdoksi
stipulation [stip-ju-LEI-šön] *n*
ehto
stir [stöö] *v* hämmentää;
liikuttaa
stitch [stitš] *n* ommel

stock [stɔk] *n* arvopaperit *pl;*
varasto; *v* varastoida
stock exchange [stɔk iks-
TŠEINDŽ] *n* arvopaperipörssi
stocking [STƆK-ing] *n* sukka
stock-market [STƆK-maa-kit] *n*
arvopaperipörssi
stole [stoul] *v* (*p* steal)
stomach [STAM-ök] *n* vatsa
stomach ache [STAM-ök eik] *n*
vatsakipu
stone [stoun] *n* jalokivi; kivi
stony [STOUN-i] *adj* kivinen
stood [stud] *v* (*p,pp* stand)
stop [stɔp] *v* lopettaa; *n* pysäkki
stopper [STƆP-ö] *n* tulppa
storage [STOUR-idž] *n* varastointi
store [stɔɔ] *n* myymälä; varasto;
v varastoida
storey [STƆƆ-ri] *n* kerros
storm [stɔɔm] *n* myrsky
stormy [STƆƆM-i] *adj* myrskyinen
story [STƆƆ-ri] *n* kertomus
stout [staut] *adj* tukeva
stove [stouv] *n* kamiina
straight [streit] *adv* suoraan; *adj*
suora
straight ahead [streit ö-HED]
suoraan edessä
straight away [streit ö-WEI] heti
paikalla
straight on [streit ɔn] suoraan
eteenpäin
strain [strein] *n* jännitys
strange [streindž] *adj* vieras
stranger [STREIN-džö] *n*
muukalainen
strap [sträp] *n* hihna
straw [strɔɔ] *n* olki
strawberry [STRƆƆ-bö-ri] *n*
mansikka
stream [striim] *n* puro
street [striit] *n* katu
streetcar [STRIIT-kaa] *n*

raitiovaunu
strength [strɛngΘ] *n* voima
stress [strɛs] *v* painottaa; *n*
paino; rasitus
stretch [strɛtš] *n* taipale; *v*
venyttää
strict [strikt] *adj* tiukan tarkka
* **strike** [straik] *v* lakkoilla;
lyödä; *n* lakko
striking [STRAIK-ing] *adj*
huomiota herättävä
string [string] *n* nyöri
strip [strip] *n* kaistale
stripe [straip] *n* raita
striped [straipt] *adj* raitainen
stroke [strouk] *n* sairaskohtaus
stroll [stroul] *v* kuljeskella
strong [strɔng] *adj* vahva
structure [STRAK-tšö] *n* rakennus
struggle [STAG-öl] *v* kamppailla
stub [stab] *n* kanta
student [STJUU-dönt] *n* opiskelija
study [STAD-i] *v* opiskella; *n*
työhuone; opinnot *pl*
stuffed [staft] *adj* täytetty
stuffing [STAF-ing] *n* täyte
stuffy [STAF-i] *adj* ummehtunut
stung [stang] *v* (*p,pp* **sting**)
stupid [STJUU-pid] *adj* tyhmä
style [stail] *n* tyyli
subject [SAB-džikt] *n* aihe;
alamainen; *v* saattaa
. . . alaiseksi
subsequent [SAB-si-kwönt] *adj*
seuraava
substance [SAB-stöns] *n* ydin
substantial [söb-STÄN-šöl] *adj*
suuri
substitute [SAB-sti-tjuut] *v*
asettaa sijaan; *n* korvike
sub-title [SAB-tai-töll] *n*
alaotsikko
subtract [söb-TRÄKT] *v* vähentää
suburb [SAB-ööb] *n* esikaupunki

suburban [sö-BOO-bön] *adj*
esikaupunkilainen
subway [SAB-weil] *n* maanalainen
succeed [sök-SIID] *v* onnistua
success [sök-SɛS] *n* menestys
successful [sök-SɛS-ful] *adj*
menestyksellinen
such [satš] *adv* niin; *adj*
sellainen
such as [satš äz] kuten
suck [sak] *v* imeä
sudden [SAD-ön] *adj* äkillinen
suede [sweid] *n* mokkanahka
suffer [SAF-ö] *v* kestää; kärsiä
suffering [SAF-ör-ing] *n* kärsimys
suffice [sö-FAIS] *v* riittää
sufficient [sö-FIŠ-önt] *adj* riittävä
sugar [ŠUG-ö] *n* sokeri
suggest [sö-DŽɛST] *v* ehdottaa
suggestion [sö-DŽɛs-tšön] *n*
ehdotus
suicide [SUU-i-said] *n* itsemurha
suit [suut] *v* sopia; *n* puku; maa
suitable [SUUT-ö-böll] *adj* sopiva
suitcase [SUUT-keis] *n*
matkalaukku
suite [swiit] *n* huoneisto
sum [sam] *n* summa
summary [SAM-ör-i] *n*
yhteenveto
summer [SAM-ö] *n* kesä
summertime [SAM-ö-taim] *n*
kesäaika
summit [SAM-it] *n* huippu
sun [san] *n* aurinko
sunbathe [SAN-beið] *v* ottaa
aurinkoa
sunburn [SAN-böön] *n* päivetys
Sunday [SAN-di] *n* sunnuntai
sung [sang] *v* (*pp* **sing**)
sunglasses [SAN-glaas-iz] *pl*
aurinkolasit *pl*
sunk [sangk] *v* (*pp* **sink**)
sunlight [SAN-lait] *n*

auringonvalo
sunny [SAN-i] *adj* aurinkoinen
sunrise [SAN-raiz] *n*
auringonnousu
sunset [SAN-sɛt] *n* auringonlasku
sunshade [SAN-sheid] *n*
auringonvarjo
sunshine [SAN-shain] *n*
auringonpaiste
sunstroke [SAN-strouk] *n*
auringonpistos
suntan [SAN-tän] *n* rusketus
suntan oil [SAN-tän oil] *n*
aurinköljy
superb [suu-PÖÖB] *adj*
erinomainen
superior [suu-PIÖR-i-ö] *adj*
ylempi
superlative [suu-PÖÖ-lö-tiv] *adj*
vertaansa vailla oleva
supermarket [SUU-pö-maa-kit] *n*
valintamyymälä
supervise [SUU-pö-vaiz] *v* valvoa
supervisor [SUU-pö-vaiz-ö] *n*
valvoja
supper [SAP-ö] *n* illallinen
supplies [sö-PLAIZ] *pl*
muonavarat *pl*
supply [sö-PLAI] *v* hankkia; *n*
hankinta
support [sö-PƆƆT] *v* tukea; *n* tuki
support hose [sö-PƆƆT houz] *pl*
tukisukat *pl*
suppose [sö-POUZ] *v* olettaa
supposing that [sö-POUZ-ing ðät]
conj edellyttäen että
suppository [sö-PƆZ-i-tör-i] *n*
peräpuikko
surcharge [SÖÖ-tšaadž] *n*
ylikuormitus
sure [šuö] *adj* vakuuttunut
surely [ŠUÖ-li] *adv* varmasti
surface [SÖÖ-fis] *n* pinta
surfboard [SÖÖF-bɔɔd] *n*

lainelauta
surgeon [SÖÖ-džön] *n* kirurgi
surgery [SÖÖ-džör-i] *n* leikkaus;
vastaanottohuone
surname [SÖÖ-neim] *n* sukunimi
surplus [SÖÖ-plös] *n* ylijäämä
surprise [sö-PRAIZ] *n* yllätys; *v*
yllättää
surprised [sö-PRAIZD] *adj*
yllättynyt
surprising [sö-PRAIZ-ing] *adj*
yllättävä
surround [sö-RAUND] *v*
ympäröidä
surrounding [sö-RAUND-ing] *adj*
ympäröivä
surroundings [sö-RAUND-ingz] *pl*
ympäristö
survival [sö-VAIV-öl] *n*
eloonjääminen
survive [sö-VAIV] *v* jäädä eloon
suspender belt [sös-PEND-ö bɛlt]
n sukkanauhaliivit *pl*
suspenders [sös-PEND-öz] *pl*
housunkannattimet *pl*
suspicion [sös-PIŠ-ön] *n* epäilys
suspicious [sös-PIŠ-ös] *adj*
epäilyttävä
swallow [SWƆL-ou] *v* niellä
swam [swäm] *v* (*p* swim)
* **swear** [swɛö] *v* kiroilla
sweat [swɛt] *n* hiki
* **sweat** [swɛt] *v* hikoilla
sweater [SWɛT-ö] *n* neulepusero
Swede [swiid] *n* ruotsalainen
Sweden [SWIID-ön] *n* Ruotsi
Swedish [SWIID-iš] *adj*
ruotsalainen
* **sweep** [swiip] *v* lakaista
sweet [swiit] *adj* makea;
herttainen; *n* makea
jälkiruoka
sweetbread [SWIIT-brɛd] *n*
kateenkorva

sweeten [SWIIT-ön] v makeuttaa
sweetheart [SWIIT-haat] n kulta
sweets [swiits] pl makeinen
sweetshop [SWIIT-šop] n
makeiskauppa
* swell [swɛl] v paisua
swelling [SWɛL-ing] n turvotus
swept [swɛpt] v (p, pp sweep)
swift [swift] adj nopea
* swim [swim] v uida
swimmer [SWIM-ö] n uimari
swimming [SWIM-ing] n uinti
swimming pool [SWIM-ing puul] n
uima-allas
swimming trunks [SWIM-ing
trangks] pl uimahousut pl
swim-suit [SWIM-suut] n
uimapuku
* swing [swing] v keilua
Swiss [swis] n sveitsiläinen; adj
sveitsiläinen
switch [switš] n katkaisija; v
vaihtaa
switch off [switš ɔf] v katkaista
switch on [switš ɔn] v kytkeä
switchboard [SWITŠ-bɔɔd] n
kytkintaulu
Switzerland [SWIT-sö-lönd] n
Sveitsi
sword [sɔɔd] n miekka
swore [swɔɔ] v (p swear)
sworn [swɔɔn] v (pp swear)
swum [swam] v (pp swim)
syllable [SIL-ö-böl] n tavu
sympathetic [sim-pö-ΘɛT-ik] adj
myötätuntoinen
sympathy [SIM-pö-Θi] n
myötätunto
symphony [SIM-fö-ni] n sinfonia
symptom [SIM-töm] n oire
synagogue [SIN-ö-gɔg] n
synagooga
synonym [SIN-ö-nim] n
synonyymi

synthetic [sin-ΘɛT-ik] adj
synteettinen
syphon [SAI-fön] n sifoni
syringe [si-RINDŽ] n ruisku
syrup [SIR-öp] n siirappi
system [SIS-tim] n järjestelmä
systematic [sis-ti-MAT-ik] adj
järjestelmällinen

tab [täb] n kaistale
table [TEI-böl] n taulukko; pöytä
table d'hôte [TAA-böl dout] n
päivän ruokalista
table tennis [TEI-böl tɛn-is] n
pöytätennis
tablecloth [TEI-böl-klɔΘ] n
pöytäliina
tablespoon [TEI-bɛl-spuun] n
ruokalusikka
tablet [TAB-lit] n tabletti
tag [täg] n nimilipuke
tail [teil] n häntä
tail-light [TEIL-lait] n takavalo
tailor [TEIL-ö] n räätäli
tailor-made [TEIL-ö-meid] adj
räätälintekemä
* take [teik] v ottaa; ottaa
haltuunsa
* take away [teik ö-WEI] v viedä
pois
* take care of [teik kɛɔr ɔv] v
huolehtia
* take charge of [teik tšaadž ɔv] v
ottaa huostaansa
* take in [teik in] v ymmärtää
* take off [teik ɔf] v nousta
ilmaan
* take out [teik aut] v viedä ulos;
ottaa pois
* take place [teik pleis] v
tapahtua
taken [TEIK-ön] v (pp take)
take-off [TEIK-ɔf] n lähtö

talcum powder [TÄL-köm PAU-dö]
n talkki
tale [teil] n kertomus
talent [TÄL-önt] n luonnonlahja
talk [tɔ:k] v puhua; n keskustelu
tall [tɔ:l] adj kookas; korkea
tame [teim] adj kesy
tampon [TÄM-pön] n tamponi
tan [tän] adj ruskehtava
tangerine [tän-džö-RIIN] n
mandariini
tank [tängk] n säiliö
tanker [TÄNGK-ö] n säiliöalus
tap [täp] n koputus; hana; v
koputtaa
tape [teip] n nauha
tape measure [teip MEŽ-ö] n
mittanauha
tape recorder [teip ri-KƆƆD-ö] n
nauhuri
tapestry [TÄP-is-tri] n kudottu
seinävaate
tariff [TÄR-if] n tariffi
tarpaulin [taa-PƆƆ-lin] n
suojakangas
task [taask] n tehtävä
taste [teist] v maistaa; n
makuaisti; maku
tasteless [TEIST-lis] adj mauton
tasty [TEIS-ti] adj maukas
taught [tɔ:t] v (p, pp teach)
tavern [TÄV-ön] n kapakka
tax [täks] n vero; v verottaa
taxation [täk-SEI-šön] n verotus
tax-free [TÄKS-frii] adj verovapaa
taxi [TÄK-si] n ehdoton
taxi-driver [TÄK-si-draiv-ö] n
vuokra-autoilija
taximeter [TÄK-si-mii-tö] n
keittämätön
taxi-rank [TÄK-si-rängk] n
taksiasema
taxi-stand [TÄK-si-ständ] n
taksiasema

tea [tii] n tee; iltapäivätee
* teach [tiitš] v opettaa
teacher [TIITŠ-ö] n opettaja
teachings [TIITŠ-ingz] pl opetus
teacup [TII-kap] n teekuppi
team [tiim] n työryhmä
teapot [TII-pɔt] n teekannu
* tear [tɛö] v repiä; n repeämä;
kyynel
tea-set [TII-sɛt] n (n) teeastiasto
tea-shop [TII-šɔp] n teemyymälä
teaspoon [TII-spuun] n
teelusikka
teaspoonful [TII-spuun-ful] n
teelusikallinen
technical [TƐK-nik-öl] adj
tekninen
technician [tɛk-NIŠ-ön] n
teknikko
technique [tɛk-NIIK] n tekniikka
teenager [TIIN-eidž-ö] n teini-
ikäinen
teetotaller [tii-TOUT-lö] n raitis
telegram [TƐL-i-gräm] n sähke
telegraph [TƐL-i-graaf] v
sähköttää
telephone [TƐL-i-foun] n puhelin
telephone book [TƐL-i-foun buk]
n puhelinluettelo
telephone booth [TƐL-i-foun
buuð] n puhelinkoju
telephone call [TƐL-i-foun kɔ:l] n
puhelinsoitto
telephone directory [TƐL-i-foun
di-RƐK-tör-i] n puhelinluettelo
telephone operator [TƐL-i-foun
ɔP-ör-eit-ö] n puhelinneiti
telephonist [ti-LƐF-ö-nist] n
puhelinneiti
telephoto lens [TƐL-i-fout-ou
lenz] pl teleobjektiivi
television [TƐL-i-viž-ön] n
televisio
television set [TƐL-i-viž-ön sɛt] t

televisiovastaanotin
telex [TEL-εks] *n* telex
* tell [tεl] *v* kertoa
temper [TEM-pöl] *n* vihastus
temperature [TEM-pri-tšö] *n*
lämpötila
temple [TEM-pöl] *n* temppeli
temporary [TEM-pör-ör-i] *adj*
väliaikainen
tempt [tεmpt] *v* houkutella
ten [tεn] *adj* kymmenen
tenant [TEN-önt] *n* vuokralainen
tend [tεnd] *v* olla taipuvainen
tender [TEN-dö] *adj* murea
tenderloin steak [TEN-dö-loin
steik] *n* filee
tennis [TEN-is] *n* tennis
tennis court [TEN-is kɔɔt] *n*
tenniskenttä
tension [TEN-šön] *n* jännitys
tent [tεnt] *n* teltta
tenth [tεnΘ] *adj* kymmenes
tepid [TEP-id] *adj* haalea
term [tööm] *n* termi; kausi
terminal [TÖÖ-min-öl] *adj* loppu-
terminus [TÖÖ-min-ös] *n*
pääteasema
terms [töömz] *pl* ehdot *pl*
terms of payment [töömz öv PEI-
mönt] *pl* maksuehdot *pl*
terrace [TER-ös] *n* terassi
terrible [TER-ö-böl] *adj* hirveä
terrific [tö-RIF-ik] *adj* ihana
terrify [TER-i-fai] *v* kauhistuttaa
Terylene [TER-i-liin] *n* terylene
test [tεst] *v* kokeilla; *n* koe
text [tεkst] *n* teksti
textbook [TEKS-buk] *n* oppikirja
textile [TEKS-tail] *n* tekstiili
texture [TEKS-tšö] *n* rakenne
than [ðän] *conj* kuin
thank [Θängk] *v* kiittää
thankful [ΘΛNGK-ful] *adj*
kiitollinen

thanks [Θängks] *pl* kiitos
that [ðät] *pron* tuo; joka; *adj* tuo;
conj että
thatch [Θätš] *n* katto-oljet *pl*
thaw [Θɔɔ] *n* suojasää
the [ðö] *art*
theatre [ΘI-ö-tö] *n* teatteri
theft [Θεft] *n* varkaus
their [ðεö] *adj* heidän
them [ðεm] *pron* heille; heidät
themselves [ðöm-SELVZ] *pron*
itsensä; itse
then [ðεn] *adv* silloin; siis;
jälkeen
theory [ΘI-ö-ri] *n* teoria
therapy [ΘER-ö-pi] *n* hoito
there [ðεö] *adv* siellä
there are [ðεör aa] on
there is [ðεör iz] on
therefore [ðεö-fɔɔ] *conj* sen
vuoksi
there's [ðεöz] *v* (there is)
thermometer [Θö-MɔM-i-tö] *n*
lämpömittari
thermos [Θɔɔ-mɔs] *n*
termospullo
these [ðiiz] *pron* nämä
they [ðei] *pron* he
thick [Θik] *adj* paksu; sakea
thicken [ΘIK-ön] *v* tehdä
paksuksi
thickness [ΘIK-nis] *n* paksuus
thief [Θiif] *n* varas
thigh [Θai] *n* reisi
thimble [ΘIM-böl] *n* sormustin
thin [Θin] *adj* ohut; laiha
thing [Θing] *n* esine
* think [Θingk] *v* pitää jonakin
* think about [Θingk ö-BAUT] *v*
ajatella
* think of [Θingk ɔv] *v* ajatella
* think over [Θingk OU-vö] *v*
miettiä
thinker [ΘINGK-ö] *n* ajattelija

third [Θööd] *adj* kolmas
thirst [Θööst] *n* jano
thirsty [Θööst-i] *adj* janoinen
thirteen [Θöö-tiin] *adj* kolmetoista
thirteenth [Θöö-tiinΘ] *adj* kolmastoista
thirtieth [Θöö-ti-iΘ] *adj* kolmaskymmenes
thirty [Θöö-ti] *adj* kolmekymmentä
this [ðis] *adj* tämä; *pron* tämä
thorn [Θɔɔn] *n* piikki
thorough [Θar-ö] *adj* perinpohjainen
thoroughfare [Θar-ö-fɛö] *n* valtatie
those [ðouz] *pron* nuo; *adj* nuo
though [ðou] *conj* vaikka
thought [Θɔɔt] *v* (*p*, *pp* **think**); *n* ajattelutapa
thoughtful [Θɔɔt-ful] *adj* miettiväinen
thousand [Θauz-önd] *adj* tuhat
thread [Θrɛd] *n* lanka; uhkaus; *v* pujottaa lanka
threaten [Θrɛt-ön] *v* uhkailla
threatening [Θrɛt-ön-ing] *adj* uhkaava
three [Θrii] *adj* kolme
three-quarter [Θrii-kwɔɔ-tö] *adj*
  threw [Θruu] *v* (*p* **throw**)
throat [Θrout] *n* kurkku
through [Θruu] *prep* läpi
through train [Θruu trein] *n* pikajuna
throughout [Θruu-aut] *adv* kauttaaltaan
* **throw** [Θrou] *v* heittää
thrown [Θroun] *v* (*pp* **throw**)
thumb [Θam] *n* peukalo
thumbtack [Θam-täk] *n* nasta
thunder [Θan-dö] *n* ukkonen
thunderstorm [Θan-dö-stɔɔm] *n* ukonilma

thundery [Θan-dör-i] *adj* ukkosenkaltainen
Thursday [Θööz-di] *n* torstai
thus [ðas] *adv* täten
thyme [taim] *n* timjami
tick [tik] *v* merkitä rastilla; *n* ruksi
ticket [tik-it] *n* lippu
ticket collector [tik-it kö-lɛkt-ö] *n* rahastaja
ticket machine [tik-it mö-šiin] *m* lippuautomaatti
ticket office [tik-it ɔf-is] *n* lippumyymälä
tide [taid] *n* vuorovesi
tidy [taid-i] *adj* siisti
tie [tail] *v* sitoa; *n* solmio
tight [tait] *adj* tiukka; *adv* tiukasti
tighten [tait-ön] *v* kiristää
tights [taits] *pl* sukkahousut *pl*
tile [tail] *n* kaakeli
till [til] *conj* kunnes; *prep* asti
timber [tim-bö] *n* rakennuspuut *pl*
time [taim] *n* kerta; aika
time of arrival [taim öv ö-raiv-öl] saapumisaika
time of departure [taim öv di-paa-tšö] lähtöaika
timetable [taim-tei-böl] *n* aikataulu
timid [tim-id] *adj* ujo
tin [tin] *n* säilykerasia
tinfoil [tin-foil] *n* tinapaperi
tinned food [tind fuud] *n* säilykeruoka
tin-opener [tin-ou-pön-ö] *n* säilykerasian avaaja
tiny [tain-i] *adj* pienen pieni
tip [tip] *n* kärki; juomaraha
tire [taiö] *v* väsyä
tired [taiöd] *adj* väsynyt

tiring [TAIÖR-ing] *adj* väsyttävä

tissue paper [TIŠ-uu PEI-pö] *n*
  silkkipaperi

title [TAI-töl] *n* titteli

to [tuu] *prep* kohti; luo

toast [toust] *n* paahtoleipä; malja

tobacco [tö-BÄK-ou] *n* tupakka

tobacco pouch [tö-BÄK-ou pautš]
  n tupakkakukkaro

tobacconist [tö-BÄK-ö-nist] *n*
  tupakkakauppias

today [tö-DEI] *adv* tänään

toe [tou] *n* varvas

toffee [TƆF-i] *n* toffeekaramelli

together [tö-GƐð-ö] *adv* yhdessä

toilet [TOIL-it] *n* käymälä

toilet water [TOIL-it wɔɔ-töl] *n*
  kölninvesi

toilet-case [TOIL-it-keis] *n*
  toalettilaukku

toilet-paper [TOIL-it-pei-pö] *n*
  vessapaperi

toiletry [TOIL-it-ri] *n*
  toalettitarvikkeet *pl*

token [TOU-kön] *n* poletti

told [tould] *v* (*p, pp* tell)

toll [toul] *n* tiemaksu

tomato [tö-MAA-tou] *n* tomaatti

tomb [tuum] *n* hauta

tomorrow [tö-MƆR-ou] *adv*
  huomenna

ton [tan] *n* tonni

tone [toun] *n* äänensävy

tongs [tɔngz] *pl* pihdit *pl*

tongue [tang] *n* kieli

tonic [TƆN-ik] *n* vahvistava lääke

tonight [tö-NAIT] *adv* tänä iltana

tonsillitis [tɔn-si-LAIT-is] *n*
  nielurisojen tulehdus

tonsils [TƆN-silz] *pl* nielurisat *pl*

too [tuu] *adv* myös; liian

too much [tuu matš] *adv* liian
  paljon

took [tuk] *v* (*p* take)

tool [tuul] *n* työkalu

tool-kit [TUUL-kit] *n*
  työkalulaatikko

tooth [tuuΘ] *n* (*pl* teeth) hammas

toothache [TUUΘ-eik] *n*
  hammassärky

toothbrush [TUUΘ-braš] *n*
  hammasharja

toothpaste [TUUΘ-peist] *n*
  hammastahna

toothpick [TUUΘ-pik] *n*
  hammastikku

tooth-powder [TUUΘ-pau-dö] *n*
  hammasjauhe

top [tɔp] *adj* ylin; *n* huippu

topcoat [TƆP-kout] *n* päällystakki

topic [TƆP-ik] *n* aihe

torch [tɔɔtš] *n* taskulamppu

tore [tɔɔ] *v* (*p* tear)

torn [tɔɔn] *v* (*pp* tear)

toss [tɔs] *v* heittää

tot [tɔt] *n* ryyppy

total [TOUT-öl] *adj* koko; *n* koko
  summa

totalizator [TOUT-öl-aiz-eit-ö] *n*
  (*abbr* tote) totalisaattori

touch [tatš] *v* koskettaa;
  liikuttaa; *n* tunto

touch up [tatš ap] *v* parannella

tough [taf] *adj* sitkeä

tour [tuö] *v* olla kiertomatkalla; *n*
  kiertomatka

tourism [TUÖR-izm] *n* matkailu

tourist [TUÖR-ist] *n* matkailija

tourist class [TUÖR-ist klaas] *n*
  turistiluokka

tourist office [TUÖR-ist ɔF-is] *n*
  turistitoimisto

tow [tou] *v* laahata perässään

towards [tö-WƆƆDZ] *prep* kohtaan;
  kohti

towel [TAU-öl] *n* pyyheliina

towelling [TAU-öl-ing] *n*
  froteekangas

tower [TAU-ö] *n* torni
town [taun] *n* kaupunki
town centre [taun sɛn-tö] *n* kaupungin keskusta
town hall [taun hɔɔl] *n* kaupungintalo
townspeople [TAUNZ-pii-pöl] *pl* kaupunkilaiset *pl*
toxic [TƆKS-ik] *adj* vahingollinen
toy [toi] *n* leikkikalu
toyshop [TOI-šɔp] *n* lelukauppa
track [träk] *n* raide; rata
tractor [TRÄK-tö] *n* traktori
trade [treid] *v* käydä kauppaa; *n* ammatti; kaupankäynti
trader [TREID-ö] *n* kauppamies
tradesman [TREIDZ-mön] *n* (*pl* - **men**) kauppias
trade-union [treid-JUUN-jön] *n* ammattiyhdistys
tradition [trö-DIŠ-ön] *n* perinne
traditional [trö-DIŠ-ön-öl] *adj* perinteellinen
traffic [TRÄF-ik] *n* liikenne
traffic jam [TRÄF-ik džäm] *n* liikenneruuhka
traffic light [TRÄF-ik lait] *n* liikennevalo
trafficator [TRÄF-i-keit-ö] *n* suuntaviitta
tragedy [TRÄDŽ-i-di] *n* murhenäytelmä
tragic [TRÄDŽ-ik] *adj* traaginen
trail [treil] *n* polku
trailer [TREIL-ö] *n* perävaunu
train [trein] *n* juna; *v* valmentaa
train-ferry [TREIN-fɛr-i] *n* junalautta
training [TREIN-ing] *n* valmennus
tram [träm] *n* raitiovaunu
tramp [trämp] *v* vaeltaa
tranquil [TRÄNGK-wil] *adj* tyyni
tranquilliser [TRÄNGK-wil-aiz-ö] *n* rauhoittava lääke

transaction [trän-ZAK-šön] *n* toimittaminen
transatlantic [TRÄNZ-öt-LÄN-tik] *adj* Atlantin takainen
transfer [träns-FÖÖ] *v* siirtää
transform [träns-FƆƆM] *v* muuttaa
transformer [träns-FƆƆM-ö] *n* muuntaja
transistor [trän-ZIS-tö] *n* transistori
translate [träns-LEIT] *v* kääntää
translation [träns-LEI-šön] *n* käännös
translator [träns-LEIT-ö] *n* kielenkääntäjä
transmission [tränz-MIŠ-ön] *n* lähetys
transmit [tränz-MIT] *v* lähettää
transparent [träns-PɛƆR-önt] *adj* läpikuultava
transport [träns-PƆƆT] *v* kuljettaa
transportation [träns-pɔɔ-TEI-šön] *n* kuljetus
trap [träp] *n* ansa
travel [TRÄV-öl] *n* matka; *v* matkustaa
travel agency [TRÄV-öl EI-džön-si] *n* matkatoimisto
travel agent [TRÄV-öl EI-džönt] *n* matkatoimisto
travel insurance [TRÄV-öl in-ŠUÖR-öns] *n* matkavakuutus
traveller [TRÄV-öl-ö] *n* matkustaja
traveller's cheque [TRÄV-öl-öz tšɛk] *n* matkašekki
travelling [TRÄV-öl-ing] *n* matkustaminen
travelling expenses [TRÄV-öl-ing iks-PɛNS-iz] *pl* matkakulut *pl*
tray [trei] *n* tarjotin
treasure [TRɛŽ-ö] *n* aarre
treasury [TRɛŽ-ör-i] *n*

valtiovarainministeriö
treat [triit] v kohdella
treatment [TRIIT-mönt] n hoito
tree [trii] n puu
tremble [TREM-böl] v vapista
tremendous [tri-MEN-dös] adj
valtava
trespass [TRES-pös] v tunkeutua
trespasser [TRES-pös-ö] n
tungettelija
trial [TRAI-öl] n oikeudenkäynti
triangle [TRAI-äng-göl] n kolmio
triangular [trai-ANG-gju-lö] adj
kolmikulmainen
tribe [traib] n heimo
tributary [TRIB-ju-tör-i] n
sivujoki
trick [trik] n kepponen
trim [trim] v tasoittaa leikaten
trip [trip] n matka
triumph [TRAI-ömf] n loistava
voitto
triumphant [trai-AM-fönt] adj
voittoisa
trolley-bus [TROL-i-bas] n
johdinbussi
troops [truups] pl sotajoukko
tropical [TROP-ik-öl] adj
trooppinen
tropics [TROP-iks] pl tropiikki
trouble [TRAB-öl] v vaivata; n
harmi
troublesome [TRAB-öl-söm] adj
harmillinen
trousers [TRAUZ-öz] pl housut pl
trout [traut] n purolohi
truck [trak] n kuorma-auto
true [truu] adj tosi
trump [tramp] n valtti
trunk [trangk] n puunrunko;
matka-arkku; tavaratila
trunk-call [TRANGK-kɔɔl] n
kaukopuhelu
trunks [trangks] pl lyhyet

urheiluhousut pl
trust [trast] v luottaa; n
luottamus
trustworthy [TRAST-wöö-ði] adj
luotettava
truth [truuθ] n totuus
truthful [TRUUθ-ful] adj
totuudenmukainen
try [trai] v yrittää
try on [trai ɔn] v sovittaa ylleen
tub [tab] n kylpyamme
tube [tjuub] n putki
tuberculosis [tju-böö-kju-LOU-
sis] n tuberkuloosi
Tuesday [TJUUZ-di] n tiistai
tug [tag] v kiskoa; n hinaajalaiva
tumbler [TAM-blö] n juomalasi
tumour [TJUU-mö] n kasvain
tuna [TJUU-nö] n tonnikala
tune [tjuun] n sävel
tune in [tjuun in] v asettaa
oikeaan aaltopituuteen
tuneful [TJUUN-ful] adj sointuva
tunic [TJUU-nik] n tunika
tunnel [TAN-öl] n tunneli
turbine [TÖÖ-bain] n turbiini
turbo-jet [TÖÖ-bou-DЖET] n
turbiinilentokone
turbot [TÖÖ-böt] n piikkikampela
Turk [töök] n turkkilainen
turkey [TÖÖK-i] n kalkkuna
Turkey [TÖÖK-i] n Turkki
Turkish [TÖÖK-iš] adj
turkkilainen
Turkish bath [TÖÖK-iš baaθ] n
turkkilainen sauna
turn [töön] v kääntyä; n käännös
turn back [töön bäk] v kääntyä
takaisin
turn off [töön ɔf] v sulkea
turn on [töön ɔn] v avata
turn round [töön raund] v
kääntyä ympäri
turning [TÖÖN-ing] n käänne

turning point [TÖÖN-ing point] *n*
käännekohta

turnover [TÖÖN-ou-vö] *n*
liikevaihto

turnover tax [TÖÖN-ou-vö täks] *n*
liikevaihtovero

turpentine [TÖÖ-pön-tain] *n*
tärpätti

tutor [TJUU-tö] *n* yksityisopettaja

tuxedo [tak-SII-dou] *n* smokki

tweed [twiid] *n* tveedikangas

tweezers [TWIIZ-öz] *pl* pinsetti

twelfth [twɛlfƟ] *adj* kahdestoista

twelve [twɛlv] *adj* kaksitoista

twentieth [TWɛN-ti-iƟ] *adj*
kahdeskymmenes

twenty [TWɛN-ti] *adj*
kaksikymmentä

twice [twais] *adv* kahdesti

twig [twig] *n* varpu

twilight [TWAI-lait] *n* iltahämärä

twin beds [twin bɛdz] *pl*
kaksoisvuode

twine [twain] *n* nyöri

twins [twinz] *pl* kaksonen

twist [twist] *v* vääntyä

two [tuu] *adj* kaksi

two-piece [TUU-piis] *adj*
kaksiosainen

type [taip] *v* konekirjoittaa; *n*
tyyppi

typewriter [TAIP-rait-ö] *n*
kirjoituskone

typewritten [TAIP-rit-ön] *adj*
konekirjoitettu

typical [TIP-ik-öl] *adj* tyypillinen

typing paper [TAIP-ing PEI-pö] *n*
konekirjoituspaperi

typist [TAIP-ist] *n* konekirjoittaja

tyre [taiö] *n* auton rengas

tyre pressure [taiö PRɛŠ-ö] *n*
rengaspaine

ugly [AG-li] *adj* ruma

ulcer [AL-sö] *n* mätähaava

ultra-violet [al-trö-VAI-ö-lit] *adj*
ultravioletti

umbrella [am-BRɛL-ö] *n*
sateensuoja

umpire [AM-paiö] *n* erotuomari

unable [an-EI-böl] *adj*
kykenemätön

unacceptable [an-ök-SɛP-tö-böl]
adj mahdoton hyväksyä

unaccountable [an-ö-KAUN-tö-
böl] *adj* selittämätön

unaccustomed [an-ö-KAS-tömd]
adj tottumaton

unauthorized [an-ɔɔ-Ɵör-aizd]
adj luvaton

unavoidable [an-ö-VOID-ö-böl]
adj ei vältettävissä oleva

unaware [an-ö-wɛö] *adj* tiedoton

unbearable [an-BɛÖR-ö-böl] *adj*
sietämätön

unbreakable [an-BREIK-ö-böl]
adj särkymätön

unbroken [an-BROUK-ön] *adj* ehjä

unbutton [an-BAT-ön] *v* aukaista
napeista

uncertain [an-SÖÖ-tön] *adj*
epävarma

uncle [ANG-köl] *n* setä; eno

unclean [an-KLIIN] *adj* likainen

uncomfortable [an-KAM-föt-ö-
böl] *adj* epämukava

uncommon [an-KƆM-ön] *adj*
harvinainen

unconditional [an-kön-DIŠ-ön-öl]
adj ehdoton

unconscious [an-KƆN-šös] *adj*
tajuton

uncooked [an-KUKT] *adj* raaka

uncork [an-KƆƆK] *v* poistaa
korkki

uncover [an-KƆV-ö] *v* poistaa
kansi

uncultivated [an-KAL-tiv-eit-id] *adj* viljelemätön

under [AN-dö] *prep* alla

under-age [AN-dör-EIDŻ] *adj* alaikäinen

underestimate [an-dör-ɛs-ti-meit] *v* aliarvioida

underground [AN-dö-graund] *adj* maanalainen

Underground [AN-dö-graund] *n* maanalainen rautatie

underline [an-dö-LAIN] *v* alleviivata

underneath [an-dö-NIIƟ] *adv* alla

underpants [AN-dö-pänts] *pl* alushousut *pl*

undershirt [AN-dö-šööt] *n* aluspaita

undersigned [AN-dö-saind] *adj* allekirjoitettu

* **understand** [an-dö-STÄND] *v* ymmärtää

understanding [an-dö-STÄN-ding] *n* ymmärrys

understood [an-dö-STUD] *v* (*p, pp* understand)

* **undertake** [an-dö-TEIK] *v* ottaa toimeksensa

undertaking [an-dö-TEIK-ing] *n* yritys

undertow [AN-dö-tou] *n* pohjavirta

underwater [AN-dö-waa-tö] *adj* vedenalainen

underwear [AN-dö-wɛö] *n* alusvaatteet

undesirable [an-di-ZAIör-ö-böl] *adj* epämieluinen

undid [an-DID] *v* (*p* undo)

undiscovered [an-dis-KAV-öd] *adj* ei vielä keksitty

* **undo** [an-DUU] *v* avata

undone [an-DAN] *v* (*pp* undo)

undress [an-DRɛS] *v* riisuutua

undulating [AN-dju-lcit-ing] *adj* aaltoileva

unearned [an-ÖÖND] *adj* ansaitsematon

uneasy [an-IIZ-i] *adj* levoton

uneducated [an-ɛD-ju-keit-id] *adj* koulua käymätön

unemployed [an-im-PLOID] *adj* työtön

unemployment [an-im-PLOI-mönt] *n* työttömyys

unequal [an-IIK-wöl] *adj* eri-

uneven [an-IIV-ön] *adj* epätasainen

unexpected [an-iks-PɛK-tid] *adj* odottamaton

unfair [an-FɛÖ] *adj* epäoikeudenmukainen

unfaithful [an-FEIƟ-ful] *adj* uskoton

unfasten [an-FAAS-ön] *v* irrottaa

unfavourable [an-FEIV-ör-ö-böl] *adj* epäsuotuisa

unfold [an-FOULD] *v* kääriä auki

unfortunate [an-Fɔɔ-tšön-it] *adj* kovaonninen

unfortunately [an-Fɔɔ-tšön-it-li] *adv* valitettavasti

unfriendly [an-FRɛND-li] *adj* epäystävällinen

unfurnished [an-FÖÖ-ništ] *adj* kalustamaton

ungrateful [an-GREIT-ful] *adj* kiittämätön

unhappy [an-HÄP-i] *adj* onneton

unhealthy [an-HɛLƟ-i] *adj* epäterveellinen

unhurt [an-HÖÖT] *adj* vahingoittumaton

uniform [JUU-ni-fɔɔm] *n* univormu

unimportant [an-im-PɔɔT-önt] *adj* mitätön

uninhabitable [an-in-HÄB-it-ö-

böl] *adj* ei asumiskelpoinen
uninhabited [an-in-HÄB-it-id] *adj*
asumaton
unintentional [an-in-TɛN-šön-öl]
adj tahaton
union [JUUN-jön] *n* liitto
unique [juu-NIIK] *adj*
ainutlaatuinen
unit [JUU-nit] *n* yksikkö
unite [juu-NAIT] *v* yhdistää
United States [juu-NAIT-id steits]
Yhdysvallat *pl*
universal [juu-ni-VÖÖS-öl] *adj*
yleismaailmallinen
universe [JUU-ni-vöös] *n*
universumi
university [juu-ni-VÖÖ-si-ti] *n*
yliopisto
unjust [an-DŽAST] *adj*
epäoikeudenmukainen
unkind [an-KAIND] *adj*
epäystävällinen
unknown [an-NOUN] *adj*
tuntematon
unlawful [an-LƆƆ-ful] *adj* laiton
unless [an-LɛS] *conj* ellei
unlike [an-LAIK] *adj* erilainen
unlikely [an-LAIK-li] *adj*
epätodennäköinen
unlimited [an-LIM-it-id] *adj*
rajaton
unload [an-LOUD] *v* purkaa lasti
unlock [an-LƆK] *v* avata lukko
unlucky [an-LAK-i] *adj*
kovaonninen
unmarried [an-MÄR-id] *adj*
naimaton
unnatural [an-NÄTŠ-röl] *adj*
luonnoton
unnecessary [an-NɛS-is-ör-i] *adj*
tarpeeton
unoccupied [an-ƆK-ju-paid] *adj*
vapaa
unpack [an-PÄK] *v* purkaa

unpaid [an-PEID] *adj*
maksamaton
unpleasant [an-PLɛZ-önt] *adj*
epämiellyttävä
unpopular [an-PƆP-ju-lö] *adj*
epäsuosiossa oleva
unprepared [an-pri-PɛÖD] *adj*
valmistamaton
unproductive [an-prö-DAK-tiv]
adj tuottamaton
unprotected [an-prö-TɛK-tid] *adj*
turvaton
unqualified [an-KWƆL-i-faid] *adj*
epäpätevä
unreasonable [an-RIIZ-ön-ö-böl]
adj kohtuuton
unreliable [an-ri-LAI-ö-böl] *adj*
epäluotettava
unrest [an-RɛST] *n* levottomuus
unsafe [an-SEIF] *adj* epävarma
unsatisfactory [an-sät-is-FÄK-
tör-i] *adj* epätyydyttävä
unscrew [an-SKRUU] *v* kiertää
auki
unseen [an-SIIN] *adj*
huomaamaton
unselfish [an-SɛL-fiš] *adj*
epäitsekäs
unskilled [an-SKILD] *adj*
ammattitaidoton
unsold [an-SOULD] *adj* myymätön
unsound [an-SAUND] *adj* epäterve
unsteady [an-STɛD-i] *adj* horjuva
unsuccessful [an-sök-SɛS-ful] *adj*
epäonnistunut
unsuitable [an-SUUT-ö-böl] *adj*
sopimaton
untidy [an-TAID-i] *adj* epäsiisti
untie [an-TAI] *v* aukaista
until [an-TIL] *prep* asti
untrue [an-TRUU] *adj*
valheellinen
untrustworthy [an-TRAST-wööð-i]
adj epäluotettava

unused [an-JUUZD] *adj*
käyttämätön
unusual [an-JUUŽ-u-öl] *adj*
harvinainen
unwelcome [an-WEL-köm] *adj* ei
tervetullut
unwell [an-WEL] *adj*
huonovointinen
unwilling [an-WIL-ing] *adj*
vastahakoinen
unwise [an-WAIZ] *adj* epäviisas
unwrap [an-RÄP] *v* kääriä auki
up [ap] *adv* ylös
up and down [ap ön daun] ylös ja
alas
uphill [AP-hil] *adv* ylämäkeä
upkeep [AP-kiip] *n* kunnossapito
upland [AP-lönd] *n* ylämaa
upon [ö-PON] *prep* päällä
upper [AP-öl] *adj* ylempi
upper bed [AP-ö bɛd] *n* ylävuode
upper berth [AP-ö bööΘ] *n* ylempi
makuusija
upright [AP-rait] *adj* kohtisuora
upset [ap-SET] *v* häiritä; *adj* olla
poissa tolaltaan
upside [AP-said] *n* yläpuoli
upside down [AP-said daun]
ylösalaisin
upstairs [ap-STEÖZ] *adv*
yläkerrassa
upstream [ap-STRIIM] *adv*
vastavirtaan
upwards [AP-wödz] *adv* ylöspäin
urban [ÖÖ-bön] *adj* kaupunki-
urgency [ÖÖ-džön-si] *n*
kiireellisyys
urgent [ÖÖ-džönt] *adj*
kiireellinen
urine [JUÖR-in] *n* virtsa
us [as] *pron* meille
usable [JUUŽ-ö-böl] *adj*
käyttökelpoinen
usage [JUUZ-idž] *n* käytäntö

use [juuz] *v* käyttää; *n* käyttö
use up [juuz ap] *v* kuluttaa
loppuun
used [juuzd] *adj* käytetty
* used to (be) [bii juust tu] *v* olla
tapana
useful [JUUS-full] *adj* hyödyllinen
useless [JUUS-lis] *adj* hyödytön
user [JUUZ-öl] *n* käyttäjä
usher [AŠ-öl] *n* paikannäyttäjä
usherette [aš-ör-ɛT] *n*
paikannäyttäjä
usual [JUU-žu-öl] *adj* tavallinen
utensil [ju-TEN-sil] *n* talousesine
utility [ju-TIL-it-i] *n* hyödyllisyys
utilize [JUU-ti-laiz] *v* käyttää
hyödykseen
utmost [AT-moust] *adj*
äärimmäinen

vacancy [VEI-kön-si] *n* vakanssi
vacant [VEI-könt] *adj* tyhjä
vacate [vö-KEIT] *v* vapauttaa
vacation [vö-KEI-šön] *n* loma
vaccinate [VÄK-si-neit] *v*
rokottaa
vaccination [väk-si-NEI-šön] *n*
rokotus
vacuum [VÄK-ju-öm] *n* tyhjiö
vacuum cleaner [VÄK-ju-öm
KLIIN-öl] *n* pölynimuri
vacuum flask [VÄK-ju-öm flaask]
n termospullo
valet [VÄL-ei] *n* hotellipoika
valid [VÄL-id] *adj* laillisesti
pätevä
valley [VÄL-i] *n* laakso
valuable [VÄL-ju-ö-böl] *adj*
arvokas
valuables [VÄL-ju-ö-bölz] *pl*
arvoesineet *pl*
value [VÄL-juu] *v* arvostaa; *n* arvo
valve [välv] *n* venttiili

van [vän] *n* kuljetusvaunu
vanilla [vö-NIL-ö] *n* vanilja
vanish [VÄN-iš] *v* häipyä
vapour [VEI-pö] *n* höyry
variable [VEÖR-i-ö-böl] *adj*
   muuttuva
variation [vEÖR-i-EI-šön] *n*
   muunnos
varicose vein [VÄR-i-kous vein] *n*
   suonikohju
varied [VEÖR-id] *adj* moninainen
variety [vö-RAI-ö-ti] *n* valikoima
variety show [vö-RAI-ö-ti šou] *n*
   varietee-esitys
variety theatre [vö-RAI-ö-ti ⊖I-ö-
   tö] *n* varietee
various [VEÖR-i-ös] *adj*
   monenlainen
varnish [VAA-niš] *n* vernissa
vary [vEÖR-i] *v* vaihdella
vase [vaaz] *n* maljakko
vaseline [VÄS-i-liin] *n* vaseliini
vast [vaast] *adj* valtava
vault [vɔɔlt] *n* holvikaari;
   kassaholvi
veal [viil] *n* vasikanliha
vegetable [vEDŽ-it-ö-böl] *n*
   vihannes
vegetarian [vEDŽ-i-TEÖR-i-ön] *n*
   kasvissyöjä
vegetation [vEDŽ-i-TEI-šön] *n*
   kasvillisuus
vehicle [VII-i-köl] *n* ajoneuvo
veil [veil] *n* harso
vein [vein] *n* laskimo
velvet [vEL-vit] *n* sametti
velveteen [vEl-vi-TIIN] *n*
   puuvillasametti
venereal disease [vi-NIÖR-i-öl di-
   ZIIZ] *n* sukupuolitauti
venison [vEN-zön] *n* metsänriista
ventilate [vEN-ti-leit] *v* tuulettaa
ventilation [vEN-ti-LEI-šön] *n*
   tuuletus

ventilator [vEN-ti-LEIT-ö] *n*
   tuuletin
veranda [vö-RÄN-dö] *n* kuisti
verb [vööb] *n* verbi
verbal [vOO-böl] *adj* sanallinen
verdict [vOO-dikt] *n* tuomio
verge [vöödž] *n* reuna
verify [vER-i-fai] *v* tarkistaa
verse [vöös] *n* runo
version [vOO-šön] *n* tulkinta
versus [vOO-sös] *prep* vastaan
vertical [vOO-ti-köl] *adj*
   pystysuora
vertigo [vOO-ti-gou] *n* huimaus
very [vER-i] *adv* erittäin
vessel [vES-öl] *n* alus; astia
vest [vEst] *n* liivit *pl*
veterinary surgeon [vET-rin-ör-i
   sOO-džön] *n* eläinlääkäri
via [VAI-öl] *prep* kautta
viaduct [VAI-ö-dakt] *n* maasilta
vibrate [vai-BREIT] *v* värähdellä
vibration [vai-BREI-šön] *n*
   värähtely
vicar [VIK-ö] *n* kirkkoherra
vicarage [VIK-ör-idž] *n* pappila
vice-president [vais-PREZ-i-dönt]
   n varapresidentti
vicinity [vi-SIN-it-i] *n* läheisyys
vicious [VIŠ-ös] *adj* paheellinen
victory [VIK-tör-i] *n* voitto
view [vjuu] *v* katsella; *n* näköala
view-finder [VJUU-fain-dö] *n*
   etsin
villa [VIL-ö] *n* huvila
village [VIL-idž] *n* kylä
vine [vain] *n* viiniköynnös
vinegar [VIN-i-gö] *n* etikka
vineyard [VIN-jöd] *n* viinitarha
vintage [VIN-tidž] *n* viinisato
violence [VAI-ö-löns] *n* väkivalta
violent [VAI-ö-lönt] *adj*
   väkivaltainen
violet [VAI-ö-lit] *n* orvokki

violin [vai-ö-LIN] n viulu
virgin [VÖÖ-džin] n neitsyt
virtue [VÖÖ-tjuu] n hyve
visa [VII-zö] n viisumi
visibility [viz-i-BIL-it-i] n
  näkyvyys
visible [VIZ-i-böl] adj näkyvä
visit [VIZ-it] v vierailla; n vierailu
visiting card [VIZ-it-ing kaad] n
  käyntikortti
visiting hours [VIZ-it-ing auöz] pl
  vierailuaika
visitor [VIZ-i-tö] n vierailija
vital [VAI-töl] adj elintärkeä
vitamin [VIT-ö-min] n vitamiini
vivid [VIV-id] adj eloisa
vocabulary [vö-KÄB-ju-lör-i] n
  sanavarasto
vocalist [VOU-köl-ist] n laulaja
voice [vois] n ääni
volcano [vol-KEI-nou] n tulivuori
volt [voult] n voltti
voltage [VOUL-tidž] n jännite
volume [VOL-jum] n nidos
voluntary [VOL-ön-tör-i] adj
  vapaaehtoinen
volunteer [vol-ön-TIÖ] n
  vapaaehtoinen
vomit [VOM-it] v oksentaa
vomiting [VOM-it-ing] n oksennus
vote [vout] n ääni; v äänestää
voucher [VAUTŠ-ö] n
  maksutodiste
vowel [VAU-öl] n vokaali
voyage [VOI-idž] n matka
vulgar [VAL-gö] adj
  rahvaanomainen

wade [weid] v kahlata
wafer [WEIF-ö] n vohveli
waffle [WOF-öl] n vohveli
wages [WEIDŽ-iz] pl palkka
wagon [WÄG-ön] n vaunu

waist [weist] n vyötärö
waistcoat [WEIS-kout] n liivit pl
wait [weit] v odottaa
wait upon [weit ö-PON] v tarjoilla
waiter [WEIT-ö] n tarjoilija
waiting [WEIT-ing] n odotus
waiting-list [WEIT-ing-list] n
  odotuslista
waiting-room [WEIT-ing-ruum] n
  odotushuone
waitress [WEIT-ris] n tarjoilijatar
* wake [weik] v herättää
* wake up [weik ap] v herätä
walk [wook] v kävellä; n
  kävelyretki
walker [WOOK-ö] n käyskentelijä
walking [WOOK-ing] n jalan
walking-stick [WOOK-ing-stik] n
  kävelykeppi
wall [wool] n seinä
wallet [WOL-it] n lompakko
walnut [WOOL-nat] n
  saksanpähkinä
waltz [WOOls] n valssi
wander [WON-dö] v vaeltaa
want [wont] v toivoa; haluta; n
  tarve
war [woo] n sota
warden [woo-dön] n valvoja
wardrobe [WOOD-roub] n
  vaatevarasto
warehouse [wEö-haus] n varasto
wares [wEöz] pl myyntitavarat pl
warm [woom] adj lämmin; v
  lämmittää
warmth [woomΘ] n lämpö
warn [woon] v varoittaa
warning [WOON-ing] n varoitus
was [woz] v (p be)
wash [woš] v pestä
wash and wear [woš önd wεö]
  itsestään siliävä
wash up [woš ap] v pestä astiat
washable [woš-ö-böl] adj

pesunkestävä
wash-basin [woš-bei-sön] *n*
pesuallas
washing [woš-ing] *n* pyykki
washing-machine [woš-ing-mö-
šiin] *n* pesukone
washing-powder [woš-ing-pau-
döl *n* pesujauhe
wash-room [woš-ruum] *n* toiletti
wash-stand [woš-ständ] *n*
pesuallas
wasn't [woz-önt] *v* (was not)
wasp [wosp] *n* ampiainen
waste [weist] *n* tuhlaus; *v* tuhlata
wasteful [weist-ful] *adj*
tuhlaavainen
wastepaper-basket [weist-PEI-
pö-baas-kit] *n* paperikori
watch [wotš] *v* katsella; *n*
rannekello
watch for [wotš foo] *v* tarkata
watch out [wotš aut] *v* olla
varuillaan
watchmaker [wotš-meik-ö] *n*
kelloseppä
watch-strap [wotš-sträp] *n*
kellonremmi
water [woo-tö] *n* vesi
water skis [woo-tö skiiz] *pl*
vesisukset *pl*
water-canteen [woo-tö-kän-TIIN]
n vesipullo
water-colour [woo-tö-kal-ö] *n*
vesivärimaalaus
watercress [woo-tö-krɛs] *n* krassi
waterfall [woo-tö-fool] *n*
vesiputous
watermelon [woo-tö-mɛl-ön] *n*
vesimeloni
waterproof [woo-tö-pruuf] *adj*
vedenpitävä
waterway [woo-tö-wei] *n*
vesiväylä
watt [wot] *n* vatti

wave [weiv] *n* aalto; *v* heiluttaa
wavelength [WEIV-lɛngΘ] *n*
aallonpituus
wavy [WEIV-i] *adj* aaltoileva
wax [wäks] *n* vaha
waxworks [WÄKS-wööks] *pl*
vahakabinetti
way [wei] *n* suunta; tapa
way in [wei in] *n* sisäänkäynti
way out [wei aut] *n* uloskäynti
wayside [WEI-said] *n* tienvieri
we [wii] *pron* me
weak [wiik] *adj* mieto; heikko
weakness [WIIK-nis] *n* heikkous
wealth [wɛlΘ] *n* varallisuus
wealthy [wɛlΘ-i] *adj* varakas
weapon [wɛp-ön] *n* ase
* **wear** [wɛö] *v* käyttää
* **wear out** [wɛör aut] *v* kuluttaa
loppuun
weary [WIÖR-i] *adj* uupunut
weather [wɛð-ö] *n* sää
weather report [wɛð-ö ri-POOT] *n*
säätiedotus
* **weave** [wiiv] *v* punoa
weaver [WIIV-ö] *n* kutoja
wedding [wɛD-ing] *n* häät *pl*
wedding ring [wɛD-ing ring] *n*
vihkisormus
wedge [wɛdž] *n* kiila
Wednesday [wɛNZ-di] *n*
keskiviikko
weed [wiid] *n* rikkaruoho
week [wiik] *n* viikko
weekday [WIIK-dei] *n* arkipäivä
weekend [WIIK-ɛnd] *n*
viikonloppu
weekly [WIIK-li] *adj* viikko__
* **weep** [wiip] *v* itkeä
weigh [wei] *v* punnita
weighing machine [WEI-ing mö-
šiin] *n* vaaka
weight [weit] *n* paino
welcome [wɛL-köm] *v* toivottaa

tervetulleeksi; *n*
tervetulotoivotus; *adj*
tervetullut
welfare [WEL-feö] *n*
sosiaalihuolto
well [wel] *adv* hyvin; *n* kaivo; *adj*
hyvä
well-done [WEL-dan] *adj*
kypsäksi paistettu
well-known [WEL-noun] *adj*
tunnettu
well-made [WEL-meid] *adj* hyvin
tehty
went [went] *v* (*p* **go**)
wept [wept] *v* (*p, pp* **weep**)
we're [wiö] *v* (**we are**)
were [wöö] *v* (*p* **be**)
weren't [wöönt] *v* (**were not**)
west [west] *n* länsi
West Indies [west IN-diiz] *pl*
Länsi-Intian saaristo
western [wes-tön] *adj* läntinen
westwards [west-wödz] *adv*
länteen päin
wet [wet] *adj* märkä
wharf [woof] *n* laituri
what [wot] *pron* mitä
what [wot] *pron* mitä
what else [wot els] mitä muuta
what for [wot foo] minkä tähden
whatever [wot-ev-ö] mitä
hyvänsä
wheat [wiit] *n* vehnä
wheel [wiil] *n* pyörä
when [wen] *adv* milloin; *conj*
milloin
whenever [wen-ev-ö] *conj*
milloin hyvänsä
where [weö] *adv* missä; *conj*
missä
wherefrom [weö-FROM] *adv* mistä
wherever [weör-ev-ö] *conj* missä
hyvänsä
whether [weð-ö] *conj* __ ko

whether . . . **or** [weð-o öö] *conj*
-ko . . . .vai
which [witš] *pron* mikä; joka
whichever [witš-ev-ö] *adj* mikä
tahansa
while [wail] *conj* sillä aikaa kun;
n tuokio
whip [wip] *v* vatkata; *n* ruoska
whiskers [wis-köz] *pl* pulisongit
pl
whisper [wis-pö] *n* kuiskaus; *v*
kuiskata
whistle [wis-öl] *v* viheltää; *n*
vihellyspilli
white [wait] *adj* valkoinen
whitebait [WAIT-beit] *n* pikkusilli
whiteness [WAIT-nis] *n*
valkoisuus
whiting [WAIT-ing] *n* valkoturska
Whitsuntide [WIT-sun-taid] *n*
helluntai
who [huu] *pron* kuka; joka
whoever [hu-ev-ö] *pron* kuka
tahansa
whole [houl] *adj* koko; *n*
kokonaisuus
wholemeal bread [HOUL-miil
bred] *n* kokojyväleipä
wholesale [HOUL-seil] *n*
tukkukauppa
wholesome [HOUL-söm] *adj*
terveellinen
wholly [HOUL-li] *adv* kokonaan
whom [huum] *pron* jolle
why [wai] *adv* miksi
wicked [WIK-id] *adj* paha
wide [waid] *adj* leveä
widen [WAI-dön] *v* laajentaa
widespread [WAID-spred] *adj*
laajalti levinnyt
widow [WID-ou] *n* leskirouva
widower [WID-ou-ö] *n* leskimies
width [widΘ] *n* leveys
wife [waif] *n* vaimo

wig [wig] n peruukki
wild [waild] adj villi
will [wil] n testamentti; tahto; v
tahtoa
willing [WIL-ing] adj halukas
* win [win] v voittaa
wind [wind] n tuuli; v kiertää;
mutkitella
winding [WAIND-ing] adj
kiemurteleva
windmill [WIND-mil] n tuulimylly
window [WIN-dou] n ikkuna
windscreen [WIND-skriin] n
tuulilasi
windshield [WIND-šiild] n
tuulilasi
windy [WIND-i] adj tuulinen
wine [wain] n viini
wine bottle [wain BɔT-öl] n
viinipullo
wine-cellar [WAIN-sɛl-ö] n
viinikellari
wineglass [WAIN-glaas] n viinilasi
wine-list [WAIN-list] n viinilista
wine-merchant [WAIN-möö-
tšönt] n viinikauppias
wine-waiter [WAIN-weit-ö] n
viinitarjoilija
wing [wing] n siipi
winkle [WING-köl] n rantakotilo
winner [WIN-ö] n voittaja
winning [WIN-ing] adj voittava
winnings [WIN-ingz] pl
voittosumma
winter [WIN-tö] n talvi
winter sports [WIN-tö spɔɔts] pl
talviurheilu
wintry [WIN-tri] adj talvinen
wipe [waip] v pyyhkiä
wire [waiö] n metallilanka
wireless [WAIÖ-lis] n radio
wisdom [WIZ-döm] n viisaus
wise [waiz] adj viisas
wish [wiš] v voittosumma; n

toivomus
with [wið] prep kanssa
with reference to [wið RɛF-röns
tu] prep mit . . .âtulee
* withdraw [wið-DRɔɔ] v vetää
takaisin
withdrawn [wið-DRɔɔn] v (pp
withdraw)
withdrew [wið-DRUU] v (p
withdraw)
within [wi-ðIN] prep sisäpuolella
without [wi-ðAUT] prep ilman
without doubt [wi-ðAUT daut]
epäilemättä
without fail [wi-ðAUT feil]
varmasti
without obligation [wi-ðAUT ɔb-
li-GɛI-šön] ilman
velvollisuuksia
witness [WIT-nis] n silminnäkijä
witty [WIT-i] adj nokkela
woke [wouk] v (p wake)
woken [WOUK-ön] v (pp wake)
wolf [wulf] n susi
woman [WUM-ön] n (pl women)
nainen
won [wan] v (p, pp win)
wonder [WAN-dö] v ihmetellä; n
ihmettely
wonderful [WAN-dö-ful] adj
ihmeellinen
won't [wount] v (will not)
wood [wud] n puu; metsikkö
wooden [WUD-ön] adj puinen
woodland [WUD-lönd] n
metsämaa
wool [wul] n villa
woollen [WUL-ön] adj villainen
word [wööd] n sana
wore [wɔɔ] v (p wear)
work [wöök] v toimia;
työskennellä; n työ
work of art [wöök öv ɑat] n
taideteos

work permit [wöök PÖÖ-miit] *n* työlupa

worker [WOO-kö] *n* työntekijä

working day [WOO-king dei] *n* työpäivä

workman [WOOK-mön] *n* (*pl* - men) työmies

workshop [WOOK-šop] *n* työpaja

world [wööld] *n* maailma

world famous [wööld FEIM-ös] *adj* maailmankuulu

world war [wööld waa] *n* maailmansota

world-wide [WOOLD-waid] *adj* maailmanlaajuinen

worm [wööm] *n* mato

worn [woon] *v* (*pp* wear)

worn-out [woon-aut] *adj* loppuun kulunut

worried [WAR-id] *adj* huolestunut

worry [WAR-i] *v* huolestuttaa; *n* huoli

worse [wöös] *adv* pahemmin; *adj* pahempi

worship [WOO-šip] *v* palvoa; *n* jumalanpalvelus

worst [wööst] *adv* pahimmin; *adj* pahin

worsted [WUS-tid] *n* kampalanka

worth [wööΘ] *n* arvo

* **worth (be)** [bii wööΘ] *v* olla arvoinen

worthless [wööΘ-lis] *adj* arvoton

* **worthwhile (be)** [bii wööΘ-WAIL] *v* olla vaivan arvoinen

would [wud] *v* (*p* will)

wound [wuund] *n* haava; *v* haavoittaa

wove [wouv] *v* (*p* weave)

woven [WOUV-ön] *v* (*pp* weave)

wrap [räp] *v* kääriä

wrap up [räp ap] *v* kääriytyä lämpimiin

wrapping paper [RÄP-ing PEI-pö]

n kaarepaperi

wreck [rɛk] *n* haaksirikko; *v* tuhota

wrench [rɛntš] *n* jakoavain

wrist [rist] *n* ranne

wrist-watch [RIST-wotš] *n* rannekello

* **write** [rait] *v* kirjoittaa

writer [RAIT-ö] *n* kirjailija

writing [RAIT-ing] *n* kirjoitus

writing pad [RAIT-ing päd] *n* kirjoituslehtiö

writing paper [RAIT-ing PEI-pö] *n* kirjoituspaperi

written [RIT-ön] *v* (*pp* write)

wrong [rong] *adj* virheellinen; väärä; *v* tehdä vääryyttä; *n* vääryys

wrote [rout] *v* (*p* write)

Xmas [KRIS-mös] *n* joulu

X-ray [ɛKS-rei] *n* röntgenkuva

yacht [jot] *n* jahti

yacht club [jot klab] *n* pursiseura

yachting [JOT-ing] *n* purjehtiminen

yard [jaad] *n* piha

yarn [jaan] *n* lanka

yawn [joon] *v* haukotella

year [jöö] *n* vuosi

yearly [JÖÖ-li] *adj* vuotuinen

yellow [JɛL-ou] *adj* keltainen

yes [jɛs] kyllä

yesterday [JɛS-tö-di] *adv* eilen

yet [jɛt] *adv* vielä

yet [jɛt] *conj* kuitenkin

you [juu] *pron* te; sinulle; teille; sinä; teidät

young [jang] *adj* nuori

youngster [JANG-stö] *n* lapsi

your [joo] *adj* teidän; sinun

you're [juö] *v* **(you are)**
yourself [jɔɔ-sɛLF] *pron* itse;
  itsesi
yourselves [jɔɔ-sɛLVZ] *pron* itse;
  itsenne
youth [juuΘ] *n* nuoriso
youth hostel [juuΘ HɔS-töl] *n*
  nuorison retkeilymaja
you've [juuv] *v* **(you have)**
Yugoslav [juu-gou-sLAAV] *n*
  jugoslaavi
Yugoslavia [juu-gou-sLAAV-jö] *n*
  Jugoslavia

zero [zIÖR-ou] *n* nolla
zinc [zingk] *n* sinkki
zip [zip] *n* vetoketju
zip code [zip koud] postinumero
zipper [zIP-ö] *n* vetoketju
zone [zoun] *n* vyöhyke
zoo [zuu] *n* eläintarha
zoological gardens [zu-LƆDŽ-ik-
  öl GAA-dönz] *pl* eläintarha
zoology [zu-ɔL-ödž-i] *n* eläintiede
zoom lens [zuum lɛnz] *pl* zoom-
  objektiivi

Ruokalistasanasto

RUOAT

à la carte à la carte
à la mode leivoksen, kakun tai piirakan vaniljajäätelötäyte
Abernethy biscuit ruoansulatusta edistävä kuminakeksi
allspice kanelilla, muskotilla tai neilikalla maustettu jamaikan-pippuri (voimakas paprika)
Alma tea cakes pannussa val-mistetut teeleivät
almond manteli
~ **paste** mantelitahna
salted ~s suolamantelit
anchovies anjovikset
angel food cake vuoassa paistettu kakku tai leivos, jossa munan-valkuaista ja sokeria
angelica 1) karhunputki. 2) lei-vonnaisiin käytetty säilykehe-delmä
angels on horseback «ratsastavat enkelit»; osterivarras pekonin kera
appetizers alkupalat
assorted ~ alkupalavalikoima
apple omena
baked ~s uunissa paistetut omenat
~ **brown Betty pudding** vuoassa paistettu jälkiruoka, jossa ker-roksittain omenoita, korppu-

jauhoa, mausteita ja sokeria
~ **charlotte** omenilla täytetty vuoassa paistettu kakku
~ **dumpling** taikinaan kastettu, uunissa paistettu omena
Dutch ~ **pie** omenapiiras, joka peitetty fariinisokerilla ja voilla
~ **fritter** omenamunkki
~ **pan dowdy** fariinisokerin ja voin seokseen kastetut, siira-pilla kostutetut, uunissa pais-tetut omenaviipaleet
~ **pie** omenapiirakka, usein tai-kinakuoressa
~ **sauce** omenasose
~ **snow** sose, jossa omenaa ja vatkattua keltuaista; tarjotaan kylmänä sokeroidun marengin kera
~ **tart** omenapiiras
apricots aprikoosit
arbroath smokies savustettu kolja (Skotlannista)
artichoke artisokka
globe ~ artisokka
Jerusalem ~ maa-artisokka
asparagus parsa
~ **tips** parsanpäät
aspic hyytelö, -ity
aubergine munakoiso, -hedelmä
avocado (pear) avokaado

bacon pekoni
  boiled ~ keitetty pekoni
  Canadian ~ savustettu, paksuiksi viipaleiksi leikattu pekoni
  ~ **and eggs** muna ja pekoni
  ~ **fat** sianrasva, silava
  lean ~ vähärasvainen pekoni
  ~, **lettuce and tomato sandwich** voileipä, jolla pekonia, tomaattia ja lehtisalaattia
bagel rinkelinmuotoinen sämpylä
baked uunissa paistettu
  ~ **Alaska** jälkiruokamunakas, jossa jäätelöä
  ~ **apples** uunissa paistetut omenat
bakewell tart kakku, jossa hienonnettua mantelia, munaa, jauhoja, keksinpalasia ja mansikkahilloa
baking soda leivinsooda
banana banaani
  ~ **split** jäätelöannos, jossa lisänä banaanisuikaleita ja pähkinöitä
Banbury cakes leivonnaisia, joissa kermaa, munaa, appelsiininkuorta, mausteita ja viinimarjoja
bannocks ohut ja pyöreä pannussa paistettu happamaton leipä (Skotlannista)
barbecue 1) kokonaisena paistettu härkä tai muu eläin; paistijuhla; 2) tomaatilla maustetun kastikkeen ja jauhelihapihvin kera tarjottu sämpylä
  ~**d spare ribs** marinoidut, grillatut ja tomaattikastikkeen kera tarjotut siankylkiluut
barley sugar ohra-, rintasokeri
barmbrack viinimarjaleivos (myös muita kuivia hedelmiä) (Irlannista)

basil basilika
(sea) bass meriahven
baste kostuttaa
Bath buns pikkupullat, joissa hiivaa munaa, sokeria ja rusinoita
Bath Olivers pyöreät, rapeat keksit
batter (ohukais) taikina
bay leaf laakerinlehti
beans pavut
  baked ~ uunissa paistetut isot valkoiset pavut
  broad ~ suuret pavut
  butter ~ keltaiset pavut
  french ~ ohuet ranskalaiset pavut
  green ~ ranskalaiset pavut
  kidney ~ punaiset pavut
  navy ~ valkoiset pavut
  runner ~ salkopavut
  wax ~ voissa paistetut pavut
beef naudanliha
  ~ **olives** naudanlihapyörykät
  ~**burger** jauhelihasämpylä
beetroot punajuuri
bill lasku
  ~ **of fare** päivän ruokalista
biscuits 1) keksit, 2) pyöreät, pehmeät sämpylät (USA)
  ginger ~ inkiväärikeksit, joissa fariinisokeria
  savoury ~ maustetut keksit
  sweet ~ makeat keksit
Bismarck munkki
black currants mustat viinimarjat
black (tai **blood**) **pudding** veripalttu
blackberries karhunvatukat
black-eyed peas eräs Yhdysvalloissa viljelty hernelaji
bloater suolasilli, tav. paistettu tai grillattu
blueberries mustikat

boiled keitetty
~ **beef** keitetty naudanliha,
tarjotaan tav. porkkanoiden ja
taikinapyöryköiden kera
Bologna (sausage) eräs morta-
dellamakkara
bone luu
~**d** luuton
bortsch(t) punajuurikeitto hapan-
kerman kera, tarjotaan usein
kylmänä
Boston baked beans papuruoka,
jossa pekonipalasia ja sokeria
Boston cream pie suklaaleivos,
jonka täytteenä kermaa
brains aivot
braised hauduttaen kypsennetty
bramble pudding hilloke, jossa
keitettyjä karhunvatukoita ja
usein omenaviipaleita
brandy snaps inkiväärikeksi
braunsweiger eräs hanhenmaksa-
pasteija
brawn painosyltty, aladobi
Brazil nuts parapähkinät
bread leipä
brown ~ tumma leipä, ruisleipä
~ **and butter pudding** jälki-
ruoka, jossa mahd. voideltuja
leipäviipaleita, kuivattuja he-
delmiä ja kermaa, tav. uunissa
paistettu
french ~ patonki
pumpernickel ~ ohut viipaloitu
ruisleipälaji
rye ~ ruisleipä
~ **sauce** kastike, jossa maitoa,
korppujauhoa ja sipulia, tarjo-
taan kanan ja kalkkunan kera
starch-reduced ~ vähäkalorinen
leipä
white ~ valkoinen leipä
wholemeal, whole wheat ~
kokojyväleipä

~ **ed** korppujauhotettu
breakfast varhaisaamiainen
bream lahna
breast rinta
~ **of chicken** kananrinta
~ **of lamb** karitsanrinta
brisket rintapalanen
broad bean suuri papu
brochan puuro (Skotlanti)
broth kirkas (liha)liemi
Scotch ~ lampaanpäästä kei-
tetty keitto, jossa ohraa ja
vihanneksia
brown pudding vanukas, jossa
kuivattuja hedelmiä, mante-
leita, kanelia, ihraa, jauhoja,
korppujauhoa ja fariinisokeria
brownie kakku, jossa yleensä suk-
laata ja pähkinöitä
brunch varhaisaamiaisen ja lou-
naan välillä nautittava ateria
Brunswick stew hyvin maustettu
muhennos, alkuaan oravanli-
hasta valmistettu, nykyisin
usein kanasta, lisänä papuja
ja maissia (Virginiasta)
brussels sprouts brysselinkaalit
bubble and squeak perunasta ja
kaalista yhdistetty sose (joskus
lisänä sipulia)
bun 1) pieni pulla, jossa usein
rusinoita tai muita kuivattuja
hedelmiä, joskus myös kookos-
pähkinää ja mansikkahilloa
(Englanti), 2) eräänlainen
sämpylä (USA)
(Kentucky) burgoo lihakeitto,
jossa naudan-, sian-, vasikan-
ja lampaanlihaa, kanaa ja
vihanneksia (Kentuckysta)
butter voi
~ **cookie** voikeksi
fresh ~ vastakirnuttu voi
salted ~ suolattu voi

~**milk** kuorittu maito

~**scotch** karamelli, jossa raakasokeria ja maissisiirappia

cabbage kaali

cabinet pudding kuumana tarjottava jälkiruoka, jossa keksejä, säilöttyjä hedelmiä, maitoa, munia ja sokeria

caerphilly walesilainen valkea, kermamainen, mieto juusto

cake kakku, leivos

~**s** leivokset, kakut

calf vasikka

~ **brains** vasikanaivot

~ **feet** (tai **trotters**) vasikansorkat

Canadian bacon savustetut, paksut pekoniviipaleet

canapé pieni cocktailvoileipä

~ **Diane** pekoniin käärittyä, grillattua kananmaksaa paahtoleivällä

canary pudding vanukas, jonka aineksina munia, jauhoja, voita, sokeria, leivinsoodaa, maitoa ja sitruunankuorta

candied fruit säilykehedelmät

candy makeinen

~ **kisses** pienet suklaamakeiset

cantaloupe meloni

capers kapris

capercaillzie koppelo

caramel paahdettu sokeri

~ **custard** karamellivanukas

caraway kumina

cardamom kardemumma

carp karppi

carrageen moss eräs levälaji, käytetään lääkitsemiseen (Irlannista)

carrot porkkana

cashews eräs pähkinälaji

casserole pata

castle puddings pienet, annosvuoissa tarjottavat vanukkaat, joiden aineksina kermaa, voita, jauhoa ja maitoa

catfish merikissa (kala)

catsup tomaattisose

cauliflower kukkakaali

~ **cheese** kukkakaalikohokas

cayenne cayennepippuri

celeriac juuriselleri

celery selleri

braised ~ haudutettu selleri

cereal 1) viljatuotteet 2) aamiaishiutaleet, tarjotaan usein puurona (kuumana) tai maidon, sokerin ja joskus hedelmien kera (kylmänä)

char nieriä (kala)

chateaubriand chateaubriandleike

check lasku

Cheddar cheese tunnettu miedonmakuinen, kiinteä juusto, jota käytetään myös ruoanvalmistukseen

cheese juusto

~ **biscuits** juustokeksit

~ **board** juustotarjotin

~ **cake** juustokakku jossa kermaa, munia ja sokeria

~ **straws** juustotangot

~**burger** jauhelihasämpylä, jossa lisäksi sulatettua juustoa

Chelsea buns pikkupullat, joissa kuivattuja hedelmiä ja sokeria sekä hunajakuorrutus

cherry kirsikka

~ **tart** kirsikkapiiras

chervil kirveli

Chesapeake Bay crab soup merirapukeitto

Cheshire cheese tunnetuimpia englantilaisia juustoja, josta valkoinen ja punainen muunnos, molemmat pehmeitä ja

miedon makuisia
chestnut kastanja
~ **stuffing** kastanjasose
chick peas eräs hernelaji
chicken kana
breast of ~ kananrinta
~ **creole** kanaa, jonka kastik·
keessa tomaattia, vihreää
paprikaa ja mausteita
~ **gumbo** kanaa, joka ensin
keitetty ja sitten haudutettu
gumbo-palkojen, papujen, si-
pulin, tomaatin ja mausteiden
kera, tarjotaan riisin kanssa
~ **leg** kanankoipi
roast ~ kanapaisti
Southern fried ~ kana, joka
ensin kastettu maitoon, sitten
taikinaan, jossa munaa ja
maitoa, lopuksi paistettu
öljyssä
chicory sikuri
chiffon cake eräs kakkutyyppi
chili con carne jauhelihaa punais-
ten papujen, voimakkaan pap-
rikan ja kuminan kera (USA)
chips 1) ranskalaiset perunat
(Englanti), 2) perunalastut
(USA)
chittlings, chittlins, chitterlings
siansisälmykset
chives ruohosipuli
chocolate suklaa
~ **kisses** pienet uunissa val-
mistetut suklaapalaset, joissa
aineksina puuterisokeria, kaa-
kaota, munanvalkuaista ja
vaniljaa
~ **pudding** 1) suklaavanukas,
jossa keksinpalasia, kuumaa
maitoa, voita, sokeria, kaa-
kaota, munaa ja jauhoja
(Englanti), 2) suklaavaahto
(USA)

~**s** suklaamakeiset
choice (according to) valinnan
mukaan, vapaasti valittavissa
chop kyljys
mutton ~ lampaankyljys
pork ~ porsaankyljys
~ **suey** kiinalainen ruokalaji,
jossa naudanlihasuikaleita, rii-
siä ja vihanneksia
chopped hienoksi hakattu
chowder yl. äyriäiskeitto
Christmas pudding vanukas, jossa
säilykehedelmiä, säilöttyä he-
delmänkuorta ja joskus alkoho-
lia
chutney intialainen voimakas
mauste, jossa keitetään hedel-
miä ja vihanneksia
cinnamon kaneli
cioppino kala- ja äyriäiskeitto,
jossa merirapua, scampia, eri-
laisia kaloja, simpukoita,
vihanneksia, yrttejä ja maus-
teita (San Franciscosta)
clam venussimpukka
~ **chowder** simpukkakeitto
cloves mausteneilikat
club sandwich kaksinkertainen
voileipä, jonka täytteenä kyl-
mää kanaa, grillattua pekonia,
lehtisalaattia, tomaattia ja
majoneesia
cobbler taikinakuoressa paistettu
hedelmähilloke, tarjotaan kuu-
mana
peach ~ persikkatäytteinen
hillokepiiras
cock-a-leekie soup (broth) purjo-
keitto (Skotlannista)
cockles sydänsimpukat
coconut kookospähkinä
cod turska
boiled ~ keitetty turska
fried ~ paistettu turska

~'s roe turskanmäti
coffee cake yleisnimitys kahvin kanssa tarjottaville kakuille, joissa usein hedelmiä
Colchester oysters parhaana pidetty englantilainen osterilaji
cold kylmä
  ~ **cuts** leikkeleet
  ~ **meat** kylmänä tarjottava liha
coleslaw kaalisalaatti, jonka kastikkeena etikkaa, öljyä ja majoneesia
compote hedelmähilloke
condiments mausteet, höysteet
consommé kirkas liemi
cooked keitetty
cookies pikkuleivät
coq au vin kukko punaviinissä
coquilles St. Jacques kampasimpukat
corn maissi
  ~ **bread** maissileipä
  ~ **on the cob** maissintähkä
  ~ **flakes** maissihiutaleet, tarjotaan aamiaisella
  ~**flour** maissijauho
  ~**fritters** maissipiiraat, joihin käytetty maissinjyviä
corned beef suolattu naudanliha
Cornish pasty keitinpiiras, jonka täytteenä perunaa, sipulia, naudanlihaa ja munuaista
Cornish splits pieniä, makeita leipiä marmeladin ja kovaksivatkatun kerman kera
cottage cheese raejuusto
cottage pie perunasoseella peitetty jauhelihapaistos sipulin kera
Cottenham cheese kermajuusto, kiinteä ja sinijuovainen, muistuttaa *Stiltonia*
country captain uunissa paistettu kana tomaatin, mantelien, rusinoiden, viinimarjojen ja

mausteiden kera (Georgiasta)
course ruokalaji
cover charge kattamismaksu
cowpea amerikkalainen hernelaji
Cox's orange pippin renettiomena
crab merirapu
  ~ **apple** villiomena
crackers suolakeksit
crackling kinkunkuori
cranberry karpalo
  ~ **sauce** karpalokastike
crawfish, crayfish rapu
cream kerma
  ~ **cheese** kermajuusto
  double ~ paksu kerma
  ice-~ jäätelö
  ~ **puff** kermaleivos
  salad ~ salaatteihin käytetty kermakastike
  sour ~ hapankerma
  whipped ~ kermavaahto
creole kreolilaiseen tapaan; yl. vahvasti maustettuna tomaatin, vihreän paprikan, sipulin kera, usein riisin kanssa tarjottuna
cress krassi
crisps perunalastut
croquette rasvassa keitetty lihatai kalapulla, joskus myös vihannesta
crubeens siansorkat (Irlannista)
crumpet pieni leipä, joka syödään kuumana voin kera
cucumber kurkku
Cumberland ham parhaita englantilaisia savukinkkuja
Cumberland rum butter voi, johon lisätty fariinisokeria, muskottia ja rommia
cupcake pieni pyöreä jäätelöleivos
cured suolaveteen säilötty (liha)
currant viinimarja; korintti
  ~ **bread** leipä, jossa rusinoita
curried curryn kera

curry curry, vahva intialainen mauste

custard vaniljakastikkeen tapainen jälkiruokakastike
~ baked egg uunissa paistettu munakastike

cutlet kyljys, leike

dab hietakampela

dace eräs särkikala

damson damaskonluumu

Danish pastry yleisnimitys monille aamiaisella tarjottaville leivonnaisille (USA)

dates taatelit

deer hirvi; metsäkauris

Delmonico steak fileeselkä

Derby cheese pikantinmakuinen juusto

dessert jälkiruoka

devilled paholaisen tapaan; erittäin voimakkaasti maustettuna
~ kidneys halkaistut munuaiset, maustettu sinapilla, pippurilla, chutneylla ja voilla ja grillattu

devils on horseback «ratsastavat paholaiset»; paahtoleivällä tarjottavat, pekoniin käärityt, grillatut osterit

Devonshire cream piimäjuusto

diced kuutioiksi leikattu

digestive biscuits ruoansulatusta edistävät keksit, joiden aineksina jauhoja, munaa, sokeria ja leivinsoodaa

dill tilli

dinner päivällinen

dish ruokalaji

donut donitsi

double cream kerma

double Gloucester Cheddaria muistuttava voimakkaanmakuinen juusto

dough taikina
~ nut donitsi

Dover sole doverinkampela, parhaana pidetty englantilainen laji

dressing kastike, höyste
French ~ majoneesi, jossa tomaattisosctta
Green Goddess ~ majoneesi, jossa yrttejä, hapankermaa, anjovista, etikkaa, ruohosipulia, persiljaa ja rakunaa (San Francisco)
Italian ~ öljykastike, jossa yrttejä
thousand island ~ majoneesi, jossa voimakasta paprikaa, pähkinää, selleriä, oliiveja, sipulia, persiljaa ja munaa

dripping paistetusta lihasta tippuva liika rasva

drop scones grillissä paistetut pienet teeleivät

Dublin Bay prawns isot katkaravut

duck ankka
~ ling ankanpoika
Long Island ~ Long Islandin ankka, USA:n parhaana pidetty laji

dumpling taikinapallerot, joiden aineksina jauhoja, rasvaa, suolaa ja vettä; käytetään keittoihin tai hedelmien kuorrutukseen

Dundee cake kakku, jossa manteleita, kirsikoita, kuivattuja hedelmiä ja sitruunankuorta

Dunlop cheese Cheddaria muistuttava juusto (Skotlannista)

Dutch apple pie omenapiiras, jonka päällysteenä voita ja fariinisokeria (USA)

Easter biscuits viinimarjatäytteiset keksit, joskus voimakkaasti maustettuja

eclair pitkänomainen leivos, jossa
yl. suklaatäyte
  chocolate ~ suklaaleivos
eel ankerias
  jellied ~ hyytelöity ankerias
egg(s) muna(t)
  bacon and ~ munaa ja pekonia
  baked ~ uunissa paistetut
munat
  boiled ~ keitetyt munat
  devilled ~ voimakkaasti maus-
tetut munat
  fried ~ paistetut munat
  ham and ~ munaa ja kinkkua
  hard-boiled ~ kovaksikeitetyt
munat
  ~ **mimosa** munaa majoneesin
kera
  poached ~ hyydytetyt (ilman
kuorta keitetyt) munat
  scrambled ~ munakokkeli
  soft-boiled ~ pehmeäksikeitetyt
munat
  stuffed ~ täytetyt munat
egg custard uunissa paistettu
munakastike
eggplant munakoiso, -hedelmä
endive endiivi
English muffin pieni pyöreä gril-
lattu ja voideltu leipä
entrecote kylkipihvi
entrée pääruokalaji
escalope leike
essence tiiviste
Eve's pudding jälkiruoka, jossa
uunissa paistettuja omenavii-
paleita, voita, sokeria, munaa
ja jauhoja
Exeter stew naudanlihamuhennos
sipulin, porkkanan ja yrttien
kera
extract uute, tiiviste
faggot's eräänl. sianlihapyörykät
sianrasvassa paistettuina

fat rasva
fennel fenkoli
figs viikunat
fillet filee
  beef ~ naudanfilee
  ~ **mignon** pieni filee
  pork ~ porsaanfilee
  salmon ~ lohifilee
  ~ **of sole** kampelafilee
Finnian haddock savustettu kolja
(Skotlannista)
fish kala
  ~ **and chips** kalaa ja ranska-
laisia perunoita
  ~ **chowder** kalakeitto
  ~**cake** kalapulla
flan vanukas
flapjacks pannukakut
flounder kampela
flour jauho
fondue juustofondue
foods elintarvikkeet, ruoat
fool keitetyt, soseutetut hedelmät,
tarjotaan sokerin, kerman tai
kermavaahdon kera
forcemeat jauhelihatäyte
fowl linnut, siipikarja
frankfurter nakkimakkara
french beans ranskalaiset pavut
french bread patonki
French dressing majoneesi, jossa
tomaattisosetta
french fries ranskalaiset perunat
fresh tuore
fricassee viillokki
fried paistettu
fritter munkki
froglegs sammakonreidet
frosting huurre
fruit hedelmä(t)
  ~ **cake** hedelmäkakku
  ~ **salad** hedelmäsalaatti
fry 1) paistettu kala, 2) erilaiset
paistetut sisäelimet (porsaan tai

lampaan sydäntä, maksaa, keuhkoja ja kateenkorvaa)
fudge suklaamakeinen, jossa voita, sokeria ja maitoa, maustettu appelsiinilla tai kahvilla
galantine hyytelöity liharuoka
game riista
gammon sianpotka
garfish meriankerias
garlic valkosipuli
garnish höyste
gelatin liivate
Genoa cake kakku, jossa rusinoita, sitruunankuorta, kirsikoita ja manteleita
gherkins pienet suolakurkut
giblets sisäelimet
ginger inkivääri
  ~ **biscuits** inkivääripiparkakut
  ~ **bread** makea maustettu leipä
girdle (griddle) scones grillissä valmistetut makeat teeleivät
glazed sokerilla kuorrutettu
Gloucester cheese miedonmakuinen levitejuusto
goose hanhi
  roast ~ hanhenpaisti
gooseberries karviaismarjat
grapes viinirypäleet
grapefruit grapehedelmä
grated raastettu
(au) gratin, gratinéed gratinoitu
gravy lihasta valuva mehu, kastike
grayling harjus
green beans ranskalaiset pavut
green peppers vihreät paprikat
green salad vihreä salaatti
greengage viherluumu
greens vihreät vihannekset
griddle-cakes pannukakut
grill grilli
  ~ **ed** grillattu
grilse nuori lohi

grits karkeat maissijauhot
grouse peltopyy
  roast ~ peltopyypaisti
gudgeon rantatörö (kala)
gumbo sakea kreolilaiskeitto, jossa gumbokasvin palkoja, sipulia, tomaattia ja mausteita
haddock kolja
haggis lampaansisälmyksiä kaurajauhon, sipulin ja jauhelihan kera haudutettuina (Skotlannista)
hake valkoturska
half puolet, puoli-
halibut Ruijan pallas
ham kinkku
  baked ~ uunissa paistettu kinkku
  boiled ~ keittokinkku
  ~ **and eggs** kinkkua ja munia
  smoked ~ savustettu kinkku
  Virginia ~ kinkku, jonka leikkauksin koristetulla pinnalla ananasta, kirsikoita ja mausteneilikoita sekä liemestä valmistettu hyytelö
  York ~ parhaita kinkkutyyppejä, tarjotaan ohuina viipaleina
hamburger 1) naudanjauheliha, 2) jauhelihasämpylä, hampurilainen
Hangtown Fry munakokkeli pekonin ja ostereiden kera (San Franciscosta)
hare jänis
  jugged ~ jänismuhennos
haricot beans vihreät pavut
Harvard beets säilykepunajuuret; liemessä etikkaa, neilikkaa ja viiniä
hash 1) jauheliha tai paloiteltu liha, 2) paloiteltua lihaa perunoiden ja vihannesten kera

hazelnuts hasselpähkinät
heart sydän
herb yrtti
herring silli
  soused, marinated ~ marinoitu silli
home-made kotitekoinen
hominy grits karkeat maissijauhot
honey hunaja
  ~**dew melon** hunajameloni
hors-d'oeuvre alkupalat
horseradish piparjuuri
  ~ **sauce** piparjuurikastike, tarjotaan tav kylmänä lohen kera
hot kuuma
  ~**-cross bun** wienertaikinaleivonnainen rusinoiden kera, päällystetty ristinmuotoisella sokerikuorrutuksella, syödään paastoaikana
  ~ **dog** kuuma nakkisämpylä
  ~ **pot,** ~**ch potch** lampaanlihasta ja kasviksista valmistettu keitto
huckleberries mustikat
hushpuppy eräänl. maissijauhoista ja sipulista tehty ohukas (USA)
ice-cream jäätelö
  butter pecan ~ pecanpähkinäjäätelö
  chocolate ~ suklaajäätelö
  raspberry ~ vadelmajäätelö
  strawberry ~ mansikkajäätelö
  vanilla ~ vaniljajäätelö
  ~ **cornet** (US ~ **cone**) jäätelötötterö
iced jäädytetty; sokerikuorrutettu
icing sokerikuorrutus
in season vuodenajan mukaan
Irish moss punainen levä (käytet. liivatteena)
Irish stew lampaanmuhennos jossa perunoita, sipulia ja olutta

Italian dressing salaattikastike, joka tehty öljystä, etikasta ja mausteista
jam hillo, marmeladi
  ~ **roll** pieni hillotäytteinen kääretorttu
  ~ **tart** hillotorttu
jambalaya eräänl. keitto jossa katkarapuja, kinkkua. riisiä ja mausteita (New Orleansista)
jellied hyytelöity
  ~ **eel** hyytelöity ankerias
Jell-o 1) eräs hedelmähyytelömerkki 2) hyytelöity jälkiruoka
jelly hyytelö
  ~ **doughnut** munkki
Jerusalem artichoke maa-artisokka
John Dory Pyhän Pietarin kala
joint (of meat) paisti, iso lihapala
jugged hare jänismuhennos
juice mehu
juicy mehukas
juniper berry katajanmarja
junket viiliä, kermaa ja sokeria
kabob lampaanlihavarras tomaatin, sipulin ja vihreän paprikan kera
kale kaalikeitto
kebab lampaanlihavarras, jossa tomaattia, sipulia ja vihreää paprikaa
kedgeree 1) voimakkaasti maustettu ruoka, jossa riisiä, sipulia ja virvilänsiemeniä, 2) kalapalasia riisin, munan ja voin kera, tarjotaan kuumana, usein aamiaiseksi
ketchup tomaattisose
key lime pie lime-sitruunapiiras
kidney munuainen
  ~ **beans** punaiset pavut
kippers savusillit
ladies (lady)fingers pitkät, litteät

keksit
lamb karitsa
  ~ **chop** karitsankyljys
  ~ **cutlet** karitsankyljys
  leg of ~ karitsankoipi
  loin of ~ karitsan etuselkä, filee
  ~ **roast** karitsanpaisti
  ~ **shoulder** karitsanlapa
lamprey nahkiainen
Lancashire cheese tuoreena syötävä, mieto juusto, jonka maku juuston vanhetessa voimistuu
Lancashire hot pot uunissa paistettu muhennos, jonka perusaineksena viipaloituja perunoita, jotka peitetty lihapalasilla, munuaisilla, sipulilla ja mausteilla
lard sianrasva, silava
larded silavassa paistettu
laurel laakerinlehti
lean laiha (liha), rasvaton
leeks purjot
leg koipi, potka
Leicester cheese voimakkaanmakuinen, oranssinvärinen juusto
lemon sitruuna
  ~ **buns** sitruunapullat
  ~ **curd** sitruunakastike
  ~ **meringue pie** sitruunalla maustettu marenkipiiras
  ~ **mousse** sitruunavaahto
  ~ **pudding** sitruunavanukas
  ~ **sole** kampela
lentils virvilänsiemenet, «linssit»
lettuce lehtisalaatti
light pehmeä; kevyt
lima beans eräs papulaji
lime lime, vihreä sitruuna
  key ~ **pie** vihreästä sitruunasta tehty piiras
liver maksa
  ~ **and bacon** maksaa ja pekonia

~ **sausage** maksamakkara
loaf (kokonainen) leipä
lobster hummeri
loganberries villivadelmat
loin filee, etuselkä
  pork ~ sianfilee
long john pitkulainen, sokerikuorrutettu leivonnainen
lox savustettu lohi
lunch lounas
  ~ **eon** liikelounas
macaroni makaroni
  ~ **and cheese** juustolla kuorrutettu makaroniruoka
macaroon sokeri- ja mantelileivos
  coconut ~ kookosleivos
mackerel makrilli
  baked ~ uunissa paistettu makrilli
  grilled ~ grillattu makrilli
  stuffed ~ täytetty makrilli
maize maissi
mandarin mandariini
maple syrup vaahterasiirappi
marinade marinadi
marinated marinoitu
marjoram meirami
marmalade appelsiinimarmeladi
marrow 1) luuydin 2) kurpitsa
  stuffed ~ täytetty kurpitsa
  ~**bone** luu, jossa ydintä (Englanti)
marshmallow makeinen, jonka aineksina maissisiirappia, sokeria, munanvalkuaista ja gelatiinia, jotka vatkattu kuohkeaksi; tarjotaan kuuman suklaan, eräiden salaattien ja jälkiruokien kera
marzipan marsipaani
mayonnaise majoneesi
meal ateria
meat liha
  ~ **balls** lihapyörykät

~ **loaf** lihamureke, tarjotaan viipaleina
~ **pâté** lihapasteija, -tahna
~ **pie** lihaa taikinakuoressa
medium (done) puolikypsä (liha)
melon meloni
honeydew ~ hunajameloni
musk~ meloni
water~ vesimeloni
melted sulatettu
Melton Mowbray pie taikina-kuoren peittämää sianlihaa, kieltä, vasikanlihaa ja kovaksikeitettyä munaa, tarjotaan kylmänä
menu ruokalista
meringue marenki
milk maito
~ **pudding** riisivanukas
mince hienoksi hakattu seos
~**d meat** jauheliha
~**meat** pieniksi kuutioiksi leikatut säilykehedelmät
~**meat pie** hedelmäkakku, jossa säilykehedelmiä ja omenaa
mint minttu
~ **sauce** minttukastike, jossa hienoksi hakattua minttua etikkaliemessä, tarjotaan tav. lampaanlihan kanssa
minute steak pihvi, joka paistettu voimakkaalla lämmöllä molemmin puolin
mixed sekalainen
~ **grill** grillattua makkaraa, maksaa, munuaisia, pekonia ja lihaa
mock turtle soup naudanpotkasta valmistettu keitto
molasses siirappi
morrel korvasieni
mould vuoka
mousse vaahto

muffin 1) pieni kuohkea grillattu ja voideltu leivonnainen (Englanti), 2) pieni, usein paperivuoassa valmistettu leivos (USA)
blueberry ~ mustikkaleivos (USA)
mulberries silkkiäismarjat
mullet eräs merikala
mulligatawny soup alunperin intialainen, vahvasti maustettu keitto, jossa porkkanaa, sipulia, chutneymaustetta ja currya
mushrooms sienet
muskmelon meloni
mussels simpukat
mustard sinappi
mutton lammas
~ **chop** lampaankyljys
~ **cutlet** lampaankyljys
leg of ~ lampaanreisi
saddle of ~ lampaansatula
shoulder of ~ lampaanlapa
~ **stew** lammasmuhennos
napoleon tuhatlehtinen (leivos)
nectarin eräs persikkalaji
noodles nauhamakaronit
nutmeg muskottipähkinä
nuts pähkinät
almond ~ mantelit
Brazil ~ parapähkinät
cashew ~ eräs pähkinälaji
chest~ kastanjat
cob~ suuret hasselpähkinät
hazel~ hasselpähkinät
pea~ maapähkinät
oat cakes kaurakeksit
oatmeal (porridge) kaurapuuro
offal sisälmykset, sisäelimet
oil öljy
corn ~ maissiöljy
olive ~ oliiviöljy
peanut ~ maapähkinäöljy

okra sama kuin gumbo, eräs palkokasvi
olive oliivi
~ **oil** oliiviöljy
black ~s mustat oliivit
green ~s vihreät oliivit
stuffed ~s täytetyt oliivit
omelet munakas
cheese ~ juustomunakas
ham ~ kinkkumunakas
herb ~ yrttimunakas
kidney ~ munuaismunakas
plain ~ munakas ilman täytettä
savoury ~ hyvin maustettu munakas
tomato ~ tomaattimunakas
onion sipuli
oppossum opossumi
orange appelsiini
oven-browned gratinoitu
oven-cooked uunissa paistettu
ox tongue häränkieli
oxtail häränhäntä
~ **soup** häränhäntäkeitto
oyster plant pukinparta (juurikasvi)
oysters osterit
pancake pannukakku
paprika paprika
parkin inkiväärillä ja siirapilla maustettu kaurajauholeivonnainen
Parmesan (cheese) parmesaanijuusto
parsley persilja
~ **butter** persiljavoi
parsnip palsternakka
partridge peltopyy
roast ~ peltopyypaisti
pasta makaronit
paste sose
pastry leivonnaiset; leivos
pasty piiras (usein keitinpiiras)
patty 1) pieni voileipä, 2) pieni,

pyöreä piiras
peach persikka
~ **cobbler** taikinakuoren peittämä, uunissa paistettu persikkahilloke, tarjotaan kuumana
~ **melba** melba-persikka; keitetty vadelmakastikkcen peittämä persikka
peanut maapähkinä
~ **brittle** maapähkinälevy karamellisokerin kera
~ **butter** maapähkinäsose
~ **butter cookie** maapähkinäpikkuleipä
~ **oil** maapähkinäöljy
pear päärynä
pearl barley helmisuurimot, tarjotaan yl. keitoissa
peas herneet
'~**e pudding** hernekeitto tai -sose sipulin, mausteiden ja munan kera
pecan eräs pähkinälaji
butter ~ **ice-cream** pähkinällä maustettu jäätelö (USA)
~ **pie** pähkinäpiiras (USA)
pepper pippuri
chilli ~ chilipippuri
green ~ vihreä paprika
red ~ punainen paprika
stuffed ~ riisillä tai lihalla täytetty vihreä paprika
peppermint piparminttu
~ **creams** piparminttumakeiset
perch ahven
persimmon khakihedelmä
pheasant fasaani
roast ~ fasaanipaisti
pickerel nuori hauki
pickled etikkaliemeen säilötty
~ **gherkins** pienet etikkakurkut
~ **walnuts** etikkaliemeen säilötyt saksanpähkinät
pickles 1) pikkelsi, vihanneksia

tai hedelmiä etikkaliemessä,
2) joskus myös: pienet etikka-
kurkut (USA)

pie piirakka, piiras, tav. kuoren
peittämä, tarjotaan usein kas-
tikkeen kera

pig in a blanket pannussa tai
uunissa paistettu makkara juus-
ton ja pekonin kera

pig's knuckles sianpotka

pigeon kyyhkynen

pike hauki

pilchard sardiini

pimentos jamaikanpippurit

pizza pizza

plaice punakampela

plate lautanen, annos

plover kurmitsa

plum luumu

poached hyydytetty; höyryssä kei-
tetty

~ **eggs** hyydytetyt (ilman
kuorta keitetyt) munat

pomegranate granaattiomena

poor knights köyhät ritarit; mu-
naan kastetut leipäviipaleet,
jotka grillattu pannussa, tarjo-
taan hillon kera

popcorn popcorn, grillattuja mais-
sinjyviä

pork sianliha

~ **chop** porsaankyljys

~ **cutlet** porsaanleike

roast ~ porsaanpaisti

~ **sausage** sianmakkara

porridge kaurapuuro, tarjotaan
aamiaisella

porterhouse steak chateaubriand

possum opossumi

pot roast patapaisti, naudanlihaa
haudutettuna sipulin, pork-
kanan ja perunoiden kera

potato peruna

baked ~es uunissa paistetut

perunat

~ **baked in its jacket** kuorineen
keitetyt perunat

boiled ~es keitetyt perunat

chipped ~es ranskalaiset peru-
nat

~ **chips** perunalastut

creamed ~es perunasose

~ **croquette** perunapallot

Idaho baked ~es uunissa pais-
tetut perunat

mashed ~es perunasose

new ~es uudet perunat

~ **pancake** perunapannukakku

roast ~es paistetut perunat

sautéed ~es voissa paistetut
perunat

stuffed ~es täytetyt perunat

potted shrimp peratut katkaravut,
jotka valmiita tarjottaviksi
alkupaloina

poultry siipikarja

prawn iso katkarapu

~ **cocktail** katkarapucocktail

Dublin Bay ~ iso katkarapu

price hinta

fixed ~ kiinteä hinta

prunes kuivatut luumut

stewed ~ luumuhilloke

ptarmigan riekko

pudding vanukas, jauhoista sekä
lihasta, kalasta, vihanneksista
tai hedelmistä tehty uunissa
paistettu tai haudutettu seos

puff pastry kerrostaikina (leivon-
nainen)

pumpkin iso kurpitsa

~ **pie** kurpitsapiiras

purée sose

quail viiriäinen

quarter neljännes

queen of puddings jälkiruoka, jossa
munaa, sokeria, maitoa, korp-
pujauhoa ja sitruunaa, peitetty

hillolla ja paistettu uunissa
quince kvitteni
rabbit kani
~ **broth** kanikeitto
~ **casserole** kanipata
~ **pie** taikinakuoren peittämä kanimuhennos
~ **stew** kanimuhennos
radish retiisi
raisins rusinat
rare erittäin vähän paistettu (liha)
rasher pekoniviipale
raspberry vadelma
~ **buns** vadelmapullat
ravioli ravioli
raw raaka
red currants punaiset viinimarjat
red mullet punakala
relish 1) salaatinkastike tai majoneesi, 2) hienonnetuista suolakurkuista tehty mauste
rhubarb raparperi
rib (of beef) T-luupihvi
rice riisi
~ **creole** riisiä vihreän paprikan, jamaikanpippurin ja saframin kera
~ **pudding** riisivanukas
rissoles liha- tai kalapiiraat
roach särki
roast paisti
~ **beef** naudanpaisti
~ **chicken** kanapaisti
~ **lamb** karitsanpaisti
rock cakes leivonnaisia, joiden aineksina jauhoja, rasvaa, sokeria ja rusinoita
Rock Cornish hen syöttökananpoika
roe mäti, tav. turskan
roll sämpylä
~**mop herring** pienen suolakurkun ympärille kiedottu valkoviinissä marinoitu sillifilee

roly-poly pudding höyryssä kypsytetty hillotäytteinen kääretorttu
round steak naudanpotkapaisti
rudd sorva (kala)
rum butter fariinisokerista, voista, rommista ja muskottipähkinästä valmistettu tahna, tarjotaan sellaisenaan tai voileivällä (Cumberlandista)
rump steak takapaisti
runner beans salkopavut
rusks korput
rutabaga lanttu
saddle satula
~ **of lamb** lampaansatula
saffron saframi
sage salvia
~ **and onion stuffing** höyste, jossa sipulia ja salviaa, tarjotaan yl. sianlihan tai hanhen kera
sago saagosuurimot
salad salaatti
asparagus ~ parsasalaatti
beetroot ~ punajuurisalaatti
celery ~ sellerisalaatti
~ **cream,** ~ **dressing** salaatinkastike
fish ~ kalasalaatti
fruit ~ hedelmäsalaatti
green ~ vihreä salaatti
lettuce ~ lehtisalaatti
potato ~ perunasalaatti
tomato ~ tomaattisalaatti
salami salamimakkara, metvursti
Sally Lunn teeleipä, joka tarjotaan kuumana voin kera
salmon lohi
grilled ~ grillattu lohi
smoked ~ savustettu lohi
~ **steak** lohifilee
~ **trout** taimen
salsify pukinparta (juurikasvi)
salt suola

~ed suolattu
~y suolainen
saltwater fish suolaisen veden kala, merikala
sandwich voileipä (tav. kaksinkertainen)
  open-faced ~ avoin voileipä
  ~ **spread** voileipätahna, usein majoneesipohjainen, jossa hienoksi hakattua suolakurkkua
sardines sardiinit
sauce kastike
  apple ~ omenasose
  bread ~ kastike, jonka pohjana korppujauhoa, sipulia, margariinia, maitoa ja mausteita
  brown ~ ruskea kastike
  horseradish ~ piparjuurikastike
  mint ~ minttukastike
  parsley ~ persiljakastike
  white ~ valkokastike
  Worcestershire ~ mausteena käytetty etikka-soijakastike
sauerbraten marinoituja naudanlihaviipaleita maustekeksien kera haudutettuina (Pennsylvaniasta)
sauerkraut hapankaali
sausage makkara
  ~ **and mash** makkaraa ja perunasosetta
sausage roll makkarasämpylä
sautéed voissa paistettu
savoury 1) alkupala, 2) makea ruokalaji, joka tarjotaan juuston jälkeen, mutta ennen hedelmiä
scallops kampasimpukat
scampi eräs merirapulaji
scone vehnä- tai ohrajauhoista tehty teeleipä
Scotch broth naudan- tai lampaanlihakeitto, jossa lisänä vihanneskuutioita (porkkanaa,

kaalia, purjoa, naurista, sipulia)
Scotch egg kovaksikeitetty muna lihamurekkeessa
Scotch girdle scones metallilevyllä paistetut litteät teekakut
Scotch woodcock pieni voileipä, jonka päällysteenä muna-anjovistahnaa
scrambled eggs munakokkeli
sea kale merikaali, jonka versot syötäviä
seafood meren hedelmät; kalat ja äyriäiset
  ~ **gumbo** *bouillabaissea* muistuttava kalakeitto, jossa merirapua, katkarapuja, tomaattia, gumbo-palkoja, mausteita, sipulia; tarjotaan riisin kera
(in) season kauden (riista tms.)
seasoning mauste; höyste
seedcake kuminasämpylä
semolina mannasuurimot
  ~ **pudding** mannavanukas
service palvelu
  ~ **charge** palvelumaksu
  ~ **included** palvelu sisältyy hintaan
  ~ **not included** palvelu ei sisälly hintaan
set menu valmiiksi sommiteltu ruokalista
shad sardiininsukuinen kala
shallots lotanlaukat
shellfish äyriäiset
shepherd's pie jauhelihaa, sipulia ja porkkanakuutioita perunasoseen peittämänä, paistettu uunissa
sherbet sorbetti (jälkiruoka)
shoofly pie hunaja- ja siirappitorttu, joka peitetty fariinisokerilla, mausteilla, jauhoilla ja voilla

shortbread pikkuleivät, joihin käytetty jauhoja, sokeria ja voita

shortcake pyöreä sämpylä
strawberry ~ sämpylä mansikoiden, mansikkamehun ja jäätelön ja/tai kermavaahdon kera (USA)

shoulder lapa

shredded wheat aamiaisella tarjottavat vehnähiutaleet

Shrewsbury cakes pikkuleivät, joissa jauhoja, voita, sokeria, munaa ja sitruunankuorta

shrimp katkarapu
~ **cocktail** katkarapusalaatti
~ **creole** katkarapuja tomaattikastikkeessa vihreän paprikan, sipulin ja mausteiden kera, tarjotaan riisin kanssa (USA)

silverside (of beef) naudanpotkaviipale

Simnel cake kakku, jossa kuivattuja hedelmiä, kirsikoita, appelsiinin- ja sitruunankuorta, mausteita ja mantelitahnaa, päällystetty marsipaanilla

Singin' Hinny makea, grillissä valmistettu sämpylä, joka leikattu halki ja voideltu (Skotlannista)

sirloin steak paras naudan selkälihapaisti

skate rausku

skewer varras

slice viipale

sloppy Joe jauhelihasämpylä tomaattikastikkeen kera

smelt kuore

smoked savustettu

snack snack, pikkuannos

snickerdoodles kanelikeksit

snipe kurppa

soda jälkiruoka, jossa jäätelöä, pähkinöitä ja/tai hedelmä-

mehua, tarjotaan korkeasta lasista

soda bread leipä, jossa jauhoja, suolaa, kuorittua maitoa ja leivinsoodaa (Irlannista)

sole kampela
~ **au gratin** gratinoitu kampela

sorrel suolahcinä

soup keitto
asparagus ~ parsakeitto
barley ~ ohranjyväkeitto
chicken ~ kanakeitto
clear ~ kirkas liemi
cream of celery ~ sellerikeitto
cream of tomato ~ tomaattikeitto
game ~ riistakeitto
lentil ~ virvilänsiemenkeitto
lobster ~ hummerikeitto
mock turtle ~ naudanpotkakeitto
mulligatawny ~ alunperin intialainen keitto, jossa porkkanaa, sipulia, chutney-maustetta, currya ja naudanlihaa
oxtail ~ häränhäntäkeitto
pea ~ hernekeitto
potato ~ perunakeitto
spinach ~ pinaattikeitto
vegetable ~ vihanneskeitto

sour hapan
~ **cream** hapankerma
~ **dough** taikina, jossa jauhoja, hiivaa, vettä ja sokeria
~ **dough biscuits** em. taikinasta valmistetut kakkuset
~ **dough bread** em. taikinasta valmistettu leipä
~ **milk** hapan maito; piimä

soused herring etikkaliemeen säilötyt sillit

spaghetti spaghetti

spare ribs sian kylkiluut

spice mauste

spinach pinaatti
(on a) spit varras (vartaassa)
sponge cake sokerikakku, jossa munia, puuterisokeria, vehnäjauhoja ja leivinjauhetta
spotted Dick vanukas, jossa ihraa ja rusinoita
sprats kilohailit
squash eräs kurpitsalaji
squirrel orava
~ **stew** oravamuhennos
starter alkupala
steak paisti
Delmonico ~ fileeselkä
~ **and kidney pie** naudanliha-ja munuaispiiras
minute ~ molemmin puolin kovalla lämmöllä paistettu naudanfilee
porterhouse ~ chateaubriand
round ~ naudanpotkapaisti
sirloin ~ pihvi
T-bone ~ T-luupihvi
tenderloin ~ fileepihvi
steam kypsentää höyryttämällä
~**ed** höyryttäen kypsennetty
stew 1) muhentaa, 2) muhennos
Stilton cheese parhaita englantilaisia juustoja, sinijuovainen ja voimakkaanmakuinen, syödään hyvin kypsyneenä; muunnoksena myös valkoinen *Stilton*
stock lihaliemi
strawberry mansikka
~ **shortcake** sämpylä mansikoiden, mansikkamehun sekä jäätelön ja/tai kermavaahdon kera (USA)
streusel piirakankuori, jossa voita ja fariinisokeria
string beans vihreät pavut
stuff täyttää
~**ing** täyte
submarine sandwich patonki, jossa

erilaisia täytteitä
suck(l)ing pig juottoporsas
suet rasva, ihra; käytetään runsaasti leivonnaisiin
~ **pudding** jälkiruoka, jossa ihraa
sugar sokeri
brown ~ fariinisokeri
castor ~ hieno sokeri
lump ~ palasokeri
powdered ~ puuterisokeri
sultanas sultanarusinat
summer pudding jälkiruoka, jossa hedelmiä ja leipää
summer sausage makkara
sundae jäätelöannos, jossa hedelmiä, pähkinöitä, kermavaahtoa ja/tai hedelmämehua
supper illallinen, kevyt myöhäisateria
swedes lantut
sweet 1) makea 2) jälkiruoka
~ **corn** eräs maissilaji
~ **potato** bataatti
~**breads** kateenkorva
~**s** makeiset
swiss cheese sveitsinjuusto, emmental tai gruyère
swiss roll pieni hillotäytteinen kääretorttu
swiss steak naudanlihaviipale sipulin ja tomaatin kera haudutettuna
swordfish miekkakala
syrup sakea hedelmämehu
table d'hôte kiinteä, valmiiksi sommiteltu ruokalista
taffy toffee
~ **apple** toffeeliemeen kastettu omena
tamale maissijauhotaikina, jonka täytteenä jauhelihaa, mausteita ja usein hyvin maustettu kastike (USA)

tangerine mandariini
tapioca tapiocasuurimot
  ~ pudding tapiocavanukas
tarragon rakuna
tart torttu, piiras
T-bone steak T-luupihvi
tea cake teeleipä, pieni kakkunen
  tai muu leivonnainen, joka
  tarjotaan teeaterialla
teal tavi
tench suutari (kala)
tender murea
tenderloin filee
thick paksu; sakea
thin ohut; vetelä
thousand-island dressing salaatin-
  kastike, jossa majoneesia ja-
  maikanpippurilla, pähkinällä,
  sellerillä, sipulilla, persiljalla ja
  munalla maustettuna
thyme timjami
tinned säilyke (oik. säilötty)
tip juomaraha
toad in the hole uunissa taikina-
  kuoressa paistettua naudan-
  lihaa tai makkaraa
toast paahtoleipä
  ~ed paahdettu
  ~ed cheese sulatettua juustoa
  paahtoleivällä
tomato tomaatti
  ~ sauce tomaattikastike
  ~ soup tomaattikeitto
tongue kieli
tournedos rullalle kääritty nau-
  danfilee
treacle siirappi
trifle vuoassa paistettu sokeri-
  kakku, jossa sherryä tai esim.
  konjakkia sekä manteleita, hil-
  loa ja kermavaahtoa tai vanil-
  jakastiketta
tripe sisälmysmuhennos
  ~ and onions sisälmyksiä sipulin

kera
trout taimen
  brown ~ järvitaimen
  rainbow ~ sateenkaarirautu
truffles tryffelit
tuna, tunny tonnikala
turbot piikkikampela
turkey kalkkuna
  roast ~ kalkkunapaisti
Turkish delight alunp. itämainen
  makeinen, valmistettu aromati-
  soidusta gelatiinitahnasta ja
  kuorrutettu puuterisokerilla
turnip turnipsi, nauris
turnover puoliympyrän muo-
  toinen hedelmätorttu
  apple ~ omenatorttu
turtle soup kilpikonnakeitto
underdone vähän paistettu (liha)
vanilla vanilja
  ~ essence, ~ extract vanilja-
  tiiviste
  ~ ice-cream vaniljajäätelö
veal vasikanliha
  ~ birds vasikanlihapyörykät
  ~ chop vasikankyljys
  ~ cutlet vasikanleike
  ~ fillet vasikanfilee
  ~ fricassee vasikanviillokki
  ~ and ham pie piiras, jossa
  vasikanlihaa ja kinkkua, tarjo-
  taan kylmänä
  leg of ~ vasikanpotka
  roast ~ vasikanpaisti
vegetable vihannes
venison metsänriista; hirvenpaisti
Vichyssoise purjokeitto, jossa
  lisänä perunaa; syödään kyl-
  mänä
Victoria sandwich täytekakku, jos-
  sa täytteenä hilloa ja kermaa
vinegar etikka
Virginia ham keittokinkku, joka
  koristettu neilikoilla, ananak-

sella, kirsikoilla ja hyytelöity
näiden hedelmien mehulla
vol au vent pyöreä vuokapiiras,
jonka keskustassa täytteenä
lihaa, kalaa ja sieniä, tarjotaan
kuumana
wafer vohveli
waffle vohveli voin ja siirapin
sekä hunajan tai hedel-
mämehun kera
waiter tarjoilija
waitress naistarjoilija
walnut saksanpähkinä
water ice sorbetti (jälkiruoka)
watercress vesikrassi
watermelon vesimeloni
well-done hyvin paistettu (liha)
Welsh rabbit (tai **rarebit**) juusto-
voileipä, jolla sulanutta juus-
toa, voita, maitoa ja mausteita
Wensleydale cheese sinijuovainen,
kermainen juusto; olemassa
myös miedompi muunnos
whelks eräs simpukkalaji
whipped cream vatkattu kerma

white valkoinen
~ **meat** valkoinen liha
~**bait** siika
wholemeal kokojyväjauho
~**bread** kokojyväleipä
~**flour** kokojyväjauho
wiener schnitzel wieninleike
wine list viinilista
winkles rantakotilot
woodcock lehtokurppa
Worcestershire sauce mausteena
käytetty voimakas kastike,
jossa etikkaa ja soijaa
yam bataatti, jamssi
yoghurt jogurtti
York ham ohuina viipaleina tar-
jottava erittäin hyvä kinkku-
tyyppi
Yorkshire pudding eräänlainen
pannukakkutaikinasta tehty
sämpylä, joka uunissa rus-
kistuu ja kohoaa, tarjotaan
yl. paahtopaistin kera
zucchini pienet kurpitsat
zwieback eräs korpputyyppi

JUOMAT

ale 1) olut, jonka käymistä nopeu-
tettu, 2) olut
aperitif aperitiivi
appleade alkoholiton omenamehu
Athol Brose juoma, jossa kuumaa
vettä, kauraa, hunajaa ja viskiä
(Skotlannista)
Babycham eräs kuohuviini
Bacardi 1) eräs rommi, 2) se-
koitus, jossa sokeria, granaat-
timehua, vihreän sitruunan

mehua ja rommia
barley water ohrauute
barley wine vahvasti alkoholipi-
toinen olut
beer olut
bitter ~ kitkerä olut
bottled ~ pullotettu olut
draft ~, **draught** ~ tynnyriolut
lager ~ vaalea saksalainen olut
light ~ olut, jossa vain vähän
humaloita

mild ~ mieto olut
mild and bitter ~ sekoitus, jossa sekä vähän että paljon humaloita sisältävää olutta
pale ~ vähän humaloita sisältävä olut
special ~ erikoisolut
stout ~ voimakas musta olut
bitter kitkerä olut
~**s** 1) yrttipohjainen aperitiivi, 2) tonicvesi, jonka pohjana eräs eteläamerikkalainen puunkuori ja jota lisätään erilaisiin juomiin
black cow sama kuin *root beer,* johon lisätty vaniljajäätelöä
black and tan cocktail, jossa *Guinnessia* ja runsaasti humaloita sisältävää olutta
black velvet cocktail, jossa *Guinnessia* ja shamppanjaa
Bloody Mary cocktail, jossa vodkaa ja tomaattimehua
Bourbon maissista Bourbonin piirikunnassa Kentuckyssa valmistettu viski (esim. *Jack Daniel's, Ol' Grand Dad, I.W. Harper's*)
brandy viina; konjakki
~ **Alexander** sekoitus, jossa viinaa, kaakaolikööriä ja kermaa
champagne shamppanja
pink ~ rosé shamppanja
cherry brandy kirsikkaviina, kirsch
chocolate kaakao
hot ~ kuuma kaakao
cider siideri
~ **cup** cocktail, jossa siideriä, mausteita, sokeria ja jäätelöä
claret punainen bordeaux-viini
cocktail alkoholipitoinen sekoitus, cocktail, joka tarjotaan

ennen ateriaa (ks. *Manhattan, martini*)
cocoa kaakao
coffee kahvi
black ~ musta kahvi
Boston ~ kahvi, jossa kaksinkertainen määrä kermaa
caffeine-free ~ kahvi, joka ei sisällä kofeiinia
~ **with cream** kahvi kerman kera
iced ~ jääkahvi
white ~ kahvi maidon kera
cognac konjakki
cordial 1) cordial-likööri, 2) tarkoittaa myös yleensä veteen sekoitettua sakeaa mehua
cups erilaisia kesäisiä juomia, joissa veden kanssa sekoitettua alkoholia
Daiquiri 1) rommimerkki, 2) cocktail, jossa sokeria, sitruunamehua ja rommia
double kaksinkertainen viski
Drambuie likööri, jonka pohjana viski ja hunaja
eggnog munalikööri
English wines «englantilaiset viinit»; tehty eri hedelmistä tai vihanneksista kuten mustikasta, vadelmasta ja seljanmarjoista
gin gini
~ **fizz** cocktail, jossa giniä ja sitruunamehua
~ **and It** cocktail, jossa giniä ja italialaista vermuttia
~ **and tonic** giniä ja tonicvettä
ginger ale alkoholiton juoma, jonka mausteena inkivääriä
ginger beer sekoitus, jossa inkivääriä, sokeria, hiivaa ja vettä
glass lasi
grasshopper cocktail, jossa mint-

tuliköriä ja kaakaoliköriä

Guinness dublinilainen olut, tumma ja voimakas, melkein musta, melko makea

half noin 2½ dl (olutmitta)

highball juoma, jossa veteen sekoitettua alkoholia ja joskus hedelmämehua, tarjotaan ennen ateriaa (ks. *Bloody Mary, screwdriver, Tom Collins* jne.)

iced jäädytetty; sokerikuorrutettu

Irish coffee irlantilainen kahvi; kahvi, jossa sokeria, viskiä ja vatkattua kermaa

Irish mist irlantilainen likööri, jonka pohjana viskiä ja hunajaa

Irish whiskey irlantilainen viski, eroaa skotlantilaisesta sikäli ettei ole eri viskisatojen sekoitus, tislataan kolme kertaa kahden asemesta, ja sisältää ohran lisäksi ruista, kauraa ja vehnää; kuivempi kuin skotlantilainen viski (esim. *Bushmills, John Power*)

juice mehu, tuoremehu
grapefruit ~ grapetuoremehu
lemon ~ sitruunamehu
orange ~ appelsiinimehu
pineapple ~ ananasmehu
tomato ~ tomaattimehu

lemon squash puristettu sitruunamehu

lemonade limonadi

light ale olut, jossa vain vähän humaloita

lime juice vihreän sitruunan mehu

liqueur likööri

liquor väkijuoma

long drink veteen tai tonicveteen sekoitettu alkoholijuoma jäiden kera

Madeira madeira

malted milkshake maitopirtelö

Manhattan cocktail, jossa viskiä, makeaa vermuttia, angostuuraa ja säilötty kirsikka

Martini 1) eräs vermutti, 2) cocktail, jossa kuivaa Martinia ja giniä

mild olut, jossa alhainen alkoholiprosentti, miedompi kuin kitkerä olut
~ **and bitter** sekoitus, jossa sama määrä vähän ja runsaasti humaloita sisältävää olutta

milk maito
cold ~ kylmä maito
hot ~ kuuma maito
~**shake** pirtelö

mineral water kivennäisvesi

mulled ale kuuma maustettu olut

mulled wine kuuma maustettu viini

neat juoma ilman jäätä tai vettä

nightcap «yömyssy», viimeinen lasillinen ennen nukkumaanmenoa

nip tilkka

noggin noin 1½ dl

old fashioned cocktail, jossa sokeria, angostuuraa, viskiä ja kirsikka

on the rocks jäiden kera

Ovaltine kylmä, valmis kaakaojuoma

pale ale vähän humaloita sisältävä olut

Pimm's eräs alkoholijuoma
~ **No. 1** ginipohjainen
~ **No. 2** viskipohjainen
~ **No. 3** viinaa sisältävä
~ **No. 4** rommipohjainen

pink champagne roséshamppanja

pink lady cocktail, jossa munanvalkuainen, Calvadosia, sitruunamehua, granaattimehua ja giniä

pint noin 5 dl

port (wine) portviini
porter ruskea olut (Irlannista)
potheen pontikka, salapolttoviina
punch punssi
quart engl. mitta, noin 1,13 l.
root beer makea, kuohuva juoma, joka maustettu yrteillä tai juurilla
rum rommi·
rye (whiskey) ruisviski
Scotch ohrasta tislattu viina, viski, Skotlannista (esim. *J & B, Black & White, Johnnie Walker*)
screwdriver cocktail, jossa vodkaa ja appelsiinimehua
shandy olut, jossa sama määrä sitruunamehua ja inkivääriolutta
sherry sherry
short drink vedellä laimentamaton alkoholijuoma
shot täysi lasillinen viskiä tai muuta väkijuomaa
sloe gin fizz oratuomenmarjoista ja sitruunasta valmistettu likööri
soft drink alkoholiton juoma
sparkling kuohuva
spirits väkijuomat, alkoholijuomat
stinger cocktail, jossa viinaa ja minttulikööriä
stout ruskea olut, jossa runsaasti humaloita (*Guinness* on tunnetuin)
straight kuivana nautittu alkoholi
tea tee
  China ~ kiinalainen tee
  Indian ~ intialainen tee
  ~ **with lemon** tee sitruunan kera
  ~ **with milk** tee maidon kera
toddy toti

Tom Collins cocktail, jossa sokeria, sitruunamehua, sitruunankuorta, seltteriä, giniä ja kirsikka
tonic (water) tonicvesi, hiilihappoinen vesi, joka tav. sisältää kiniiniä
vermouth vermutti
vodka vodka
water vesi
  mineral ~ kivennäisvesi
  soda ~ soodavesi
  tonic ~ tonicvesi
whiskey, whisky viski, viljasta (vehnästä, kaurasta, ohrasta, rukiista, maissista) valmistettu viina
  ~ **sour** cocktail, jossa viskiä, sitruunamehua, sokeria ja kirsikka
wine viini
  dry ~ kuiva viini
  pink ~ roséviini
  red ~ punaviini
  sparkling ~ kuohuviini
  sweet ~ makea viini (jälkiruokaviini)
  white ~ valkoviini
(Pohjois-Amerikan viineistä tunnetuimpia ovat kalifornialaiset viinit, esim. *Cabernet Sauvignon* (bordeaux-tyyppinen), *Pinot noir* (burgundityyppinen), *Barbera* (italialaistyyppinen), jotka ovat punaviinejä; *Sauvignon blanc* (sauternes-tyyppinen), *Pinot Chardonnay* (burgundityyppinen), *Johannisberger Riesling* (reininviinityyppinen) jotka ovat valkoisia; *Grenache rosé,* joka on roséviini; lisäksi eräitä sherryjä, portviinejä ja shamppanjalaatuja)

ENGLANTILAISIA LYHENTEITÄ

AA	Automobile Association	Autoklubi (Iso-Britannia)
AAA	American Automobile Association	Yhdysvaltain Autoklubi
ABC	American Broadcasting Company	amerikkalainen radio- ja televisioyhtiö
A.D.	Anno Domini	j. Kr.
Am	America(n)	Amerikka, amerikkalainen
a.m.	before noon	aamupäivällä, aamulla
AT & T	American Telephone and Telegraph Company	amerikkalainen puhelin- ja lennätinyhtiö
ave.	avenue	puistokatu
BA	Bachelor of Arts	lähin vastine : hum. kand.
BBC	British Broadcasting Corporation	englantilainen radioyhtiö
B.C.	before Christ	e. Kr.
blvd	boulevard	bulevardi
BR	British Railways	Englannin Valtion Rautatiet
Brit.	Britain, British	Iso-Britannia, brittiläinen
¢	cent	sentti, dollarin sadasosa
Can.	Canada, Canadian	Kanada, kanadalainen
CBS	Columbia Broadcasting System	amerikkalainen radio- ja televisioyhtiö
CID	Criminal Investigation Department	rikospoliisi (Iso-Britannia)
CNR	Canadian National Railways	kanadalainen rautatieyhtiö
c/o	in care of	osoitteissa : jonkun luona
co.	company	yhtiö
corp.	corporation	amerikkalainen yhtiötyyppi
CPR	Canadian Pacific Railways	kanadalainen rautatieyhtiö
DDS	doctor of dental science	hammaslääkäri
dept.	department	osasto
Dr.	Dr.	tohtori
EEC	European Economic Community	Euroopan Talousyhteisö
e.g.	for instance	esim.
Eng.	England, English	Englanti, englantilainen
excl.	excluding	lukuunottamatta
GB	Great Britain	Iso-Britannia

H.E.	His/Her Excellency, His Eminence	Hänen Ylhäisyytensä; Hänen Korkea-arvoisuutensa; kardinaalin puhuttelusana
H.H.	His Holiness	Hänen Pyhyytensä
H.M.	His/Her Majesty	Hänen Majesteettinsa
HMS	His/Her Majesty's ship	sananmuk. Hänen Majesteettinsa laiva
hp	horsepower	hevosvoima
i.e.	that is to say	toisin sanoen
inc.	incorporated	useimpien amerikkalaisten kaupallisten ja ei-kaupallisten yhtiöiden nimissä käytetty termi
incl.	including	mukaan lukien
£	pound sterling	Englannin punta
L.A.	Los Angeles	Los Angeles
ltd.	limited	lähin vastine : osakeyhtiö
M.D.	medical doctor	lääket. tri
M.P.	Member of Parliament	Englannin parlamentin jäsen, kansanedustaja
mph	miles per hour	mailia tunnissa
Mr.	Mister	herra
Mrs.	Missis	rouva
nat.	national	kansallinen
NATO	North Atlantic Treaty Organization	Pohjois-Atlantin Liitto
N.B.	please note (nota bene)	huomaa, huomautus
NBC	National Broadcasting Company	amerikkalainen radio- ja televisioyhtiö
No.	number	numero
N.Y.C.	New York City	New York City
O.B.E.	Order of the British Empire	Brittiläisen Imperiumin ritarikunta; kunniamerkki
o/d	on demand	pyynnöstä
p.	page, penny/pence	sivu; penny/pence, punnan sadasosa
p.a.	per year	vuodessa, vuotta kohti
p.c.	postcard, per cent	postikortti; prosentti
Ph.D.	Doctor of philosophy	fil. tri
p.m.	after noon	iltapäivällä, illalla

PO	post office	postitoimisto
POB	post office box	postilokero
POO	post office order	postisiirto
pop.	population	asukasmäärä
prev.	previous	edellinen
pto	please turn over	käännä
RAC	Royal Automobile Club	Englannin Autoklubi
RCMP	Royal Canadian Mounted Police	Kanadan ratsupoliisi
rd	road	tie
ref.	reference	viite
Rev.	Reverend	kirkkoherra
RFD	rural free delivery	ilmainen kotiinkuljetus
RR	railroad	rautatie
RSVP	please reply	vastausta pyydetään
RT	round trip	edestakainen
$	dollar	dollari
Soc.	society	seura
SRO	standing room only	vain seisomapaikkoja
St	Saint, street	pyhä; katu
STD	standard trunk dialling	automaattipuhelin
UN	United Nations	Yhdistyneet Kansakunnat
UPS	United Parcel Service	pakettikuljetus
US	United States	Yhdysvallat; amerikka-lainen
USS	United States Ship	sananmuk. Yhdysvaltain laiva
VIP	very important person	tärkeä henkilö
WT	wireless telegraphy	radio
WU	Western Union	amerikkalainen lennätinyhtiö
Xmas	Christmas	joulu
YMCA	Young Men's Christian Association	NMKY
YWCA	Young Women's Christian Association	NNKY
ZIP	ZIP code	postinumerotunnus

AJANILMAUKSET. RAHA

Kellonajat. Englannissa ja Amerikassa käytetään yksinomaan 12 tunnin järjestelmää, myös aikatauluissa. Kellonajat ilmaistaan seuraavasti.

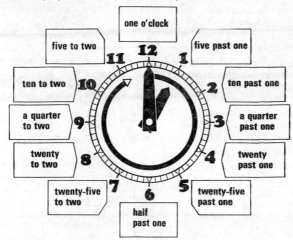

Milloin epäselvyyttä voi syntyä, käytetään ilmaisuja *a.m.* ja *p.m.* (aamulla, aamupäivällä ja iltapäivällä, illalla).

I'll come at two a.m.   Tulen kello kaksi aamulla
I'll come at two p.m.   Tulen kello kaksi iltapäivällä
I'll come at eight p.m.   Tulen kello kahdeksan illalla

Huomatkaa, että Englannissa on erikseen talvi- ja kesäaika. Talvella on käytössä *GMT (Greenwich Mean Time,* Greenwichin aika), joka on yhden tunnin jäljessä keski-Euroopan ajasta (kaksi tuntia Suomen ajasta). Kesällä noudatetaan keski-Euroopan aikaa (tunnin jäljessä Suomen ajasta).

Yhdysvalloissa (mannermaalla) on neljä aikavyöhykettä: *EST (Eastern Standard Time), CST (Central Standard Time), MST (Mountain Standard Time)* ja *PST (Pacific Standard Time).* Kanadassa on vastaavat aikavyöhykkeet lukuunottamatta Yukonia Alaskassa (tunnin jäljessä *PST*: stä), Nova Scotiaa ja Prinssi Edvardin saarta Quebecin itäpuolella (tunnin edellä *EST*: stä) ja Newfoundlandia (puolitoista tuntia edellä *EST*: stä). Jos esim. New Yorkissa kello on kaksitoista päivällä, San

Franciscossa se on yhdeksän aamulla. Kesällä on voimassa kesäaika (*Daylight Saving Time: PDST, CDST* jne.), jolloin kaikilla aikavyöhykkeillä ollaan tunti normaaliajasta edellä.

Päivämäärissä käytetään järjestyslukusanoja ja vuosiluvut ryhmitetään lausuttaessa kaksinumeroisiin sarjoihin:

February 14, 1973 *(the fourteenth of February nineteen seventy-three)* helmikuun 14, päivä 1973

Rahat. Englannin äskettäin omaksuma desimaalijärjestelmä säästää ulkomaalaisen aikaisemmilta hankaluuksilta rahan käsittelyssä. Punta (*pound sterling*; lyh.: *£*) jaetaan nykyisin 100 (uuteen) penniin (*penny*, mon. *pence*; lyh.: p.).

Käytetyt kolikot ovat: ½, 1, 2, 5, 10 ja 50 p.
Setelit ovat: 1, 5, 10 ja 20 *£*

Yhdysvaltojen ja Kanadan dollari (*dollar*; lyh.: $) jakautuu niin ikään 100 senttiin (*cents*; lyh.: ¢).

Käytetyt kolikot ovat: 1 ¢ (*penny*), 5 ¢ (*nickel*), 10 ¢ (*dime*), 25 ¢ (*quarter*), 50 ¢ ja 1 $.
Setelit ovat: 1, 5, 10, 20, 50, 100, 200, 500, 1000 $.

Koska valuuttakurssit vaihtelevat jatkuvasti, kehotamme kääntymään paikallisten pankkien puoleen valuuttakysymyksissä (*currency exchange office*).

AUKIOLOAJAT

Pankit. Englannissa pankit ovat avoinna 9.30—15.30 ja joitakin poikkeuksia lukuunottamatta lauantaisin suljettuina. Yhdysvalloissa ja Kanadassa aukioloajat voivat vaihdella eri osavaltioissa tai maakunnissa ja joskus kaupungeittainkin. Joskus pankit saattavat olla auki jopa klo 21.00 asti tai koko yön. Yhdysvalloissa on myös erityisiä autopankkeja *(drive-in banks)*.

Postitoimistot. Englannissa postitoimistot ovat yleensä avoinna 9.00—17.30, lauantaisin klo 13.00 asti. Kotimaan kirjepostille on kaksi postiluokkaa: ensimmäinen (jolloin posti saapuu perille päivässä) ja toinen (jolloin perilletuloon on laskettava kaksi tai kolme päivää). Yhdysvalloissa on huomattava, että posti- ja lennätintoimistot sekä puhelinyhtiöt ovat eri yhtiöiden omistuksessa. Jos esim. haluatte lähettää sähkeen, käytätte Western Unionin tai RCA:n toimistoja, ja soittaa voitte yleisönpuhelimista. Kanadassa ei ole tällaista jakoa. Huomattavaa on, että Amerikan mantereella suurin osa erilaisista maksuista suoritetaan pankkien välityksellä.

Yleensä postitoimistot sekä puhelin- ja lennätintoimistot Yhdysvalloissa ja Kanadassa ovat avoinna klo 8.00 tai 9.00—18.00 lauantaisin klo 12.00 asti, mutta näistä ajoista on kuitenkin runsaasti poikkeuksia.

Liikkeet
Liikkeet ovat tavallisesti avoinna maanantaista lauantaihin 9.00—17.30 tai 18.00. Aukioloajat voivat kuitenkin eri paikkakunnilla vaihdella.

Toimistot
Maanantaista perjantaihin: 8.30 (9.00)—17.00.
Kanadassa useimmat toimistot ovat lounasaikaan suljettuina tunnin ajan.
Anglosaksisissa maissa toimistot ovat yleensä lauantaisin suljettuina.

PYHÄPÄIVÄT

Englannissa ja Skotlannissa vietettävissä pyhäpäivissä on tiettyjä eroavuuksia, samoin Kanadan maakuntien ja Yhdysvaltain osavaltioiden käytännössä. Alla on mainittu ainoastaan kansalliset pyhäpäivät (GB = Englanti, USA = Yhdysvallat, CDN = Kanada). Harvoja poikkeuksia lukuunottamatta koulut, pankit ja julkiset virastot ovat näinä päivinä suljettuina. Eräät toimistot ja liikkeet erityisesti Yhdysvalloissa ovat kuitenkin auki.

1. 1.	New Year's Day	Uusi vuosi		USA	CDN
1. 7.	Dominion Day	Kansallispäivä			CDN
4.	Independence Day	Kansallispäivä		USA	
11. 11.	Remembrance Day	Muistopäivä			CDN
25. 12.	Christmas Day	Joulupäivä	GB	USA	CDN
26. 12.	Boxing Day	2. joulupäivä	GB		

Liik-	Good Friday	Pitkäperjantai		CDN
kuvat	Easter Monday	2. pääsiäispäivä		CDN
pyhä-	Whit Monday	2. helluntaipäivä	GB	
päivät:	Washington's Birthday	Washingtonin syntymäpäivä		USA

(helmikuun 3. maanantai; paitsi Oklahoma)

Spring Holiday	Kevätloma	GB	
Memorial Day	Kaatuneiden muistopäivä		USA

(paitsi Alabama, Mississippi ja Etelä-Carolina toukokuun viimeinen maanantai; Louisiana, Wisconsin ja Etelä-Dakota: sitä seuraava tiistai)

Late Summer Holiday	Syysloma	GB	

(elokuun viimeinen maanantai)

Labour Day	Työn päivä	USA	CDN

(syyskuun 1. maanantai)

Thanksgiving Day	Kiitospäivä	USA	CDN

(marraskuun 4. maanantai; Kanadassa lokakuun 2. tiistai)

JUNAT

Englanti. Valtion rautateiden (British Rail) verkosto kattaa koko maan. Junissa on ensimmäinen ja toinen luokka. Saatavissa on myös erilaisia alennuslippuja (*round trip tickets, runabout rover tickets* jne.), joita voi ostaa kaikilta asemilta sekä matkatoimistoista.

Kanada. Rautatiet ovat Kanadassa huomattavin joukkokuljetusväline. Suurin osa rautatieverkostosta on kahden yhtiön omistuksessa, joista toinen on yksityinen (Canadian Pacific Railway Company) ja toinen kansallistettu (Canadian National Railway System).

Yhdysvallat. Lähes puolet rautatieverkostosta kuuluu Amtrak-yhtiölle (National Railroad Passenger Corporation), joka on solminut sopimukset 14 yksityisen rautatieyhtiön kanssa. Amtrakin junat liikennöivät Yhdysvaltain huomattavimpien kaupunkien välillä. Samalle yhtymälle kuuluu myös *Metroliner* New Yorkin ja Washingtonin välillä.

Näiden lisäksi Yhdysvaltain mantereen liikenteestä huolehtivat lähes 300 kilometrin tuntinopeudella kulkevat turbiinijunat.

Huomattakoon, että Yhdysvalloissa linja-auto- ja lentoliikenne ovat rautatieliikennettä tärkeämmät.

Express (BG, CDN, USA) tai **intercity** (GB)	Suurten kaupunkien välinen kiitojuna, ei pysähdy väliasemilla
Local (GB, CDN, USA)	Paikallisjuna, yleensä kiskobussi
Motorail (GB); **piggy-back car train** (CDN, USA)	Autoja kuljettava juna
Pullman (CDN, USA)	Loistoluokan salonkivaunu, joka on muunnettavissa makuuvaunuksi. Paikkojen lukumäärä rajoitettu, varaus tarpeellinen.
Sleeping-car (GB)	Makuuvaunu
Dining-car (GB); **diner** (CDN, USA)	Ravintolavaunu
Buffet-car (GB)	Kahvilavaunu, josta saatavissa virvokkeita ja kevyitä aterioita
Guard's van (GB); **baggage car** (CDN, USA)	Matkatavaravaunu. Englannissa matkatavara kuljetetaan ilmaiseksi 1. luokassa 70 kiloon ja 2. luokassa 45 kiloon asti. Yhdysvalloissa perhelippuihin sisältyy 150 kilon matkatavaran kuljetus.
Roomette (USA)	Pieni yksityinen osasto, jossa istuin, yhden hengen vuode, wc ja pesuallas.

LIIKENNEMERKIT

Englannissa, mutta varsinkin Yhdysvalloissa ja Kanadassa, esiintyy runsaasti liikennemerkkejä, joissa on teksti. Tässä tärkeimmät.

Bends for 1 mile (Am.: curves)	Mutkia 1 maili
Cattle crossing	Varokaa karjaa
Danger	Yleinen varoitusmerkki
Diversion (Am.: detour)	Kiertotie
Ford	Kahlaamo
Give way (yield)	Etuajo-oikeus risteävällä tiellä
Halt	Pakollinen pysähtyminen
Height restriction	Korkeusrajoitus
Keep left	Ryhmittykää vasemmalle
Level crossing (railroad crossing)	Rautatien tasoristeys
Low bridge	Matala silta
Major road ahead	Etuajo-oikeus risteävällä tiellä
No entry	Läpikulku kielletty
No left (right) turn	Vasemmalle (oikealle) kääntyminen kielletty
No overtaking (Am.: passing)	Ohituskielto
No parking	Pysäköinti kielletty
No through road (Am.: dead-end street)	Tie päättyy
No U turn	U-käännös kielletty
No waiting	Pysähtyminen kielletty
One way	Yksisuuntainen ajorata
Parking (Am.: Rest area)	Pysäköintialue
Reduce speed	Hidasta nopeutta
Road works ahead	Tietyö
Roundabout (Am.: rotary)	Liikenneympyrä
School crossing	Koulu
Slow	Aja hitaasti
Soft verge (Am.: soft shoulders)	Heikko tienreuna
Steep hill (engage low gear)	Jyrkkä mäki (käytä pientä vaihdetta)
Stop	Pakollinen pysähtyminen
Temporary road surface	Väliaikainen päällyste
Weight limit	Painorajoitus

Vuoteen 1976 mennessä Yhdysvalloissa on tarkoitus siirtyä kansainvälisten liikennemerkkien käyttöön.

PUHELIMEN KÄYTTÖ

Englannissa on runsaasti yleisönpuhelimia, joissa jokaisessa on annettu ohjeet puhelimen käytöstä. Mikäli teillä on vaikeuksia, voitte aina ottaa yhteyden keskukseen soittamalla numeroon 100. Yhteydet on lähes koko maassa automatisoitu. Suuntanumerot (*dialling code* tai *STD code*) löytyvät puhelinluettelosta *(directory)* tai ne saa keskuksesta. Huomatkaa, että raha pannaan puhelinkoneeseen vasta kun olette valinnut numeron ja teille vastataan. Hotellista soittaessanne voitte pyytää puhelua esim. seuraavasti:

Can you get me Bristol one/two/three/four/five?
«Saanko Bristol 12345?»

Yhdysvalloissa, samoin kuin suurimmassa osassa Kanadaa, puhelinyhteydet ovat automaattiset. Teidän on vain tunnettava suuntanumero *(area code)*. Puhelinnumerot ovat yleensä seitsennumeroisia ja ne lausutaan yksittäin. Joissakin kaupungeissa kirjaimet korvaavat kaksi ensimmäistä numeroa. Pyytäkää puhelua hotellinne keskukselta esim. näin:

Please get me number two/o/two/two/three/four/one/two/seven/five.
«Haluaisin numeron 202 2341275.»
Can you get me Plaza six/one/five/four/six/seven?
«Saisinko Plaza 615467?»

Puhelinkioskeista voidaan paikallispuheluja soittaa 10 centin kolikolla. Kaupunkien välisiä kaukopuheluja soittaessanne otatte ensin 10 centin kolikolla yhte den keskukseen numeroon 0, joka ilmoittaa teille haluamanne puhelun hinnan.

Nolla ääntyy puhelinnumeroissa «ou».

Kirjaimet voidaan puhelimessa selvyyden vuoksi tavata seuraavasti:

Näin tavaatte aakkoset

A	Alfred	H	Harry	O	Oliver	V	Victor
B	Benjamin	I	Isaac	P	Peter	W	William
C	Charlie	J	Jack	Q	Queen	X	Xray
D	David	K	King	R	Robert	Y	Yellow
E	Edward	L	London	S	Samuel	Z	Zebra
F	Frederick	M	Mary	T	Tommy		
G	George	N	Nellie	U	Uncle		

ERÄITÄ AVAINILMAISUJA

SOME BASIC PHRASES

Olkaa hyvä.	Please.
Kiitoksia paljon.	Thank you very much.
Ei kestä.	That's all right.
Hyvää huomenta.	Good morning.
Hyvää päivää.	Good afternoon.
Hyvää iltaa.	Good evening.
Hyvää yötä.	Good night.
Näkemiin.	Good-bye.
Pikaisiin näkemiin.	See you later.
Missä on...?	Where is...?
Missä ovat...?	Where are...?
Miksi tätä kutsutaan?	What do you call this?
Mitä tuo tarkoittaa?	What does that mean?
Puhutteko englantia?	Do you speak English?
Puhutteko saksaa?	Do you speak German?
Puhutteko ranskaa?	Do you speak French?
Puhutteko espanjaa?	Do you speak Spanish?
Puhutteko italiaa?	Do you speak Italian?
Voisitteko puhua hitaammin?	Could you speak more slowly, please?
En ymmärrä.	I don't understand.
Voinko saada...?	Can I have...?
Voitteko näyttää minulle...?	Can you show me...?
Voitteko sanoa minulle...?	Can you tell me...?
Voitteko auttaa minua?	Can you help me, please?
Haluaisin...	I'd like...
Haluaisimme...	We'd like...
Olkaa hyvä ja antakaa minulle...	Please give me...
Tuokaa minulle...	Please bring me...
Minun on nälkä.	I'm hungry.
Minun on jano.	I'm thirsty.

Olen eksyksissä.

Pitäkää kiirettä!

Siellä on...

Siellä ei ole...

I'm lost.

Hurry up!

There is/There are...

There isn't/There aren't...

Perilletulo

Passinne, olkaa hyvä.

Onko teillä mitään tullattavaa?

Ei, ei mitään.

Voitteko auttaa minua kantamaan matkatavarani?

Mistä lähtee bussi keskikaupungille?

Tätä tietä, olkaa hyvä.

Mistä voin saada taksin?

Paljonko se maksaa...n?

Viekää minut tähän osoitteeseen.

Minulla on kiire.

Arrival

Your passport, please.

Have you anything to declare?

No, nothing at all.

Can you help me with my luggage, please?

Where's the bus to the centre of town, please?

This way, please.

Where can I get a taxi?

What's the fare to...?

Take me to this address, please.

I'm in a hurry.

Hotelli

Nimeni on...

Onko teillä varaus?

Haluaisin huoneen jossa on kylpy.

Paljonko hinta on yöltä?

Saanko nähdä huoneen?

Mikä on huoneeni numero?

Kuumaa vettä ei tule.

Haluaisin tavata johtajan.

Onko kukaan soittanut minulle?

Onko minulle mitään postia?

Saisinko laskuni?

Hotel

My name is...

Have you a reservation?

I'd like a room with a bath.

What's the price per night?

May I see the room?

What's my room number, please?

There's no hot water.

May I see the manager, please?

Did anyone telephone me?

Is there any mail for me?

May I have my bill, please?

Ravintolassa

Onko teillä päivän ateriaa?

Saanko à la carte ruokalistan?

Saisimmeko tuhkakupin?

Missä on miestenhuone?

Missä on naistenhuone?

Haluaisin alkupalavalikoiman.

Onko teillä kanakeittoa?

Haluaisin kalaa.

Haluaisin sen höyrytettynä.

Haluaisin pihvin.

Mitä vihanneksia teillä on?

Ei muuta, kiitos.

Mitä haluaisitte juoda?

Haluaisin oluen.

Haluaisin pullon viiniä.

Saisinko laskun?

Sisältyykö siihen palvelu?

Kiitoksia, se oli erittäin hyvä ateria.

Eating out

Do you have a fixed-price menu?

May I see the menu?

May we have an ashtray, please?

Where's the gentlemen's toilet (men's room)?

Where's the ladies' toilet (ladies' room)?

I'd like some assorted appetizers.

Have you any chicken soup?

I'd like some fish.

I'd like it steamed.

I'd like a beef steak.

What vegetables have you got?

Nothing more, thanks.

What would you like to drink?

I'll have a beer, please.

I'd like a bottle of wine.

May I have the bill (check), please?

Is service included?

Thank you, that was a very good meal.

Matkalla

Missä on rautatieasema?

Missä on lipunmyynti?

Haluaisin lipun ... n.

Ensimmäinen vai toinen luokka?

Ensimmäinen.

Yhdensuuntainen vai edesta-kainen?

Travelling

Where's the railway station, please?

Where's the ticket office, please?

I'd like a ticket to ...

First or second class?

First class, please.

Single or return (one way or roundtrip)?

Täytyykö minun vaihtaa junaa?

Do I have to change trains?

Miltä laiturilta juna lähtee?

What platform does the train leave from?

Missä on lähin maanalaisen asema?

Where's the nearest underground (subway) station?

Missä on linja-autoasema?

Where's the bus station, please?

Milloin lähtee ensimmäinen bussi...n?

When's the first bus to...?

Päästäisittekö minut pois seuraavalla pysäkillä?

Please let me off at the next stop.

Huvitukset

Relaxing

Mitä elokuvissa esitetään?

What's on at the cinema (movies)?

Mihin aikaan elokuva alkaa?

What time does the film begin?

Onko täksi illaksi vielä lippuja?

Are there any tickets for tonight?

Mihin voimme mennä tanssimaan?

Where can we go dancing?

Esittely — Seurustelu

Introductions — Dating

Mitä kuuluu?

How are you?

Kiitos, erittäin hyvää. Entä teille?

Very well, thank you. And you?

Saanko esitellä neiti Philipsin?

May I introduce Miss Philips?

Minun nimeni on...

My name is...

Hauska tavata.

I'm very pleased to meet you.

Kauanko olette ollut täällä?

How long have you been here?

Oli hauska tavata.

It was nice meeting you.

Haluaisitteko savukkeen?

Would you like a cigarette?

Saanko tarjota teille lasillisen?

May I get you a drink?

Onko teillä tulta?

Do you have a light, please?

Oletteko vapaa tänä iltana?

Are you free this evening?

Missä tapaamme?

Where shall we meet?

Liikkeet ja palvelut

Missä on lähin pankki?

Missä voin vaihtaa matkašekkejä?

Voitteko antaa minulle hiukan
vaihtorahaa?

Missä on lähin apteekki?

Miten sinne pääsee?

Onko se kävelymatkan päässä?

Voitteko auttaa minua?

Paljonko tämä maksaa? Entä
tuo?

Se ei ole aivan sitä mitä haluan.

Pidän siitä.

Voitteko suositella jotakin
auringonpolttamaan?

Haluaisin hiustenleikkuun.

Haluaisin käsienhoidon.

Shops, stores and services

Where's the nearest bank, please?

Where can I cash some traveller's
cheques?

Can you give me some small
change, please?

Where's the nearest chemist
(pharmacy)?

How do I get there?

Is it within walking distance?

Can you help me, please?

How much is this? And that?

It's not quite what I want.

I like it.

Can you recommend something
for sunburn?

I'd like a haircut, please.

I'd like a manicure, please.

Tien kysyminen

Voitteko näyttää minulle kartalta
missä olen?

Olette väärällä tiellä.

Ajakaa suoraan eteenpäin.

Se on vasemmalla/oikealla.

Street directions

Can you show me on the map
where I am?

You are on the wrong road.

Go straight ahead.

It's on the left/on the right.

Onnettomuudet

Kutsukaa nopeasti lääkäri.

Kutsukaa ambulanssi.

Olkaa hyvä ja kutsukaa poliisi.

Emergency

Call a doctor quickly.

Call an ambulance.

Please call the police.

finnish-english

suomi-englanti

GUIDE TO PRONUNCIATION

Each entry in this dictionary is followed by a phonetic transcription in brackets which shows you how to pronounce the foreign word. This imitated pronunciation should be read as if it were your own language.

The symbols for sounds that do not exist in English should, however, be pronounced as described in the appropriate section of the following guide.

The divisions between syllables are marked by hyphens, and stressed syllables are printed in capital letters.

Of course, the sounds of any two languages are never exactly the same, but, if you follow carefully the indications of our Guide to Pronunciation, you should have no difficulty in reading the transcriptions in such a way as to make yourself understood. After that, listening to native speakers and constant practice will help you to improve your accent.

Letter	Approximate pronunciation	Symbol	Example	
Consonants				
k, m, n, p, t, v	as in English			
d	as in ready, but sometimes very weak	d	taide	TIGH-day
g	only found after n; ng is pronounced as in singer	ng	sangen	SAHNG-ayn
h	as in hot, whatever its position in the word	h	Lahti	LAHH-ti
j	like y in you	y	ja	yah
l	as in let	l	talo	TAH-loa
r	always rolled	r	raha	RAH-hah
s	always as in set	s	iso	I-soa
Vowels				
a	like a in father, but shorter	ah	matala	MAH-tah-lah
e	like a in late	ay	kolme	KOAL-may
i	like i in pin	i	takki	TAHK-ki
o	like aw in law, but shorter	oa	olla	OAL-lah
u	like u in pull	oo	hupsu	HOOP-soo
y	like u in French sur or ü in German über; say ee as in see and round your lips while still trying to pronounce ee	ew	yksi	EWK-si
ä	like a in hat	æ	äkkiä	ÆK-ki-æ
ö	like ur in fur, but with the lips rounded	ur	tyttö	TEWT-tur

N.B. The letters b, c, f, q, š, sh, x, z, ž and å are only found in words borrowed from foreign languages, and they are pronounced as in the language of origin.

Diphthongs

In Finnish, diphthongs occur only in the first syllable of a word, except for those ending in -i, which can occur anywhere. They should be pronounced as a combination of the two vowel sounds represented by the spelling. The first vowel is pronounced louder in the following diphthongs: **ai, ei, oi, ui, yi, äi, öi, au, eu, ou, ey, äy, öy, iu**; the second vowel is louder in: **ie, uo, yö.**

Double letters

Remember that in Finnish *every* letter is pronounced; therefore a letter written double is pronounced long. Thus, the **kk** in **kukka** should be pronounced like the two k-sounds in the words thick coat. Similarly, the **aa** in **kaatua** should be pronounced long (like **ar** in English car). These distinctions are important, not least because **kuka** has a different meaning from **kukka** and **katua** a different meaning from **kaatua**.

Stress

A strong stress always falls on the first syllable of a word.

BASIC FINNISH GRAMMAR

The Finnish language, which is unrelated to any other European language with the exception of Hungarian—a very distant relation—and Estonian, may at first seem very "exotic" and totally impossible to learn. This, however, should not be allowed to put off a prospective student of Finnish. A fair amount of the language is relatively easy to master. In order to make oneself understood or to be able to read simple Finnish, it is not necessary to be acquainted with all the intricate rules which determine the use of the cases or to master the various verbal constructions, often used as parallel ways of expressing subtle shades of meaning. Recognition of the basic grammatical structures will be sufficient to enable the student to understand enough Finnish to enjoy his stay in the country, and that is the aim of this brief grammar.

The characteristic feature of Finnish grammar is that the majority of words is inflected. Nouns, adjectives, pronouns and even numerals have declensions, verbs have personal endings, and tense or mood are shown by the insertion of characteristic syllables. Furthermore certain suffixes, such as possessive suffixes, are added. Case endings and suffixes may occur simultaneously, which gives the impression that Finnish words are extremely long. Compound words are usual.

In this grammar, hyphens have been used in some cases for greater clarity and to separate the various endings. This will make it easier to understand the structure of the words.

Nouns

Finnish nouns do not have articles or gender.

kukka—flower, a flower, the flower

Partly, the lack of the article is compensated by the use of total or partitive subjects or objects. If the indefinite character of the noun must be stressed, the indefinite pronoun *eräs* (one, some) can be used.

Eräs henkilö kertoi, että . . .
A (one) person told me that . . .

Consonant gradation and vowel harmony

Consonant gradation and vowel harmony are two very central phenomena in Finnish. When, for instance, case endings or verbal endings are added, the stem of the word often differs from the nominative form or the infinitive. Consonants so affected are *k, p* and *t:* the strong consonants become weak (or double consonants become single):

keto kedon kedolla
lanka langan langassa
virta virran virralta
kuppi kupin kupista
kattaa katan katamme
kulki kuljin

Finnish words apply a strict vowel harmony. The vowels *ä, ö, y* cannot appear together with *a, o, u* in the same word (except in compound words); *e* and *i* are "ambivalent". This means, for instance, that there are often two parallel suffixes:

katto katossa katolta
but: *kätkö kätkössä kätköltä*
tuletko, katsothan
but: *kysytkö, käythän*

Cases

The Finnish language does not use many prepositions. Instead, certain suffixes are added to the stem of the nouns (as well as adjectives, pronouns and numerals). There are sixteen cases, but some of them are used rather infrequently in everyday speech, so that we shall limit ourselves to twelve cases.

Although the case endings do not vary, there are several different types of stems. The stem is not always, or very rarely is, the form given in dictionaries (which is the nominative singular), but a shorter form, which does not have any individual existence but is always combined with the case endings.

We will first take one noun as an example and decline it in order to see what the case endings are. Let us take the word *talo,* meaning "house". This is one of the easiest types to decline, because the stem is the same as the nominative singular and invariable.

Case	Singular	Plural
nominative	*talo*	*talo*-t
accusative	*talo, talo*-n	*talo*-t
genitive	*talo*-n	*talo*-j-en
partitive	*talo*-a	*talo*-j-a
essive	*talo*-na	*talo*-i-na
translative	*talo*-ksi	*talo*-i-ksi
inessive	*talo*-ssa	*talo*-i-ssa
elative	*talo*-sta	*talo*-i-sta
illative	*talo*-on	*talo*-i-hin
adessive	*talo*-lla	*talo*-i-lla
ablative	*talo*-lta	*talo*-i-lta
allative	*talo*-lle	*talo*-i-lle

Because of vowel harmony, there is always a parallel suffix with *ä* (for instance, *-ssä, ltä*).

Plural forms

As seen above, the plural ending of nominative and accusative is *-t,* in all other cases the sign of the plural is *-i-* (sometimes, for phonetic reasons, *-j-*), which **precedes** the case endings.

Use of cases

We can only list here some of the most obvious, main uses of cases, their use being extremely subtle in Finnish.

Nominative is the case of the subject (in the plural the subject may also take the partitive case, see "total" and "partitive" subject).

Hotelli on hyvä.
The hotel is good.
Junat kulkevat nopeasti.
The trains run fast.

Accusative is used when the word is the object. It has two forms in the singular: one the same as the nominative and the other like the genitive; in the plural it resembles the nominative. The use of the two forms is very intricate and

Anna minulle tuo rasia.
Give me that box.
Hän antoi minulla rasian.
He gave me the box.

even the Finns sometimes make mistakes. Here we are not going into details. The nominative form is used, for instance, in imperative clauses, the genitive form as a total object. It is also used in expressions of time.

Hän viipyi yhden päivän.
He stayed one day.

Genitive, or possessive case, always has the ending *-n,* although in the plural *-e-, -i-, -te-, -de-, -tte-* may sometimes be inserted. The genitive always precedes the thing possessed, like the English *s-* genitive.

tytön puku
the girl's dress, the dress of the girl
Pekan polkupyörä
Pekka's bicycle
puiden rungot
the trunks of the trees

A great many compound words have a genitive as the first part of the word.

viikon päivä
a day of the week, a weekday
auringon lasku
the setting of the sun, the sunset

Partitive, one of the most important cases in Finnish with many functions, has the ending *-a, -ä* (or *-ta, -tä*). It is used, for instance, when speaking about indeterminate numbers or amounts (in English: some), measures, substances or materials, and particularly as an object in negative clauses.

Hän söi hedelmiä.
He ate some fruit.
Lasi viiniä.
A glass of wine.
Lusikka on hopeaa.
The spoon is of silver.
En halua sokeria.
I don't want any sugar.
He eivät voi nähdä meitä.
They cannot see us.

It also denotes continuous, incomplete action (English progressive form):

Hän luki kirjaa.
He was reading a book.
(But *Hän luki kirjan eilen.*
He read the book yesterday.)

Verbs expressing feeling take the partitive object:

Vihaan itsekkyyttä.
I hate egoism.

One of the main uses of the partitive case is what in Finnish is called the "partitive" subject or object (the "total" subject or object being in the nominative/genitive-accusative case). Compare:

Ostin leivän (total object).
I bought a loaf of bread.
Ostin leipää (partitive object).
I bought some bread.
Pihalla on ihmisiä (partitive subject).
There are people in the yard.
Ihmiset ovat pihalla (total subject).
The people are in the yard.

One of the most curious usages in Finnish is the way of combining nouns with numerals. In fact, with numerals the **singular** of the partitive is used (except with *yksi,* one, which requires the nominative).

kolme taulua
three paintings
viisi huonetta
five rooms

Essive, ending *-na*, *-nä*, is a less important case, used, for instance, in expressions denoting time, or state or profession.

tänä vuonna, sunnuntaina
this year, on Sunday
Lapsena olin ujo.
As a child I was shy.
Hän toimii sihteerinä.
She works as a secretary.

Translative, ending *-ksi* (*-kse* if a possessive suffix follows), is used to denote that something becomes or changes into something.

Note the expressions:

Hän tuli sokeaksi.
He became blind.
Talo maalattiin punaiseksi.
The house was painted red.
Kääntäkää se englanniksi.
Translate it into English.
Mitä tämä on suomeksi?
What is this in Finnish?

Inessive, ending *-ssa*, *-ssä*, and **adessive**, ending *-lla*, *-llä*, both denote primarily location. The inessive can often be translated by the prepositions "in", "inside", "at" the adessive by the prepositions "at", "on".

The adessive is also used in expressions of time.

Asumme hotellissa.
We live in a hotel.
Kirja on pöydällä.
The book is on the table.
Helsingissä, Suomessa
in Helsinki, in Finland
päivällä, kesällä
during the day, in summer

Elative, ending *-sta*, *-stä*, and **ablative**, ending *-lta*, *-ltä*, mean "from", "of", "out of" elative being the parallel case of inessive and ablative that of adessive.

Lähdimme hotellista.
We left the hotel (= went from)
Otin kirjan pöydältä.
I took the book from the table.
Hän tulee Ranskasta.
He comes from France.

Illative, characterized by the lengthened stem vowel and the ending *-n*, has the meaning in (to), on(to), to; and **allative**, ending *-lle*, also means (on)to.

Tulimme hotelliin.
We came (in)to the hotel.
Panin kirjan pöydälle.
I put the book on the table.
Hän antoi sen pojalle.
He gave it to the boy.

Stems

It is impossible to give here all the different types of stems that the Finnish language possesses. We have chosen some of the most common types to give you a few examples. The only way really to know the stem is to learn it with each word. In the following chart, three cases are given, in both singular and plural. Other cases can easily be formed when the stem is known.

	Singular			Plural		
	Gen.	Part	Illat.	Gen.	Iness.	Illat.
valo light	valon	vatoa	valoon	valojen	valoissa	valoihin
katto roof	katon	kattoa	kattoon	kattojen	katoissa	kattoihin
kissa cat	kissan	kissaa	kissaan	kissojen	kissoissa	kissoihin
kala fish	kalan	kalaa	kalaan	kalojen	kaloissa	kaloihin
nimi name	nimen	nimeä	nimeen	nimien	nimissä	nimiin
lahti bay, gulf	lahden	lahtea	lahteen	lahtien	lahdissa	lahtiin
lasi glass	lasin	lasia	lasiin	lasien	laseissa	laseihin
käsi hand	käden	kättä	käteen	käsien	käsissä	käsiin
kansi lid, cover	kannen	kantta	kanteen	kansien	kansissa	kansiin
lapsi child	lapsen	lasta	lapseen	lasten (lapsien)	lapsissa	lapsiin
nuori young	nuoren	nuorta	nuoreen	nuorten (nuorien)	nuorissa	nuoriin
kappeli chapel	kappelin	kappelia	kappeliin	kappelien	kappeleissa	kappeleihin
maa land	maan	maata	maahan	maiden (maitten)	maissa	maihin
suo swamp	suon	suota	suohon	soiden (soitten)	soissa	soihin
tie road	tien	tietä	tiehen	teiden (teitten)	teissä	teihin
yö night	yön	yötä	yöhön	öiden (öitten)	öissä	öihin
ostaja buyer	ostajan	ostajaa	ostajaan	ostajien	ostajissa	ostajiin
lukija reader	lukijan	lukijaa	lukijaan	lukijoiden (-tten)	lukijoissa	lukijoihin
huone room	huoneen	huonetta	huoneeseen	huoneiden (huoneitten)	huoneissa	huoneisiin
patsas statue	patsaan	patsasta	patsaaseen	patsaiden (patsaitten)	patsaissa	patsaisiin
kokemus experience	kokemuksen	kokemusta	kokemukseen	kokemusten (kokemuksien)	kokemuksissa	kokemuksiin
kuollut dead	kuolleen	kuollutta	kuolleeseen	kuolleiden (kuolleitten)	kuolleissa	kuolleisiin
jäsen member	jäsenen	jäsentä	jäseneen	jäsenten (jäsenien)	jäsenissä	jäseniin

lämmin	*lämpimän*	*lämmintä*	*lämpimään*	*lämpimien*	*lämpimissä*	*lämpimiin*
warm						
onneton	*onnettoman*	*onnetonta*	*onnettomaan*	*onnettomien*	*onnettomissa*	*onnettomiin*
unhappy						
hevonen	*hevosen*	*hevosta*	*hevoseen*	*hevosten*	*hevosissa*	*hevosiin*
horse				*(hevosien)*		

Declension of names

Names are also declined. Note especially that foreign names ending with a consonant add *-i-* before the case endings:

Berlitzin
Berlitz', of Berlitz
Madridissa
in Madrid

Prepositions and postpositions

There are a number of postpositions and a few prepositions in Finnish. These require a certain case (like in German), mostly genitive, sometimes partitive. Some of the most common are:

Postpositions taking the genitive:

alla	under, below
edessä	before, in front of
halki	through
jälkeen	after
kanssa	with
kautta	by way of
keskellä	in the middle of
lähellä	near
läpi	through
päällä	on top of
takana	behind
takia	because of, owing to
välissä	between
ympärillä	around

Postpositions taking the partitive:

kohti,	towards
kohtaan	
pitkin	along
varten	for
vasten	against
vastaan	

Prepositions taking the partitive:

ennen	before
ilman	without

Occasionally postpositions can also precede or prepositions follow the noun. This is often a question of style.

Adjectives

Adjectives take the number and the case of the noun that they modify. The adjective stems are formed according to the same rules as the noun stems; in fact, the chart on previous pages includes some adjectives. Their declension does not differ from that of nouns in any way.

Adjectives always precede the noun they modify. Note that, for instance, possessive suffixes are only added to nouns.

suuri ravintola
a big restaurant
suuret ravintolat
big restaurants
suurissa ravintoloissa
in big restaurants
minun pieni talo-ni
my little house
minun pienessä talossa-ni
in my little house

Comparison

The comparative degree of an adjective is formed by adding the suffix *-mpi* (in declined forms *-mpa, -mpä*, in the plural often *-mm-*) to the stem. It is followed by the number and case endings, possessive suffixes, etc. The superlative degree is formed from the positive by adding *-in* (in declined forms *-impa, -impä* or *-inta, -intä*, in plural often *-mm-*) to the stem.

	positive	comparative	
		sing.	pl.
nom.	*paha* (bad)	*pahempi*	*pahemmat* (worse)
gen.	*pahan*	*pahemman*	*pahempien*
part.	*pahaa*	*pahempaa*	*pahempia*
iness.	*pahassa*	*pahemmassa*	*pahemmissa*
illat.	*pahaan*	*pahempaan*	*pahempiin*

superlative

sing.	pl.
pahin	*pahimmat* (worst)
pahimman	*pahimpien*
pahinta	*pahimpia*
pahimmassa	*pahimmissa*
pahimpaan	*pahimpiin*

A few irregular comparisons:

hyvä—parempi—paras   good—better—best
moni—useampi—(useimmat, pl.)   many—more—(most)
paljon—enemmän—eniten   much—more—most

The comparative construction is formed by using the conjunctions *yhtä—kuin* and *kuin*:

Hän on yhtä iso kuin sinä.
He is as big as you.
Hän on isompi kuin sinä.
He is bigger than you.

Pronouns

Pronouns, like nouns and adjectives, are declined. (Cases not given in the following charts can easily be formed from the stem.)

Personal pronouns

	I	you	he, she	we	you	they
nom.	*minä*	*sinä*	*hän*	*me*	*te*	*he*
acc.	*minut*	*sinut*	*hänet*	*meidät*	*teidät*	*heidät*
gen.	*minun*	*sinun*	*hänen*	*meidän*	*teidän*	*heidän*
part.	*minua*	*sinua*	*häntä*	*meitä*	*teitä*	*heitä*
iness.	*minussa*	*sinussa*	*hänessä*	*meissä*	*teissä*	*heissä*
illat.	*minuun*	*sinuun*	*häneen*	*meihin*	*teihin*	*heihin*

Hän and *he* are used for both masculine and feminine. The 2nd person singular *sinä* is a familiar form of "you" used among relatives, close friends and children, otherwise *te* is used even when addressing only one person.

In a subject position, the personal pronouns are used only if stressed, with the exception of the 3rd persons, where the pronoun is always necessary.

Possessive pronouns

The genitive of the personal pronoun is called the possessive pronoun in Finnish. The forms are to be found in the chart above. These forms can also be used independently (mine, etc.).

There is one peculiarity with the possessive pronouns in Finnish: they require a special suffix to be added to the noun they modify (after the case ending). Often the pronoun itself is omitted, since the suffix alone is enough to denote the person. The 3rd person pronouns, however, are always used (unless the use is reflexive). If stressed, pronouns have to be used. The suffixes are not added to adjectives.

(minun) uusi auto-ni my new car, etc.   *(minun) uudet auto-ni* my new cars, etc
(sinun) uusi auto-si   *(sinun) uudet auto-si*
hänen uusi auto-nsa   *hänen uudet auto-nsa*
(meidän) uusi auto-mme   *(meidän) uudet auto-mme*
(teidän) uusi auto-nne   *(teidän) uudet auto-nne*
heidän uusi auto-nsa   *heidän uudet auto-nsa*

Declined, these forms would be:

gen.	*uuden auto-ni*	pl.	*uusien autoje-ni*
	uuden auto-si etc.		*uusien autoje-si* etc.
part.	*uutta autoa-ni*	pl.	*uusia autoja-ni*
	hänen uutta autoa-nsa		*hänen uusia autoja-nsa*
	(or: *autoa-an*)		(or: *autoja-an*)

As you can see, the addition of the possessive suffix eliminates the nom. plural and the gen. singular ending of the noun.

Note the difference between the reflexive and the non-reflexive use; in the former case, no poss. pronoun is used:

Hän lukee kirjaa-nsa.
He is reading his (own) book.
Hän (tyttö) lukee hänen kirjaansa.
She (the girl) is reading his book.

Demonstrative pronouns

The declension of the demonstrative pronouns is slightly irregular.

	this	that	these	those	that, it	those, they
nom.	tämä	**tuo**	nämä	nuo	se	ne
acc.	tämä, tämän	tuo, tuon	nämä	nuo	se, sen	ne
gen.	tämän	tuon	näiden	noiden	sen	niiden
part.	tätä	tuota	näitä	noita	sitä	niitä
'ss.	tänä	**tuona**	näinä	noina	sinä	niinä
iness.	tässä	**tuossa**	näissä	noissa	siinä	niissä
elat.	tästä	uosta	näistä	noista	siitä	niistä
illat.	tähän	tuohon	näihin	noihin	siihen	niihin
adess.	tällä	tuolla	näillä	noilla	sillä	niillä
ablat.	tältä	tuolta	näiltä	noilta	siltä	niiltä
allat.	tälle	tuolle	näille	noille	sille	niille

The pronouns *se* and *ne* are counted as demonstrative pronouns in Finnish. They are used of animals and things (instead of *hän, he*, used of persons).

Relative pronouns

The relative pronoun is *joka*, pl. *jotka*, which is used of both persons and things. (*Mikä* is a rare relative pronoun sometimes used of things.)

	sing.	pl.
nom.	joka	jotka
acc.	jonka	jotka
gen.	jonka	joiden
part.	jota	joita
iness.	jossa	joissa
elat.	josta	joista
illat.	johon	joihin
adess.	jolla	joilla
ablat.	jolta	joilta
allat.	jolle	joille

The relative pronoun agrees in number with its antecedent and in case ending according to sense:

Sanoin ystävälleni, joka on lääkäri . . .
I said to my friend, who is a doctor . . .
Henkilöt, joista puhuin . . .
The persons of whom I spoke . . .

Reflexive pronouns

The reflexive pronoun is *itse* (self), to which the possessive suffix is added (note that the suffix follows the case ending as usual):

Ostin itse-lle-ni huivin.
I bought myself a scarf.
Ostimme itse-lle-mme huivit.
We bought ourselves scarves

Numerals

Numerals are declined like nouns in the case of the noun.

kaksi miestä
two men
kahdelle miehelle
to two men
viitenä kappaleena
in five copies

Note that in numbers from 11 to 19 only the first part of the number is declined, 'toista' ('-*teen*') being invariable:

viide-ssä-toista tapauksessa
in fifteen cases
yhdenne-ssä-toista kerroksessa
on the eleventh floor

Verbs

Let us start with two very important verbs:

olla—to be

This is a slightly irregular verb, although the conception "irregular verbs" does not exist in Finnish.

Present tense		Imperfect		Perfect	
(minä) ole-n	I am	*oli-n*	I was, etc.	*ole-n ollut*	I have been, etc.
(sinä) ole-t	you are	*oli-t*		*ole-t ollut*	
hän on	he, she is	*oli*		*on ollut*	
se on	it is	*oli-mme*		*ole-mme ollect*	
(me) ole-mme	we are	*oli-tte*		*ole-tte olleet*	
(te) ole-tte	you are	*oli-vat*		*o-vat olleet*	
he o-vat	they are				
ne o-vat	they are	**Pl. perf.** *oli-n ollut*	I had been, etc.		

In Finnish, except in the 3rd person, the personal pronoun is not necessary unless it is stressed. The verbal endings are enough to denote the person.

adessive + *olla*—to have

This verb represents one of the curiosities of the Finnish language. In fact, there is no such verb as 'to have', but the verb *olla*, to be, is used with the **adessive** case of the possessor (literally something like: there is with, on me, etc.). The form of the verb is always the 3rd p. singular irrespective of the number of either the possessor or the thing possessed. The pronoun must, of course, always be used.

Present		Imperfect	
minulla on	I have	*minulla oli*	I had
sinulla on	you have	*sinulla oli*	you had
hänellä on	he, she has	etc.	
sillä on	it has		
meillä on	we have	**Perfect**	
teillä on	you have	*minulla on ollut*	I have had
heillä on	they have	*sinulla on ollut*	you have had
niillä on	they have	etc.	
		Pl. perf.	
Similarly:		*minulla oli ollut*	I had had

Poja-lla on kaksi sisarta.
The boy has two sisters.
Moni-lla ihmisi-llä on pulmia.
Many people have problems.

General

Finnish verbs cannot be divided into conjugations like those of many other languages. In verbs, as in nouns, endings are added to the **stem**, which is only rarely the same as the infinitive form. Consonant gradation and other changes occur frequently. We shall have to content ourselves with learning only a few of the most important verbs. However, the personal endings are always the same, and on the whole the system of verbal endings is rather regular. There are also fewer tenses than in many other languages. The **future tense**, for instance, is expressed by the present tense, and there is no progressive form as in English. Thus, in Finnish, "minä laulan" can mean: I sing, I am singing, I shall sing, I shall be singing, I do sing.

Present tense

Here is the usual verbal inflection of the present tense. Note that the three verbs do *not* represent any conjugations.

laulaa—to sing	**mennä**—to go	**tuntea**—to feel; to know
(minä) laula-n I sing	*mene-n* I go	*tunne-n* I feel,
(sinä) laula-t	*mene-t*	*tunne-t* I know
hän laula-a	*mene-e*	*tunte-e*
(me) laula-mme	*mene-mme*	*tunne-mme*
(te) laula-tte	*mene-tte*	*tunne-tte*
he laula-vat	*mene-vät*	*tunte-vat*

In the 3rd p. singular, the vowel of the stem is lengthened.

Imperfect tense (simple past tense)

The imperfect sign is *-i-*, inserted between the stem and the personal suffix. The 3rd p. singular has no vowel lengthening.

(minä) taulo-i-n	I sang	men-i-n	I went	tuns-i-n	I felt, I knew
(sinä) laulo-i-t		men-i-t		tuns-i-t	
hän laulo-i		men-i		tuns-i	
(me) laulo-i-mme		men-i-mme		tuns-i-mme	
(te) laulo-i-tte		men-i-tte		tuns-i-tte	
he laulo-i-vat		men-i-vät		tuns-i-vat	

The imperfect tense corresponds to the English simple past tense; it denotes action completed or not completed in the past.

Perfect tense (compound past)

The perfect tense is formed with the present tense of the verb *olla* and the past participle of the main verb, which has the ending *-nut, -nyt*; in plural *-neet* (*-n-* can be assimilated with the consonant of the stem, for instance: *juosta, juos-sut, juos-seet*).

(minä) ole-n laula-nut	**I have sung**	ole-n men-nyt,	ole-n tunte-nut
(sinä) ole-t laula-nut	etc.	etc.	
hän on laula-nut			
(me) ole-mme laula-neet			
(te) ole-tte laula-neet			
he o-vat laula-neet			

Note that when using the 2nd p. plural and if speaking to one person only the participle takes the singular form: *olette sano-nut*.
The use of the perfect tense corresponds to that of the English compound past.

Pluperfect tense

The pluperfect tense is formed with the imperfect tense of the verb *olla* and the past participle of the main verb.

(minä) oli-n laula-nut   I had sung   oli-n men-nyt   oli-n tunte-nut
etc.

The pluperfect tense has the same use as the corresponding English tense.

Negative forms

Another Finnish peculiarity is the negation word, or negation auxiliary, which is inflected in persons instead of the verb being inflected. The verb only shows the tense, the negation auxiliary always remaining the same. The present tense is:

(minä) en *laula*	I do not sing	en *mene,* I do not go	en *tunne,* I do not feel, know
(sinä) et *laula*		etc.	etc.
hän ei *laula*			
(me) emme *laula*			
(te) ette *laula*			
he eivät *laula*			

In the present tense, the verb has the stem form. In other tenses, we get the following forms:

imperf.	*(minä)* en *laula-nut* I did not sing	perf.	en *ole laulanut*
		pl. perf.	en *ollut laulanut*

Interrogative forms

In questions the word order is changed and the particle *-ko, -kö* is added to the inflected form of the verb (that is, after the personal suffix). The present tense:

laulan-ko *(minä)* do I sing?	imperf.	**laulo-i-n-**ko *(minä)*?	
laulat-ko *(sinä)*?	perf.	**ole-n-**ko *(minä)* laula-nut?	
laulaa-ko *hän?* etc.	pl. perf.	**oli-n-**ko *(minä)* laula-nut?	

Note that if there is an interrogative word, the particle *-ko, -kö* is not used; the word order is **also unchanged.** In other words, the construction is that of affirmative clauses.

Kuka tulee?
Who comes? Who is coming?
Missä ne ovat?
Where are they?
Miksi et naura?
Why don't you laugh?

In negative questions, the particle *-kö* is added to the inflected negative auxiliary, the main verb showing the tense. The subject is inserted between the negative auxiliary and the verb.

en-kö *(minä)* laula? don't I sing?	imperf.	**en-**kö *(minä)* laula-nut?
et-kö *(sinä)* laula?	perf.	**en-**kö *(minä)* ole laula-nut?
ei-kö *hän* laula?	pl. perf.	**en-**kö *(minä)* ollut laula-nut?

Imperative

The 2nd p. singular has the stem form in the imperative:

laula! sing!
mene! go!

The 2nd p. plural imperative suffix is *-kaa, -kää:*

laula-kaa! sing!
men-kää! go!

The negative imperative has a special auxiliary: sing. *älä,* pl. *älkää.* The main verb has the stem form in the singular, but in the plural the stem + suffix *-ko, -kö* is used.

älä laula, älä mene
do not sing, do not go
älkää laula-ko, älkää men-kö
do not sing, do not go

Conditional

The conditional mood is characterized by the insertion of
-*isi*- after the stem; it is followed by the personal suffixes
(no suffix in the 3rd p. sing.). The conditional present is as
follows:

(minä) laula-isi-*n* I would sing   neg.   *(minä) en laula*-isi
(sinä) laula-isi-*t*   interr.   *laula*-isi-*n-ko (minä)*?
hän laula-isi   neg. interr. *en-kö (minä) laula*-isi?
(me) laula-isi-*mme*
(te) laula-isi-*tte*
he laula-isi-*vat*

The conditional past is formed by inflecting the auxiliary
olla in the conditional mood; the main verb takes the past
participle (inflected in number):

(minä) ol-isi-*n laula-nut* I would have sung neg.   *(minä) en ol*-isi *laula-nut*
(me) ol-isi-*mme laula-neet*   interr.   *ol*-isi-*n-ko (minä) laula-nut?*
                                                  neg. interr. *en-kö (minä) ol*-isi *laula-nut?*

Reflexive verbs

The reflexive pronoun *itse* is, in general, not used with
reflexive verbs. Instead, they have a special form with the
characteristic -*u*-, -*y*- or -*utu*-, -*yty*- inserted between the stem
and the tense sign or the personal suffix.

pestä—to wash; *pese-n, pese-t*, etc.
pese-yty-ä—to wash oneself

(minä) pese-ydy-*n* I wash myself imperf.   *pese*-ydy-*i-n*
(sinä) pese-ydy-*t*   perf.   *olen pese*-yty-*nyt*
hän pese-ydy-*y*   neg. present   *en pese*-ydy
(me) pese-ydy-*mme*   interr. present *pese*-ydy-*n-kö?*
(te) pese-ydy-*tte*
he pese-yty-*vät*

In the present and imperfect tenses, the 1st and 3rd p. sing. are given.

Inf.	Present	Imperfect	Pas, participle	Conditional
tulla	*tulen*	*tulin*	*tullut*	*tulisin*
come	*tulee*	*tuli*		
kuulla	*kuulen*	*kuulin*	*kuullut*	*kuulisin*
hear	*kuulee*	*kuuli*		
mennä	*menen*	*menin*	*mennyt*	*menisin*
go	*menee*	*meni*		

panna put	panen panee	panin pani	pannut	panisin
ostaa buy	ostan ostaa	ostin osti	ostanut	ostaisin
ottaa take	otan ottaa	otin otti	ottanut	ottaisin
antaa give	annan antaa	annoin antoi	antanut	antaisin
tietää know	tiedän tietää	tiesin tiesi	tiennyt	tietäisin
pitää keep; like	pidän pitää	pidin piti	pitänyt	pitäisin
tahtoa want	tahdon tahtoo	tahdoin tahtoi	tahtonut	tahtoisin
lähteä go, leave	lähden lähtee	lähdin lähti	lähtenyt	lähtisin
tuntea feel	tunnen tuntee	tunsin tunsi	tuntenut	tuntisin
tuoda bring	tuon tuo	toin toi	tuonut	toisin
viedä take, carry	vien vie	vein vei	vienyt	veisin
voida be able	voin voi	voin voi	voinut	voisin
myydä sell	myyn myy	myin myi	myynyt	myisin
lukea read	luen lukee	luin luki	lukenut	lukisin
tehdä do, make	teen tekee	tein teki	tehnyt	tekisin
haluta wish	haluan haluaa	halusin halusi	halunnut	haluaisin
avata open	avaan avaa	avasin avasi	avannut	avaisin
sulkea shut	suljen sulkee	suljin sulki	sulkenut	sulkisin
puhua speak, talk	puhun puhuu	puhuin puhui	puhunut	puhuisin
sanoa say	sanon sanoo	sanoin sanoi	sanonut	sanoisin

Passive

The **passive stem** of the verb is formed by adding the syllable -ta-, -tä (or -tta-, -ttä-) to the active stem. In the present tense, the passive becomes -taan, -tään, in the past (imperfect) tense, -(t)tiin. There is no auxiliary in the passive.

Negative forms: ei laule-ta (present), ei teh-ty (past). The compound tenses are:

Laulu laule-taan.
The song is sung.
Työ teh-tiin.
The work was done.

Laulu on laule-ttu.
The song has been sung.
Työ oli teh-ty.
The work had been done.

194

The passive expressions like "it is said" or "people say" are rendered in Finnish by using the passive verb alone without a subject (in fact, the subject of passive clauses in other languages is an object in Finnish).

Sanotaan, että . . .
It is said that . . .

A few closing remarks

There is no exact parallel to the English expression "there is, there are". The Finnish language uses only the verb *olla*, to be, the subject being mostly in the partitive case (see partitive subject). Very often the word order is different from the usual subject-verb. Compare:

Pihalla on poikia (partitive subject).
There are boys in the yard.
Pojat ovat pihalla (total subject).
The boys are in the yard.
Hyllyllä on matkalaukku.
There is a suitcase on the rack.
Matkalaukku on hyllyllä.
The suitcase is on the rack.
Ei ole takseja (partitive subject).
There are no taxis.

The construction "it is . . ." + adjective is translated into Finnish by the verb **on** used without a subject.

On hauska olla kotona.
It is nice to be at home.

In the same way, in phrases like "it is raining" the verb is used without a subject in the 3rd p. singular.

Sataa. It is raining.
On kylmä. It is cold.

Verbs like *täytyy* (must) and *pitää* (have to) are also always used in the 3rd p. singular, the subject being in the **genitive** case.

Vieraiden täytyy lähteä.
The guests must go.
Sinun pitää uskoa se.
You have to believe it.

When answering a question, the word *kyllä* (yes) is not always used. Instead, the verb (in the appropriate person and tense) is repeated.

Tulet-ko mukaamme? Tulen.
Do you come with us? Yes, I do.

When answering negatively, the negation auxiliary must be declined in person and the main verb may be either repeated or not.

Nukutko? En.
Do you sleep? No.
Uskotteko te sen? Emme (usko).
Do you believe it? No, we don't (believe it).

KEY TO SYMBOLS AND ABBREVIATIONS

KÄYTETYT LYHENTEET

adjective	**adj**	adjektiivi
adverb	**adv**	adverbi
article	**art**	artikkeli
conjunction	**conj**	konjunktio
feminine	**f**	feminiini (sukuinen)
invariable	**inv**	taipumaton
masculine	**m**	maskuliini (sukuinen)
noun	**n**	substantiivi
neuter	**nt**	neutri (sukuinen)
past tense (preterite)	**p**	preteriti (mennyt aika, imperfekti)
plural	**pl**	monikko
past participle	**pp**	partisiipin perfekti
present participle	**ppr**	partisiipin preesens
present tense	**pr**	preesens
prefix	**pref**	prefiksi, etuliite
preposition	**prep**	prepositio
pronoun	**pron**	pronomini
singular	**sing**	yksikkö
suffix	**suf**	suffiksi, jälkiliite
verb, compound verb	**v**	verbi, verbisanonta
irregular verb	*	epäsäännöllinen verbi
see (cross-reference)	$\rightarrow$	katso

Note: Adjective and adverb phrases are classified under adjectives and adverbs.

finnish-english

Please note that Finnish alphabetical order is **a-z, å, ä, ö.**

aakkosellinen luettelo [ARK-koa-sayl-li-nayn LOO-ayt-tay-loa] *n* index

aallonpituus [ARL-loan-PI-toos] *n* wavelength

aalto [ARL-toa] *n* wave

aaltoileva [ARL-toy-lay-vah] *adj* wavy; undulating

aamiainen [AR-mi-igh-nayn] *n* breakfast

aamu [AR-moo] *n* morning

aamunkoitto [AR-moon-KOYT-toa] *n* dawn

aamutakki [AR-moo-TAHK-ki] *n* dressing gown

aarre [ARR-ray] *n* treasure

aasi [AR-si] *n* donkey; ass

Aasia [AR-si-ah] *n* Asia

aasialainen [AR-si-ah-ligh-nayn] *n* Asian; *adj* Asian

aave [AR-vay] *n* ghost

abstraktinen [AHBST-rahk-ti-nayn] *adj* abstract

adjektiivi [AHD-yayk-tee-vi] *n* adjective

adverbi [AHD-vayr-bi] *n* adverb

Afrikka [AHF-rik-kah] *n* Africa

afrikkalainen [AHF-rik-kah-ligh-nayn] *n* African; *adj* African

agentti [AH-gaynt-ti] *n* agent

ahkera [AHH-kay-rah] *adj* industrious

ahne [AHH-nay] *adj* greedy

ahneus [AHH-nay-oos] *n* greed

ahven [AHH-vayn] *n* bass; perch

aihe [IGH-hay] *n* topic; subject

aiheuttaa [IGH-hay-oot-tar] *v* cause

aiheutua [IGH-hayoo-too-ah] *v* result

aika [IGH-kah] *n* time

aika ajoin [IGH-kah AH-yoyn] *adv* periodically

aikaisin [IGH-kigh-sin] *adv* early

aikakausjulkaisu [IGH-kah-kows-YOOL-kigh-soo] *n* journal

aikakauskirja [IGH-kah-KOWS-KIR-yah] *n* review

aikakauslehti [IGH-kah-kows-LAYH-ti] *n* periodical; magazine

aikataulu [IGH-kah-TOW-loo] *n* schedule; timetable

aikoa [IGH-koa-ah] *v* intend

aikoja sitten [IGH-koa-yah SIT-tayn] *adv* long ago

aikomus [IGH-koa-moos] *n* intention

aikuinen [IGH-kooi-nayn] *n*

grown-up; adult; *adj* adult
aina [IGH-nah] *adv* always
ainakin [IGH-nah-kin] *adv* at
least
aine [IGH-nay] *n* matter
aines [IGH-nays] *n* ingredient
ainoa [IGH-noa-ah] *adj* only; sole
ainoastaan [IGH-noa-ahs-tarn]
adv only
ainutlaatuinen [IGH-noot-LAR-
tooi-nayn] *adj* unique
airo [IGH-roa] *n* oar
aisti [IGHS-ti] *n* sense
aistita [IGHS-ti-tah] *v* sense
aita [IGH-tah] *n* fence
aito [IGH-toa] *adj* genuine
aivan tässä [IGH-vahn TÆS-sæ]
right here
aivastaa [IGH-vahs-tar] *v* sneeze
aivastus [IGH-vahs-toos] *n*
sneezing
aivot [IGH-voat] *pl* brain
aivotärähdys [IGH-voa-TÆ-ræh-
dews] *n* concussion
ajaa [AH-yar] *v* drive
ajaa autolla [AH-yar OW-toal-lah]
v ride; motor
ajaa nopeasti [AH-yar NOA-pay-
ahs-ti] *v* speed
ajaa partansa [AH-yar PAHR-
tahn-sah] *v* shave
ajaa takaa [AH-yar TAH-kar] *v*
chase
ajaa talliin [AH-yar TAHL-leen] *v*
garage
ajaja [AH-yah-yah] *n* driver
ajanjakso [AH-yahn-YAHK-soa] *n*
period
ajanviete [AH-yahn-VIAY-tay] *n*
diversion
ajatella [AH-yah-tayl-lah] *v* think
about; think of
ajattelija [AH-yaht-tay-li-yah] *n*
thinker

ajattelutapa [AH-yaht-tay-loo-
TAH-pah] *n* thought
ajatus [AH-yah-toos] *n* idea
ajelu [AH-yay-loo] *n* drive; ride
ajo [AH-yoa] *n* driving
ajoissa [AH-yoys-sah] *adv* in
time; on time
ajokortti [AH-yoa-KOART-ti] *n*
driving licence
ajomaksu [AH-yoa-MAHK-soo] *n*
carfare
ajoneuvo [AH-yoa-NAYOO-voa] *n*
vehicle
ajotie [AH-yoa-TIAY] *n* drive
akatemia [AH-kah-tay-miah] *n*
academy
aktiivinen [AHK-tee-vi-nayn] *adj*
active
ala [AH-lah] *n* range; rank
alaikäinen [AH-lah-I-kæi-nayn]
adj under-age
alakuloisuus [AH-lah-koo-loy-
soos] *n* depression
alamaa [AH-lah-MAR] *n* lowland
alamainen [AH-lah-migh-nayn]
n subject
alan erikoistuntija [AH-lahn AY-
ri-koys-TOON-ti-yah] *n*
specialist
Alankomaat [AH-lahng-koa-
MART] *pl* Netherlands *pl*
alankomainen [AH-lahng-koa-
migh-nayn] *adj* Dutch
alaosa [AH-lah-OA-sah] *n* bottom
alaotsikko [AH-lah-OAT-sik-koa]
n sub-title
alapuolella [AH-lah-POOOA-layl-
lah] *adv* beneath
alas [AH-lahs] *adv* below
alas portaita [AH-lahs POAR-tigh-
tah] *adv* downstairs
alaspäin [AH-lahs-PÆIN] *adv*
down; downwards
alaston [AH-lahs-toan] *adj* naked

alavuode [AH-lah-VOOOA-day] *n* lower berth

alempi [AH-laym-pi] *adj* lower

alennus [AH-layn-noos] *n* discount; reduction; rebate

alennusmyynti [AH-layn-noos-MEWN-ti] *n* sales *pl*

alentaa [AH-layn-tar] *v* reduce

alentaa arvoa [AH-layn-tar AHR-voa-ah] *v* devalue

aliarvioida [AH-li-AHR-vi-oy-dah] *v* underestimate

alkaa [AHL-kar] *v* commence; begin

alkoholi [AHL-koa-hoa-li] *n* alcohol

alkoholiliike [AHL-koa-hoa-li-LEE-kay] *n* off-licence

alkoholipitoinen [AHL-koa-hoa-li-PI-toy-nayn] *adj* alcoholic

alkoholiton juoma [AHL-koa-hoa-li-toan YOOOA-mah] *n* soft drink

alku [AHL-koo] *n* start; beginning

alkupala [AHL-koo-PAH-lah] *n* appetiser

alkuperä [AHL-koo-PAY-ræ] *n* origin

alkuperäinen [AHL-koo-PAY-ræi-nayn] *adj* original; initial

alkuruoka [AHL-koo-ROOOA-kah] *n* hors-d'œuvre

alkusoitto [AHL-koo-SOYT-toa] *n* overture

alla [AHL-lah] *prep* below; under; *adv* underneath

allas [AHL-lahs] *n* sink

allekirjoitettu [AHL-lay-KIR-yoy-tayt-too] *adj* undersigned

allekirjoittaa [AHL-lay-KIR-yoytt-tar] *v* sign

alleviivata [AHL-lay-VEE-vah-tah] *v* underline

aloittaa [AH-loyt-tar] *v* start

aloittaa uudestaan [AH-loyt-tar oo-days-tarn] *v* recommence

alokas [AH-loa-kahs] *n* recruit

alppimaja [AHLP-pi-MAH-yæ] *n* chalet

alttari [AHLT-tah-ri] *n* altar

alue [AH-loo-ay] *n* area; district

alueellinen [AH-loo-ayl-li-nayn] *adj* regional

alus [AH-loos] *n* vessel

alushame [AH-loos-HAH-may] *n* slip

alushousut [AH-loos-HOA-soot] *pl* shorts *pl;* underpants *pl;* briefs *pl;* panties *pl*

aluspaita [AH-loos-PIGH-tah] *n* undershirt

alustava [AH-loos-tah-vah] *adj* preliminary

alusvaatteet [AH-loos-VART-tayt] *pl* lingerie; *pl* underwear

alusvoide [AH-loos-VOY-day] *n* foundation cream

ambulanssi [AHM-boo-lahns-si] *n* ambulance

Amerikka [AH-may-rik-kah] *n* America

amerikkalainen [AH-may-rik-kah-ligh-nayn] *n* American; *adj* American

ametisti [AH-may-tis-ti] *n* amethyst

ammatti [AHM-maht-ti] *n* trade

ammatti- [AHM-maht-ti] *pref* professional

ammatti [AHM-maht-ti] *n* profession

ammattitaidoton [AHM-maht-ti-TIGH-doa-toan] *adj* unskilled

ammattitaito [AHM-maht-ti-TIGH-toa] *n* art

ammattiyhdistys [AHM-maht-ti-EWH-dis-tews] *n* trade-union

ammoniakki [AHM-moa-ni-ahkki] *n* ammonia

ampiainen [AHM-pi-igh-nayn] *n* wasp

ampua [AHM-poo-ah] *v* shoot

amuletti [AH-moo-layt-ti] *n* charm

analysoida [AH-nah-lew-soy-dah] *v* analyse

analyysi [AH-nah-lew-si] *n* analysis

ananas [AH-nah-nahs] *n* pineapple

anemia [AH-nay-mi-ah] *n* anaemia

anjovis [AHN-yoa-vis] *n* anchovy

ankerias [AHNG-kay-ri-ahs] *n* eel

ankka [AHNGK-kah] *n* duck

annos [AHN-noas] *n* dose; portion

anoppi [AH-noap-pi] *n* mother-in-law

ansa [AHN-sah] *n* trap

ansaita [AHN-sigh-tah] *v* merit; earn; deserve

ansaitsematon [AHN-sight-say-mah-toan] *adj* unearned

ansio [AHN-si-oa] *n* earnings *pl;* merit

antaa [AHN-tar] *v* give

antaa anteeksi [AHN-tar AHN-tayk-si] *v* forgive; excuse

antaa avustuksena [AHN-tar AH-voos-took-say-nah] *v* contribute

antaa myöten [AHN-tar MEWUR-tayn] *v* give in

antaa työtä [AHN-tar TEWUR-tæ] *v* employ

anteeksianto [AHN-tayk-si-AHN-toa] *n* pardon

anteeksipyyntö [AHN-tayk-si-PEWN-tur] *n* apology

antelias [AHN-tay-li-ahs] *adj* generous

antenni [AHN-tayn-ni] *n* aerial

antibiootti [AHN-ti-bi-oat-ti] *n* antibiotic

antiikkiesineet [AHN-teek-ki-AY-si-nayt] *pl* antique

antiikkinen [AHN-teek-ki-nayn] *adj* antique

antiseptinen aine [AHN-ti-sayp-ti-nayn IGH-nay] *n* antiseptic

aperitiffi [AHPAY-ri-tif-fi] *n* aperitif

appelsiini [AHP-payl-see-ni] *n* orange

appi [AHP-pi] *n* father-in-law

appivanhemmat [AHP-pi-vahn-haym-maht] *pl* parents-ın-law *pl*

aprikoosi [AHP-ri-koa-si] *n* apricot

apteekkari [AHP-tayk-kah-ri] *n* druggist; chemist

apteekki [AHP-tayk-ki] *n* drugstore; pharmacy

apu [AH-poo] *n* aid; help

apuraha [AH-poo-RAH-hah] *n* grant; scholarship

arabi [AH-rah-bi] *n* Arab

arabialainen [AHRAH-bı-ah-ligh-nayn] *adj* Arab

aritmetiikka [AH-rit-may-teek-kah] *n* arithmetic

arkipäivä [AHR-ki-PÆI-væ] *n* weekday

arkkipiispa [AHRK-ki-PEES-pah] *n* archbishop

arkkitehti [AHRK-ki-tayh-ti] *n* architect

arkkitehtuuri [AHRK-ki-tayh-too-ri] *n* architecture

armeija [AHR-may-yah] *n* army

aromikeitin [AH-roa-mi-KAY-tin] *n* percolator

arpajaiset [AHR-pah-yigh-sayt] *plur* lottery

arpakuutio [AHR-pah-KOO-ti-oa]

n dice

arpi [AHR-pi] *n* scar

artikkeli [AHR-tik-kayli] *n* article; item

artisokka [AHR-ti-soak-kah] *n* artichoke

arvannosto [AHR-vahn-NOAS-toa] *n* draw

arvata [AHR-vah-tah] *v* guess

arvaus [AHR-vah-oos] *n* guess

arvio [AHR-vi-oa] *n* estimate; calculation

arvioida [AHR-vi-oy-dah] *v* estimate; evaluate; reckon

arvo [AHR-voa] *n* worth; value

arvoesineet [AHR-voa-AY-si-nayt] *pl* valuables *pl*

arvoitus [AHR-voy-toos] *n* puzzle

arvokas [AHR-voa-kahs] *adj* valuable

arvopaperipörssi [AHR-voa-PAH-pay-ri-PURRS-si] *n* stock-market; stock exchange

arvopaperit [AHR-voa-PAH-pay-rit] *pl* stock

arvostaa [AHR-voas-tar] *v* value; appreciate

arvostelija [AHR-voas-tay-li-yah] *n* critic

arvostella [AHR-voas-tayl-lah] *v* criticize

arvostus [AHR-voas-toos] *n* appreciation

arvoton [AHR-voa-toan] *adj* worthless

ase [AH-say] *n* weapon

aseet [AH-sayt] *pl* arms *pl*

asema [AH-say-mah] *n* post; position; station; depot

asemalaituri [AH-say-mah-LIGH-too-ri] *n* platform

asemalaiturilippu [AH-say-mah-LIGH-too-ri-LIP-poo] *n* platform ticket

asemapäällikkö [AH-say mah-PÆÆL-lik-kur] *n* station master

asenne [AH-sayn-nay] *n* attitude

asennus [AH-sayn-noos] *n* installation

asentaa [AH-sayn-tar] *v* install

asento [AH-sayn-toa] *n* position

asettaa [AH-sayt-tar] *v* place; lay; put; set

asettaa näytteille [AH-sayt-tar NÆEWT-tayl-lay] *v* exhibit

asettaa oikeaan aaltopituuteen [AH-sayt-tar OY-kay-arn ARL-toa-pi-too-tayn] *v* tune in

asettaa sijaan [AH-sayt-tar SI-yarn] *v* substitute

asettaa välimatkojen päähän [AH-sayt-tar VÆ-li-MAHT-koa-yayn PÆÆ-hæn] *v* space

asettua asumaan [AH-sayt-too-ah AH-SOO-marn] *v* settle down

asevelvollinen [AH-say-VAYL-voal-li-nayn] *n* conscript

asia [AH-si-ah] *n* matter

asiakas [AH-si-ah-kahs] *n* customer; client

asiakirja [AH-si-ah-KIR-yah] *n* document

asiakirjasalkku [AH-si-ah-KIR-yah-SAHLK-koo] *n* attaché-case

asianajaja [AH-si-ahn-AH-yah-yah] *n* attorney; barrister; solicitor

asianomainen [AH-siahn-OA-migh-nayn] *adj* respective

asiantuntija [AH-si-ahn-TOON-ti-yah] *n* expert

asiapaperit [AH-siah-PAH-pay-rit] *pl* papers *pl*

aski [AHS-ki] *n* packet

aspiriini [AHS-pi-ree-ni] *n* aspirin

aste [AHS-tay] *n* degree; grade

asteittainen [AHS-tayt-tigh-

nayn] *adj* gradual
asti [AHS-ti] *prep* until; till
astia [AHS-ti-ah] *n* vessel
astma [AHST-mah] *n* asthma
astua [AHS-too-ah] *v* step
astua laivaan [AHS-too-ah LIGH-varn] *v* embark
asua [AH-soo-ah] *v* stay; reside; inhabit
asuinpaikka [AH-sooin-PIGHK-kah] *n* residence
asukas [AH-soo-kahs] *n* inhabitant
asumaton [AH-soo-mah-toan] *adj* uninhabited
asumiskelpoinen [AH-soo-mis-KAYL-poy-nayn] *adj* inhabitable
asuttava [AH-soot-tah-vah] *adj* habitable
ateria [AH-tay-ri-ah] *n* meal
Atlantin takainen [AHT-lahn-tin TAH-kigh-nayn] *adj* transatlantic
Atlantti [AHT-lahnt-ti] *n* Atlantic
atlassilkki [AHT-lahs-SILK-ki] *n* satin
atomipommi [AH-toa-mi-POAM-mi] *n* atomic bomb
aukaista [OW-kighs-tah] *v* untie
aukaista napeista [ow-kighs-tah NAH-pays-tah] *v* unbutton
aukea [OW-kay-ah] *n* clearing
aukinainen [OW-ki-nigh-nayn] *adj* open
aukko [OWK-koa] *n* opening; gap
auktoriteetti [OWK-toa-ri-tayt-ti] *n* authority
aura [OW-rah] *n* plough
auringonlasku [OW-ring-oan-LAHS-koo] *n* sunset
auringonnousu [OW-ring-oan-NOA-soo] *n* sunrise
auringonpaiste [OW-ring-oan-

PIGHS-tay] *n* sunshine
auringonpistos [OW-ring-oan-PIS-toas] *n* sunstroke
auringonvalo [OW-ring-oan-VAH-loa] *n* sunlight
auringonvarjo [OW-ring-oan-VAHR-yoa] *n* sunshade
aurinko [OW-ring-koa] *n* sun
aurinkoinen [OW-ring-koy-nayn] *adj* sunny
aurinkolasit [OW-ring-koa-LAH-sit] *pl* sunglasses *pl*
aurinkööljy [OW-ring-koa-URL-yew] *n* suntan oil
Australia [OWST-rah-li-ah] *n* Australia
australialainen [OWST-rah-li-ah-ligh-nayn] *n* Australian; *adj* Australian
autiomaa [OW-ti-oa-MAR] *n* desert
auto [OW-toa] *n* automobile; motorcar; car
autoilija [OW-toy-li-yah] *n* motorist
autoilu [OW-toy-loo] *n* motoring
autoklubi [OW-toa-KLOO-bi] *n* automobile club
automaatti [OW-toa-mart-ti] *n* automat; slot-machine
automaattinen [OW-toa-mart-ti-nayn] *adj* automatic
auton alusta [OW-toan AH-loos-tah] *n* chassis *inv*
auton kattoteline [OW-toan KAHT-toa-TAY-li-nay] *n* rack
auton konepelti [OW-toan KOA-nay-PAYL-ti] *n* hood
auton rengas [OW-toan RAYNG-ahs] *n* tyre
auton vakuutuskortti [OW-toan VAH-koo-toos-KOART-ti] *n* green card
autonkuljettaja [OW-toan-KOOL-yayt-tah-yah] *n* chauffeur

autonominen [OW-toa-noa-mi-nayn] *adj* autonomous

autonpuskuri [OW-toan-POOS-koo-ri] *n* bumper

autontorvi [OW-toan-TOAR-vi] *n* hooter

autotalli [OW-toa-TAHL-li] *n* garage

autovuokraamo [OW-toa-VOOOAK-rar-moa] *n* car hire

auttaa [OWT-tar] *v* assist; aid; help

auttaja [OWT-tah-yah] *n* helper

avaimenreikä [AH-vigh-mayn-RAY-kæ] *n* keyhole

avain [AH-vighn] *n* key; latchkey

avajaispotku [AH-vah-yighs-POAT-koo] *n* kick-off

avaruus [AH-vah-roos] *n* space

avata [AH-vah-tah] *v* undo; turn on; open

avata lukko [AH-vah-tah LOOK-koa] *v* unlock

avata uudelleen [AH-vah-tah OO-dayl-layn] *v* reopen

avioero [AH-vi-oa-AY-roa] *n* divorce

avioliitto [AH-vi-oa-LEET-toa] *n* marriage

aviomies [AH-vi-oa-MIAYS] *n* husband

aviopari [AH-vi-oa-PAH-ri] *n* married couple

avulias [AH-voo-li-ahs] *adj* obliging; helpful

avustaja [AH-voos-tah-yah] *n* assistant

avustus [AH-voos-toos] *n* contribution

baari [BAR-ri] *n* bar; milk-bar

baarimikko [BAR-ri-MIK-koa] *n* barman; bartender

baletti [BAH-layt-ti] *n* ballet

banaani [BAH-nar-ni] *n* banana

basilli [BAH-sil-li] *n* germ

baskeri [BAHS-kay-ri] *n* beret

beige-värinen [BAYSH VÆ-ri-nayn] *adj* beige

Belgia [BAYL-gi-ah] *n* Belgium

belgialainen [BAYL-giah-ligh-nayn] *n* Belgian; *adj* Belgian

bensiini [BAYN-see-ni] *n* fuel; petrol; gasoline

bensiiniasema [BAYN-see-ni-AH-say-mah] *n* filling station; petrol station

bensiinipumppu [BAYN-see-ni-POOMP-poo] *n* petrol pump

bensiinisäiliö [BAYN-see-ni-SÆI-li-ur] *n* petrol tank

bensini [BAYN-see-ni] *n* gas

biljardi [BIL-yahr-di] *n* billiards

biologia [BIOA-loa-gi-ah] *n* biology

Brasilia [BRAH-si-li-ah] *n* Brazil

brasilialainen [BRAH-si-li-ah ligh-nayn] *adj* Brazilian; *n* Brazilian

bridge-peli [BRICH PAY-li] *n* bridge

brittiläinen [BRIT-ti-læi-nayn] *adj* British

brokadi [BROA-kah-di] *n* brocade

budjetti [BOOD-yayt-ti] *n* budget

bussi [BOOS-si] *n* bus

celsiusaste [SAYL-si-oos-AHS-tay] *n* centigrade

charterlento [CHAHR-tayr-LAYN-toa] *n* charter flight

cocktail [KOAK-tighl] *n* cocktail

corn flakes [KOARN-flayks] *pl* cereal

curry [KOOR-ri] *n* curry

debetpuoli [DAY-bayt-POOOA-li] *n*
debit

demokraattinen [DAY-moa-krar-
ti-nayn] *adj* democratic

demokratia [DAY-moa-krah-ti-
ah] *n* democracy

deodorantti [DAY-oa-doa-rahnt-
ti] *n* deodorant

desinfioida [DAY-sin-fi-oy-dah] *v*
disinfect

desinfioiva aine [DAY-sin-fi-oy-
vah IGH-nay] *n* disinfectant

devalvointi [DAY-vahl-voyn-ti] *n*
devaluation

diagnoosi [DI-ahg-noa-si] *n*
diagnosis

diagrammi [DI-ahg-rahm-mi] *n*
chart

diapositiivi [DI-ah-POA-si-tee-vi]
n slide

dieetti [DI-ayt-ti] *n* diet

dieselmootori [DEE-sayl-MOAT-
toa-ri] *n* diesel

diplomaatti [DIP-loa-mart-ti] *n*
diplomat

diskonttokorko [DIS-koant-toa-
KOAR-koa] *n* bank-rate

dramaattinen [DRAH-mart-ti-
nayn] *adj* dramatic

dynamo [DEW-nah-moa] *n*
dynamo

edellinen [AY-dayl-li-nayn] *adj*
preceding; former

edellyttäen että [AY-dayl-lewt-
tæ-ayn AYT-tæ] *conj* supposing
that; provided

edellä [AY-dayl-læ] *prep* ahead
of; *adv* ahead

edeltävä [AY-dayl-tæ-væ] *adj*
previous

edeltää [AY-dayl-tææ] *v* precede

edessä [AY-days-sæ] *prep* before;
in front of

edetä [AY-day-tæ] *v* proceed

edistyvä [AY-dis-tew-væ] *adj*
progressive

edullinen [AYDOOL-li-nayn] *adj*
advantageous

edustaa [AY-doos-tar] *v*
represent

edustava [AY-doos-tah-vah] *adj*
representative

edustus [AY-doos-toos] *n*
representation

eebenpuu [AY-bayn-POO] *n* ebony

Egypti [AY-gewp-ti] *n* Egypt

egyptiläinen [AY-gewp-ti-læi-
nayn] *n* Egyptian; *adj*
Egyptian

ehdonalainen [AYH-doan-AH-
ligh-nayn] *adj* conditional

ehdot [AYH-doat] *pl* terms *pl*

ehdoton [AYH-doa-toan] *adj* taxi;
unconditional

ehdottaa [AYH-doat-tar] *v*
suggest; propose

ehdottomasti [AYH-doat-toa-
mahs-ti] *adv* absolutely

ehdotus [AYH-doa-toos] *n*
proposal; suggestion

ehjä [AYH-yæ] *adj* unbroken

ehkä [AYH-kæ] *adv* perhaps

ehkäisevä [AYH-kæi-say-væ] *adj*
preventive

ehkäistä [AYH-kæis-tæ] *v*
prevent

ehkäisyväline [AYH-kæi-sew-VÆ-
li-nay] *n* contraceptive

ehostus [AY-hoas-toos] *n* make-
up

ehto [AYH-toa] *n* condition;
stipulation

ei [AY] *adv* not; no

ei . . . . .eikä [ay AY-kæ] neither

. . . nor
ei asumiskelpoinen [AY AH-soo-mis-KAYL-poy-nayn] *adj* uninhabitable
ei enää [AY AY -nææ] no more; no longer
ei koskaan [AY KOAS-karn] *adv* never
ei kukaan [ay KOO-karn] *pron* no one; nobody
ei kumpikaan [AY KOOM-pi-karn] neither
ei lainkaan [ay LIGHNG-karn] not at all
ei miellyttää [AY MIAYL-lewt-tææ] *v* displease
ei missään [AY MIS-sææn] *adv* nowhere
ei mitään [ay MI-tææn] nothing; no
ei pitää [AY PI-tææ] *v* dislike
ei suinkaan [AY SOOING-karn] by no means
ei tervetullut [AY TAYR-vay-tool-loot] *adj* unwelcome
ei vielä keksitty [AY VIAY-læ KAYK-sit-tew] *adj* undiscovered
ei vältettävissä oleva [AY VÆL-tayt-tæ-vis-sæ OA-lay-vah] *adj* unavoidable
ei yhtään [ay EWH-tææn] *pron* none
eilen [AY-layn] *adv* yesterday
eleganssi [AY-lay-gahns-si] *n* elegance
elegantti [AY-lay-gahnt-ti] *adj* elegant
elimellinen [AY-li-mayl-li-nayn] *adj* organic
elinaika [AY-lin-IGH-kah] *n* lifetime
elintaso [AY-lin-TAH-soa] *n* standard of living
elintärkeä [AY-lin-TÆR-kay-æ]

adj vital
ellei [AYL-lay] *conj* unless
eloisa [AY-loy-sah] *adj* vivid; lively
elokuu [AYLOA-koo] *n* August
elokuva [AY-loa-koo-vah] *n* movie; film
elokuvakamera [AY-loa-koo-vah-KAH-may-rah] *n* movie camera
elokuvat [AY-loa-KOO-vaht] *pl* pictures *pl*
elokuvata [AY-loa-koo-vah-tah] *v* film
elokuvateatteri [AY-loa-koo-vah-TAY-aht-tay-ri] *n* cinema
eloonjääminen [AY-loan-YÆÆ-mi-nayn] *n* survival
elossa [AY-loas-sah] *adj* alive
eltaantunut [AYL-tarn-too-noot] *adj* rancid
eläin [AY-læin] *n* animal
eläinlääkäri [AY-læin-LÆÆ-kæ-ri] *n* veterinary surgeon
eläintarha [AY-læin-TAHR-hah] *n* zoological gardens *pl*; zoo
eläintiede [AY-læin-TIAY-day] *n* zoology
eläke [AY-læ-kay] *n* pension
eläkkeellä oleva [AY-læk-kayl-læ OA-lay-vah] *adj* retired
elämä [AY-læ-mæ] *n* living; life
elämänura [AYLÆ-mæn-OO-rah] *n* career
elävä [AY-læ-væ] *adj* live
elää [AY-læææ] *v* live
emalji [AY-mahl-yi] *n* enamel
emäntä [AY-mæn-tæ] *n* hostess
endivia [AYN-di-vi-ah] *n* endive
enemmistö [AY-naym-mis-tur] *n* majority
energia [AY-nayr-gi-ah] *n* energy
Englannin kanaali [AYNG-lahn-nin KAH-nar-li] *n* English

Channel
Englanti [AYNG-lahn-ti] *n*
England
englantilainen [AYNG-lahn-ti-ligh-nayn] *adj* English; *n* Englishman
enimmäkseen [AY-nim-mæk-sayn] *adv* mostly
enkeli [AYNG-kay-li] *n* angel
ennakkomaksu [AYN-nahk-koa-MAHK-soo] *n* advance
ennakolta maksettu [AYN-nah-koal-tah MAHK-sayt-too] *adj* prepaid
ennen [AYN-nayn] *prep* before; *adv* formerly
ennen kuin [AYN-nayn KOOIN] *conj* before
ennustaa [AYN-noos-tar] *v* forecast
ennuste [AYN-noos-tay] *n* forecast
eno [AY-noa] *n* uncle
ensiapu [AYN-si-AH-poo] *n* first aid
ensiapuasema [AYN-si-AH-poo-AH-say-mah] *n* first-aid post
ensiapulaukku [AYN-si-AH-poo-LOWK-koo] *n* first-aid kit
ensiksi [AYN-sik-si] *adv* at first
ensiluokkainen [AYN-si-LOOOAK-kigh-nayn] *adj* first-rate
ensimmäinen [AYN-sim-mæi-nayn] *adj* first
ensimmäinen parvi [AYN-sim-mæi-nayn PAHR-vi] *n* circle
epidemia [AY-pi-day-mi-ah] *n* epidemic
epäilemättä [AY-pæi-lay-mæt-tæ] without doubt
epäilys [AY-pæi-lews] *n* suspicion
epäilyttävä [AY-pæi-lewt-tæ-væ] *adj* suspicious

epäitsekäs [AY-pæ-IT-say-kæs] *adj* unselfish
epäkohtelias [AY-pæ-KOAH-tay-li-ahs] *adj* impolite
epäkunnossa [AY-pæ-KOON-noas-sah] out of order
epäluotettava [AY-pæ-LOOOA-tayt-tah-vah] *adj* untrustworthy; unreliable
epämiellyttävä [AY-pæ-MIAYL-lewt-tæ-væ] *adj* unpleasant; disagreeable
epämieluinen [AY-pæ-MIAY-looi-nayn] *adj* undesirable
epämukava [AY-pæ-MOO-kah-vah] *adj* uncomfortable; inconvenient
epämukavuus [AY-pæ-MOO-kah-voos] *n* inconvenience
epämääräinen [AY-pæ-MÆÆ-ræi-nayn] *n* indefinite
epäoikeudenmukainen [AY-pæ-OY-kay-oo-dayn-MOO-kigh-nayn] *adj* unjust; unfair
epäonnistua [AY-pæ-OAN-nis-too-ah] *v* fail
epäonnistuminen [AY-pæ-OAN-nis-too-mi-nayn] *n* failure
epäonnistunut [AY-pæ-OAN-nis-too-noot] *adj* unsuccessful
epäpätevä [AY-pæ-PÆ-tay-væ] *adj* unqualified; incompetent
epärehellinen [AY-pæ-RAY-hayl-li-nayn] *adj* dishonest
epäröidä [AY-pæ-ruri-dæ] *v* doubt; hesitate
epäselvä [AY-pæ-SAYL-væ] *adj* illegible; indistinct
epäsiisti [AY-pæ-SEES-ti] *adj* untidy
epäsuora [AY-pæ-SOOOA-rah] *adj* indirect
epäsuosiossa oleva [AY-pæ-SOOOA-si-oas-sah-OA-lay-vah]

adj unpopular

epäsuotuisa [AY-pæ-SOOOA-tooi-sah] *adj* unfavourable

epäsäännöllinen [AY-pæ-SÆÆN-nurl-li-nayn] *adj* irregular

epätarkka [AY-pæ-TAHRK-kah] *adj* inexact; inaccurate

epätasainen [AY-pæ-TAH-sigh-nayn] *adj* uneven; rough

epätavallinen [AY-pæ-tah-vahl-li-nayn] *adj* extraordinary

epäterve [AY-pæ-tayr-vay] *adj* unsound

epäterveellinen [AY-pæ-TAYR-vayl-li-nayn] *adj* unhealthy; insanitary

epätodennäköinen [AY-pæ-TOA-dayn-næ-kuri-nayn] *adj* improbable; unlikely

epätoivoinen [AY-pæ-TOY-voy-nayn] *adj* desperate

epätyydyttävä [AY-pæ-TEW-dewt-tæ-væ] *adj* unsatisfactory

epätäydellinen [AY-pæ-TÆEW-dayl-li-nayn] *adj* imperfect; incomplete

epävarma [AY-pæ-VAHR-mah] *adj* unsafe; uncertain; doubtful

epävieraanvarainen [AY-pæ-VIAY-rarn-VAH-righ-nayn] *adj* inhospitable

epäviisas [AY-pæ-VEE-sahs] *adj* unwise

epävirallinen [ay-pæ-VI-rahl-li-nayn] *adj* informal

epäystävällinen [AY-pæ-EWS-tæ-væl-li-nayn] *adj* unfriendly; unkind

erehdys [AY-rayh-dews] *n* error; oversight

erehtyä [AY-rayh-tew-æ] *v* mistake; err

eri- [AY-ri] *pref* unequal

erikoinen [AY-ri-koy-nayn] *adj* special

erikoisesti [AY-ri-koy-says-ti] *adv* in particular

erikoissuuri koko [AY-ri-koys-soo-ri KOA-koa] *n* outsize

erikoistua [AY-ri-koys-too-ah] *v* specialise

erikoisuus [AY-ri-koy-soos] *n* speciality

erilainen [AY-ri-ligh-nayn] *adj* distinct; different; unlike

erillään [AY-ril-læææn] *adv* apart

erillään oleva [AY-ril-læææn OA-lay-vah] *adj* separate

erinomainen [AY-rin-oa-migh-nayn] *adj* excellent; superb

eriste [AY-ris-tay] *n* insulation

eristetty [AY-ris-tayt-tew] *adj* isolated

eristin [AY-ris-tin] *n* insulator

eristäytyminen [AY-ris-tæew-tew-mi-nayn] *n* isolation

eristää [AY-ris-tæææ] *v* insulate

erittäin [AY-rit-tæin] *adv* very

erityinen [AY-ri-tewi-nayn] *adj* particular

erityisen [AY-ri-tewi-sayn] *adv* especially

erivapaus [AY-ri-VAH-pah-oos] *n* exemption

ero [AY-roa] *n* resignation; difference

eronnut [AY-roan-noot] *adj* divorced

erota [AY-roa-tah] *v* resign

erottaa [AY-roat-tar] *v* separate; distinguish; detach; fire

erotuomari [AY-roa-TOOOA-mah-ri] *n* umpire

erä [AY-ræ] *n* batch

erääntymisaika [AY-rææn-tew-mis-IGH-kah] *n* expiry

erääntynyt [AY-rææn-tew-newt] *adj* overdue

esi-isä [AY-si I-sæ] *n* ancestor

esikaupunki [AY-si-KOW-poong-ki] *n* suburb

esikaupunkilainen [AY-si-KOW-poong-ki-ligh-nayn] *adj* suburban

esiliina [AY-si-LEE-nah] *n* apron

esimerkiksi [AY-si-MAYR-kik-si] for instance; for example

esimerkki [AY-si-MAYRK-ki] *n* instance; example

esine [AY-si-nay] *n* thing; object

esitellä [AY-si-tayl-læ] *v* present; introduce

esitelmä [AY-si-tayl-mæ] *n* lecture

esittely [AY-sit-tay-lew] *n* introduction; prospectus

esittelylehtinen [AYSIT-tay-lew-LAYH-ti-nayn] *n* brochure

esittää [AY-sit-tææ] *v* bring up; perform; state

esittää vastalause [AY-sit-tææ VAHS-tah-low-say] *v* protest

esitys [AY-si-tews] *n* show; performance

Espanja [AYS-pahn-yah] *n* Spain

espanjalainen [AYS-pahn-yah-ligh-nayn] *n* Spanish; *adj* Spanish

esplanadi [AYSP-lah-nah-di] *n* esplanade

essee [AYS-say] *n* essay

este [AYS-tay] *n* obstacle; barrier

estävä [AYS-tæ-væ] *adj* prohibitive

estää [AYS-tææ] *v* hinder

etana [AY-tah-nah] *n* snail

eteenpäin [AY-tayn-PÆIN] *adv* forward; onwards

eteinen [AY-tay-nayn] *n* hall

eteishalli [AY-tays-hahl-li] *n* lobby; lounge

etelä [AY-tay-læ] *n* south

Etelä-Afrikka [AY-tay-læ AHF-rik-kah] *n* South Africa

eteläinen [AY-tay-læi-nayn] *adj* southern

etelään päin [AY-tay-lææn PÆIN] *adv* southwards

eteneminen [AY-tay-nay-mi-nayn] *n* progress

etenkin [AYTAYNG-kin] *adv* most of all

etikka [AY-tik-kah] *n* vinegar

etsin [AYT-sin] *n* view-finder

etsintä [AYT-sin-tæ] *n* search

etsiä [AYT-si-æ] *v* search; seek; hunt for

että [AYT-tæ] *conj* that

etu [AYTOO] *n* advantage

etuajo-oikeus [AY-too-AH-yoa OY-kay-oos] *n* right-of-way

etuala [AY-too-AH-lah] *n* foreground

etukäteen [AY-too-KÆ-tayn] *adv* in advance; before

etuliite [AY-too-LEE-tay] *n* prefix

etunimi [AY-too-NI-mi] *n* first name

etuoikeus [AY-too-OY-kay-oos] *n* priority

etupermantopaikka [AY-too-PAYR-mahn-toa-PIGHK-kah] *n* stall

etupuoli [AY-too-POOOA-li] *n* front

etusija [AY-too-SI-yah] *n* preference

etuvalo [AY-too-VAH-loa] *n* headlight; headlamp

etäinen [AY-tæi-nayn] *adj* far-off; distant

etäisempi [AY-tæi-saym-pi] *adj* farther; further

etäisin [AY-tæi-sin] *adj* furthest; farthest

etäisyys [AY-tæi-sews] *n* distance

etäisyysmittari [AY-tæi-sews-

MIT-tah-ri] *n* range-finder

Eurooppa [AYOO-roap-pah] *n*
Europe

eurooppalainen [AYOO-roap-pah-
ligh-nayn] *n* European

eye-liner [IGH-LIGH-nayr] *n* eye-
liner

fajanssi [FAH-yahns-si] *n* faience

farmarihousut [FAHR-mah-ri-
HOA-soot] *pl* jeans *pl;* levis

fasaani [FAH-sar-ni] *n* pheasant

feodaali~ [FAYOA-dar-li] *pref*
feudal

festivaalit [FAYS-ti-var-lit] *pl*
festival

filee [FI-lay] *n* tenderloin steak

filmi [FIL-mi] *n* film

filosofi [FI-loa-soa-fi] *n*
philosopher

filosofia [FI-loa-soa-fi-ah] *n*
philosophy

finanssi- [FI-nahns-si] *pref*
financial

flanelli [FLAH-nayl-li] *n* flannel

fokus [FOA-koos] *n* focus

foneettinen [FOA-nayt-ti-nayn]
adj phonetic

froteekangas [FROA-tay-KAHNG-
ahs] *n* towelling

fysiikka [FEW-seek-kah] *n*
physics

fyysikko [FEW-sik-koa] *n*
physicist

fyysinen [FEW-si-nayn] *adj*
physical

generaattori [GAY-nay-rart-toa-
ri] *n* generator

geologia [GAYOA-loa-gi-ah] *n*
geology

geometria [GAYOA-mayt-ri-ah] *n*

geometry

golf [GOALF] *n* golf

golfkenttä [GOALF-KAYNT-tæ] *n*
golf-links; golf-course

golf-kenttä [GOALF-KAYNT-tæ] *n*
links *pl*

golfmaila [GOALF-MIGH-lah] *n*
golf-club

gondoli [GOAN-doa-li] *n* gondola

gramma [GRAHM-mah] *n* gram

graniitti [GRAH-neet-til] *n* granite

greippi [GRAYP-pi] *n* grapefruit

grilli [GRIL-li] *n* grill-room

gynekologi [GEW-nay-koa-loa-gi]
n gynaecologist

haaksirikko [HARK-si-RIK-koa] *n*
wreck

haalea [HAR-lay-ah] *adj* tepid;
lukewarm

haalistua [HAR-lis-too-ah] *v* fade

haalistunut [HAR-lis-too-noot]
adj discoloured

haarautua [HAR-row-too-ah] *v*
branch off; fork

haarautuma [HAR-row-too-mah]
n fork

haarukka [HAR-rook-kah] *n* fork

haastattelu [HARS-taht-tay-loo] *n*
interview

haava [HAR-vah] *n* wound; cut

haavoittaa [HAR-voyt-tar] *v*
wound; hurt

haihtua [HIGHH-too-ah] *v*
evaporate

haistaa [HIGHS-tar] *v* smell

haitta [HIGHT-tah] *n*
disadvantage

haju [HAH-yoo] *n* smell; odour

hajuvesi [HAH-yoo-VAY-si] *n*
perfume; scent

hakaneula [HAH-kah-NAYOO-lah]
n safety pin

hakata hienoksi [HAH-kah-tah
HIAY-noak-si] *v* mince

hakea [HAH-kay-ah] *v* look for;
look up

haljeta [HAHL-yay-tah] *v* burst

halkeama [HAHL-kay-ah-mah] *n*
crack

halko [HAHL-koa] *n* log

hallita [HAHL-li-tah] *v* master;
control; rule; govern

hallitsija [HAHL-lit-si-yah] *n*
ruler

hallitus [HAHL-li-toos] *n*
government

hallitusaika [HAHL-li-toos-IGH-
kah] *n* reign

halpa [HAHL-pah] *adj* cheap;
inexpensive

halpamainen [HAHL-pah-migh-
nayn] *adj* mean

haltija [HAHL-ti-yah] *n* occupant;
bearer

halukas [HAH-loo-kahs] *adj*
willing

haluta [HAH-loo-tah] *v* want;
desire

halvaannuttaa [HAHL-varn-noot-
tar] *v* paralyse

halvaantanut [HAHL-varn-too-
noot] *adj* paralysed

halveksia [HAHL-vayk-si-ah] *v*
despise; scorn

halvempi [HAHL-vaym-pi] *adj*
cheaper

halvin [HAHL-vin] *adj* cheapest

hame [HAH-may] *n* skirt

hammas [HAHM-mahs] *n* tooth

hammasharja [HAHM-mahs-
HAHR-yah] *n* toothbrush

hammasjauhe [HAHM-mahs-YOW-
hay] *n* tooth-powder

hammasliha [HAHM-mahs-LI-
hah] *n* gum

hammaslääkäri [HAHM-mahs-

LÄÄ-kæ-ri] *n* dentist

hammassilta [HAHM-mahs-SIL-
tah] *n* bridge

hammassärky [HAHM-mahs-SÆR-
kew] *n* toothache

hammastahna [HAHM-mahs-
TAHH-nah] *n* toothpaste

hammastikku [HAHM-mahs-TIK-
koo] *n* toothpick

hana [HAH-nah] *n* tap; faucet

hangata [HAHNG-ah-tah] *v* scrub

hanhi [HAHN-hi] *n* goose

hankinta [HAHNG-kin-tah] *n*
supply

hankkia [HAHNGK-ki-ah] *v*
supply; acquire

hansikas [HAHN-si-kahs] *n* glove

hapan [HAH-pahn] *adj* sour

happi [HAHP-pi] *n* oxygen

harja [HAHR-yah] *n* brush

harjata [HAHR-yah-tah] *v* brush

harjoittaa [HAHR-yoyt-tar] *v*
practise

harjoittelu [HAHR-yoyt-tay-loo] *n*
practice

harjoitus [HAHR-yoy-toos] *n*
exercise

harkitusti [HAHR-ki-toos-ti] *adv*
deliberately

harmaa [HAHR-mar] *adj* grey

harmi [HAHR-mi] *n* trouble;
nuisance; bother

harmillinen [HAHR-mil-li-nayn]
adj troublesome

harso [HAHR-soa] *n* veil

harsokangas [HAHR-soa-KAHNG-
ahs] *n* gauze

hartia [HAHR-ti-ah] *n* shoulder

hartiahuivi [HAHR-ti-ah-HOOI-vi]
n shawl; cape

harva [HAHR-vah] *adj* few

harvinainen [HAHR-vi-nigh-
nayn] *adj* rare; quaint;
infrequent; unusual:

uncommon

harvinaisuus [HAHR-vi-nigh-soos] n curio

harvoin [HAHR-voyn] adv seldom

hassu [HAHS-soo] adj foolish

hattu [HAHT-too] n hat

haudata [HOW-dah-tah] v bury

hauki [HOW-ki] n pike

haukotella [HOW-koa-tayl-lah] v yawn

hauras [HOW-rahs] adj fragile

hauska [HOWS-kah] adj amusing

hauskuttaa [HOWS-koot-tar] v amuse

hauta [HOW-tah] n grave; tomb

hautajaiset [HOW-tah-yigh-sayt] pl funeral; n burial

hautakivi [HOW-tah-KI-vi] n gravestone

hautausmaa [HOW-tah-oos-MAR] n graveyard; cemetery

havainnollinen [HAH-vighn-noal-li-nayn] adj graphic

havaita [HAH-vigh-tah] v discover; detect

havaita syylliseksi [HAH-vigh-tah-SEWL-li-sayk-si] v convict

havaitseminen [HAH-vight-say-mi-nayn] n observation

havaittava [HAH-vight-tah-vah] adj noticeable

he [HAY] pron they

hedelmä [HAY-dayl-mæ] n fruit

hedelmällinen [HAY-dayl-mæl-li-nayn] adj fertile

hedelmätarha [HAY-dayl-mæ-TAHR-hah] n orchard

hehku [HAYH-koo] n glow

hehkua [HAYH-koo-ah] v glow

hehkulamppu [HAYH-koo-LAHMP-poo] n bulb; light bulb

heidän [HAY-dæn] adj their

heidät [HAY-dæt] pron them

heijastaa [HAY-yahs-tar] v reflect

heijastin [HAY-yahs-tin] n reflector

heijastus [HAY-yahs-toos] n reflection

heikko [HAYK-koa] adj faint; feeble; weak

heikkous [HAYK-koa-oos] n weakness

heille [HAYL-lay] pron them

heiluttaa [HAY-loot-tar] v wave

heimo [HAY-moa] n tribe

heinä [HAY-næ] n hay

heinäkuu [HAY-næ-KOO] n July

heinänuha [HAY-næ-NOO-hah] n hay-fever

heittää [HAYT-tææ] v toss; throw; cast

helakanpunainen [HAY-lah-kahn-POO-nigh-nayn] adj scarlet

helikopteri [HAY-li-koap-tay-ri] n helicopter

helluntai [HAYL-loon-tigh] n Whitsuntide

helmi [HAYL-mi] n pearl

helmikuu [HAYL-mi-KOO] n February

helminauha [HAYL-mi-NOW-hah] n beads pl

helmiäinen [HAYL-mi-æi-nayn] n mother-of-pearl

helposti pahentuva [HAYL-poas-ti PAH-hayn-too-vah] adj perishable

helpostisulava [HAYL-poas-ti-soo-lah-vah] adj digestible

helpottaa [HAYL-poat-tar] v relieve

helpottunut [HAYL-poat-too-noot] adj relieved

helpotus [HAYL-poa-toos] n relief

helppo [HAYLP-poa] adj easy

helvetti [HAYL-vayt-ti] n hell

hengittää [HAYNG-it-tææ] v

breathe
hengitys [HAYNG-i-tews] *n*
breathing
hengitysputki [HAYNG-i-tews-POOT-ki] *n* snorkel
henkeä kohti [HAYNG-kay-æ-KOAH-ti] per person
henki [HAYNG-ki] *n* spirit
henkilö [HAYNG-ki-lur] *n* person
henkilöjuna [HAYNG-ki-lur-YOO-nah] *n* passenger train
henkilökohtainen [HAYNG-ki-lur-KOAH-tigh-nayn] *adj* personal
henkilökunta [HAYNG-ki-lur-KOON-tah] *n* personnel; *n* staff
henkilöllisyys [HAYNG-ki-lurl-li-sews] *n* identity
henkilöllisyystodistus [HAYNG-ki-lurl-li-sews-TOA-dis-toos] *n* identity card
henkilöpuhelu [HAYNG-ki-lur-POO-hay-loo] *n* personal call
henkinen [HAYNG-ki-nayn] *adj* mental
henkiolento [HAYNG-ki-OA-layn-toa] *n* spirit
henkivakuutus [HAYNG-ki-VAH-koo-toos] *n* life insurance
henkäys [HAYNG-kæ-ews] *n* breath
heprea [HAYP-ray-ah] *n* Hebrew
hereillä [HAY-rayl-læ] *adj* awake
herkku [HAYRK-koo] *n* delicacy; delicatessen
herkkä [HAYRK-kæ] *adj* sensitive
herkullinen [HAYR-kool-li-nayn] *adj* delicious
hermo [HAYR-moa] *n* nerve
hermostunut [HAYR-moas-too-noot] *adj* nervous
hermosärky [HAYR-moa-sÆR-kew] *n* neuralgia
herne [HAYR-nay] *n* pea
herra [HAYR-rah] *n* sir

herraskartano [HAYR-rahs-KAHR-tah-noa] *n* manor house; mansion
herrasmies [HAYR-rahs-MIAYS] *n* gentleman
hertta [HAYRT-tah] *n* hearts *pl*
herttainen [HAYRT-tigh-nayn] *adj* sweet
herättää [HAY-ræt-tææ] *v* wake; awake
herätyskello [HAY-ræ-tews-KAYL-loa] *n* alarm clock
herätä [HAY-ræ-tæ] *v* wake up
heti [HAY-ti] *adv* at once
heti paikalla [HAY-ti PIGH-kahl-lah] straight away
hetkellinen [HAYT-kayl-li-nayn] *adj* momentary
hetki [HAYT-ki] *n* moment; instant
hevonen [HAY-voa-nayn] *n* horse
hevosvoima [HAY-voas-VOY-mah] *n* horse-power
hidas [HI-dahs] *adj* slow
hidasjärkinen [HI-dahs-YÆR-ki-nayn] *adj* slow
hiekka [HIAYK-kah] *n* sand
hiekkainen [HIAYK-kigh-nayn] *adj* sandy
hieno [HIAY-noa] *adj* delicate; fine
hieno nainen [HIAY-noa NIGH-nayn] *n* lady
hienonhieno [HIAY-noan-HIAY-noa] *adj* exquisite
hienotakeet [HIAY-noa-TAH-kayt] *plur* cutlery
hieroa [HIAY-roa-ah] *v* rub; massage
hieroa kauppaa [HIAY-roa-ah KOWP-par] *v* bargain
hieroja [HIAY-roa-yah] *n* masseur
hieronta [HIAY-roan-tah] *n* massage

hi-fi- [HIGH-figh] *pref* hi-fi
hiha [HI-hah] *n* sleeve
hihna [HIH-nah] *n* strap
hiihto [HEEH-toa] *n* skiing
hiihtohissi [HEEH-toa-HIS-si] *n* ski-lift
hiihtohousut [HEEH-toa-HOA-soot] *pl* ski-pants *pl*
hiihtokengät [HEEH-toa-KAYNG-æt] *pl* ski boots *pl*
hiihtosauvat [HEEH-toa-SOW-vaht] *pl* ski-poles *pl*
hiihtäjä [HEEH-tæ-yæ] *n* skier
hiihtää [HEEH-tææ] *v* ski
hiilipaperi [HEE-li-PAH-pay-ri] *n* carbon paper
hiiri [HEE-ri] *n* mouse
hiki [HI-ki] *n* perspiration; sweat
hikka [HIK-kah] *n* hiccup
hikoilla [HI-koyl-lah] *v* sweat ; perspire
hiljainen [HIL-yigh-nayn] *adj* still; quiet
hiljainen kausi [HIL-yigh-nayn KOW-si] *n* off season
hiljaisuus [HIL-yigh-soos] *n* silence
hiljentää vauhtia [HIL-yayn-tææ VOWH-ti-ah] *v* slow down
hillitä [HIL-li-tæ] *v* curb
hilse [HIL-say] *n* dandruff
himmeä [HIM-may-æ] *adj* dim
hinaajalaiva [HI-nar-yah-LIGH-vah] *n* tug
hinnoittaa [HIN-noyt-tar] *v* price
hinta [HIN-tah] *n* price; charge
hintaluettelo [HIN-tah-LOO-ayt-tay-loa] *n* price list
hirveä [HIR-vay-æ] *adj* awful; terrible
hirvi [HIR-vi] *n* deer *inv*
hirvittävä [HIR-vit-tæ-væ] *adj* horrible; frightful
hissi [HIS-si] *n* elevator; lift

historia [HIS-toa-ri-ah] *n* history
historiallinen [HIS-toa-ri-ahl-li-nayn] *adj* historical; historic
historioitsija [HIS-toa-ri-oyt-si-yah] *n* historian
hitti [HIT-ti] *n* hit
hiukan [HIOO-kahn] *adv* somewhat
hiusharja [HIOOS-HAHR-yah] *n* hairbrush
hiusneula [HIOOS-NAYOO-lah] *n* hairpin; bobby-pin
hiussolki [HIOOS-SOAL-ki] *n* hairgrip
hiusverkko [HIOOS-VAYRK-koa] *n* hairnet
hiusvesi [HIOOS-VAY-si] *n* hair tonic
hiusvoide [HIOOS-VOY-day] *n* hair cream
hiusöljy [HIOOS-URLYEW] *n* hair-oil; brilliantine
hohkakivi [HOAH-kah-KI-vi] *n* pumice stone
hoitaa [HOY-tar] *v* look after
hoitaa käsiä [HOY-tar KÆ-si-æ] *v* manicure
hoito [HOY-toa] *n* therapy; treatment
Hollanti [HOAL-lahn-ti] *n* Holland
hollantilainen [HOAL-lahn-ti-ligh-nayn] *adj* Dutch; *n* Dutchman
holvattu [HOAL-vaht-too] *adj* arched
holvi [HOAL-vi] *n* arch
holvikaari [HOAL-vi-KAR-ri] *n* vault
holvikäytävä [HOAL-vi-KÆEW-tæ-væ] *n* arcade
hopea [HOA-pay-ah] *n* silver
hopeanheleä [HOA-pay-ahn-HAY-lay-æ] *adj* silvery

hopeaseppä [HOA-pay-ah-SAYP-pæ] n silversmith

hopeat [HOA-pay-aht] pl silverware

horjahdus [HOAR-yahh-doos] n slip

horjuva [HOAR-yoo-vah] adj unsteady

horrostila [HOAR-roas-TI-lah] n coma

hotelli [HOA-tayl-li] n hotel

hotellipoika [HOA-tayl-li-POY-kah] n valet; bellboy; pageboy

houkutella [HOA-koo-tayl-lah] v tempt

houraileva [HOA-righ-lay-vah] adj delirious

housuliivit [HOA-soo-LEE-vit] pl panty-girdle

housunkannattimet [HOA-soon-KAHN-naht-ti-mayt] pl suspenders pl

housupuku [HOA-soo-POO-koo] n pantsuit

housut [HOA-soot] pl pants pl; trousers pl

hovimestari [HOA-vi-MAYS-tah-ri] n head-waiter; steward

huhtikuu [HOOH-ti-KOO] n April

huhu [HOO-hoo] n rumour

huimaus [HOOI-mah-oos] n giddiness; vertigo

huimausta tunteva [HOOI-mah-oos-tah TOON-tay-vah] adj giddy; dizzy

huippu [HOOIP-poo] n spire; top; summit; peak

huippusesonki [HOOIP-poo-SAY-soang-ki] n peak season

hukata [HOO-kah-tah] v mislay

hukkua [HOOK-koo-ah] v drown

humalainen [HOO-mah-ligh-nayn] adj drunken

humalakasvi [HOO-mah-lah-KAHS-vi] n hops pl

hummeri [HOOM-may-ri] n lobster

humoristinen [HOO-moa-ris-ti-nayn] adj humorous

hunaja [HOO-nah-yah] n honey

huolehtia [HOOOA-layh-ti-ah] v take care of; care; mind; attend; see to

huolestunnut [HOOOA-lays-too-noot] adj concerned

huolestunut [HOOOA-lays-too-noot] adj anxious; worried

huolestuttaa [HOOOA-lays-toot-tar] v worry

huoleton [HOOOA-lay-toan] adj casual

huoli [HOOOA-li] n concern; worry; care

huolimatta [HOOOA-li-maht-tah] in spite of; prep despite; adv in spite of

huoltoasema [HOOOAL-toa-AH-say-mah] n service station; gas station

huomaamaton [HOOOA-mar-mah-toan] adj unseen

huomaavainen [HOOOA-mar-vigh-nayn] adj considerate

huomata [HOOOA-mah-tah] v observe

huomattava [HOOOA-maht-tah-vah] adj outstanding

huomauttaa [HOOOA-mah-oot-tar] v comment; remark

huomautus [HOOOA-mow-toos] n remark; comment

huomenna [HOOOA-mayn-nah] adv tomorrow

huomioon ottaen [HOOOA-mi-oan OAT-tah-ayn] prep considering

huomiota herättävä [HOOOA-mi-oa-tah HAY-ræt-tæ-væ] adj sensational; striking

huone [HOOOA-nay] *n* room

huoneisto [HOOOA-nays-toa] *n* suite; flat; apartment

huonekalut [HOOOA-nay-KAH-loot] *pl* furniture

huonepalvelu [HOOOA-nay-PAHL-vay-loo] *n* room service

huono [HOOOA-noa] *adj* bad

huono onni [HOOOA-noa OAN-ni] *n* misfortune

huonompi [HOOOA-noam-pi] *adj* inferior

huonovointinen [HOOOA-noa-VOYN-ti-nayn] *adj* unwell

huopa [HOOOA-pah] *n* blanket; felt

huosta [HOOOAS-tah] *n* custody

hurmaava [HOOR-mar-vah] *adj* enchanting

huudahdus [HOO-dahh-doos] *n* exclamation

huudahtaa [HOODAHH-tar] *v* exclaim

huuli [HOO-li] *n* lip

huulipuna [HOO-li-POO-nah] *n* lipstick

huulivoide [HOO-li-VOY-day] *n* lipsalve

huumausaine [HOO-mah-oos-IGH-nay] *n* narcotic

huumori [HOO-moa-ri] *n* humour

huutaa [HOO-tar] *v* call; cry; shout

huuto [HOO-toa] *n* shout; cry; call

huutokaupan pitäjä [HOO-toa-KOW-pahn PI-tæ-yæ] *n* auctioneer

huutokauppa [HOO-toa-KOWP-pah] *n* auction

huvi [HOO-vi] *n* fun

huvila [HOO-vi-lah] *n* villa

huviretki [HOO-vi-RAYT-ki] *n* picnic

huvitella [HOO-vi-tayl-lah] *v* amuse

hygieeninen [HEW-gi-ay-ni-nayn] *adj* hygienic

hylkytavara [HEWL-kew-TAH-vah-rah] *n* reject

hylly [HEWL-lew] *n* shelf

hylätä [HEW-læ-tæ] *v* reject

hymni [HEWM-ni] *n* hymn

hymy [HEW-mew] *n* smile

hymyillä [HEW-mewil-læ] *v* smile

hyppiä [HEWP-pi-æ] *v* hop; leap

hyppy [HEWP-pew] *n* jump

hypätä [HEW-pæ-tæ] *v* jump

hysteerinen [HEWS-tay-ri-nayn] *adj* hysterical

hytti [HEWT-ti] *n* cabin

hyttysverkko [HEWT-tews-VAYRK-koa] *n* mosquito net

hyve [HEW-vay] *n* virtue

hyvin [HEW-vin] *adj* well

hyvin tehty [HEW-vin TAYH-tew] *adj* well-made

hyvä [HEW-væ] *adj* well; good

hyvä kauppa [HEW-væ KOWP-pah] *n* bargain

hyvä käyttäytyminen [HEW-væ KÆEWT-tæew-tew-mi-nayn] *n* amenities *pl*

hyvä on [HEW-væ OAN] all right

hyväksyminen [HEW-væk-sew-mi-nayn] *n* approval

hyväksyä [HEW-væk-sew-æ] *v* approve

hyvännäköinen [HEW-væn-NÆ-kuri-nayn] *adj* good-looking

hyväntahto [HEW-væn-TAHH-toa] *n* good-will

hyväntahtoinen [HEW-væn-TAHH-toy-nayn] *adj* good-natured

hyväntuulinen [HEW-væn-TOO-li-nayn] *adj* good-humoured; good-tempered

hyytelö [HEW-tay-lur] *n* jelly

hyytyä [HEW-tew-æ] *v* coagulate

hyödyllinen [HEWUR-dewl-li-
nayn] adj useful

hyödyllisyys [HEWUR-dewl-li-
sews] n utility

hyödytön [HEWUR-dew-turn] adj
useless

hyökätä [HEWUR-kæ-tæ] v
invade; attack

hyönteinen [HEWURN-tay-nayn] n
insect

hyönteisen purema [HEWURN-
tay-sayn POO-ray-mah] n
insect bite

hyönteismyrkky [HEWURN-tays-
MEWRK-kew] n insecticide

hyönteisvoide [HEWURN-tays-VOY-
day] n insect repellent

hyöty [HEWUR-tew] n benefit

häijy [HÆI-yew] adj nasty

häipyä [HÆI-pew-æ] v vanish

häiritä [HÆ-ri-tæ] v upset;
disturb

häiriö [HÆI-ri-ur] n disturbance

häkeltynyt [HÆ-kayl-tew-newt]
adj embarrassed

hälinä [HÆ-li-næ] n fuss; bustle

hälytys [HÆ-lew-tews] n alarm

hämmentynyt [HÆM-mayn-tew-
newt] adj confused

hämmentää [HÆM-mayn-tææ] v
stir

hämminki [HÆM-ming-ki] n
confusion

hämmästyttävä [HÆM-mæs-
tewt-tæ-væ] adj astonishing

hämmästyttää [HÆM-mæs-tewt-
tææ] v astonish; amaze

hämärä [HÆ-mæ-ræ] n dusk

hän [HÆN] pron she; he

hänelle [HÆ-nayl-lay] pron her;
him

hänen [HÆ-nayn] adj his; her

hänet [HÆ-nayt] pron him; her

häntä [HÆN-tæ] n tail

häpeissään [HÆ-pays-sææn] adj
ashamed

häpeä [HÆ-pay-æ] n shame

härkä [HÆR-kæ] n bull; ox

härkätaistelu [HÆR-kæ-TIGHS-
tay-loo] n bullfight

härkätaisteluareena [HÆR-kæ-
TIGHS-tay-loo-AH-ray-nah] n
bull-ring

härän selkäliha [HÆ-ræn SAYL-
kæ-LI-hah] n sirloin

hätätilanne [HÆ-tæ-TI-lahn-nay]
n emergency

hävittää [HÆ-vit-tææ] v destroy

hävitys [HÆ-vi-tews] n
destruction

hävyttömyys [HÆ-vewt-tur-
mews] n impertinence

hävytön [HÆ-vew-turn] adj
impertinent

häät [HÆÆT] pl wedding

hölynpöly [HUR-lewn-pur-lew] n
nonsense

höyhen [HUREW-hayn] n feather

höyry [HUREW-rew] n steam;
vapour

höyrylaiva [HUREW-rew-LIGH-vah]
n steamer

höyste [HUREWS-tay] n seasoning

identtinen [I-daynt-ti-nayn] adj
identical

idiomaattinen [I-di-oa-mart-ti-
nayn] adj idiomatic

idiomi [I-di-oa-mi] n idiom

idiootti [I-di-oat-ti] n idiot

ihailla [I-highl-lah] v admire

ihailu [I-high-loo] n admiration

ihana [I-hah-nah] adj terrific

ihanne [I-hahn-nay] n ideal

ihanteellinen [I-hahn-tayl-li-
nayn] adj ideal

ihastuttava [I-hahs-toot-tah-vah] *adj* delightful

ihme [IH-may] *n* miracle; marvel

ihmeellinen [IH-mayl-li-nayn] *adj* marvellous; miraculous; wonderful

ihmetellä [IH-may-tayl-læ] *v* wonder; marvel

ihmettely [IH-mayt-tay-lew] *n* wonder

ihminen [IH-mi-nayn] *n* human being

ihmiset [IH-mi-sayt] *pl* people

ihmiskunta [IH-mis-KOON-tah] *n* mankind; humanity

iho [I-hoa] *n* skin

ihonväri [I-hoan-VÆ-ri] *n* complexion

ihottuma [I-hoat-too-mah] *n* rash

ihovoide [I-hoa-VOY-day] *n* skin cream; cold cream

ihra [IH-rah] *n* lard

ikimuistettava [I-ki-MOOIS-tayt-tah-vah] *adj* memorable

ikkuna [IK-koo-nah] *n* window

ikkuna-aukko [IK-koo-nah-OWK-koa] *n* porthole

ikkunaluukku [IK-koo-nah-LOOK-koo] *n* shutter

ikä [I-kæ] *n* age

ikäneito [I-kæ-NAY-toa] *n* spinster

ikävystyttävä [I-kæ-vews-tewt-tæ-væ] *adj* dull; boring

ikävystyttää [IKÆ-vews-tewt-tææ] *v* bore

ikävöidä [I-kæ-vuri-dæ] *v* long for

ikäänkuin [I-kææn-KOOIN] *conj* as if

ikääntynyt [I-kææn-tew-newt] *adj* aged

illallinen [IL-lahl-li-nayn] *n* supper

ilma [IL-mah] *n* air

ilma- [IL-mah] *pref* pneumatic

ilmainen [IL-migh-nayn] *adj* free of charge; gratis

ilmakehä [IL-mah-KAY-hæ] *n* atmosphere

ilman [IL-mahn] *prep* without

ilman velvollisuuksia [IL-mahn-VAYL-voal-li-sook-si-ah] without obligation

ilmapiiri [IL-mah-PEE-ri] *n* atmosphere

ilmapuntari [IL-mah-POON-tah-ri] *n* barometer

ilmasto [IL-mahs-toa] *n* climate

ilmastointilaite [IL-mahs-toyn-ti-LIGH-tay] *n* air conditioner

ilmastoitu [IL-mahs-toy-too] *adj* air conditioned

ilmatyynyalus [IL-mah-TEW-new-AH-loos] *n* hovercraft

ilmaus [IL-mah-oos] *n* expression

ilmavan ohut [IL-mah-vahn OA-hoot] *adj* sheer

ilmeinen [IL-may-nayn] *adj* apparent; obvious

ilmoittaa [IL-moyt-tar] *v* notify; announce

ilmoittaa tullattavaksi [IL-moyt-tar TOOL-laht-tah-vahk-si] *v* declare

ilmoittaa vastaanottaneensa [IL-moyt-tar-VAHS-tarn-OAT-tah-nayn-sah] *v* acknowledge

ilmoittautua lähtiessä [IL-moyt-tow-too-ah LÆH-ti-ays-sæ] *v* check out

ilmoittautua saapuessa [IL-moyt-tow-too-ah SAR-poo-ays-sah] *v* check in

ilmoittautumislomake [IL-moyt-tow-too-mis-LOA-mäh-kay] *n* registration form

ilmoitus [IL-moy-toos] *n*
advertisement

ilo [I-loa] *n* delight; joy

iloinen [I-loy-nayn] *adj* jolly;
joyful; glad; gay; delighted;
cheerful; merry

iloisuus [I-loy-soos] *n* gaiety

ilta [IL-tah] *n* evening

iltahämärä [IL-tah-HÆ-mæ-ræ] *n*
twilight

iltapuku [IL-tah-POO-koo] *n*
gown; evening dress

iltapäivä [IL-tah-PÆI-væ] *n*
afternoon

iltapäivätee [IL-tah-PÆI-væ-TAY]
n tea

imeväinen [I-may-væi-nayn] *n*
infant

imeä [I-may-æ] *v* suck

immunisoida [IM-moo-ni-soy-
dah] *v* immunize

immuniteetti [IM-moo-ni-tayt-ti]
n immunity

imperiumi [IM-pay-ri-oo-mi] *n*
empire

impulsiivinen [IM-pool-see-vi-
nayn] *adj* impulsive

imuke [I-moo-kay] *n* cigarette-
holder

infinitiivi [IN-fi-ni-tee-vi] *n*
infinitive

inflaatio [INF-lar-ti-oa] *n*
inflation

influenssa [INF-loo-ayns-sah] *n*
influenza; flu

infranpunainen [INF-rahn-POO-
nigh-nayn] *adj* infra-red

inhimillinen [IN-hi-mil-li-nayn]
adj human

inhoa tunteva [IN-hoa-ah TOON-
tay-vah] *adj* disgusted

inhota [IN-hoa-tah] *v* hate

inhottava [IN-hoat-tah-vah] *adj*
disgusting

inkivääri [ING-ki-vææ-ri] *n*
ginger

innokas [IN-noa-kahs] *adj* eager

innokas [IN-noa-kahs] *adj*
anxious

innostunut [IN-noas-too-noot]
adj enthusiastic

insinööri [IN-si-nur-ri] *n*
engineer

institutio [INS-ti-too-ti-oa] *n*
institution

intendentti [IN-tayn-daynt-ti] *n*
curator

intensiivinen [IN-tayn-see-vi-
nayn] *adj* intense

Intia [IN-ti-ah] *n* India

intialainen [IN-ti-ah-ligh-nayn]
n Indian

invaliidi [IN-vah-lee-di] *n* invalid

inventaario [IN-vayn-tar-ri-oa] *n*
inventory

Irlanti [IR-lahn-ti] *n* Ireland

irlantilainen [IR-lahn-ti-ligh-
nayn] *n* Irish; *adj* Irish

irrottaa [IR-roat-tar] *v* loosen;
unfasten

irtonainen [IR-toa-nigh-nayn]
adj loose

iskeä [IS-kay-æ] *v* hit

iskeä maahan [IS-kay-æ MAR-
hahn] *v* knock down

isku [IS-koo] *n* blow

iskunvaimentaja [IS-koon-VIGH-
mayn-tah-yah] *n* shock
absorber

Islanti [IS-lahn-ti] *n* Iceland

iso [I-soa] *adj* big

Iso-Britannia [I-soa BRI-tahn-ni-
ah] *n* Great Britain

isoin [I-soyn] *adj* biggest

isoisä [I-soa-i-sæ] *n* grandfather

isompi [I-soam-pi] *adj* bigger

isorokko [I-soa-ROAK-koa] *n*
smallpox

isovanhemmat [I-soa-VAHN-haym-maht] *pl* grandparents *pl*

isoäiti [I-soa-ÆI-ti] *n* grandmother

Israel [IS-rah-ayl] *n* Israel

israelilainen [IS-rah-ay-li-lighnayn] *n* Israeli; *adj* Israeli

istua [IS-too-ah] *v* sit

istuin [IS-tooin] *n* seat

istumapaikka [IS-too-mah-PIGHK-kah] *n* seat

istuttaa [IS-toot-tar] *v* plant

istuutua [IS-too-too-ah] *v* sit down

istuva [IS-too-vah] *adj* seated

isä [I-sæ] *n* father; daddy; dad

isänmaa [I-sæn-MAR] *n* mother country

isänmaanystävä [I-sæn-marn-EWS-tæ-væ] *n* patriot

isäntä [I-sæn-tæ] *n* host

Italia [I-tah-li-ah] *n* Italy

italialainen [I-tah-li-ah-lighnayn] *n* Italian; *adj* Italian

itkeä [IT-kay-kæs] *v* weep; cry

itse [IT-say] *pron* yourself; yourselves; themselves; himself; herself; myself; ourselves; oneself

itse asiassa [IT-say AH-si-ahssah] as a matter of fact; in fact

itsehallinto [IT-say-HAHL-lin-toa] *n* self-government

itsekäs [IT-say-kæs] *adj* selfish

itsemme [IT-saym-may] *pron* ourselves

itsemurha [IT-say-MOOR-hah] *n* suicide

itseni [IT-say-ni] *pron* myself

itsenne [IT-sayn-nay] *pron* yourselves

itsensä [IT-sayn-sæ] *pron* themselves; herself; himself

itsenäinen [IT-say-næi-nayn] *adj* independent

itsenäinen yrittäjä [IT-say-næinayn EW-rit-tæ-yæ] *adj* self-employed

itsenäisyys [IT-say-næi-sews] *n* independence

itsepalvelu [IT-say-PAHL-vay-loo] *n* self-service

itsepalvelukahvila [IT-say-PAHL-vay-loo-KAHH-vi-lah] *n* cafeteria

itsepalvelupesula [IT-say-PAHL-vay-loo-PAY-soo-lah] *n* launderette

itsepalveluravintola [IT-say-PAHL-vay-loo-RAH-vin-toa-lah] *n* self-service restaurant

itsesi [IT-say-si] *pron* yourself

itsestään siliävä [IT-says-tææn SI-li-æ-væ] *adj* drip-dry; wash and wear

itä [I-tæ] *n* east

itäinen [I-tæi-nayn] *adj* eastern

itämaat [I-tæ-MART] *pl* Orient

itämainen [I-tæ-MIGH-nayn] *adj* Oriental

Itävalta [I-tæ-VAHL-tah] *n* Austria

itävaltalainen [I-tæ-VAHL-tahligh-nayn] *n* Austrian; *adj* Austrian

ja [YAH] *conj* and

ja niin edespäin [YAH NEEN AY-days-PÆIN] and so on

jadekivi [YAH-day-KI-vi] *n* jade

jahti [YAHH-ti] *n* yacht

jakaa [YAH-kar] *v* divide; deal; deliver; share

jakaus [YAH-kah-oos] *n* parting

jakelija [YAH-kay-li-yah] *n* distributor

jakelu [YAH-kay-loo] n delivery
jako [YAH-koa] n division
jakoavain [YAH-koa-AH-vighn] n
  wrench
jakso [YAHK-soa] n cycle
jalan [YAH-lahn] n walking; on
  foot
jalankulkija [YAH-lahn-KOOL-ki-
  yah] n pedestrian
jalankulkijoilta pääsy kielletty
  [YAH-lahn-KOOL-ki-yoyl-tah
  PÆÆ-sew KIAYL-layt-tew] no
  pedestrians
jalava [YAH-lah-vah] n elm
jalka [YAHL-kah] n foot
jalkajarru [YAHL-kah-YAHR-roo] n
  foot-brake
jalkajauhe [YAHL-kah-YOW-hay]
  n foot powder
jalkakäytävä [YAHL-kah-KÆEW-
  tah-væ] n sidewalk; pavement
jalkapallo [YAHL-kah-PAHL-loa] n
  football
jalkapallo-ottelu [YAHL-kah-
  PAHL-loa OAT-tay-loo] n football
  match
jalkapallopeli [YAHL-kah-PAHL-
  loa-PAY-li] n soccer
jalkaväki [YAHL-kah-VÆ-ki] n
  infantry
jalkineet [YAHL-ki-nayt] pl
  footwear
jalkojenhoitaja [YAHL-koa-yayn
  HOY-tah-yah] n chiropodist
jalkojenhoito [YAHL-koa-yayn-
  HOY-toa] n pedicure
jalokivi [YAH-loa-KI-vi] n jewel;
  gem; stone
jalokivikauppias [YAH-loa-KI-vi-
  KOWP-pi-ahs] n jeweller
jano [YAH-noa] n thirst
janoinen [YAH-noy-nayn] adj
  thirsty
Japani [YAH-pah-ni] n Japan

japanilainen [YAH-pah-ni-ligh-
  nayn] n Japanese; adj
  Japanese
jarru [YAHR-roo] n brake
jarruvalot [YAHR-roo-VAH-loat] pl
  brake lights pl
jatkaa [YAHT-kar] v carry on;
  keep on; go ahead; go on;
  continue
jatkojohto [YAHT-koa-YOAH-toa] n
  extension cord
jatkuva [YAHT-koo-vah] adj
  continuous
jauhaa [YOW-har] v grind
jauhe [YOW-hay] n powder
jauho [YOW-hoa] n flour
jazz [YAHTS] n jazz
jersey [YAYRS-si] n jersey
jo [yoa] adv already
jodi [YOA-di] n iodine
joen juoksu [YOA-ayn YOOOAK-
  soo] n course
joen suu [YOA-ayn SOO] n estuary
joenvarsi [YOA-ayn-VAHR-si] n
  riverside
johdanto [YOAH-dahn-toa] n
  introduction
johdinbussi [YOAH-din-BOOS-si] n
  trolley-bus
johdosta [YOAH-doas-tah] prep
  owing to; on account of
johtaa [YOAH-tar] v manage; lead;
  conduct
johtaja [YOAH-tah-yah] n
  director; leader; manager
johtava [YOAH-tah-vah] adj
  leading
johto [YOAH-toa] n management
johtokunta [YOAH-toa-KOON-tah]
  n board; council
joka [YOA-kah] adj every; pron
  that; which; who
joka tapauksessa [YOA-kah TAH-
  pah-ook-says-sah] at any rate;

adv anyway

joka öinen [YOA-kah URI-nayn]
adj nightly

jokainen [YOA-kigh-nayn] *pron*
everybody; everyone; each one

jokapäiväinen [YOA-kah-PÆI-
væi-nayn] *adj* everyday

jokatuntinen [YOA-kah-TOON-ti-
nayn] *adj* hourly

jokeri [YOA-kay-ri] *n* joker

joki [YOA-ki] *n* river

jokin [YOA-kin] *pron* anything

jokipenger [YOA-ki-PAYNG-ayr] *n*
river-bank

joko . . . tai [YOA-koa TIGH] *conj*
either... or

joku [YOA-koo] *pron* somebody;
someone; anyone; one

jolla [YOAL-lah] *n* dinghy

jolle [YOAL-lay] *pron* whom

jompikumpi [YOAM-pi-KOOM-pi]
pron either

jonkun nimeen [YOANG-koon NI-
mayn] *prep* on behalf of

jono [YOA-noa] *n* line; queue; file

jonottaa [YOA-noat-tar] *v* queue

jopa [YOA-pah] *adv* even

jos [YOAS] *conj* if

joskus [YOAS-koos] *adv* some
time

jossain [YOAS-sighn] *adv*
somewhere

jotakin [YOA-tah-kin] *pron*
something

joten [YOA-tayn] *conj* so that

jotkut [YOAT-koot] *adj* some

joukko [YOAK-koa] *n* set; crowd

joukkokokous [YOAK-koa-KOA-
koa-oos] *n* rally

joukossa [YOA-koas-sah] *prep*
among

joulu [YOA-loo] *n* Christmas;
Xmas

joulukuu [YOA-loo-KOO] *n*

December

jousi [YOA-si] *n* spring

joutoaika [YOA-toa-IGH-kah] *n*
spare time

joutua epäkuntoon [YOA-too-ah
AY-pæ-KOON-toan] *v* break
down

jugoslaavi [YOO-goas-lar-vi] *n*
Jugoslav; Yugoslav

Jugoslavia [YOO-goas-lah-vi-ah]
n Yugoslavia; Jugoslavia

jugoslavialainen [YOO-goas-lah-
vi-ah-ligh-nayn] *adj* Jugoslav

juhannus [YOO-hahn-noos] *n*
midsummer

juhla [YOOH-lah] *n* feast;
celebration

juhla-ateria [YOOH-lah AH-tay-ri-
ah] *n* banquet

juhlallinen [YOOH-lahl-li-nayn]
adj solemn

juhlamenot [YOOH-lah-MAY-noat]
pl ceremony

juhlasali [YOOH-lah-SAH-li] *n*
banqueting-hall

juhlava [YOOH-lah-vah] *adj*
festive

juhlia [YOOH-li-ah] *v* celebrate

julkaiseminen [YOOL-kigh-say-
mi-nayn] *n* publication

julkaista [YOOL-kighs-tah] *v*
publish; issue

julkea [YOOL-kay-ah] *adj*
impudent

julkinen [YOOL-ki-nayn] *adj*
public; common

julkinen tiedote [YOOL-ki-nayn
TIAY-doa-tay] *n* public notice

julkinen tiedotus [YOOL-ki-nayn
TIAY-doa-toos] *n* public
announcement

julkisivu [YOOL-ki-SI-voo] *n*
facade

Jumala [YOO-mah-lah] *n* God

jumalanpalvelus [YOO-mah-lahn-PAHL-vay-loos] *n* worship

juna [YOO-nah] *n* train

junalautta [YOO-nah-LOWT-tah] *n* train-ferry

juoda [YOOOA-dah] *v* drink

juokseva vesi [YOOOAK-say-vah VAY-si] *n* running water

juoma [YOOOA-mah] *n* drink; beverage

juomalaite [YOOOA-mah-LIGH-tay] *n* drinking fountain

juomalasi [YOOOA-mah-LAH-si] *n* tumbler

juomaraha [YOOOA-mah-RAH-hah] *n* tip; gratuity

juomavesi [YOOOA-mah-VAY-si] *n* drinking water

juoni [YOOOA-ni] *n* plot

juoru [YOOOA-roo] *n* gossip

juoruta [YOOOA-roo-tah] *v* gossip

juosta [YOOOAS-tah] *v* run

juotava [YOOOA-tah-vah] *adj* potable

juttelu [YOOT-tay-loo] *n* chat

juuri [YOO-ri] *n* root; *adv* just

juusto [YOOS-toa] *n* cheese

juutalainen [YOO-tah-ligh-nayn] *n* Jew; *adj* Jewish

jykevä [YEW-kay-væ] *adj* massive

jyrkänne [YEWR-kæn-nay] *n* precipice

jyvä [YEW-væ] *n* grain

jäljellä oleva [YÆL-yayl-læ OA-lay-vah] *adj* remaining

jäljennös [YÆL-yayn-nurs] *n* reproduction; copy

jäljentää [YÆL-yayn-tææ] *v* reproduce

jäljessä [YÆL-yays-sæ] *adv* behind

jäljitellä [YÆL-yi-tayl-læ] *v* imitate

jäljittely [YÆL-yit-tay-lew] *n* imitation

jälkeen [YÆL-kayn] *adv* then

jälkeenpäin [YÆL-kayn-PÆIN] *adv* afterwards

jälkiruoka [YÆL-ki-ROOOA-kah] *n* dessert

jälkivaatimus [YÆL-ki-VAR-ti-moos] *n* cash on delivery

jännite [YÆN-ni-tay] *n* voltage

jännittävä [YÆN-nit-tæ-væ] *adj* exciting

jännitys [YÆN-ni-tews] *n* strain; tension

järjestellä [YÆR-yays-tayl-læ] *v* arrange

järjestelmä [YÆR-yays-tayl-mæ] *n* system

järjestelmällinen [YÆR-yays-tayl-mæl-li-nayn] *adj* systematic

järjestää [YÆR-yays-tææ] *v* settle

järjestö [YÆR-yays-tur] *n* organisation

järjetön [YÆR-yay-turn] *adj* absurd; senseless

järkevä [YÆR-kay-væ] *adj* sensible; reasonable

järkyttävä [YÆR-kewt-tæ-væ] *adj* shocking

järkyttää [YÆR-kewt-tæ] *v* shock

järkytys [YÆR-kew-tews] *n* shock

järvenranta [yær-vayn-RAHN-tah] *n* lakeside

järvi [YÆR-vi] *n* lake

jäsen [YÆ-sayn] *n* member

jäsenyys [YÆ-say-news] *n* membership

jätteet [YÆT-tayt] *pl* garbage; refuse

jättää [YÆT-tææ] *v* leave

jättää huomioonottamatta [YÆT-tææ HOOOA-mi-oan-OAT-tah-maht-tah] *v* overlook

jättää pois [YÆT-tææ POYS] *v* omit; leave out

jää [YÆÆ] *n* ice

jäädä [YÆÆ-dæ] *v* stay

jäädä eloon [YÆÆ-dæ AY-loan] *v* survive

jäädä jäljelle [YÆÆ-dæ YÆL-yayl-lay] *v* remain

jääjuoma [YÆÆ-YOOOA-mah] *n* iced drink

jääkaappi [YÆÆ-KARP-pi] *n* fridge; refrigerator

jääkiekkoilu [YÆÆ-KIAYK-koy-loo] *n* hockey

jäännös [YÆÆN-nurs] *n* remainder; remnant; rest

jääpussi [YÆÆ-POOS-si] *n* icebag

jäätelö [YÆÆ-tay-lur] *n* ice-cream

jäätikkö [YÆÆ-tik-kur] *n* glacier

jäätymispiste [YÆÆ-tew-mis-PIS-tay] *n* freezing point

jäätynyt [YÆÆ-tew-newt] *adj* frozen

jäätyä [YÆÆ-tew-æ] *v* freeze

jäätävä [YÆÆ-tæ-væ] *adj* freezing

jäävesi [YÆÆ-VAY-si] *n* ice-water

kaakao [KAR-kah-oa] *n* cocoa

kaakeli [KAR-kay-li] *n* tile

kaakko [KARK-koa] *n* south-east

kaali [KAR-li] *n* cabbage

kaapata [KAR-pah-tah] *v* seize; hijack

kaappi [KAR-p-pi] *n* cupboard

kaareva [KAR-ray-vah] *adj* curved

kaasu [KAR-soo] *n* gas

kaasulaitos [KAR-soo-LIGH-toas] *n* gasworks

kaasuliesi [KAR-soo-LIAY-si] *n* gas stove; gas cooker

kaasupoljin [KAR-soo-POAL-yin] *n* accelerator

kaasutin [KAR-soo-tin] *n* carburettor

kaataa [KAR-tar] *v* pour; spill

kaatosade [KAR-toa-SAH-day] *n* cloudburst; downpour

kaatumatauti [KAR-too-mah-TOW-ti] *n* epilepsy

kaava [KAR-vah] *n* formula

kaavakuva [KAR-vah-KOO-vah] *n* diagram

kabaree [KAH-bah-ray] *n* cabaret

kadonnut henkilö [KAH-doan-noot HAYNG-ki-lur] *n* missing person

kadota [KAH-doa-tah] *v* disappear

kadottaa [KAH-doat-tar] *v* lose

kadun reunakivi [KAH-doon RAYOO-nah-ki-vi] *n* curb

kahdeksan [KAHH-dayk-sahn] *adj* eight

kahdeksankymmentä [KAHH-dayk-sahn-KEWM-mayn-tæ] *adj* eighty

kahdeksantoista [KAHH-dayk-sahn-toys-tah] *adj* eighteen

kahdeksas [KAHH-dayk-sahs] *adj* eighth

kahdeksastoista [KAHH-dayk-sahs-toys-tah] *adj* eighteenth

kahden hengen huone [kahh-dayn HAYNG-ayn HOOOA-nay] *n* double room

kahdeskymmenes [KAHH-days-KEWM-may-nays] *adj* twentieth

kahdesti [KAHH-days-ti] *adv* twice

kahdestoista [KAHH-days-TOYS-tah] *adj* twelfth

kahlaamo [KAHH-lar-moa] *n* ford

kahlata [KAHH-lah-tah] *v* wade

kahva [KAHH-vah] *n* handle

kahvi [KAHH-vi] *n* coffee; café
kahvila [KAHH-vi-lah] *n* café
kaiken kaikkiaan [KIGH-kayn
 KIGHK-ki-arn] *adv* altogether;
 all in
kaikkein [KIGHK-kayn] by far
kaikki [KIGHK-ki] *adj* all; *pron*
 everything
kaikkialla [KIGHK-ki-ahl-lah]
 adv everywhere
kaiku [KIGH-koo] *n* echo
kaipaus [KIGH-pah-oos] *n*
 longing
kaisla [KIGHS-lah] *n* rush
kaistale [KIGHS-tah-lay] *n* strip;
 tab
kaiteet [KIGH-tayt] *pl* railing
kaivaa [KIGH-var] *v* dig
kaivata [KIGH-vah-tah] *v* miss
kaivaus [KIGH-vah-oos] *n*
 excavation
kaiverrus [KIGH-vayr-roos] *n*
 engraving; inscription
kaivertaa [KIGH-vayr-tar] *v*
 engrave
kaivo [KIGH-voa] *n* well
kaivos [KIGH-voas] *n* mine
kaivosmies [KIGH-voas-MIAYS] *n*
 miner
kaivostyö [KIGH-voas-TEWUR] *n*
 mining
kakku [KAHK-koo] *n* cake
kaksi [KAHK-si] *adj* two
kaksi viikkoa [KAHK-si VEEK-
 koa-ah] *n* fortnight
kaksikymmentä [KAHK-si-KEWM-
 mayn-tæ] *adj* twenty
kaksinkertainen määrä [KAHK-
 sin-KAYR-tigh-nayn MÆÆ-ræ] *n*
 double
kaksiosainen [KAHK-si-OA-sigh-
 nayn] *adj* two-piece
kaksisuuntainen tie [KAHK-si-
 SOON-tigh-nayn TIAY] *n* dual

 carriage-way
kaksitoista [KAHK-si-TOYS-tah]
 adj twelve
kaksoisvuode [KAHK-soys-VOOOA-
 day] *n* twin beds *pl;* double bed
kaksonen [KAHK-soa-nayn] *n*
 twins *pl*
kala [KAH-lah] *n* fish
kalakauppa [KAH-lah-KÔWP-pah]
 n fish shop
kalastaa [KAH-lahs-tar] *v* fish
kalastaja [KAH-lahs-tah-yah] *n*
 fisherman
kalastus [KAH-lahs-toos] *n*
 fishing
kalastuskoukku [KAH-lahs-toos-
 KOAK-koo] *n* fishing hook
kalastuslupa [KAH-lahs-toos-
 LOO-pah] *n* fishing licence
kalastustarvikkeet [KAH-lahs-
 toos-TAHR-vik-kayt] *pl* fishing
 tackle
kalastusverkko [KAH-lahs-toos-
 VAYRK-koa] *n* fishing net
kalenteri [KAH-layn-tay-ri] *n*
 calendar
kalju [KAHL-yoo] *adj* bald
kalkkuna [KAHLK-koo-nah] *n*
 turkey
kallio [KAHL-li-oa] *n* cliff; rock
kallioinen [KAHL-li-oy-nayn] *adj*
 rocky
kallis [KAHL-lis] *adj* dear;
 expensive
kallisarvoinen [KAHL-lis-AHR-
 voy-nayn] *adj* precious
kallistua [KAHL-lis-too-ah] *v*
 slant; slope
kallo [KAHL-loa] *n* skull
kalori [KAH-loa-ri] *n* calorie
kalpea [KAHL-pay-ah] *adj* pale
kaltainen [KAHL-tigh-nayn] *adj*
 like; alike
kalteva [KAHL-tay-vah] *adj*

sloping; slanting

kalteva taso [KAHL-tay-vah TAH-soa] *n* incline

kaltevuus [KAHL-tay-voos] *n* gradient; slope

kalustaa [KAH-loos-tar] *v* furnish

kalustamaton [KAH-loos-tah-mah-toan] *adj* unfurnished

kalusteet [KAH-loos-tayt] *pl* gear

kalustettu huone [KAH-loos-tayt-too HOOOA-nay] *n* furnished room

kalustettu huoneisto [KAH-loos-tayt-too HOOOA-nays-toa] *n* furnished flat

kalvosimet [KAHL-voa-si-mayt] *pl* cuffs *pl*

kalvosinnapit [KAHL-voa-sin-NAH-pit] *pl* cuff-links *pl;* links *pl*

kamala [KAH-mah-lah] *adj* hideous

kamera [KAH-may-rah] *n* camera

kamiina [KAH-mee-nah] *n* stove

kammata [KAHM-mah-tah] *v* comb

kampa [KAHM-pah] *n* comb

kampaaja [KAHM-par-yah] *n* hairdresser

kampalanka [KAHM-pah-LAHNG-kah] *n* worsted

kampasimpukka [KAHM-pah-SIM-pook-kah] *n* scallop

kampaus [KAHM-pah-oos] *n* setting; hair set

kampausneste [KAHM-pah-oos-NAYS-tay] *n* setting lotion

kamppailla [KAHMP-pighl-lah] *v* struggle

kana [KAH-nah] *n* hen

Kanada [KAH-nah-dah] *n* Canada

kanadalainen [KAH-nah-dah-ligh-nayn] *n* Canadian; *adj* Canadian

kananpoika [KAH-nahn-POY-kah] *n* chicken

kanava [KAH-nah-vah] *n* channel; canal

kanerva [KAH-nayr-vah] *n* heather

kangas [KAHNG-ahs] *n* material; cloth; fabric

kangaskauppias [KAHNG-ahs-KOWP-pi-ahs] *n* draper

kangastavarat [KAHNG-ahs-TAH-vah-raht] *pl* drapery

kaniini [KAH-nee-ni] *n* rabbit

kankea [KAHNG-kay-ah] *adj* stiff

kannas [KAHN-nahs] *n* isthmus

kannettava [KAHN-nayt-tah-vah] *adj* portable

kannu [KAHN-noo] *n* jug

kanootti [KAH-noat-ti] *n* canoe

kansa [KAHN-sah] *n* nation; people; folk

kansainvälinen [KAHN-sighn-VÆ-li-nayn] *adj* international

kansalainen [KAHN-sah-ligh-nayn] *n* citizen

kansalais- [KAHN-sah-lighs] *pref* civic

kansalaisoikeus [KAHN-sah-lighs-OY-kay-oos] *n* citizenship

kansallinen [KAHN-sahl-li-nayn] *adj* national

kansallislaulu [KAHN-sahl-lis-LOW-loo] *n* national anthem

kansallispuisto [KAHN-sahl-lis-POOIS-toa] *n* national park

kansallispuku [KAHN-sahl-lis-POO-koo] *n* national dress

kansallisuus [KAHN-sahl-li-soos] *n* nationality

kansanlaulu [KAHN-sahn-LOW-loo] *n* folk-song

kansantanssi [KAHN-sahn-TAHNS-si] *n* folk-dance

kansantietous [KAHN-sahn-TIAY-toa-oos] *n* folklore

kansi [KAHN-si] *n* lid; cover

kansihytti [KAHN-si-HEWT-ti] *n* deck-cabin

kanssa [KAHNS-sah] *prep* with

kanta [KAHN-tah] *n* counterfoil; stub

kantaa [KAHN-tar] *v* carry; bear

kantaja [KAHN-tah-yah] *n* porter

kantapää [KAHN-tah-PÆÆ] *n* heel

kapakka [KAH-pahk-kah] *n* tavern; saloon

kapalo [KAH-pah-loa] *n* nappy

kapasiteetti [KAH-pah-si-tayt-ti] *n* capacity

kapea [KAH-pay-ah] *adj* narrow

kapea laakso [KAH-pay-ah LARK-soa] *n* glen

kappale [KAH-pah-lay] *n* passage; paragraph

kappeli [KAHP-pay-li] *n* chapel

kapseli [KAHP-say-li] *n* capsule

kapteeni [KAHP-tay-ni] *n* captain

karaatti [KAH-rart-ti] *n* carat

karahvi [KAH-rahh-vi] *n* carafe

karamelli [KAH-rah-mayl-li] *n* caramel

karanteeni [KAH-rahn-tay-ni] *n* quarantine

karbolisaippua [KAHR-boa-li-SIGHP-poo-ah] *n* carbolic soap

karhunvatukka [KAHR-hoon-VAH-took-kah] *n* blackberry

karitsan liha [KAH-rit-sahn-LI-hah] *n* lamb

karkausvuosi [KAHR-kah-oos-VOOOA-si] *n* leap-year

karkea [KAHR-kay-ah] *adj* harsh; rude

karmiininpunainen [KAHR-mee-nin-POO-nigh-nayn] *adj* crimson

karnevaali [KAHR-nay-var-li] *n* carnival

karppi [KAHRP-pi] *n* carp

kartano [KAHR-tah-noa] *n* country house

kartta [KAHRT-tah] *n* map

karviaismarja [KAHR-vi-ighs-MAHR-yah] *n* gooseberry

kasa [KAH-sah] *n* heap; pile

kasarmi [KAH-sahr-mi] *n* barracks *pl*

kasata [KAH-sah-tah] *v* pile

kasino [KAH-si-noa] *n* casino

kašmir [KAHSH-mir] *n* cashmere

kassa [KAHS-sah] *n* pay-desk

kassaholvi [KAHS-sah-HOAL-vi] *n* vault

kassakaappi [KAHS-sah-KARP-pi] *n* safe

kassanhoitaja [KAHS-sahn-HOY-tah-yah] *n* cashier

kastanja [KAHS-tahn-yah] *n* chestnut

kaste [KAHS-tay] *n* dew

kasvaa [KAHS-var] *v* grow

kasvain [KAHS-vighn] *n* tumour

kasvattaa [KAHS-vaht-tar] *v* rear

kasvi [KAHS-vi] *n* plant

kasvihuone [KAHS-vi-HOOOA-nay] *n* greenhouse

kasvillisuus [KAHS-vil-li-soos] *n* vegetation

kasvissyöjä [KAHS-vis-SEWUR-yæ] *n* vegetarian

kasvitiede [KAHS-vi-TIAY-day] *n* botany

kasvitieteellinen puutarha [KAHS-vi-TIAY-tayl-li-nayn POO-tahr-hah] *n* botanical garden

kasvojauhe [KAHS-voa-YOW-hay] *n* face powder

kasvojen osa [KAHS-voa-yayn OA-sah] *n* feature

kasvojenhieronta [KAHS-voa-yayn-HIAY-roan-tah] *n* face

massage
kasvonaamio [KAHS-voa-NAR-mi-oa] *n* face pack
kasvot [KAHS-voat] *pl* face
kasvovesi [KAHS-voa-VAY-si] *n* lotion
kasvovoide [KAHS-voa-VOY-day] *n* face cream
kasvu [KAHS-voo] *n* growth
katakombi [KAH-tah-koam-bi] *n* catacomb
katarri [KAH-tahr-ri] *n* catarrh
katedraali [KAH-tayd-rar-li] *n* cathedral
kateenkorva [KAH-tayn-KOAR-vah] *n* sweetbread
kategoria [KAH-tay-goa-ri-ah] *n* category
kateus [KAH-tay-oos] *n* envy
katkaisija [KAHT-kigh-si-yah] *n* switch
katkaista [KAHT-kighs-tah] *v* switch off; disconnect; cut off
katkarapu [KAHT-kah-RAH-poo] *n* shrimp; prawn
katolinen [KAHT-toa-li-nayn] *adj* Catholic
katsantokanta [KAHT-sahn-toa-KAHN-tah] *n* outlook
katselija [KAHT-say-li-yah] *n* spectator
katsella [KAHT-sayl-lah] *v* look at; watch; view
katsoa [KAHT-soa-ah] *v* look
katsojaparveke [KAHT-soa-yah-PAHR-vay-kay] *n* stand
katto [KAHT-toa] *n* roof
katto-oljet [KAHT-toa OAL-yayt] *pl* thatch
katu [KAH-too] *n* street
katuoja [KAH-too-OAYAH] *n* gutter
kauhistuttaa [KOW-his-toot-tar] *v* terrify
kaukainen [KOW-kigh-nayn] *adj*

faraway; remote
kaukana [KOW-kah-nah] *adj* far
kaukopuhelu [KOW-koa-POO-hay-loo] *n* trunk-call
kaula [KOW-lah] *n* neck
kaulakipu [KOW lah KI poo] *n* sore throat
kaulaliina [KOW-lah-LEE-nah] *n* scarf
kaulanauha [KOW-lah-NOW-hah] *n* necklace
kaulus [KOW-loos] *n* collar
kauneudenhoitoaineet [KOW-nayoo-dayn-HOY-toa-IGH-nayt] *pl* cosmetics *pl*
kauneuskäsittely [KOW-nay-oos-KÆ-sit-tay-lew] *n* beauty treatment
kauneussalonki [KOW-nay-oos-SAH-loang-ki] *n* beauty salon; beauty parlour
kaunis [KOW-nis] *adj* beautiful
kaupaksi menevä [KOW-pahk-si MAY-nay-væ] *adj* saleable
kaupallinen [KOW-pahl-li-nayn] *adj* commercial
kaupan omistaja [KOW-pahn OA-mis-tah-yah] *n* shopkeeper
kaupankäynti [KOW-pahn-KÆEWN-ti] *n* trade
kauppa [KOWP-pah] *n* shop; commerce
kauppala [KOWP-pah-lah] *n* borough
kauppamies [KOWP-pah-MIAYS] *n* trader
kauppatori [KOWP-pah-TOA-ri] *n* market place
kauppias [KOWP-pi-ahs] *n* merchant; tradesman
kaupungin keskusta [KOW-poong-in KAYS-koos-tah] *n* town centre
kaupunginhallitus [KOW-poong-

in-HAHL-li-toos] *n* municipality

kaupunginosa [KOW-poong-in-OA-sah] *n* quarter

kaupungintalo [KOW-poong-in-TAH-loa] *n* town hall

kaupunki [KOW-poong-ki] *n* town

kaupunki- [KOW-poong-ki] *pref* urban

kaupunki [KOW-poong-ki] *n* city

kaupunkilaiset [KOW-poong-ki-ligh-sayt] *pl* townspeople *pl*

kaura [KOW-rah] *n* oats *pl*

kausi [KOW-si] *n* term

kausilippu [KOW-si-LIP-poo] *n* season ticket

kausittainen [KOW-sit-tigh-nayn] *adj* quarterly

kautta [KOWT-tah] *prep* via

kauttaaltaan [KOWT-tarl-tarn] *adv* throughout

kaviaari [KAH-vi-ar-ri] *n* caviar

kehittää [KAY-hit-tææ] *v* develop

kehitys [KAY-hi-tews] *n* development

kehrätä [KAYH-ræ-tæ] *v* spin

kehto [KAYH-toa] *n* cradle

kehys [KAY-hews] *n* frame

keilailu [KAY-læi-loo] *n* bowling

keilarata [KAY-lah-RAH-tah] *n* bowling alley

keilua [KAY-loo-ah] *v* swing

keino [KAY-noa] *n* means *pl*

keinotekoinen [KAY-noa-TAY-koy-nayn] *adj* artificial

keinutella [KAY-noo-tayl-lah] *v* rock

keitetty [KAY-tayt-tew] *adj* cooked; boiled

keittiö [KAYT-ti-ur] *n* kitchen

keittiömestari [KAYT-ti-ur-MAYS-tah-ri] *n* chef

keittokirja [KAYT-toa-KIR-yah] *n* cookery-book

keittämätön [KAYT-tæ-mæ-turn]

adj taximeter

keksi [KAYK-si] *n* biscuit

keksijä [KAYK-si-yæ] *n* inventor

keksintö [KAYK-sin-tur] *n* invention

keksiä [KAYK-si-æ] *v* invent

kellanruskea [KAYL-lahn-ROOS-kay-ah] *adj* fawn

kellari [KAYL-lah-ri] *n* cellar

kellarikerros [KAYL-lah-ri-KAYR-roas] *n* basement

kello [KAYL-loa] *n* bell; clock

kellonremmi [KAYL-loan-RAYM-mi] *n* watch-strap

kelloseppä [KAYL-loa-SAYP-pæ] *n* watchmaker

kellua [KAYL-loo-ah] *v* float

keltainen [KAYL-tigh-nayn] *adj* yellow

keltatauti [KAYL-tah-TOW-ti] *n* jaundice

kemia [KAY-mi-ah] *n* chemistry

kemiallinen pesu [KAY-mi-ahl-li-nayn PAY-soo] *n* dry-cleaner

kengänkiilloke [KAYNG-æn-KEEL-loa-kay] *n* shoe polish

kengänkiillotus [KAYNG-æn-KEEL-loa-toos] *n* shoe-shine

kengännauha [KAYNG-æn-NOW-hah] *n* shoe-lace

kengännauhat [KAYNG-æn-NOW-haht] *pl* laces *pl*

kengänpohja [KAYNG-æn-POAH-yah] *n* sole

kenkä [KAYNG-kæ] *n* shoe

kenkäkauppa [KAYNG-kæ-KOWP-pah] *n* shoe-shop

kenraali [KAYN-rar-li] *n* general

kenties [KAYN-tiays] *adv* maybe

keppi [KAYP-pi] *n* stick

kepponen [KAYP-poa-nayn] *n* trick

keramiikka [KAY-rah-meek-kah] *n* ceramics *pl*

kerho [KAYR-hoa] *n* club
kerjäläinen [KAYR-yæ-læi-nayn]
   n beggar
kerjätä [KAYR-yæ-tæ] *v* beg
kerma [KAYR-mah] *n* cream
kermainen [KAYR-migh-nayn]
   adj creamy
kermanvärinen [KAYR-mahn-VÆ-
   ri-nayn] *adj* cream
kerran [KAYR-rahn] *adv* once
kerran vielä [KAYR-rahn VIAY-læi]
   once more
kerros [KAYR-roas] *n* storey; floor
kerrostalo [KAYR-roas-TAH-loa] *n*
   block of flats
kerrostuma [KAYR-roas-too-mah]
   n deposit
kerta [KAYR-tah] *n* time
kertakäyttö- [KAYR-tah-KÆEWT-
   tur] *pref* disposable
kertoa [KAYR-toa-ah] *v* tell;
   multiply
kertolasku [KAYR-toa-LAHS-koo]
   n multiplication
kertomus [KAYR-toa-moos] *n* tale;
   story
keräilijä [KAY-ræi-li-yæ] *n*
   collector
keskellä [KAYS-kayl-læ] *prep*
   amidst
keskeyttää [KAYS-kay-ewt-tææ]
   v interrupt; interfere
keskeytys [KAYS-kay-ew-tews] *n*
   interruption
keski- [KAYS-ki] *pref* medium;
   central
keskiaikainen [KAYS-ki-IGH-
   kigh-nayn] *adj* mediaeval
keskiarvo [KAYS-ki-AHR-voa] *n*
   average
keskiluokka [KAYS-ki-LOOOAK-
   kah] *n* middle-class
keskimmäinen [KAYS-kim-mæi-
   nayn] *adj* middle

keskimäärin [KAYS-ki-mææ-rin]
   on the average
keskimäärä [KAYS-ki-mææ-ræ]
   n mean
keskimääräinen [KAYS-ki-mæ-
   ræi-nayn] *adj* average
keskipäivä [KAYS-ki-PÆI-væ] *n*
   midday; noon
keskittää [KAYS-kit-tææ] *v*
   centralize; concentrate
keskitys [KAYS-ki-tews] *n*
   concentration
keskiviikko [KAYS-ki-VEEK-koa] *n*
   Wednesday
keskiyö [KAYS-ki-EWUR] *n*
   midnight
keskusasema [KAYS-koos-AH-
   say-mah] *n* central station
keskuslämmitys [KAYS-koos-
   LÆM-mi-tews] *n* central
   heating
keskusta [KAYS-koos-tah] *n*
   centre
keskustella [KAYS-koos-tayl-lah]
   v discuss
keskustelu [KAYS-koos-tay-loo] *n*
   discussion; conversation; talk
kestitä [KAYS-ti-tæ] *v* entertain
kestolaskos [KAYS-toa-LAHS-
   koas] *n* permanent press
kestävä [KAYS-tæ-væ] *adj* lasting
kestää [KAYS-tææ] *v* last; suffer;
   go through
kesy [KAY-sew] *adj* tame
kesä [KAY-sæ] *n* summer
kesäaika [KAY-sæ-IGH-kah] *n*
   summertime
kesäkuu [KAY-sæ-KOO] *n* June
ketju [KAYT-yoo] *n* chain
ketjumyymäläliike [KAYT-yoo-
   MEW-mæ-læ-LEE-kay] *n* chain-
   store
kettu [KAYT-too] *n* fox
keuhko [KAYOOH-koa] *n* lung

keuhkokuume [KAYOOH-koa-KOO-may] *n* pneumonia

keuhkoputken tulehdus [KAYOOH-koa-POOT-kayn TOO-layh-doos] *n* bronchitis

kevyt [KAY-vewt] *adj* light

kevyt ateria [KAY-vewt AH-tay-ri-ah] *n* light meal

kevät [KAY-væt] *n* spring

kevätaika [KAY-væt-IGH-kah] *n* springtime

khaki-kangas [KAH-ki KAHNG-ahs] *n* khaki

kiehua [KIAY-hoo-ah] *v* boil

kiehuva vesi [KIAY-hoo-vah VAY-si] *n* boiling water

kielenkääntäjä [KIAY-layng-KÆÆN-tæ-yæ] *n* translator

kieli [KIAY-li] *n* tongue; language

kieliopillinen [KIAY-li-OA-pil-li-nayn] *adj* grammatical

kielioppi [KIAY-li-OAP-pi] *n* grammar

kielletty [KIAYL-layt-tew] *adj* prohibited

kielteinen [KIAYL-tay-nayn] *adj* negative

kielto [KIAYL-toa] *n* prohibition

kieltäytyminen [KIAYL-tæew-tew-mi-nayn] *n* refusal

kieltäytyä [KIAYL-tæew-tew-æ] *v* refuse

kieltää [KIAYL-tææ] *v* prohibit; deny; forbid

kiemurteleva [KIAY-moor-tay-lay-vah] *adj* winding

kierittää [KIAY-rit-tææ] *v* roll

kiero [KIAY-roa] *adj* crooked

kiertomatka [KIAY-toa-MAHT-kah] *n* round trip; tour

kiertotie [KIAYR-toa-TIAY] *n* detour

kiertävä [KIAYR-tæ-væ] *adj* itinerant

kiertää [KIAYR-tææ] *v* wind; bypass

kiertää auki [KIAYR-tææ OW-ki] *v* unscrew

kihara [KI-hah-rah] *adj* curly; *n* curl

kihlasormus [KIH-lah-SOAR-moos] *n* engagement ring

kihloissa [KIH-loys-sah] *adj* engaged

kihti [KIH-ti] *n* gout

kiihdyttää [KEEH-dewt-tææ] *v* accelerate

kiihottaa [KEE-hoat-tar] *v* excite

kiihtymys [KEEH-tew-mews] *n* excitement

kiikari [KEE-kah-ri] *n* field glasses *pl*; binoculars *pl*

kiila [KEE-lah] *n* wedge

kiillottaa [KEEL-loat-tar] *v* polish

kiillotusaine [KEEL-loa-toos-IGH-nay] *n* polish

kiiltävä [KEEL-tæ-væ] *adj* glossy

kiiltää [KEEL-tææ] *v* shine

Kiina [KEE-nah] *n* China

kiinalainen [KEE-nah-ligh-nayn] *n* Chinese *inv*; *adj* Chinese

kiinnitin [KEEN-ni-tin] *n* fastener

kiinnittää [KEEN-nit-tææ] *v* fasten; stick; pin; attach

kiinnittää huomiota [KEEN-nit-tææ HOOOA-mi-oa-tah] *v* pay attention to; notice

kiinnityslaina [KEEN-ni-tews-LIGH-nah] *n* mortgage

kiinnostaa [KEEN-noas-tar] *v* interest

kiinnostunut [KEEN-noas-too-noot] *adj* interested

kiinteistövälittäjä [KEEN-tays-tur-VÆ-lit-tæ-yæ] *n* house-agent

kiinteä [KEEN-tay-æ] *adj* solid

kiinteä aine [KEEN-tay-æ IGH-nay] n solid

kiinteä hinta [KEEN-tay-æ HIN-tah] n fixed price

kiintiö [KEEN-ti-ur] n quota

kiipeäminen [KEE-pay-æ-mi-nayn] n climb

kiire [KEE-ray] n hurry; in a hurry; haste

kiireellinen [KEE-rayl-li-nayn] adj urgent

kiireellisyys [KEE-rayl-li-sews] n urgency

kiirehtiä [KEE-rayh-ti-æ] v hasten; hurry

kiireinen [KEE-ray-nayn] adj hasty; pressing

kiistanalainen [KEES-tahn-AH-ligh-nayn] adj controversial

kiitollinen [KEETOAL-li-nayn] adj grateful; thankful

kiitollisuus [KEE-toal-li-soos] n gratitude

kiitorata [KEE-toa-RAH-tah] n runway

kiitos [KEE-toas] n thanks pl

kiittämätön [KEET-tæ-mæ-turn] adj ungrateful

kiittää [KEET-tæeæ] v thank

kiivetä [KEE-vay-tæ] v climb

kilo [KI-loa] n kilogram

kilometri [KI-loa-MAYT-ri] n kilometre

kilpa [KIL-pah] n race

kilpa-ajorata [KIL-pah AH-yoa-RAH-tah] n course

kilpahevonen [KIL-pah-HAY-voa-nayn] n racehorse

kilpailija [KIL-pigh-li-yah] n competitor

kilpailu [KIL-pigh-loo] n competition; match

kilparata [KIL-pah-RAH-tah] n race-track; racecourse

kilparatsastaja [KIL-pah-RAHT-

sahs-tah-yah] n jockey

kimppu [KIMP-poo] n bunch

kiniini [KI-nee-ni] n quinine

kinkku [KINGK-koo] n ham

kioski [KI-oas-ki] n kiosk

kipeä [KI-pay-æ] adj sore

kipeä kohta [KI-pay-æ KOAH-tah] n sore

kipinä [KI-pi-næ] n spark

kipinöivä [KI-pi-nuri-væ] adj sparkling

kipsilaasti [KIP-si-LARS-ti] n plaster

kiristää [KI-ris-tææ] v tighten

kirja [KIR-yah] n book

kirjailija [KIR-yigh-li-yah] n author; writer

kirjakauppa [KIR-yah-KOWP-pah] n bookstore

kirjakauppias [KIR-yah-KOWP-pi-ahs] n bookseller

kirjallinen todistus [KIR-yahl-li-nayn TOA-dis-toos] n certificate

kirjallisesti [KIR-yahl-li-says-ti] adv in writing

kirjallisuus- [KIR-yahl-li-soos] pref literary

kirjallisuus [KIR-yahl-li-soos] n literature

kirjamyymälä [KIR-yah-MEW-mæ-læ] n bookstand

kirjasto [KIR-yahs-toa] n library

kirjata [KIR-yah-tah] v register

kirjattu kirje [KIR-yaht-too KIR-yay] n registered letter

kirje [KIR-yay] n letter

kirjeenvaihto [KIR-yayn-VIGHH-toa] n correspondence

kirjekuori [KIR-yay-KOOOA-ri] n envelope

kirjelaatikko [KIR-yay-LAR-tik-koa] n letterbox

kirjepaperi [KIR-yay-PAH-pay-ri]

n notepaper

kirjoittaa [KIR-yoyt-tar] *v* write

kirjoittaa muistiin [KIR-yoyt-tar MOOIS-teen] *v* record

kirjoittaa selkäpuolelle [KIR-yoyt-tar SAYL-kæ-POOOA-layl-lay] *v* endorse

kirjoittautua [KIR-yoyt-tow-too-ah] *v* register

kirjoitus [KIR-yoy-toos] *n* writing

kirjoituskone [KIR-yoy-toos-KOA-nay] *n* typewriter

kirjoituslehtiö [KIR-yoy-toos-LAYH-ti-ur] *n* writing pad

kirjoituslipasto [KIR-yoy-toos-LI-pahs-toa] *n* desk

kirjoituspaperi [KIR-yoy-toos-PAH-pay-ri] *n* writing paper

kirjoitustarvikkeet [KIR-yoy-toos-TAHR-vik-kayt] *pl* stationery

kirkaisu [KIR-kigh-soo] *n* shriek; scream

kirkas [KIR-kahs] *adj* clear

kirkko [KIRK-koa] *n* church

kirkkoherra [KIRK-koa-HAYR-rah] *n* rector; vicar

kirkkomaa [KIRK-koa-MAR] *n* churchyard

kirkkotapuli [KIRK-koa-TAH-poo-li] *n* steeple

kirkonmies [KIR-koan-MIAYS] *n* clergyman

kirkua [KIR-koo-ah] *v* shriek; scream

kiroilla [KI-royl-lah] *v* swear

kirota [KI-roa-tah] *v* curse

kirous [KI-roa-oos] *n* curse

kirsikka [KIR-sik-kah] *n* cherry

kirurgi [KI-roor-gi] *n* surgeon

kirves [KIR-vays] *n* axe

kiskoa [KIS-koa-ah] *v* tug

kissa [KIS-sah] *n* cat

kitara [KI-tah-rah] *n* guitar

kitkerä [KIT-kay-ræ] *adj* bitter

kiusallinen [KIOO-sahl-li-nayn] *adj* awkward; annoying

kiusata [KIOO-sah-tah] *v* annoy

kiusoitella [KIOO-soy-tayl-lah] *v* kid

kivennäinen [KI-vayn-næi-nayn] *n* mineral

kivennäisvesi [KI-vayn-næis-VAY-si] *n* mineral water

kivi [KI-vi] *n* stone

kivihiili [KI-vi-HEE-li] *n* coal

kivinen [KI-vi-nayn] *adj* stony

kivääri [KI-væær-ri] *n* rifle

klassillinen [KLAHS-sil-li-nayn] *adj* classical

klinikka [KLI-nik-kah] *n* clinic

ko [koa] *suf* whether

-ko . . . .vai [koa-vigh] whether . . . or

kodeiini [KOA-day-ee-ni] *n* codeine

kodikas [KOA-di-kahs] *adj* cosy

koe [KOAAY] *n* test; experiment

kofeiini [KOA-fay-ee-ni] *n* caffeine

kohdata [KOAH-dah-tah] *v* meet; encounter; come across; face

kohdata sattumalta [KOAH-dah-tah SAHT-too-mahl-tah] *v* run into

kohdella [KOAH-dayl-lah] *v* treat

kohokuva [KOA-hoa-KOO-vah] *n* relief

kohta [KOAH-tah] *n* point

kohtaaminen [KOAH-tar-mi-nayn] *n* date

kohtaamispaikka [KOAH-tar-mis-PIGHK-kah] *n* meeting-place

kohtaan [KOAH-tarn] *prep* towards

kohtalo [KOAH-tah-loa] *n* fortune; lot; fate

kohtalokas [KOAH-tah-loa-kahs] *adj* fatal

kohteliaisuus [KOAH-tay-li-igh-soos] *n* compliment

kohtelias [KOAH-tay-li-ahs] *adj* civil; polite

kohti [KOAH-ti] *adv* to; *prep* towards

kohtisuora [KOAH-ti-soooA-rah] *adj* upright; perpendicular

kohtuullinen [KOAH-tool-li-nayn] *adj* moderate

kohtuuton [KOAH-too-toan] *adj* unreasonable; extravagant

koi [KOY] *n* moth

koillinen [KOYL-li-nayn] *n* north-east

koira [KOY-rah] *n* dog

koiratarha [KOY-rah-TAHR-hah] *n* kennel

koivu [KOY-voo] *n* birch

kojelauta [KOA-yay-LOW-tah] *n* dash-board

koju [KOA-yoo] *n* booth

kokea [KOA-kay-ah] *v* experience

kokeilla [KOA-kayl-lah] *v* experiment; test

kokematon [KOA-kay-mah-toan] *adj* inexperienced

kokemus [KOA-kay-moos] *n* experience

kokenut [KOA-kay-noot] *adj* experienced

kokki [KOAK-ki] *n* cook

koko [KOA-koa] *n* size; *adj* total; whole

koko summa [KOA-koa SOOM-mah] *n* total

kokoelma [KOA-koa-ayl-mah] *n* collection

kokojyväleipä [KOA-koa-YEW-væ-LAY-pæ] *n* wholemeal bread

kokonaan [KOA-koa-narn] *adv* wholly

kokonainen [KOA-koa-nigh-nayn] *adj* entire

kokonais- [KOA-koa-nighs] *pref* gross

kokonaisuus [KOA-koa-nigh-soos] *n* whole

kokoontua [KOA-koan-too-ah] *v* gather

kokopuku [KOA-koa-POO-koo] *n* business suit

kokous [KOA-koa-oos] *n* assembly

koksi [KOAK-si] *n* coke

kolea [KOA-lay-ah] *adj* chilly

kolikko [KOA-lik-koa] *n* coin

kolja [KOAL-yah] *n* haddock

kolkuttaa [KOAL-koot-tar] *v* knock

kolkutus [KOAL-koo-toos] *n* knock

kolmas [KOAL-mahs] *adj* third

kolmaskymmenes [KOAL-mahs-KEWM-may-nays] *adj* thirtieth

kolmastoista [KOAL-mahs-toys-tah] *adj* thirteenth

kolme [KOAL-may] *adj* three

kolme neljäsosa~ [KOAL-may NAYL-yæs-OA-sah] *pref* three-quarter

kolmekymmentä [KOAL-may-KEWM-mayn-tæ] *adj* thirty

kolmetoista [KOAL-may-TOYS-tah] *adj* thirteen

kolmikulmainen [KOAL-mi-kool-migh-nayn] *adj* triangular

kolmio [KOAL-mi-oa] *n* triangle

komea [KOA-may-ah] *adj* handsome

komedia [KOA-may-di-ah] *n* comedy

komissio [KOA-mis-si-oa] *n* commission

komitea [KOA-mi-tay-ah] *n* committee

kommunismi [KOAM-moo-nis-mi] *n* communism

kommunisti [KOAM-moo-nis-ti] *n* communist

kompassi [KOAM-pahs-si] *n* compass

kompastua [KOAM-pahs-too-ah] *v* slip

kondensaattori [KOAN-dayn-sart-toa-ri] *n* condenser

kone [KOA-nay] *n* machine

koneisto [KOA-nays-toa] *n* machinery; mechanism

konekirjoitettu [KOA-nay-KIR-yoy-tayt-too] *adj* typewritten

konekirjoittaa [KOA-nay-KIR-yoyt-tar] *v* type

konekirjoittaja [KOA-nay-KIR-yoyt-tah-yah] *n* typist

konekirjoituspaperi [KOA-nay-KIR-yoy-toos-PAH-pay-ri] *n* typing paper

konepelti [KOA-nay-PAYL-ti] *n* bonnet

konevika [KOA-nay-VI-kah] *n* breakdown

kongressi [KOANG-rays-si] *n* congress

konsertti [KOAN-sayrt-ti] *n* concert

konserttisali [KOAN-sayrt-ti-SAH-li] *n* concert hall

konservatiivinen [KOAN-sayr-vah-tee-vi-nayn] *adj* conservative

konsulaatti [KOAN-soo-lart-ti] *n* consulate

konsuli [KOAN-soo-li] *n* consul

konttoriaika [KOANT-toa-ri-IGH-kah] *n* business hours *pl*

konttoristi [KOANT-toa-ris-ti] *n* clerk

kookas [KOA-kahs] *adj* tall

kookospähkinä [KOA-koas-PÆH-ki-næ] *n* coconut

koomikko [KOA-mik-koa] *n* comedian

koominen [KOA-mi-nayn] *adj* comic

koostua [KOAS-too-ah] *v* consist

* **koota** [KOA-tah] *v* collect

kopio [KOA-pi-oa] *n* print

koputtaa [KOA-poot-tar] *v* tap

koputus [KOA-poo-toos] *n* tap

koralli [KOA-rahl-li] *n* coral

kori [KOA-ri] *n* hamper; basket

korintti [KOA-rint-ti] *n* currant

koristeellinen [KOA-ris-tayl-li-nayn] *adj* ornamental

koristelu [KOA-ris-tay-loo] *n* decor

koristeornamentti [KOA-ris-tay-OAR-nah-maynt-ti] *n* ornament

korjata [KOAR-yah-tah] *v* mend; correct; repair; fix

korjaus [KOAR-yah-oos] *n* repairs *pl*

korjauspaja [KOAR-yah-oos-PAH-yah] *n* repair shop

korkea [KOAR-kay-ah] *adj* high; tall

korkeajännitetolppa [KOAR-kay-ah-YÆN-ni-tay-TOALP-pah] *n* pylon

korkeampi oppilaitos [KOAR-kay-ahm-pi OAP-pi-LIGH-toas] *n* college

korkeus [KOAR-kay-oos] *n* altitude; height

korkki [KOARK-ki] *n* cork

korkkiruuvi [KOARK-ki-ROO-vi] *n* corkscrew

korko [KOAR-koa] *n* interest

korostaa [KOA-roas-tar] *v* emphasize

korostus [KOA-roas-toos] *n* accent

korsetti [KOAR-sayt-ti] *n* corset

kortteli [KOART-tay-li] *n* block
korttipakka [KOART-ti-PAHK-kah]
n pack of cards; deck
korttipeli [KOART-ti-PAY-li] *n*
cards *pl*
koruompelu [KOA-roo-OAM-pay-
loo] *n* embroidery
korut [KOA-root] *pl* jewellery
korva [KOAR-vah] *n* ear
korvarenkaat [koar-vah-RAYNG-
kart] *pl* earrings
korvasärky [KOAR-vah-SÆR-kew]
n earache
korvata [KOAR-vah-tah] *v*
remunerate; replace
korvatulppa [KOAR-vah-TOOLP-
pah] *n* earplug
korvaus [KOAR-vah-oos] *n*
remuneration
korvike [KOAR-vi-kay] *n*
substitute
koska [KOAS-kah] *conj* because
koskea [KOAS-kay-ah] *v* concern
kosketin [KOAS-kay-tin] *n* socket
koskettaa [KOAS-kayt-tar] *v*
touch
koski [KOAS-ki] *n* rapids *pl*
kostea [KOAS-tay-ah] *adj* damp;
humid; moist
kosteus [KOAS-tay-oos] *n*
moisture
kosteusvoide [KOAS-tay-oos-VOY-
day] *n* moisturizing cream
kostuttaa [KOAS-toot-tar] *v*
moisten
koti [KOA-ti] *n* home
koti-ikävä [KOA-ti i-kæ-væ] *n*
homesickness
kotimainen [KOA-ti-migh-nayn]
adj domestic
kotiopettajatar [KOA-ti-OA-payt-
tah-yah-tahr] *n* governess
kotipaikka [KOA-ti-PIGHK-kah] *n*
domicile

kotipuku [KOA-ti-POO-koo] *n*
negligee
kotitekoinen [KOA-ti-TAY-koy-
nayn] *adj* home-made
kotityöt [KOA-ti-TEWURT] *pl*
housework
kotona [KOA-toa-nah] *adv* at
home
koukku [KOAK-koo] *n* hook
koulu [KOA-loo] *n* school
koulua käymätön [KOA-loo-ah
KÆEW-mæ-turn] *adj*
uneducated
koulupoika [KOA-loo-POY-kah] *n*
schoolboy
kouluttaa [KOA-loot-tar] *v*
educate
koulutus [KOA-loo-toos] *n*
education
koulutyttö [KOA-loo-TEWT-tur] *n*
schoolgirl
kourallinen [KOA-rahl-li-nayn] *n*
handful
kova [KOA-vah] *adj* hard
kovaonninen [KOA-vah-OAN-ni-
nayn] *adj* unfortunate;
unlucky
kovasti [KOA-vahs-ti] *adv* hard
kovaääninen [KOA-vah-ÆÆ-ni-
nayn] *n* loud-speaker
krassi [KRAHS-si] *n* watercress
kreditiivi [KRAY-di-tee-vi] *n*
letter of credit
Kreikka [KRAYK-kah] *n* Greece
kreikkalainen [KRAYK-kah-ligh-
nayn] *n* Greek; *adj* Greek
kriittinen [KREET-ti-nayn] *adj*
critical
krikettipeli [KRI-kayt-ti-PAY-li] *n*
cricket
kristalli [KRIS-tahl-li] *n* crystal
kristitty [KRIS-tit-tew] *n*
Christian
Kristus [KRIS-toos] *n* Christ

kromi [KROA-mi] *n* chromium

krooninen [KROA-ni-nayn] *adj* chronic

krouvi [KROA-vi] *n* pub; public house

kruunu [KROO-noo] *n* crown

kudottu seinävaate [KOO-doat-too SAY-næ-VAR-tay] *n* tapestry

kuherruskuukausi [KOO-hayr-roos-KOO-kow-si] *n* honeymoon

kuin [KOOIN] *conj* than

kuinka [KOOING-kah] *adv* how

kuiskata [KOOIS-kah-tah] *v* whisper

kuiskaus [KOOIS-kah-oos] *n* whisper

kuisti [KOOIS-ti] *n* veranda

kuitenkin [KOOI-tayng-kin] *conj* yet ; however

kuitti [KOOIT-ti] *n* receipt

kuiva [KOOI-vah] *adj* dry; arid

kuivattu luumu [KOOI-vaht-too LOO-moo] *n* prune

kuivauslaite [KOOI-vah-oos-LIGH-tay] *n* dryer

kuivua [KOOI-voo-ah] *v* dry

kuivunut [KOOI-voo-noot] *adj* dried

kuivuus [KOOI-voos] *n* drought

kuja [KOO-yah] *n* alley; lane

kuka [KOO-kah] *pron* who

kuka tahansa [KOO-kah TAH-hahn-sah] *pron* whoever; anybody

kukin [KOO-kin] *adj* each

kukka [KOOK-kah] *n* flower

kukkakaali [KOOK-kah-KAR-li] *n* cauliflower

kukkakauppa [KOOK-kah-KOWP-pah] *n* flower-shop

kukkakauppias [KOOK-kah-KOWP-pi-ahs] *n* florist

kukkaro [KOOK-kah-roa] *n* purse

kulho [KOOL-hoa] *n* bowl

kuljeskella [KOOL-yays-kayl-lah] *v* stroll

kuljettaa [KOOL-yayt-tar] *v* transport

kuljetus [KOOL-yay-toos] *n* transportation

kuljetusmaksu [KOOL-yay-toos-MAHK-soo] *n* fare

kuljetusvaunu [KOOL-yay-toos-VOW-noo] *n* van

kulkea läpi [KOOL-kay-ah LÆ-pi] *v* pass through

kulku [KOOL-koo] *n* current

kullankeltainen [kool-lahn-KAYL-tigh-nayn] *adj* golden

kullattu [KOOL-laht-too] *adj* gilt

kulma [KOOL-mah] *n* corner

kulmakarva [KOOL-mah-KAHR-vah] *n* eyebrow

kulmakynä [KOOL-mah-KEW-næ] *n* eye-pencil

kulta [KOOL-tah] *n* gold; sweetheart

kultakaivos [KOOL-tah-KIGH-voas] *n* goldmine

kultaseppä [KOOL-tah-SAYP-pæ] *n* goldsmith

kulttuuri [KOOLT-too-ri] *n* culture

kulua umpeen [KOO-loo-ah OOM-payn] *v* expire

kuluessa [KOO-loo-ays-sah] *prep* during

kuluttaa loppuun [KOO-loot-tar LOAP-poon] *v* use up; wear out

kuluttaja [KOO-loot-tah-yah] *n* consumer

kuluttua [KOO-loot-too-ah] *prep* after

kulutus [KOO-loo-toos] *n* expenditure

kumi [KOO-mi] *n* rubber

kuminauha [KOO-mi-NOW-hah] *n* elastic

kumitossut [KOO-mi-TOAS-soot] *pl* sneakers *pl*

kummallinen [KOOM-mahl-li-nayn] *adj* odd

kumppani [KOOMP-pah-ni] *n* partner; associate

kumpu [KOOM-poo] *n* hillock

kuningas [KOO-ning-ahs] *n* king

kuningaskunta [KOO-ning-ahs-KOON-tah] *n* kingdom

kuningatar [KOO-ning-ah-tahr] *n* queen

kuninkaallinen [KOO-ning-karl-li-nayn] *adj* royal

kunnallis- [KOON-nahl-lis] *pref* municipal

kunnes [KOON-nays] *conj* till

kunnia [KOON-ni-ah] *n* honour; glory

kunniakas [KOON-ni-ah-kahs] *adj* honorable

kunniallinen [KOON-ni-ahl-li-nayn] *adj* respectable

kunnianhimoinen [KOON-ni-ahn-HI-moy-nayn] *adj* ambitious

kunnioittaa [KOON-ni-oyt-tar] *v* respect

kunnioittava [KOON-ni-oyt-tah-vah] *adj* respectful

kunnioittavat terveiset [KOON-ni-oyt-tah-vaht TAYR-vay-sayt] *pl* respects *pl*

kunnossa [KOON-noas-sah] *adv* in order

kunnossapito [KOON-noas-sah-PI-toa] *n* upkeep

kunta [KOON-tah] *n* commune

kuolla [KOOOAL-lah] *n* die

kuollut [KOOOAL-loot] *adj* dead

kuoppainen [KOOOAP-pigh-nayn] *adj* bumpy

kuori [KOOOA-ri] *n* peel; crust

kuoria [KOOOA-ri-ah] *v* peel

kuoriaiseläin [KOOOA-ri-ighs-AY-læin] *n* shell-fish

kuorma-auto [KOOOAR-mah OW-toa] *n* lorry; truck

kuoro [KOOOA-roa] *n* choir

kupari [KOO-pah-ri] *n* copper

kupoli [KOO-poa-li] *n* dome

kuponki [KOO-poang-ki] *n* coupon

kuppi [KOOP-pi] *n* cup

kurasuojus [KOO-rah-SOOOA-yoos] *n* mud-guard

kuristusventtiili [KOO-ris-toos-VAYNT-tee-li] *n* choke

kurja [KOOR-yah] *adj* miserable

kurjuus [KOOR-yoos] *n* misery

kurkku [KOORK-koo] *n* cucumber; throat

kurkkumätä [KOORK-koo-MÆ-tæ] *n* diphtheria

kurlata [KOOR-lah-tah] *v* gargle

kurpitsa [KOOR-pit-sah] *n* squash

kurssi [KOORS-si] *n* rate of exchange; exchange rate

kustannukset [KOOS-tahn-nook-sayt] *pl* cost

kustantaja [KOOS-tahn-tah-yah] *n* publisher

kuten [KOO-tayn] such as; *conj* as; *prep* like

kutistua [KOO-tis-too-ah] *v* shrink

kutoa [KOO-toa-ah] *v* knit

kutoja [KOO-toa-yah] *n* weaver

kutsu [KOOT-soo] *n* invitation

kutsua [KOOT-soo-ah] *v* invite; ask

kuu [KOO] *n* moon

kuudes [KOO-days] *adj* sixth

kuudestoista [KOO-days-TOYS-tah] *adj* sixteenth

kuukausi [KOO-kow-si] *n* month

kuukausittainen [KOO-kow-sit-tigh-nayn] *adj* monthly

kuula [KOO-lah] *n* sphere

kuulakärkikynä [KOO-lah-KÆR-ki-KEW-næ] *n* ballpoint-pen; Biro

kuulla [KOOL-lah] *v* hear

kuulo [KOO-loa] *n* hearing

kuuloke [KOO-loa-kay] *n* receiver

kuulostaa [KOO-loas-tar] *v* sound

kuulua [KOO-loo-ah] *v* sound; belong

kuuluisa [KOO-looi-sah] *adj* famous

kuuluisuus [KOO-looi-soos] *n* fame

kuulustella [KOO-loos-tayl-lah] *v* interrogate

kuuma [KOO-mah] *adj* hot

kuumavesipullo [KOO-mah-VAY-si-POOL-loa] *n* hot-water bottle

kuume [KOO-may] *n* fever

kuumeinen [KOO-may-nayn] *adj* feverish

kuumerakkula [KOO-may-RAHK-koo-lah] *n* fever blister

kuumuus [KOO-moos] *n* heat

kuunnella [KOON-nayl-lah] *v* listen

kuuntelija [KOON-tay-li-yah] *n* listener

kuunvalo [KOON-VAH-loa] *n* moonlight

kuuro [KOO-roa] *adj* deaf

kuusi [KOO-si] *adj* six

kuusikymmentä [KOO-si-KEWM-mayn-tæ] *adj* sixty

kuusitoista [KOO-si-TOYS-tah] *adj* sixteen

kuutio [KOO-ti-oa] *n* cube

kuva [KOO-vah] *n* picture

kuvailla [KOO-vighl-lah] *v* describe

kuvanveistäjä [KOO-vahn-VAYS-tæ-yæ] *n* sculptor

kuvapatsas [KOO-vah-PAHT-sahs] *n* statue

kuvapostikortti [KOO-vah-POAS-ti-KOART-ti] *n* picture postcard

kuvaus [KOO-vah-oos] *n* description

kuvernööri [KOO-vayr-nur-ri] *n* governor

kuvitella [KOO-vi-tayl-lah] *v* imagine

kuviteltu [KOO-vi-tayl-too] *adj* imaginary

kykenemätön [KEW-kay-nay-mæ-turn] *adj* invalid; incapable; unable

kykenevä [KEW-kay-nay-væ] *adj* capable; able

kyky [KEW-kew] *n* ability; power; faculty

kylkiluu [KEWL-ki-LOO] *n* rib

kylliksi [KEWL-lik-si] *adj* enough

kyllä [KEWL-læ] *adv* yes

kylmyys [KEWL-mews] *n* cold

kylmä [KEWL-mæ] *adj* cold

kylmänkyhmy [KEWL-mæn-KEWH-mew] *n* chilblain

kylpeä [KEWL-pay-æ] *v* bathe

kylpy [KEWL-pew] *n* bath

kylpyamme [KEWL-pew-AHM-may] *n* tub

kylpyhuone [KEWL-pew-HOOOA-nay] *n* bathroom

kylpypyyhe [KEWL-pew-PEW-hay] *n* bath towel

kylpysuola [KEWL-pew-SOOOA-lah] *n* bath salts

kylpytakki [KEWL-pew-TAHK-ki] *n* bathrobe

kylvää [KEWL-væææ] *v* sow

kylä [KEW-læ] *n* village

kymmenen [KEWM-may-nayn] *adj* ten

kymmenes [KEWM-may-nays] *adj* tenth

kynsi [KEWN-si] *n* claw; nail

kynsiharja [KEWN-si-HAHR-yah] *n* nail-brush

kynsisakset [KEWN-si-SAHK-sayt] *n* nail-scissors *pl*

kynsiviila [KEWN-si-VEE-lah] *n* nail-file

kynttilä [KEWNT-ti-læ] *n* candle

kynä [KEW-næ] *n* pen

kynäveitsi [KEW-næ-VAYT-si] *n* penknife

kypsyys [KEWP-sews] *n* maturity

kypsä [KEWP-sæ] *adj* mature; ripe

kypsäksi paistettu [KEWP-sæk-si PIGHS-tayt-too] *adj* well-done

kysellä [KEW-sayl-læ] *v* query

kysymys [KEW-sew-mews] *n* question

kysymysmerkki [KEW-sew-mews-MAYRK-ki] *n* question mark

kysyvä [KEW-sew-væ] *adj* interrogative

kysyä [KEW-sew-æ] *v* ask

kytkeä [KEWT-kay-æ] *v* plug in; switch on

kytkin [KEWT-kin] *n* clutch

kytkintaulu [KEWT-kin-TOW-loo] *n* switchboard

kyyhkynen [KEWH-kew-nayn] *n* pigeon

kyynel [KEW-nayl] *n* tear

kyynärpää [KEW-nær-PÆÆ] *n* elbow

kädensija [KÆ-dayn-SI-yah] *n* knob

kädenulottuvilla [KÆ-dayn-oo-loat-too-vil-lah] *adj* handy

kähertää [KÆ-hayr-tææ] *v* curl

käheä [KÆ-hay-æ] *adj* hoarse

käly [KÆ-lew] *n* sister-in-law

kämmen [KÆM-mayn] *n* palm

kärki [KÆR-ki] *n* point; tip

kärpänen [KÆR-pæ-nayn] *n* fly

kärsimys [KÆR-si-mews] *n* suffering

kärsimätön [KÆR-si-mæ-turn] *adj* impatient

kärsivällinen [KÆR-si-væl-li-nayn] *adj* patient

kärsivällisyys [KÆR-si-væl-li-sews] *n* patience

kärsiä [KÆR-si-æ] *v* bear; suffer

käsi- [KÆ-si] *pref* manual

käsi [KÆ-si] *n* hand

käsienhoito [KÆ-si-ayn-HOY-toa] *n* manicure

käsijarru [KÆ-si-YAHR-roo] *n* hand-brake

käsikirja [KÆ-si-KIR-yah] *n* handbook

käsikirjoitus [KÆ-si-KIR-yoy-toos] *n* manuscript

käsilaukku [KÆ-si-LOWK-koo] *n* bag; handbag

käsimatkatavarat [KÆ-si-MAHT-kah-TAH-vah-raht] *pl* hand baggage

käsinkirjoitus [KÆ-sin-KIR-yoy-toos] *n* handwriting

käsintehty [KÆ-sin TAYH-tew] *adj* handmade

käsitellä [KÆ-si-tayl-læ] *v* deal with

käsittää [KÆ-sit-tææ] *v* cover; realise

käsittää väärin [KÆ-sit-tææ VÆÆ-rin] *v* misunderstand

käsityö [KÆ-si-TEWUR] *n* needlework; handicraft; handwork

käsivarsi [KÆ-si-VAHR-si] *n* arm

käsivoide [KÆ-si-VOY-day] *n* hand cream

käskeä [KÆS-kay-æ] *v* order; command

käskyvalta [KÆS-kew-VAHL-tah] *n* control

käteinen raha [KÆ-tay-nayn

RAH-hah] n cash
kävellä [KÆ-vayl-læ] v walk
kävelykeppi [KÆ-vay-lew-KAYP-pi] n walking-stick
kävelypaikka [KÆ-vay-lew-PIGHK-kah] n promenade
kävelyretki [KÆ-vay-lew-RAYT-ki] n walk
kävelytie [KÆ-vay-lew-TIAY] n footpath
käydä jonkun luona [KÆEW-dæ YOAN-koon LOOOA-nah] v call on
käydä jossakin [KÆEW-dæ YOAS-sah-kin] v attend
käydä kauppaa [KÆEW-dæ KOWP-par] v trade
käydä ostoksilla [KÆEW-dæ OAS-toak-sil-lah] v shop
käymälä [KÆEW-mæ-læ] n toilet
käynnistin [KÆEWN-nis-tin] n starter
käyntikortti [KÆEWN-ti-KOART-ti] n visiting card; card
käyrä [KÆEW-ræ] n graph
käyskentelijä [KÆEWS-kayn-tay-li-yæ] n walker
käytetty [KÆEW-tayt-tew] adj used; second-hand
käyttäjä [KÆEWT-tæ-yæ] n user
käyttämätön [KÆEWT-tæ-mæ-turn] adj unused
käyttäytyä [KÆEWT-tæew-tew-æ] v behave; act
käyttää [KÆEWT-tææ] v apply; use; wear; employ
käyttää hyödykseen [KÆEWT-tææ HEWUR-dewk-sayn] v utilize
käyttö [KÆEWT-tur] n use
käyttökelpoinen [KÆEWT-tur-KAYL-poy-nayn] adj usable
käyttöratas [KÆEWT-tur-RAH-tahs] n driving-wheel
käytännöllinen [KÆEW-tæn-nurl-

li-nayn] adj practical
käytäntö [KÆEW-tæn-tur] n usage
käytävä [KÆEW-tæ-væ] n aisle; corridor
käytös [KÆEW-turs] n behaviour; manners pl
käänne [KÆÆN-nay] n turning; lapel
käännekohta [KÆÆN-nay-KOAH-tah] n turning point
käännös [KÆÆN-nurs] n turn; translation
kääntyä [KÆÆN-tew-æ] v turn
käänty . . . puoleen [KÆÆN-tew-æ POOOA-layn] v refer to
kääntyä takaisin [KÆÆN-tew-æ TAH-kigh-sin] v turn back
kääntyä ympäri [KÆÆN-tew-æ EWM-pæ-ri] v turn round
kääntää [KÆÆN-tææ] v translate
kääre [KÆÆ-ray] n bandage
käärepaperi [KÆÆ-ray-PAH-pay-ri] n wrapping paper
kääriytyä lämpimiin [KÆÆ-ri-ew-tew-æ LÆM-pi-meen] v wrap up
kääriä [KÆÆ-ri-æ] v wrap
kääriä auki [KÆÆ-ri-æ OW-ki] v unfold; unwrap
käärö [KÆÆ-rur] n bundle
kölninvesi [KURL-nin-VAY-si] n toilet water
kömpelö [KURM-pay-lur] adj awkward; clumsy
köyhä [KUREW-hæ] adj poor
köyhälistökortteli [KUREW-hæ-lis-tur-KOART-tay-li] n slum
köysi [KUREW-si] n rope

laahata perässään [LAR-hah-tah PAY-ræs-sææn] v tow
laajakantoinen [LAR-yah-KAHN-

toy-nayn] *adj* extensive

laajalti levinnyt [LAR-yahl-ti LAY-vin-newt] *adj* widespread

laajentaa [LAR-yayn-tar] *v* widen

laakso [LARK-soa] *n* valley

laastari [LARS-tah-ri] *n* adhesive tape

laatikko [LAR-tik-koa] *n* box; chest

laatu [LAR-too] *n* quality

laboratorio [LAH-boa-rah-toa-ri-oa] *n* laboratory

ladata uudestaan [LAH-dah-tah oo-days-tarn] *v* recharge

lahdelma [LAHH-dayl-mah] *n* inlet

lahdenpoukama [LAHH-dayn-POA-kah-mah] *n* creek

lahja [LAHH-yah] *n* gift; present

lahjakas [LAHH-yah-kahs] *adj* gifted

lahjoitus [LAHH-yoy-toos] *n* donation

lahna [LAHH-nah] *n* bream

lahti [LAHH-ti] *n* bay

laiduntaa [LIGH-doon-tar] *v* graze

laiha [LIGH-hah] *adj* lean; thin

laillinen [LIGHL-li-nayn] *adj* lawful; legal

laillisesti pätevä [LIGHL-li-says-ti PÆ-tay-væ] *adj* valid

laimea [LIGH-may-ah] *adj* dull

laimennettu [LIGH-mayn-nayt-too] *adj* diluted

laimentaa [LIGH-mayn-tar] *v* dilute

laiminlyödä [LIGH-min-LEWUR-dæ] *v* neglect

laiminlyönti [LIGH-min-LEWURN-ti] *n* neglect

laina [LIGH-nah] *n* loan

lainata [LIGH-nah-tah] *v* borrow; lend

lainaus [LIGH-nah-oos] *n*

quotation

lainausmerkit [LIGH-nah-oos-MAYR-kit] *pl* quotation marks *pl*

lainelauta [LIGH-nay-LOW-tah] *n* surfboard

laiska [LIGHS-kah] *adj* lazy

laitaosa [LIGH-tah-OA-sah] *n* outskirts *pl*

laite [LIGH-tay] *n* appliance

laiton [LIGH-toan] *adj* unlawful; illegal

laitos [LIGH-toas] *n* institute

laittaa ruokaa [LIGHT-tar ROOOA-kar] *v* cook

laituri [LIGH-too-ri] *n* jetty; wharf; pier

laiva [LIGH-vah] *n* ship

laivaan nousu [LIGH-varn NOA-soo] *n* embarkation

laivamatka [LIGH-vah-MAHT-kah] *n* sailing

laivan kansi [LIGH-vahn KAHN-si] *n* deck

laivassa [LIGH-vahs-sah] aboard

laivasto [LIGH-vahs-toa] *n* navy; fleet

laivayhtiö [LIGH-vah-EWH-ti-ur] *n* shipping line

laji [LAH-yi] *n* sort; kind

lajitella [LAH-yi-tayl-lah] *v* sort

lakaista [LAH-kighs-tah] *v* sweep

lakana [LAH-kah-nah] *n* sheet

laki [LAH-ki] *n* law

lakimies [LAH-ki-MIAYS] *n* lawyer

lakka [LAHK-kah] *n* lacquer

lakkautettu [LAHK-kow-tayt-too] *adj* discontinued

lakki [LAHK-ki] *n* cap

lakko [LAHK-koa] *n* strike

lakkoilla [LAHK-koyl-lah] *v* strike

lakritsi [LAHK-rit-si] *n* liquorice

lammas [LAHM-mahs] *n* sheep *inv*

lampaanliha [LAHM-parn-LI-hah]
n mutton

lampi [LAHM-pi] n pond

lamppu [LAHMP-poo] n lamp

lamppuöljy [LAHMP-poo-URL-yew]
n kerosene

lampunvarjostin [LAHM-poon-
VAHR-yoas-tin] n lampshade

lanka [LAHNG-kah] n thread;
yarn

lankku [LAHNGK-koo] n plank

lanko [LAHNG-koa] n brother-in-
law

lanne [LAHN-nay] n hip

lapaset [LAH-pah-sayt] pl mittens
pl

lapio [LAH-pi-oa] n spade

lapsenkaitsija [LAHP-sayn-
KIGHT-si-yah] n babysitter

lapsenvaunut [LAHP-sayn-vow-
noot] pl pram

lapsi [LAHP-si ipl-lahpsayti] n
child; kid; youngster

lasi [LAH-si] n glass

lasimaalaus [LAH-si-MAR-lah-
oos] n stained glass

lasittaa [LAH-sit-tar] v glaze

laskea [LAHS-kay-ah] v count;
calculate

laskea yhteen [LAHS-kay-ah EWH-
tayn] v add

laskeutua [LAHS-kayoo-too-ah] v
descend; get off

laskeutuminen [LAHS-kayoo-too-
mi-nayn] n descent

laskimo [LAHS-ki-moa] n vein

laskos [LAHS-koas] n crease

lasku [LAHS-koo] n check; bill

laskukausi [LAHS-koo-KOW-si] n
low season

laskusilta [LAHS-koo-SIL-tah] n
gangway

laskuttaa [LAHS-koot-tar] v bill

laskuvesi [LAHS-koo-VAY-si] n low

tide

lasta [LAHS-tah] n splint

lastata [LAHS-tah-tah] v load

lastenhuone [LAHS-tayn-HOOOA-
nay] n nursery

lastentarha [LAHS-tayn-TAHR-
hah] n kindergarten

lastenvaunut [LAHS-tayn-vow-
noot] pl carriage

lasti [LAHS-ti] n cargo; load

lastiruuma [LAHS-ti-ROO-mah] n
hold

Latinalainen Amerikka [LAH-ti-
nah-ligh-nayn AH-may-rik-
kah] n Latin America

latinalais-amerikkalainen [LAH-
ti-nah-lighs AH-may-rik-kah-
ligh-nayn] n Latin American;
adj Latin American

lato [LAH-toa] n barn

lattia [LAHT-ti-ah] n floor

lauantai [LOW-ahn-tigh] n
Saturday

laukaus [LOW-kah-oos] n shot

laulaa [LOW-lar] v sing

laulaja [LOW-lah-yah] n singer;
vocalist

laulu [LOW-loo] n song

lauma [LOW-mah] n flock; herd

lause [LOW-say] n sentence

lausua [LOW-soo-ah] v express

lausua kohteliaisuuksia [LOW-
soo-ah KOAH-tay-li-igh-sook-
si-ah] v compliment

lausunto [LOW-soon-toa] n
statement

lauta [LOW-tah] n board

lautanen [LOW-tah-nayn] n plate

lautasliina [LOW-tahs-LEENAH] n
napkin; serviette

lautta [LOWT-tah] n ferry boat

lava [LAH-vah] n stage

lava-show [LAH-vah SHOAl] n
floor-show

lehmä [LAYH-mæe] n cow

lehti [LAYH-ti] n sheet; leaf

lehtikulta [LAYH-ti-KOOL-tah] n gold leaf

leikata [LAY-kah-tah] v cut; carve

leikkaus [LAYK-kah-oos] n operation; surgery

leikkauspiste [LAYK-kah-oos-PIS-tay] n intersection

leikkikalu [LAYK-ki-KAH-loo] n toy

leikkikenttä [LAYK-ki-KAYNT-tæ] n playground; recreation ground

leikkiä [LAYK-ki-æ] v play

leima [LAY-mah] n seal

leipoa [LAY-poa-ah] v bake

leipomo [lay-poa-moa] n pastry shop; bakery

leipuri [LAY-poo-ri] n baker

leipä [LAY-pæ] n bread; loaf

leiri [LAY-ri] n camp

leirintäalue [LAY-rin-tæ-AH-loo-ay] n camping site

leiriytyä [LAY-riew-tew-æ] v camp

lelukauppa [LAY-loo-KOWP-pah] n toyshop

lemmikkieläin [LAYM-mik-ki-AY-læin] n pet

lempeä [LAYM-pay-æ] adj gentle

leninki [LAY-ning-ki] n frock; dress

lento [LAYN-toa] n flight

lentoemäntä [LAYN-toa-AY-mæn-tæ] n stewardess

lentokenttä [LAYN-toa-KAYNT-tæ] n airfield

lentokone [LAYN-toa-KOA-nay] n airplane; aeroplane; plane

lentokoneet [LAYN-toa-KOA-nayt] pl aircraft

lentoposti [LAYN-toa-POAS-ti] n air mail

lentosairaus [LAYN-toa-SIGH-rah-oos] n air sickness

lentosatama [LAYN-toa-SAH-tah-mah] n airport

lentoteitse [LAYN-toa-TAYT-say] adv by air

lentoyhtiö [LAYN-toa-EWH-ti-ur] n airline

lentäjä [LAYN-tæ-yæ] n pilot

lentää [LAYN-tæeæ] v fly

lepo [LAY-poa] n rest

lepokoti [LAY-poa-KOA-ti] n rest-house

leposohva [LAY-poa-SOAH-vah] n couch

lepotuoli [LAY-poa-TOOOA-li] n deck-chair

leskimies [LAYS-ki-MIAYS] n widower

leskirouva [LAYS-ki-ROA-vah] n widow

leuka [LAYOO-kah] n chin

leukapieli [LAYOO-kah-PIAY-li] n jaw

leveys [LAY-vay-ews] n width; breadth

leveä [LAY-vay-æ] adj broad; wide

levittää [LAY-vit-tæeæ] v extend; expand; spread

levoton [LAY-voa-toan] adj restless; uneasy

levottomuus [LAY-voat-toa-moos] n unrest

levysoitin [LAY-vew-SOY-tin] n gramophone; record player

levätä [LAY-væ-tæ] v rest

lieju [LIAY-yoo] n mud

liejuinen [LIAY-yooi-nayn] adj muddy

liekki [LIAYK-ki] n flame

liesi [LIAY-si] n cooker

liha [LI-hah] n flesh; meat

lihas [LI-hahs] n muscle

lihava [LI-hah-vah] *adj* fat

liian [LEE-ahn] *adv* too

liian nopea ajo [LEEAHN NOA-pay-ah AH-yoa] *n* speeding

liian paljon [LEE-ahn PAHL-yoan] *adv* too much

liikapaino [LEE-kah-PIGH-noa] *n* excess baggage; overweight

liikavarvas [LEE-kah-VAHR-vahs] *n* corn

liike [LEE-kay] *n* motion; movement; firm

liikeasioissa [LEE-kay-AH-si-oys-sah] on business

liikematka [LEE-kay-MAHT-kah] *n* business trip

liikemies [LEE-kay-MIAYS] *n* (*pl* **liikemiehet**) businessman

liikenne [LEE-kayn-nay] *n* traffic

liikenneruuhka [LEE-kayn-nay-ROOH-kah] *n* traffic jam

liikennevalo [LEE-kayn-nay-VAH-loa] *n* traffic light

liikenneympyrä [LEE-kayn-nay-EWM-pew-ræ] *n* roundabout

liikevaihto [LEE-kay-VIGHH-toa] *n* turnover

liikevaihtovero [LEE-kay-VIGHH-toa-vAY-roa] *n* turnover tax; purchase tax

liikkuva [LEEK-koo-vah] *adj* mobile; movable

liikuttaa [LEE-koot-tar] *v* stir; touch

liima [LEE-mah] *n* gum; glue

liinavaatteet [LEE-nah-VART-tayt] *pl* linen

liioitella [LEE-oy-tayl-lah] *v* exaggerate

liite [LEE-tay] *n* enclosure

liitto [LEET-toa] *n* federation; union; *pref* federal

liittää oheen [LEET-tææ OA-hayn] *v* enclose

liittää yhteen [LEET-tææ EWH-tayn] *v* join; link

liivit [LEE-vit] *n* girdle; *pl* vest; waistcoat

lika [LI-kah] *n* dirt

likainen [LI-kigh-nayn] *adj* dirty; soiled; unclean

likinäköinen [LI-ki-NÆ-kuri-nayn] *adj* short-sighted

lime [lighm] *n* lime

linja-auto [LIN-yah OW-toa] *n* coach

linja-autolla [LIN-yah OW-toal-lah] *adv* by bus

linna [LIN-nah] *n* castle

linnoitus [LIN-noy-toos] *n* fortress

linssi [LINS-si] *n* lens

lintu [LIN-too] *n* bird

liottaa [LIOAT-tar] *v* soak

lipasto [LI-pahs-toa] *n* bureau

lippu [LIP-poo] *n* ticket; flag

lippuautomaatti [LIP-poo-OW-toa-mart-ti] *n* ticket machine *m*

lippumyymälä [LIP-poo-MEW-mæ-læ] *n* ticket office; box office

lisä- [LI-sæ] *pref* additional

lisäansio [LI-sæ-AHN-si-oa] *n* gain

lisäksi [LI-sæk-si] *adv* furthermore; moreover

lisärakennus [LI-sæ-RAH-kayn-noos] *n* annex

lisätarvikkeet [LI-sæ-TAHR-vik-kayt] *pl* accessories *pl*

lisätä [LI-sæ-tæ] *v* increase

lisääntyminen [LI-sææn-tew-mi-nayn] *n* increase

litra [LIT-rah] *n* litre

liukas [LIOO-kahs] *adj* slippery

liukastua [LIOO-kahs-too-ah] *v* skid

llukeneva [LIOO-kay-nay-vah] *adj* soluble

liukua [LIOO-koo-ah] *v* slide; glide

liukuminen [LIOO-koo-mi-ñayn] *n* slide

liuos [LIOO-oas] *n* solution

livahtaa [LI-vahh-tar] *v* slip

-lle [LAY] *suf* for

logiikka [LOA-geek-kah] *n* logic

lohi [LOA-hi] *n* salmon

lohkare [LOAH-kah-ray] *n* boulder

loistava [LOYS-tah-vah] *adj* brilliant; splendid; gorgeous; glorious

loistava voitto [LOYS-tah-vah VOYT-toa] *n* triumph

lokakuu [LOA-kah-KOO] *n* October

lokasuoja [LOA-kah-SOOOA-yah] *n* fender

lokki [LOAK-ki] *n* seagull

loma [LOA-mah] *n* vacation; holidays *pl*

lomake [LOA-mah-kay] *n* form

lomaleiri [LOA-mah-LAY-ri] *n* holiday camp

lomalla [LOA-mahl-lah] on holiday

lomanviettopaikka [LOA-mahn-VIAYT-toa-PIGHK-kah] *n* resort

lompakko [LOAM-pahk-koa] *n* pocket-book; wallet

long-play-levy [LOANG-PLAY-LAY-vew] *n* long-playing record

lopettaa [LOA-payt-tar] *v* cease; stop; finish; quit; end

loppu [LOAP-poo] *n* end; ending; finish

loppu- [LOAP-poo] *pref* terminal

loppusointu [LOAP-poo-SOYN-too] *n* rhyme

lopputulos [LOAP-poo-TOO-loas] *n* conclusion

loppuun kulunut [LOAP-poon KOO-loo-noot] *adj* worn-out

loppuunmyyty [LOAP-poon-MEW-tew] *adj* sold out

lopulta [LOA-pool-tah] *adv* eventually

lordi [LOAR-di] *n* lord

louhos [LOA-hoas] *n* quarry

loukata [LOA-kah-tah] *v* offend; insult

loukkaantunut [LOAK-karn-too-noot] *adj* injured

loukkaava [LOAK-kar-vah] *adj* offensive

loukkaus [LOAK-kah-oos] *n* insult

lounas [LOA-nahs] *n* lunch; luncheon; south-west

lounasaika [LOA-nahs-IGH-kah] *n* lunch time

lovi [LOA-vi] *n* slot

lude [LOO-day] *n* bug

luennoitsija [LOO-ayn-noyt-si-yah] *n* lecturer

luettelo [LOO-ayt-tay-loa] *n* list; catalogue; directory

luistella [LOOIS-tayl-lah] *v* skate

luistelu [LOOIS-tay-loo] *n* skating

luistin [LOOIS-tin] *n* skate

luistinrata [LOOIS-tin-RAH-tah] *n* skating-rink; rink

luja [LOO-yah] *adj* steady; firm

*lukea [LOO-kay-ah] *v* read

lukeminen [LOO-kay-mi-nayn] *n* reading

lukio [LOO-ki-oa] *n* grammar school

lukita [LOO-ki-tah] *v* lock

lukita sisään [LOO-ki-tah si-sææn] *v* lock up

lukko [LOOK-koa] *n* lock

lukuisa [LOO-kooi-sah] *adj* numerous

lukulamppu [LOO-koo-LAHMPpool) *n* reading-lamp

lukumäärä [LOO-koo-MÆÆ-ræ] *n* number

lukusali [LOO-koo-SAH-li] *n* reading-room

lukuunottamatta [LOO-koon-OAT-tah-maht-tah] *prep* except

lumi [LOO-mi] *n* snow

lumimyrsky [LOO-mi-MEWRS-kew] *n* snowstorm; blizzard

luminen [LOO-mi-nayn] *adj* snowy

lumisohju [LOO-mi-SOAH-yoo] *n* slush

lumivyöry [LOO-mi-VEWUR-rew] *n* avalanche

luo [LOOOA] *prep* to

luoda [LOOOA-dah] *v* create

luode [LOOOA-day] *n* north-west

luokitella [LOOOA-ki-tayl-lah] *v* grade

luokka [LOOOAK-kah] *n* denomination; class

luokkahuone [LOOOAK-kah-HOOOA-nay] *n* classroom

luoksepääsemätön [LOOOAK-say-PÆÆ-say-mæ-turn] *adj* inaccessible

luola [LOOOA-lah] *n* grotto; cave

luonne [LOOOAN-nay] *n* character

luonnehtia [LOOOAN-nayh-ti-ah] *v* characterize

luonnollinen [LOOOAN-noal-li-nayn] *adj* natural

luonnonlahja [LOOOAN-noan-LAHH-yah] *n* talent

luonnos [LOOOAN-noas] *n* sketch

luonnoskirja [LOOOAN-noas-KIR-yah] *n* sketchbook

luonnoton [LOOOAN-noa-toan] *adj* unnatural

luonteenlaatu [LOOOAN-tayn-LAR-too] *n* nature

luonteenomainen [LOOOAN-tayn-OA-migh-nayn] *adj* characteristic; essential

luonto [LOOOAN-toa] *n* nature

luontokappale [LOOOAN-toa-KAHP-pah-lay] *n* creature

luopua [LOOOA-poo-ah] *v* give up

luostari [LOOOAS-tah-ri] *n* convent; monastery; abbey

luotettava [LOOOA-tayt-tah-vah] *adj* reliable; trustworthy

luottaa [LOOOAT-tar] *v* trust; rely

luottamuksellinen [LOOOAT-tah-mook-sayl-li-nayn] *adj* confidential

luottamus [LOOOAT-tah-moos] *n* trust

luottavainen [LOOOAT-tah-vigh-nayn] *adj* confident

luotto [LOOOAT-toa] *n* credit

luottokortti [LOOOAT-toa-KOART-ti] *n* credit card; charge plate

luottotili [LOOOAT-toa-TI-li] *n* charge account

lupa [LOO-pah] *n* licence; permit

lupaus [LOO-pah-oos] *n* promise

lusikallinen [LOO-si-kahl-li-nayn] *n* spoonful

lusikka [LOO-sik-kah] *n* spoon

luu [LOO] *n* bone

luumu [LOO-moo] *n* plum

luuranko [LOO-rahng-koa] *n* skeleton

luvata [LOO-vah-tah] *v* promise

luvaton [LOO-vah-toan] *adj* unauthorized

lyhentää [LEW-hayn-tææ] *v* shorten

lyhty [LEWH-tew] *n* lantern

lyhtypylväs [LEWH-tew-PEWL-væs] *n* lamp-post

lyhyet urheiluhousut [LEW-hew-ayt OOR-hay-loo-HOA-soot] *pl* trunks *pl*

lyhyt [LEW-hewt] *adj* short; brief

lyhyttavarakauppias [LEW-hewt-TAH-vah-rah-KOWP-pi-ahs] *n* haberdasher

lyhyttavaraliike [LEW-hewt-TAH-vah-rah-LEE-kay] *n* haberdashery

lyijy [LEWI-yew] *n* lead

lyijykynä [LEWI-yew-KEW-næ] *n* pencil

lykätä [LEW-kæ-tæ] *v* put off

lystikäs [LEWS-ti-kæs] *adj* funny

lyödä [LEWUR-dæ] *v* strike; beat

lähde [LÆH-day] *n* spring

läheinen [LÆ-hay-nayn] *adj* close; near; intimate

läheisin [LÆ-hay-sin] *adj* nearest

läheisyys [LÆ-hay-sews] *n* vicinity

lähellä oleva [LÆ-hayl-læ OALAY-vah] *adj* nearby

lähempi [LÆ-haym-pi] *adj* nearer

lähes [LÆ-hays] *adv* approximately

lähestyvä [LÆ-hays-tew-væ] *adj* oncoming

lähestyä [LÆ-hays-tewæ] *v* approach

lähettää [LÆ-hayt-tææ] *v* transmit; send off; send

lähettää edelleen [LÆ-hayt-tææ AY-dayl-layn] *v* forward

lähettää matkaan [LÆ-hayt-tææ MAHT-karn] *v* dispatch

lähettää noutamaan [LÆ-hayt-tææ NOA-tah-marn] *v* send for

lähettää pois [LÆ-hayt-tææ POYS] *v* dismiss

lähettää rahaa [LÆ-hayt-tææ RAH-har] *v* remit

lähetys [LÆ-hay-tews] *n* transmission

lähetystö [LÆ-hay-tews-tur] *n*

legation

lähitienoo [LÆ-hi-TIAY-noa] *n* neighbourhood

lähteä [LÆH-tay-æ] *v* leave; pull out; set out; depart

lähtien [LÆH-ti-ayn] *prep* as from

lähtö [LÆH-tur] *n* parting; departure; take-off

lähtöaika [LÆH-tur-IGH-kah] *n* time of departure

lähtökohta [LÆH-tur-KOAH-tah] *n* starting point

lämmin [LÆM-min] *adj* warm

lämmittää [LÆM-mit-tææ] *v* warm; heat

lämmitys [LÆM-mi-tews] *n* heating

lämmityslaite [LÆM-mi-tews-ligh-tay] *n* heater

lämpiö [LÆM-pi-ur] *n* foyer

lämpö [LÆM-pur] *n* warmth

lämpömittari [LÆM-pur-MIT-tah-ri] *n* thermometer

lämpöpatteri [LÆM-pur-PAHT-tay-ri] *n* radiator

lämpötila [LÆM-pur-TI-lah] *n* temperature

lämpötyyny [LÆM-pur-TEW-new] *n* heating pad

länsi [LÆN-si] *n* west

Länsi-Intian saaristo [LÆN-si IN-ti-ahn SAR-ris-toa] *n* West Indies *pl*

länteen päin [LÆN-tayn PÆIN] *adv* westwards

läntinen [LÆN-ti-nayn] *adj* western

läpi [LÆ-pi] *prep* through

läpikuultava [LÆ-pi-KOOL-tah-vah] *adj* transparent

läsnäoleva [LÆS-næ-OA-lay-vah] *adj* present

läsnäolo [LÆS-næ-OA-loa] *n*

presence
lääke [LÆÆ-kay] *n* medicine
lääkeaine [LÆÆ-kay-IGH-nay] *n* drug
lääkeaineet [LÆÆ-kay-IGH-nayt] *pl* pharmaceuticals *pl*
lääkemääräys [LÆÆ-kay-MÆÆ-ræ-ews] *n* prescription
lääketieteellinen [LÆÆ-kay-TIAY-tayl-li-nayn] *adj* medical
lääkäri [LÆÆ-kæ-ri] *n* physician; doctor
lääkärintarkastus [LÆÆ-kæ-rin-TAHR-kahs-toos] *n* medical examination
lääni [LÆÆ-ni] *n* department
löytää [LUREW-tææ] *v* find
löytö [LUREW-tur] *n* discovery
löytötavarat [LUREW-tur-TAH-vah-raht] *pl* lost and found
löytötavaratoimisto [LUREW-tur-TAH-vah-rah-TOY-mis-toa] *n* lost property office

maa [MAR] *n* Earth; country; suit; soil; land; ground
maahanmuuttaja [MAR-hahn-MOOT-tah-yah] *n* immigrant
maahantuoja [MAR-hahn-TOOOA-yah] *n* importer
maailma [MAR-il-mah] *n* world
maailmankuulu [MAR-il-mahn-KOO-loo] *adj* world famous
maailmanlaajuinen [MAR-il-mahn-LIGHOOI-nayn] *adj* world-wide; global
maailmansota [MAR-il-mahn-SOA-tah] *n* world war
maakunta [MAR-KOON-tah] *n* province
maalais- [MAR-lighs] *pref* provincial; rustic; rural
maalaistalo [MAR-lighs-TAH-loa]

n farmhouse
maalari [MAR-lah-ri] *n* painter
maalattu [MAR-laht-too] *adj* painted
maalauksellinen [MAR-lah-ook-sayl-li-nayn] *adj* picturesque
maalaus [MAR-lah-oos] *n* painting
maali [MAR-li] *n* paint; goal
maalilaatikko [MAR-li-LAR-tik-koa] *n* paintbox
maaliskuu [MAR-lis-KOO] *n* March
maalivahti [MAR-li-VAHH-ti] *n* goalkeeper
maamerkki [MAR-MAYRK-ki] *n* landmark
maamies [MAR-MIAYS] *n* countryman
maan valuutta [MARN VAH-loot-tah] *n* currency
maanalainen [MARN-AH-ligh-nayn] *n* subway; underground
maanalainen rautatie [MARN-AH-ligh-nayn ROW-tah-tiay] *n* Underground
maanantai [MAR-nahn-tigh] *n* Monday
maanjäristys [MARN-YÆ-ris-tews] *n* earthquake
maanosa [MARN-OA-sah] *n* continent
maantie [MARN-TIAY] *n* causeway; highway
maantiede [MARN-TIAY-day] *n* geography
maantieteellinen sanakirja [MARN-TIAY-tayl-li-nayn SAH-nah-KIR-yah] *n* gazetteer
maanviljelijä [MARN-VIL-yay-li-yæ] *n* farmer
maanviljelys [MARN-VIL-yay-lews] *n* agriculture
maapallo [MAR-PAHL-loa] *n* globe

maaperä [MAR-PAY-ræ] *n* earth

maapähkinä [MAR-pæh-ki-næ] *n* peanut

maaseutu [MAR-SAYOO-too] *n* country; countryside

maasilta [MAR-SIL-tah] *n* viaduct

maastoauto [MARS-toa-ow-toa] *n* jeep

maat [MART] *pl* grounds *pl*

maata [MAR-tah] *v* lie

maatila [MAR-ti-lah] *n* estate; farm

maatilkku [MAR-TILK-koo] *n* plot

magneetti [MAHNG-nayt-ti] *n* magneto

magneettinen [MAHNG-nayt-ti-nayn] *adj* magnetic

mahdollinen [MAHH-doal-li-nayn] *adj* possible

mahdollisuudet [MAHH-doal-li-soo-dayt] *pl* odds *pl*

mahdollisuudet [MAHH-doal-li-soo-dayt] *pl* facilities *pl*

mahdollisuus [MAHH-doal-li-soos] *n* possibility

mahdoton [MAHH-doa-toan] *adj* impossible

mahdoton hyväksyä [MAHH-doa-toan HEW-væk-sew-æ] *adj* unacceptable

mahdoton kulkea [MAHH-doa-toan KOOL-kay-ah] *adj* impassable

mahtava [MAHH-tah-vah] *adj* mighty

mahti [MAHH-ti] *n* might

maihintulo [MIGH-hin-TOO-loa] *n* landing

maila [MIGH-lah] *n* racquet

maili [MIGH-li] *n* mile

mailimäärä [MIGH-li-MÆÆ-ræ] *n* mileage

mailipylväs [MIGH-li-PEWL-væs] *n* milestone; milepost

maininta [MIGH-nin-tah] *n* mention

mainita [MIGH-ni-tah] *v* mention

mainonta [MIGH-noan-tah] *n* publicity

mainos [MIGH-noas] *n* commercial

maisema [MIGH-say-mah] *n* scenery; landscape

maisemallinen [MIGH-say-mahl-li-nayn] *adj* scenic

maissi [MIGHS-si] *n* maize

maissihiutaleet [MIGHS-si-HIOO-tah-layt] *pl* cornflakes *pl*

maissintähkä [MIGHS-sin-TÆH-kæ] *n* corn-on-the-cob

maistaa [MIGHS-tar] *v* taste

maito [MIGH-toa] *n* milk

maitoinen [MIGH-toy-nayn] *adj* milky

maitokauppias [MIGH-toa-KOWP-pi-ahs] *n* milkman

maja [MAH-yah] *n* hut

majakka [MAH-yahk-kah] *n* lighthouse

majatalo [MAH-yah-TAH-loa] *n* inn; roadhouse

majatalon isäntä [MAH-yah-TAH-loan I-sæn-tæ] *n* innkeeper

majoittaa [MAH-yoyt-tar] *v* lodge; accommodate

majoitus [MAH-yoy-toos] *n* accommodations *pl*

makea [MAH-kay-ah] *adj* sweet

makea jälkiruoka [MAH-kay-ah YÆL-ki-ROOOA-kah] *n* sweet

makea vesi [MAH-kay-ah VAY-si] *n* fresh water

makeinen [MAH-kay-nayn] *n* sweets *pl*

makeiset [MAH-kay-sayt] *pl* candy

makeiskauppa [MAH-kays-KOWP-pah] *n* sweetshop

makeiskioski [MAH-kays-KI-oas-ki] *n* soda-fountain

makeuttaa [MAH-kay-oot-tar] *v* sweeten

makkara [MAHK-kah-rah] *n* sausage

makrilli [MAHK-ril-li] *n* mackerel

maksa [MAHK-sah] *n* liver

maksaa [MAHK-sar] *v* pay; settle up; cost

maksaa ennakolta [MAHK-sar AYN-nah-koal-tah] *v* advance

maksaa takaisin [MAHK-sar TAH-kigh-sin] *v* repay

maksamaton [MAHK-sah-mah-toan] *adj* unpaid

maksu [MAHK-soo] *n* payment

maksuehdot [MAHK-soo-AYH-doat] *pl* terms of payment *pl*

maksunsaaja [MAHK-soon-SAR-yah] *n* payee

maksuosoitus [MAHK-soo-OA-soy-toos] *n* money order

maksutodiste [MAHK-soo-TOA-dis-tay] *n* voucher

maku [MAH-koo] *n* taste; flavour

makuaisti [MAH-koo-IGHS-ti] *n* taste

makuuhuone [MAH-koo-HOOOA-nay] *n* bedroom

makuupussi [MAH-koo-POOS-si] *n* sleeping-bag

makuusali [MAH-koo-SAH-li] *n* dormitory

makuusija [MAH-koo-SI-yah] *n* sleeping-berth; berth

makuuvaunu [MAH-koo-VOW-noo] *n* sleeping-car

malaria [MAH-lah-ri-ah] *n* malaria

malja [MAHL-yah] *n* toast

maljakko [MAHL-yahk-koa] *n* vase

malli [MAHL-li] *n* model; sample

mallikappale [MAHL-li-KAHP-pah-lay] *n* copy

mallinukke [MAHL-li-NOOK-kay] *n* mannequin

mallipiirustus [MAHL-li-PEE-roos-toos] *n* pattern

malvanvärinen [MAHL-vahn-VÆ-ri-nayn] *adj* mauve

mandariini [MAHN-dah-ree-ni] *n* mandarin; tangerine

mannermaa [MAHN-nayr-MAR] *n* mainland

mannermainen [MAHN-nayr-migh-nayn] *adj* continental

mansikka [MAHN-sik-kah] *n* strawberry

manteli [MAHN-tay-li] *n* almond

mantteli [MAHNT-tay-li] *n* cloak

margariini [MAHR-gah-ree-ni] *n* margarine

marja [MAHR-yah] *n* berry

marmelaadi [MAHR-may-LAR-di] *n* marmalade

marmori [MAHR-moa-ri] *n* marble

marraskuu [MAHR-rahs-KOO] *n* November

marssi [MAHRS-si] *n* march

marssia [MAHRS-siah] *v* march

maskotti [MAHS-koat-tı] *n* lucky charm

massa [MAHS-sah] *n* bulk

massatuotanto [MAHS-sah-TOOOA-tahn-toa] *n* mass-production

massi [MAHS-si] *n* pouch

matala [MAH-tah-lah] *adj* low; shallow

matelija [MAH-tay-li-yahȷ *n* reptile

matematiikka [MAH-tay-mah-teek-kah] *n* mathematics

matka [MAHT-kah] *n* trip; travel; voyage; journey

matka-arkku [MAHT-kah AHRKkool *n* trunk

matkailija [MAHT-kigh-li-yah] *n*
tourist

matkailu [MAHT-kigh-loo] *n*
tourism

matkakulut [MAHT-kah-KOO-loot]
pl travelling expenses *pl*

matkalaukku [MAHT-kah-LOWK-
kool *n* grip; case; bag; suitcase

matkašekki [MAHT-kah-SHAYK-
ki] *n* traveller's cheque

matkasuunnitelma [MAHT-kah-
SOON-ni-tayl-mah] *n* itinerary

matkatavarahylly [MAHT-kah-
TAH-vah-rah-HEWL-lew] *n*
luggage rack

matkatavarat [MAHT-kah-TAH-
vah-raht] *pl* luggage; baggage

matkatavaratoimisto [MAHT-
kah-TAH-vah-rah-TOY-mis-toa]
n baggage office

matkatoimisto [MAHT-kah-TOY-
mis-toa] *n* travel agent; travel
agency

matkavakuutus [MAHT-kah-VAH-
koo-toos] *n* travel insurance

matkustaa [MAHT-koos-tar] *v*
travel

matkustaa laivalla [MAHT-koos-
tar LIGH-vahl-lah] *v* sail

matkustaa peukalokyydillä
[MAHT-koos-tar PAYOO-kah-loa-
KEW-dil-læ] *v* hitchhike

matkustaja [MAHT-koos-tah-yah]
n traveller; passenger

matkustaminen [MAHT-koos-tah-
mi-nayn] *n* travelling

mato [MAH-toa] *n* worm

matto [MAHT-toa] *n* carpet

maukas [MOW-kahs] *adj*
appetising; tasty; savoury

maustaa [MOWS-tar] *v* flavour

mauste [MOWS-tay] *n* spice

maustettu [MOWS-tayt-too] *adj*
spicy; spiced

mauton [MOW-toan] *adj* tasteless

me [MAY] *pron* we

mehiläinen [MAY-hi-læi-nayn] *n*
bee

mehu [MAY-hoo] *n* juice; squash

mehukas [MAY-hoo-kahs] *adj*
juicy; mellow

meidän [MAY-dæn] *pron* our

meijeri [MAY-yay-ri] *n* dairy

meille [MAYL-lay] *pron* us

mekaanikko [MAY-kar-nik-koa]
n mechanic

mekaaninen [MAY-kar-ni-nayn]
adj mechanical

Meksiko [MAYK-si-koa] *n* Mexico

meksikolainen [MAYK-si-koa-
ligh-nayn] *adj* Mexican; *n*
Mexican

mela [MAY-lah] *n* paddle

melkein [MAYL-kayn] *adv* nearly;
almost

melko [MAYL-koa] *adv* fairly

meloa [MAY-loa-ah] *v* paddle

melodraama [MAY-loa-DRAR-
mah] *n* melodrama

meloni [MAY-loa-ni] *n* melon

melu [MAY-loo] *n* noise

meluisa [MAY-looi-sah] *adj* noisy

menestyksellinen [MAY-nays-
tewk-sayl-li-nayn] *adj*
prosperous; successful

menestys [MAY-nays-tews] *n*
success

menestyä [MAY-nays-tew-æ] *v*
get on

menetelmä [MAY-nay-tayl-mæ] *n*
method

menettelytapa [MAY-nayt-tay-
lew-TAH-pah] *n* procedure;
policy

menetys [MAY-nay-tews] *n* loss

mennyt [MAYN-newt] *adj* past

mennyt aika [mayn-newt IGH-kah] *n* past

mennä [MAYN-næ] *v* go

mennä eläkkeelle [MAYN-næ AY-læk-kayl-lay] *v* retire

mennä kotiin [MAYN-næ KOA-teen] *v* go home

mennä naimisiin [MAYN-næ NIGH-mi-seen] *v* marry

mennä ohitse [MAYN-næ OA-hit-say] *v* pass by

mennä pois [MAYN-næ POYS] *v* go away

mennä rikki [MAYN-næ RIK-ki] *v* crash

mennä sisään [MAYN-næ SI-sææn] *v* enter; go in

mennä takaisin [MAYN-næ TAH-kigh-sin] *v* go back

mennä ulos [MAYN-næ OO-loas] *v* go out

meno [MAY-noa] *n* expense

meno-ja paluulippu [MAY-noa YAH PAH-loo-LIP-poo] *n* return ticket

menolippu [MAY-noa-LIP-poo] *n* single ticket

meno-paluulento [MAY-noa-PAH-loo-LAYN-toa] *n* return flight

meren takainen [MAY-rayn-TAH-kigh-nayn] *adj* overseas

merenkulku [MAY-rayn-KOOL-koo] *n* navigation

merenkulkukelpoinen [MAY-rayn-KOOL-koo-KAYL-poy-nayn] *adj* navigable

merenlahti [MAY-rayn-LAHH-ti] *n* gulf

merenrannikko [MAY-rayn-RAHN-nik-koa] *n* seaside

merenranta [MAY-rayn-RAHN-tah] *n* seashore; seacoast

merenranta- [MAY-rayn-RAHN-tah] *pref* maritime

meri [MAY-ri] *n* sea

meriantura [MAY-ri-AHN-too-rah] *n* sole

merikylpylä [MAY-ri-KEWL-pew-læ] *n* seaside resort

merilintu [MAY-ri-LIN-too] *n* sea-bird

merimaisema [MAY-ri-MIGH-say-mah] *n* seascape

merimies [MAY-ri-MIAYS] *n* seaman; sailor

merirapu [MAY-ri-RAH-poo] *n* crab

merisairaus [MAY-ri-SIGH-rah-oos] *n* seasickness

merisiili [MAY-ri-SEE-li] *n* sea-urchin

meritse [MAY-rit-say] by sea

merivesi [MAY-ri-VAY-si] *n* sea-water

merkintä [MAYR-kin-tæ] *n* entry

merkittävä [MAYR-kit-tæ-væ] *adj* remarkable

merkityksetön [MAYR-ki-tewk-say-turn] *adj* meaningless; insignificant

merkitys [MAYR-ki-tews] *n* meaning; sense

merkitä [MAYR-ki-tæ] *v* mark

merkitä luetteloon [MAYR-ki-tæ LOO-ayt-tay-loan] *v* list

merkitä muistiin [MAYR-ki-tæ MOOIS-teen] *v* note

merkitä nimikirjaimensa [MAYR-ki-tæ NI-mi-kir-yigh-mayn-sah] *v* initial

merkitä rastilla [MAYR-ki-tæ RAHS-til-lah] *v* tick

merkki [MAYRK-ki] *n* mark; brand; sign

messinki [MAYS-sing-ki] *n* brass

messu [MAYS-soo] *n* Mass

messut [MAYS-soot] *pl* fair

mestari [MAYS-tah-ri] *n* master

mestariteos [MAYS-tah-ri-TAY-oas] *n* masterpiece

metalli [MAY-tahl-li] *n* metal

metallilanka [MAY-tahl-li-LAHNG-kah] *n* wire

metallinen [MAY-tahl-li-nayn] *adj* metal

metodinen [MAY-toa-di-nayn] *adj* methodical

metri [MAYT-ri] *n* metre

metri- [MAYT-ri] *pref* metric

metsikkö [MAYT-sik-kur] *n* wood; grove

metsä [MAYT-sæ] *n* forest

metsäkana [MAYT-sæ-KAH-nah] *n* grouse *inv*

metsämaa [MAYT-sæ-MAR] *n* woodland

metsänriista [MAYT-sæn-REES-tah] *n* venison

metsästys [MAYT-sæs-tews] *n* hunt

metsästäjä [MAYT-sæs-tæ-yæ] *n* hunter

metsästää [MAYT-sæs-tææ] *v* hunt

miehekäs [MIAY-hay-kæs] *adj* masculine

miehistö [MIAY-his-tur] *n* crew

miekka [MIAYK-kah] *n* sword

mielenkiinto [MIAY-layn-KEEN-toa] *n* interest

mielenkiintoinen [MIAY-layn-KEEN-toy-nayn] *adj* interesting

mielenliikutus [MIAY-layn-LEE-koo-toos] *n* emotion

mielenosoitus [MIAY-layn-OA-soy-toos] *n* demonstration

mieletön [MIAY-lay-turn] *adj* crazy; insane; mad

mieli [MIAY-li] *n* mind

mieliala [MIAY-li-ah-lah] *n* mood; spirit

mieliharrastus [MIAY-li-HAHR-rahs-toos] *n* hobby

mielihyvä [MIAY-li-HEW-væ] *n* pleasure

mielijohde [MIAY-li-YOAH-day] *n* impulse

mielikuvituksellinen [MIAY-li-KOO-vi-took-sayl-li-nayn] *adj* fantastic

mielikuvitus [MIAY-li-KOO-vi-toos] *n* imagination

mielipide [MIAY-li-PI-day] *n* opinion

miellyttävä [MIAYL-lewt-tæ-væ] *adj* nice; pleasing; pleasant; agreeable

miellyttää [MIAYL-lewt-tææ] *v* please

mieluisampi [MIAY-looi-sahm-pi] *adj* preferable

mies [MIAYS] *n* man

miespuolinen [MIAYS-POOOA-li-nayn] *adj* male

miestenhuone [MIAYS-tayn-HOOOA-nay] *n* men's room

mieto [MIAY-toa] *adj* mild; weak

miettiväinen [MIAYT-ti-væi-nayn] *adj* thoughtful

miettiä [MIAYT-ti-æ] *v* think over; consider

migreeni [MIG-ray-ni] *n* migraine

miinus [MEE-noos] *prep* minus

mikrofoni [MIK-roa-foa-ni] *n* microphone

miksi [MIK-si] *adv* why

mikä [MI-kæ] *pron* which

mikä tahansa [MI-kæ TAH-hahn-sah] *adj* whichever; any

miljonääri [MIL-yoa-næææ-ri] *n* millionaire

miljoona [MIL-yoa-nah] *n* million

milloin [MIL-loyn] *conj* when; *adv* when

milloin hyvänsä [MIL-loyn HEW-væn-sæ] *conj* whenever

milloin tahansa [MIL-loyn TAH-hahn-sah] at any time

mineraalivesi [MI-nay-rar-li-VAY-si] *n* seltzer

minimi [MI-ni-mi] *n* minimum

ministeri [MI-nis-tay-ri] *n* minister

ministeriö [MI-nis-tay-ri-ur] *n* ministry

minkä tähden [MING-kæ TÆH-dayn] what for

minttu [MINT-too] *n* mint

minulle [MI-nool-lay] *pron* me

minun [MI-noon] *pron* my

minut [MI-noot] *pron* me

minuutti [MI-noot-ti] *n* minute

minä [MI-næ] *pron* I

missä [MIS-sæ] *conj* where; where

missä hyvänsä [MIS-sæ HEW-væn-sæ] *conj* wherever

missä tahansa [MIS-sæ TAH-hahn-sah] *adv* anywhere

mistä [MIS-tæ] *adv* wherefrom

mitali [MI-tahl-li] *n* medal

mitata [MI-tah-tah] *v* measure

miten tahansa [MI-tayn TAH-hahn-sah] *adv* anyhow

mitta [MIT-tah] *n* measure; gauge

mittakaava [MIT-tah-KAR-vah] *n* scale

mittanauha [MIT-tah-NOW-hah] *n* tape measure

mittari [MIT-tah-ri] *n* meter

mitä [MI-tæ] *pron* what

mitä . . . tulee [MI-tæ TOO-lay] with reference to; *prep* regarding

mitä hyvänsä [MI-tæ HEW-væn-sæ] *pron* whatever

mitä muuta [MI-tæ MOO-tah] what else

mitä tulee [MI-tæ TOO-lay] concerning; as regards

mitätön [MI-tæ-turn] *adj*

unimportant

modisti [MOA-dis-ti] *n* milliner

mohair [MOA-highr] *n* mohair

moittia [MOYT-ti-ah] *v* blame

mokkanahka [MOAK-kah-NAHH-kah] *n* suede

molemmat [MOA-laym-maht] *adj* both

monenlainen [MOA-nayn-LIGH-nayn] *adj* various

monikko [MOA-nik-koa] *n* plural

monimutkainen [MOA-ni-MOOT-kigh-nayn] *adj* complex

moninainen [MOA-ni-nigh-nayn] *adj* varied

monta [MOAN-tah] *adj* many

moottori [MOAT-toa-ri] *n* motor; engine

moottoripyörä [MOAT-toa-ri-PEWUR-ræ] *n* motorcycle

moottorivene [MOAT-toa-ri-VAY-nay] *n* motorboat

moraali [MOA-rar-li] *n* morality

moraalinen [MOA-rar-li-nayn] *adj* moral

morfiini [MOAR-fee-ni] *n* morphia

morsian [MOAR-si-ahn] *n* bride; fiancée

mosaiikki [MOA-sah-eek-ki] *n* mosaic

moskeija [MOAS-kay-yah] *n* mosque

motelli [MOA-tayl-li] *n* motel

muinainen [MOOI-nigh-nayn] *adj* ancient

muinaisaika [MOOI-nighs-IGH-kah] *n* antiquity

muinaisjäännökset [MOOI-nighs-YÆÆN-nurk-sayt] *pl* antiquities *pl*

muistaa [MOOIS-tar] *v* remember

muisti [MOOIS-ti] *n* memory

muistiinpanokirja [MOOIS-teen-PAH-noa-KIR-yah] *n* notebook

muistilappu [MUOIS-li-LAHPPOO] n
note

muistio [MOOIS-ti-oa] n memo

muistoesine [MOOIS-toa-AY-si-nay] n souvenir

muIstomerkkl [MUOIS-toa-MAYRK-kil] n memorial; monument

muistuttaa [MOOIS-toot-tar] v
resemble; remind

mukaan [MOO-karn] prep
according to

mukaan luettuna [MOO-karn LOO-ayt-too-nah] adj inclusive

mukava [MOO-kah-vah] adj
comfortable

mukavuus [MOO-kah-voos] n
comfort

muki [MOO-ki] n mug

mullokala [MOOL-loa-KAH-lah] n
mullet

muna [MOO-nah] n egg

munakoiso [MOO-nah-KOY-soa] n
egg-plant

munakuppi [MOO-nah-KOOP-pi] n
egg-cup

munkki [MOONGK-ki] n monk

munuainen [MOO-noo-igh-nayn]
n kidney

muodikas [MOOOA-di-kahs] adj
fashionable

muodollinen [MOOOA-doal-li-nayn] adj formal

muodollisuus [MOOOA-doal-li-soos] n formality

muodostaa [MOOOA-doas-tar] v
form

muonavarat [MOOOA-nah-VAH-raht] pl supplies pl

muoti [MOOOA-ti] n fashion

muotivillitys [MOOOA-ti-VIL-li-tews] n fad

muoto [MOOOA-toa] n figure;
shape; form

muotoilu [MOOOA-toy-loo] n
design

muotokuva [MOOOA-toa-KOO-vah]
n portrait

muovi [MOOOA-vi] n plastic

murea [MOO-ray-ah] adj tender

murha [MUOR-hah] n murder

murhata [MOOR-hah-tah] v
murder

murhenäytelmä [MOOR-hay-NÆEW-tayl-mæ] n tragedy

murre [MOOR-ray] n dialect

murskata [MOORS-kah-tah] v
crush

murtua [MOOR-too-ah] v fracture

murtuma [MOOR-too-mah] n
fracture

muru [MOO-roo] n crumb

museo [MOO-say-oa] n museum

musiikki [MOO-seek-ki] n music

musiikkiesitys [MOO-seek-ki-AY-si-tews] n recital

musiikkikauppa [MOO-seek-ki-KOWP-pah] n music shop

musiikkikomedia [MOO-seek-ki-KOA-may-di-ah] n musical
comedy

musikaalinen [MOO-si-kar-li-nayn] adj musical

muskottipähkinä [MOOS-koat-ti-PÆH-ki-næ] n nutmeg

musliini [MOOS-lee-ni] n muslin

musta [MOOS-tah] adj black

musta pörssi [MOOS-tah PURRS-si]
n black market

mustaherukka [MOOS-tah-HAY-rook-kah] n black-currant

mustalainen [MOOS-tah-ligh-nayn] n gypsy

mustasukkainen [MOOS-tah-SOOK-kigh-nayn] adj jealous

muste [MOOS-tay] n ink

mustekala [MOOS-tay-KAH-lah] n
octopus

mustelma [MOOS-tayl-mah] n

bruise
mutka [MOOT-kah] *n* bend; curve
mutkitella [MOOT-ki-tayl-lah] *v*
  wind
mutta [MOOT-tah] *conj* but
mutteri [MOOT-tay-ri] *n* nut
muualla [moo-ahl-lah] *adv*
  elsewhere
muukalainen [MOO-kah-ligh-
  nayn] *n* stranger
muunnos [MOON-noas] *n*
  variation
muuntaja [MOON-tah-yah] *n*
  transformer
muurahainen [MOO-rah-high-
  nayn] *n* ant
muusikko [MOO-sik-koa] *n*
  musician
muutama [MOO-tah-mah] couple
  of
muutoin [MOO-toyn] *adv* else;
  conj otherwise
muutos [MOO-toas] *n* change;
  alteration
muuttaa [MOOT-tar] *v* alter;
  change; modify; move;
  transform
muuttaa maahan [MOOT-tar MAR-
  hahn] *v* immigrate
muuttaa maasta [MOOT-tar MARS-
  tah] *v* emigrate
muuttaa pois [MOOT-tar POYS] *v*
  move out
muuttaa sisään [MOO-t-tar SI-
  sææn] *v* move in
muuttuva [MOOT-too-vah] *adj*
  variable
mykkä [MEWK-kæ] *adj* dumb
mylly [MEWL-lew] *n* mill
mylläri [MEWL-læ-ri] *n* miller
myrkky [MEWRK-kew] *n* poison
myrkyllinen [MEWR-kewl-li-
  nayn] *adj* poisonous
myrsky [MEWRS-kew] *n* storm;

gale
myrskyinen [MEWRS-kewi-nayn]
  adj stormy
myrskylyhty [MEWRS-kew-LEWH-
  tew] *n* hurricane lamp
mysteerio [MEWS-tay-ri-oa] *n*
  mystery
myydä [MEW-dæ] *v* sell
myydä vähittäin [MEW-dæ VÆ-
  hit-tæin] *v* retail
myyjä [MEW-yæ] *n* salesman
myyjätär [MEW-yæ-tær] *n*
  salesgirl
myymälä [MEW-mæ-læ] *n* store
myymäläapulainen [MEW-mæ-
  læ-AH-poo-ligh-nayn] *n* shop
  assistant
myymätön [MEW-mæ-turn] *adj*
  unsold
myynti [MEWN-ti] *n* sale
myyntipöytä [MEWN-ti-PUREW-tæ]
  n counter
myyntitavarat [MEWN-ti-TAH-vah
  raht] *pl* wares *pl;* merchandise
myytti [MEWT-ti] *n* myth
myytävänä [MEW-tæ-væ-næ] for
  sale
myöhemmin [MEWUR-haym-min]
  adv later
myöhäinen [MEWUR-hæi-nayn]
  adj late
myönteinen [MEWURN-tay-nayn]
  adj positive
myöntävä [MEWURN-tæ-væ] *adj*
  affirmative
myöntää lupa [MEWURN-tææ LOO-
  pah] *v* license
myös [MEWURS] *adv* too; also
myötätunto [MEWUR-tæ-TOON-toa]
  n sympathy
myötätuntoinen [MEWUR-tæ-
  TOON-toy-nayñ] *adj*
  sympathetic
myötävirtaan [MEWUR-tæ-VIR-

tarn] *adv* downstream

mäen huippu [MÆ-ayn HOOIP-poo] *n* hilltop

mäkeä alas [MÆ-kay-æ AH-lahs] *adv* downhill

mäki [MÆ-ki] *n* hill

mäkihyppy [MÆ-ki-HEWP-pew] *n* ski-jump

mäkinen [MÆ-ki-nayn] *adj* hilly

männänvarsi [MÆN-næn-VAHR-si] *n* piston-rod

mäntä [MÆN-tæ] *n* piston

märkä [MÆR-kæ] *adj* wet

mäti [MÆ-ti] *n* roe

mätähaava [MÆ-tæ-HAR-vah] *n* ulcer

määritellä [MÆÆ-ri-tayl-læ] *v* define

määritelmä [MÆÆ-ri-tayl-mæ] *n* definition

määritelty [MÆÆ-ri-tayl-tew] *adj* defined

määrittää [MÆÆ-rit-tææ] *v* diagnose

määrä [MÆÆ-ræ] *n* quantity; amount

määränpää [MÆÆ-ræn-PÆÆ] *n* destination

määrätty [MÆÆ-ræt-tew] *adj* definite

määrätty ruokalista [MÆÆ-ræt-tew ROOOA-kah-LIS-tah] *n* set menu

määrätä [MÆÆ-ræ-tæ] *v* prescribe

möhkäle [MURH-kæ-lay] *n* block

mökki [MURK-ki] *n* cottage

möykky [MUREWK-kew] *n* lump

möykkymäinen [MUREWK-kew-mæi-nayn] *adj* lumpy

-n [n] *suf* of

naapuri [NAR-poo-ri] *n*

neighbour

naapuri- [NAR-poo-ri] *pref* neighbouring

naapurissa [NAR-poo-ris-sah] *adv* next-door

naarmu [NARR-moo] *n* scratch

naarmuttaa [NARR-moot-tar] *v* scratch

nahka [NAHH-kah] *n* leather

nailon [NIGH-loan] *n* nylon

naimaton [NIGH-mah-toan] *adj* unmarried; single

naimisissa oleva [NIGH-mi-sis-sah OA-lay-vah] *adj* married

nainen [NIGH-nayn] *n* woman

naisellinen [NIGH-sayl-li-nayn] *adj* feminine

naispuolinen [NIGHS-POOOA-li-nayn] *adj* female

naistenhuone [NIGHS-tayn-HOOOA-nay] *n* ladies' room; powder-room

nakit [NAH-kit] *pl* sausages *pl*

napinreikä [NAH-pin-RAY-kæ] *n* buttonhole

nappi [NAHP-pi] *n* button

nasta [NAHS-tah] *n* drawing pin; thumbtack

naudanliha [NOW-dahn-LI-hah] *n* beef

nauha [NOW-hah] *n* tape; ribbon

nauhuri [NOW-hoo-ri] *n* recorder; tape recorder

naula [NOW-lah] *n* pound; nail

nauraa [NOW-rar] *v* laugh

naurettava [NOW-rayt-tah-vah] *adj* ridiculous

nauru [NOW-roo] *n* laughter; laugh

nautakarja [NOW-tah-KAHR-yah] *n* cattle

nautittava [NOW-tit-tah-vah] *adj* enjoyable

nauttia [NOWT-ti-ah] *v* enjoy

neekeri [NAY-kay-ri] n negro

negatiivi [NAY-gah-tee-vi] n negative

neiti [NAY-ti] n miss

neitsyt [NAYT-sewt] n virgin

neliö [NAY-li-ur] n square

neliönmuotoinen [NAY-li-urn-MOOOA-toy-nayn] adj square

neljä [NAYL-yæ] adj four

neljäkymmentä [NAYL-yæ-KEWM-mayn-tæ] adj forty

neljännes [NAYL-yæn-nays] n quarter

neljäs [NAYL-yæs] adj fourth

neljästoista [NAYL-yæs-TOYS-tah] adj fourteenth

neljätoista [NAYL-yæ-TOYS-tah] adj fourteen

nenä [NAY-næ] n nose

nenäliina [NAY-næ-LEE-nah] n handkerchief

neon [NAYOAN] n neon

neste [NAYS-tay] n fluid

nestemäinen [NAYS-tay-mæi-nayn] adj liquid

neula [NAYOO-lah] n needle

neulepusero [NAYOO-lay-POO-say-roa] n sweater; jumper

neuletyö [NAYOO-lay-TEWUR] n knitting

neuroosi [NAYOO-roa-si] n neurosis

neutrisukuinen [NAYOOT-ri-SOO-kooi-nayn] adj neuter

neuvo [NAYOO-voa] n advice

neuvoa [NAYOO-voa-ah] v advise

neuvotella [NAYOO-voa-tayl-lah] v negotiate; consult

neuvottelu [NAYOO-voat-tay-loo] n consultation; deal; negotiation

nide [NI-day] n binding

nidos [NI-doas] n volume

niellä [NIAYL-læ] v swallow

nielurisat [NIAY-loo-RI-saht] pl tonsils pl

nielurisojen tulehdus [NIAY-loo-RI-soa-yayn TOO-layh-doos] n tonsillitis

niemi [NIAY-mi] n headland; cape

niemimaa [NIAY-mi-MAR] n peninsula

niin [NEEN] adv so; such

niin pian kuin [neen PI-ahn kooin] as soon as

niin sanottu [NEEN SAH-noat-too] adj so-called

niitty [NEET-tew] n meadow

nilkka [NILK-kah] n ankle

nilkuttaa [NIL-koot-tar] v limp

nimetön [NI-may-turn] adj anonymous

nimi [NI-mi] n name

nimikirjain [NI-mi-KIR-yighn] n initial

nimikirjoitus [NI-mi-KIR-yoy-toos] n signature

nimilippu [NI-mi-LIP-poo] n label

nimilipuke [NI-mi-LI-poo-kay] n tag

nimittää [NI-mit-tææ] v name

nipistää [NI-pis-tææ] v pinch

nippu [NIP-poo] n bunch of keys

nisäkäs [NI-sæ-kæs] n mammal

niukasti [NIOO-kahs-ti] adv barely

niukka [NIOOK-kah] adj scarce

niukkuus [NIOOK-koos] n scarcity

nivel [NI-vayl] n joint

noidannuoli [NOY-dahn-NOOOA-li] n lumbago

noin [NOYN] adv about

nojatuoli [NOA-yah-TOOOA-li] n armchair; easy chair

nojautua [NOA-yow-too-ah] v lean

nokkela [NOAK-kay-lah] adj witty; clever

nolla [NOAL-lah] *n* zero; nil

nopea [NOA-pay-ah] *adj* swift; rapid; quick; fast

nopeasti [NOA-pay-ahs-ti] *adv* quick

nopeus [NOA-pay-oos] *n* speed

nopeusmittari [NOA-pay-oos-MIT-tah-ri] *n* speedometer

nopeusrajoitus [NOA-pay-oos-RAH-yoy-toos] *n* speed limit

Norja [NOAR-yah] *n* Norway

norjalainen [NOAR-yah-ligh-nayn] *n* Norwegian; *adj* Norwegian

normaali [NOAR-mar-li] *adj* normal

norsunluu [NOAR-soon-LOO] *n* ivory

nostaa [NOAS-tar] *v* lift; raise

nostaa rahaa [NOAS-tar RAH-har] *v* draw

nousta [NOAS-tah] *v* rise; get on; get up; mount; amount; ascend

nousta ilmaan [NOAS-tah IL-marn] *v* take off

nousta maihin [NOAS-tah MIGH-hin] *v* land; disembark

nousu [NOA-soo] *n* ascent

nousuvesi [NOA-soo-VAY-si] *n* high tide

noutaa [NOA-tar] *v* fetch

-nsa [nsah] *suf* (→ **heidän**)

nuija [NOOI-yah] *n* mallet; club

nukke [NOOK-kay] *n* doll

nukkua [NOOK-koo-ah] *v* sleep

nukkua liikaa [NOOK-koo-ah LEE-kar] *v* oversleep

nukutusaine [NOO-koo-toos-IGH-nay] *n* anaesthetic

numero [NOO-may-roa] *n* number

numerolevy [NOO-may-roa-LAY-vew] *n* dial

nummi [NOOM-mi] *n* moor; heath

nunna [NOON-nah] *n* nun

nuo [noooa] *adj* those; *pron* those

nuoli [NOOOA-li] *n* arrow

nuorekas [NOOOA-ray-kahs] *adj* juvenile

nuori [NOOOA-ri] *adj* young

nuori hauki [NOOOA-ri HOW-ki] *n* pickerel

nuoriso [NOOOA-ri-soa] *n* youth

nuorison retkeilymaja [NOOOA-ri-soan RAYT-kay-lew-MAH-yah] *n* youth hostel

nuppineula [NOOP-pi-NAYOO-lah] *n* pin

nuppu [NOOP-poo] *n* bud

nurista [NOO-ris-tah] *v* grumble

nurmi [NOOR-mi] *n* lawn

nurmikko [NOOR-mik-koa] *n* grass

nykyaikainen [NEW-kew-IGH-kigh-nayn] *adj* modern

nykyinen [NEW-kewi-nayn] *adj* present; *n* current

nykyään [NEW-kew-æœn] *adv* nowadays

nyrjähdys [NEWR-yæh-dews] *n* sprain

nyrjäyttää [NEWR-yæ-ewt-tæœ] *v* sprain

nyrkinisku [NEWR-kin-IS-koo] *n* punch

nyrkkeillä [NEWRK-kayl-læ] *v* box

nyrkkeilyottelu [NEWRK-kay-lew-OAT-tay-loo] *n* boxing match

nyrkki [NEWRK-ki] *n* fist

nyt [NEWT] *adv* now

nyökkäys [NEWURK-kæ-ews] *n* nod

nyöri [NEWUR-ri] *n* twine; string

nähdä [NÆH-dæ] *v* see

nähdä unta [NÆH-dæ OON-tah] *v* dream

nähdä vilahdukselta [NÆH-dæ VI-lahh-dook-sayl-tah] *v*

glimpse
nähtävyys [NÆH-tæ-vews] *n*
sights *pl*
nähtäväksi [NÆH-tæ-væk-si] on
approval
näky [NÆ-kew] *n* sight
näkymätön [NÆ-kew-mæ-turn]
adj invisible
näkyvyys [NÆ-kew-vews] *n*
visibility
näkyvä [NÆ-kew-væ] *adj* visible
näköala [NÆ-kur-AH-lah] *n* view
nälkä [NÆL-kæ] *n* hunger
nälkäinen [NÆL-kæi-nayn] *adj*
hungry
nämä [NÆ-mæ] *pron* these
näppylä [NÆP-pew-læ] *n* pimple
närästys [NÆ-ræs-tews] *n*
heartburn
näyteikkuna [NÆEW-tay-IK-koo-
nah] *n* shop-window
näytekappale [NÆEW-tay-KAHP-
pah-lay] *n* specimen
näytelmä [NÆEW-tayl-mæ] *n*
drama; play
näytelmäkirjailija [NÆEW-tayl-
mæ-KIR-yigh-li-yah] *n*
playwright; dramatist
näyttelijä [NÆEWT-tay-li-yæ] *n*
actor
näyttelijätär [NÆEWT-tay-li-yæ-
tær] *n* actress
näyttely [NÆEWT-tay-lew] *n*
exhibition
näyttelysali [NÆEWT-tay-lew-
SAH-li] *n* showroom
näyttää [NÆEWT-tææ] *v* show;
seem; display
näyttää joltakin [NÆEWT-tææ
YOAL-tah-kin] *v* appear
näytös [NÆEW-turs] *n* act;
display; spectacle
nöyrä [NUREW-ræ] *adj* humble

odotettavissa [OA-doa-tayt-tah-
vis-sah] *adj* due
odottaa [OA-doat-tar] *v* expect;
wait; anticipate; await
odottamaton [OA-doat-tah-mah-
toan] *adj* unexpected
odotus [OA-doa-toos] *n* waiting
odotushuone [OA-doa-toos-
HOOOA-nay] *n* waiting-room
odotuslista [OA-doa-toos-LIS-tah]
n waiting-list
ohi [OA-hi] *adv* over
ohikulkija [OA-hi-KOOL-ki-yah] *n*
passer-by
ohimatka [OA-hi-MAHT-kah] *n*
passage
ohittaa [OA-hit-tar] *v* pass
ohitus kielletty [OA-hi-toos
KIAYL-layt-tew] no overtaking
ohitustie [OA-hi-toos-TIAY] *n*
bypass
ohjaaja [OAH-yar-yah] *n*
instructor
ohjata [OAH-yah-tah] *v* navigate;
direct
ohjaus [OAH-yah-oos] *n* steering;
instruction
ohjauslaitteet [OAH-yah-oos-
LIGHT-tayt] *pl* controls *pl*
ohjauspyörä [OAH-yah-oos-
PEWUR-ræ] *n* steering-wheel
ohjeet [OAH-yayt] *pl* directions *pl*
ohjelma [OAH-yayl-mah] *n*
programme
ohjus [OAH-yoos] *n* rocket
ohra [OAH-rah] *n* barley
ohut [OA-hoot] *adj* thin
oikea [OY-kay-ah] *adj* right;
correct
oikeanpuoleinen [OY-kay-ahn-
POOOA-lay-nayn] *adj* right-
hand

oikeanpuolinen [OY-kay-ahn-
POOOA-li-nayn] *adj* right

oikeaoppinen [OY-kay-ah-OAP-
pi-nayn] *adj* orthodox

oikeaperäinen [OY-kay-ah-PAY-
ræi-nayn] *adj* authentic

oikeudenkäynti [OY-kay-oo-
dayn-KÆEWN-ti] *n* trial

oikeudenmukainen [OY-kay-oo-
dayn-MOO-kigh-nayn] *adj* just;
fair

oikeudenmukaisuus [OY-kayoo-
dayn-MOO-kigh-soos] *n* justice

oikeus [OY-kay-oos] *n* rights *pl*

oikeusistuin [OY-kay-oos-IS-
tooin] *n* law courts *pl*

oikeusjuttu [OY-kay-oos-YOOT-
too] *n* case

oikosulku [OY-koa-SOOL-koo] *n*
short circuit

oire [OY-ray] *n* symptom

oja [OA-yah] *n* ditch

oksa [OAK-sah] *n* branch

oksennus [OAK-sayn-noos] *n*
vomiting

oksentaa [OAK-sayn-tar] *v* vomit

olennainen osa [OA-layn-nigh-
nayn OA-sah] *n* essence

olento [OA-layn-toa] *n* being

oleskelulupa [OA-lays-kay-loo-
LOO-pah] *n* residence permit

olettaa [OA-layt-tar] *v* assume;
suppose

oliivi [OA-lee-vi] *n* olive

oliiviöljy [OA-lee-vi-URL-yew] *n*
olive oil

olki [OAL-ki] *n* straw

* **oll** [OAL-lah] *v* be

* **olla** [OAL-lah] *auxv* be; *v* have

* **olla arvoinen** [OAL-lah AHR-voy-
nayn] *v* worth (be)

* **olla eri mieltä** [OAL-lah AY-ri
MIAYL-tæ] *v* disagree

* **olla erilainen** [OAL-lah AY-ri-
ligh-nayn] *v* differ

* **olla jotakin vailla** [OAL-lah YOA-
tah-kin VIGHL-lah] *v* lack

* **olla kiertomatkalla** [OAL-lah
KIAYR-toa-MAHT-kah-lah] *v* tour

* **olla kirjeenvaihdossa** [OAL-lah
KIR-yayn-VIGHH-doas-sah] *v*
correspond

* **olla olemassa** [OAL-lah OA-lay-
mahs-sah] *v* exist

* **olla pahoillaan** [OAL-lah PAH-
hoyl-larn] *v* regret

olla poissa tolaltaan [OAL-lah
POYS-sah TOA-lahl-tæn] *v* upset

olla pätevä [OAL-lah PÆ-tay-væ] *v*
qualify

* **olla riippuvainen** [OAL-lah
REEP-poo-vigh-nayn] *v* depend

* **olla samaa mieltä** [OAL-lah SAH-
mar MIAYL-tæ] *v* agree

* **olla taipuvainen** [OAL-lah TIGH-
poo-vigh-nayn] *v* tend

* **olla taloudellinen** [OAL-lah TAH-
loa-oo-dayl-li-nayn] *v*
economize

* **olla tapana** [OAL-lah TAH-pah-
nah] *v* used to (be)

* **olla tärkeää** [OAL-lah TÆR-kay-
ææ] *v* matter

olla vaivan arvoinen [OAL-lah
VIGH-vahn AHR-voy-nayn] *v*
worthwhile (be)

* **olla varaa** [OAL-lah VAH-rar] *v*
afford

* **olla varuillaan** [OAL-lah VAH-
rooil-larn] *v* look out; watch
out

* **olla velkaa** [OAL-lah VAYL-kar] *v*
owe

* **olla välittämättä** [OAL-lah VÆ-
lit-tæ-mæt-tæ] *v* ignore

ollenkaan [OAL-layng-karn] *adv*
at all

olohuone [OA-loa-HOOOA-nay] *n*

living-room; sitting-room

olosuhteet [OA-loa-sooh-tayt] *pl*
conditions *pl;* circumstances
pl

olutpanimo [OA-loot-PAH-ni-moa]
n brewery

oma [OA-mah] *adj* own

omaisuus [OA-migh-soos] *n*
property; possession;
belongings *pl*

omaksua [OA-mahk-soo-ah] *v*
adopt

omatunto [OA-mah-TOON-toa] *n*
conscience

omena [OA-may-nah] *n* apple

omistaa [OA-mis-tar] *v* possess;
own; devote

omistaja [OA-mis-tah-yah] *n*
owner; proprietor

omistautunut [OA-mis-tow-too-
noot] *adj* devoted

omistus [OA-mis-toos] *n*
possessions *pl*

omituinen [OAMI-tooi-nayn] *adj*
peculiar; curious; queer; funny

ommel [OAM-mayl] *n* stitch

ommella [OAM-mayl-lah] *v* sew

ommella kiinni [OAM-mayl-lah
KEEN-ni] *v* sew on

ompelija [OAM-pay-li-yah] *n*
dressmaker

ompelukone [OAM-pay-loo-KOA-
nay] *n* sewing-machine

ompelutyö [OAM-pay-loo-TEWUR]
n sewing

on [OAN] *v* there is; there are

ongensiima [OANG-ayn-SEE-mah]
n fishing line

ongenvapa [OANG-ayn-VAH-pah]
n fishing rod

onnekas [OAN-nay-kahs] *adj*
fortunate; lucky

onnellinen [OAN-nayl-li-nayn]
adj happy

onneton [OAN-nay-toan] *adj*
unhappy

onnettomuus [OAN-nayt-toa-
moos] *n* accident

onni [OAN-ni] *n* luck; happiness

onnistua [OAN-nis-too-ah] *v*
succeed

onnitella [OAN-ni-tayl-lah] *v*
congratulate

onnittelut [OAN-nit-tay-loot] *pl*
congratulations *pl*

ontto [OANT-toa] *adj* hollow

ooppera [OAP-pay-rah] *n* opera

oopperatalo [OAP-pay-rah-TAH-
loa] *n* opera house

opaali [OA-par-li] *n* opal

opas [OA-pahs] *n* guide

opaskirja [OA-pahs-KIR-yah] *n*
guidebook

opastaa [OA-pahs-tar] *v* guide

operetti [OA-pay-rayt-ti] *n*
operetta

opettaa [OA-payt-tar] *v* instruct;
teach

opettaja [OA-payt-tah-yah] *n*
teacher; schoolteacher

opetus [OA-pay-toos] *n* teachings
pl

opinnot [OA-pin-noat] *pl* study

opiskelija [OA-pis-kay-li-yah] *n*
student

opiskella [OA-pis-kayl-lah] *v*
study

oppia [OAP-pi-ah] *v* learn

oppiarvo [OAP-pi-AHR-voa] *n*
degree

oppikirja [OAP-pi-KIR-yah] *n*
textbook

oppilas [OAP-pi-lahs] *n* learner;
pupil

oppinut [OAP-pi-noot] *n* scholar

oppitunti [OAP-pi-TOON-ti] *n*
lesson

optikko [OAP-tik-koa] *n* optician

oranssinvärinen [OA-rahns-sin-VÆ-ri-nayn] *adj* orange

organisoida [OAR-gah-ni-soy-dah] *v* organize

orja [OAR-yah] *n* slave

orkesteri [OAR-kays-tay-ri] *n* orchestra

orkesterinjohtaja [OAR-kays-tay-rin-YOAH-tah-yah] *n* conductor

orlon [OAR-loan] *n* orlon

orvokki [OAR-voak-ki] *n* violet

osa [OA-sah] *n* fraction; part; share

osake [OA-sah-kay] *n* share

osamaksuerä [OA-sah-MAHK-SOO-AY-ræ] *n* instalment

osasto [OA-sahs-toa] *n* section; compartment

osasyyllinen [OA-sah-SEWL-li-nayn] *n* accessary

osittain [OA-sit-tighn] *adv* partly

osoite [OA-soy-tay] *n* address

osoittaa [OA-soyt-tar] *v* address; point; show; indicate

osoitus [OA-soy-toos] *n* indication

ostaa [OAS-tar] *v* purchase; buy

ostaja [OAS-tah-yah] *n* buyer; purchaser

osteri [OAS-tay-ri] *n* oyster

osto-ja myyntimies [OAS-toa yah MEWN-ti-MIAYS] *n* dealer

ostokset [OAS-toak-sayt] *pl* shopping

ostos [OAS-toas] *n* purchase

ostoskeskus [OAS-toas-KAYS-koos] *n* shopping centre

ostoslaukku [OAS-toas-LOWK-koo] *n* shopping bag

otaksuttavasti [OA-tahk-soot-tah-vahs-ti] *adv* presumably

otsa [OAT-sah] *n* forehead

otsikko [OAT-sik-koa] *n* heading; headline

ottaa [OAT-tar] *v* take

ottaa aurinkoa [OAT-tar OW-ring-koa-ah] *v* sunbathe

ottaa haltuunsa [OAT-tar HAHL-toon-sah] *v* take; occupy

ottaa huostaansa [OAT-tar HOOOAS-tarn-sah] *v* take charge of

ottaa kiinni [OAT-tar KEEN-ni] *v* catch

ottaa osaa [OAT-tar OA-sar] *v* participate

ottaa pois [OAT-tar POYS] *v* take out

ottaa toimeksensa [OAT-tar TOY-mayk-sayn-sah] *v* undertake

ottaa vastaan [OAT-tar VAHS-tarn] *v* accept

ottaa yhteys [OAT-tar EWH-tay-ews] *v* contact

ottelu [OAT-tay-loo] *n* contest

ovenvartija [OA-vayn-VAHR-ti-yah] *n* door-keeper

ovi [OA-vi] *n* door

ovikello [OA-vi-KAYL-loa] *n* door-bell

ovimatto [OA-vi-MAHT-toa] *n* mat

ovimikko [OA-vi-MIK-koa] *n* doorman

paahdettu [PARH-dayt-too] *adj* grilled

paahdin [PARH-din] *n* grill

paahtaa [PARH-tar] *v* grill

paahtoleipä [PARHTOA-LAY-pæ] *n* toast

paalu [PAR-loo] *n* pole

paavi [PAR-vi] *n* pope

paeta [PAH-ay-tah] *v* escape

paha [PAH-hah] *adj* evil; wicked

pahanhajuinen [PAH-hahn-HAH-yooi-nayn] *adj* smelly

paheellinen [PAH-hayl-li-nayn]
adj vicious

paheksua [PAH-hayk-soo-ah] *v*
disapprove

pahemmin [PAH-haym-min] *adv*
worse

pahempi [PAH-haym-pi] *adj*
worse

pahimmin [PAH-him-min] *adv*
worst

pahin [PAH-hin] *adj* worst

pahoillaan oleva [PAH-hoyl-larn
OA-lay-vah] *adj* sorry

pahoinvointi [PAH-hoyn-VOYN-ti]
n nausea

pahoittelu [PAH-hoyt-tay-loo] *n*
regret

pahvi [PAHH-vi] *n* cardboard

pahvilaatikko [PAHH-vi-LAR-tik-
koa] *n* carton

paikallaan pysyvä [PIGH-kahl-
larn PEW-sew-væ] *adj*
stationary

paikallinen [PIGH-kahl-li-nayn]
adj local

paikallisjuna [PIGH-kahl-lis-YOO-
nah] *n* local train

paikallispuhelu [PIGH-kahl-lis-
POO-hay-loo] *n* local call

paikannäyttäjä [PIGH-kahn-
NÆEWT-tæ-yæ] *n* usherette;
usher

paikantaa [PIGH-kahn-tar] *v*
locate

paikata [PIGH-kah-tah] *v* patch

paikka [PIGHK-kah] *n* patch;
place; spot; filling

paikkakunta [PIGHK-kah-KOON-
tah] *n* locality

paikoitusalue [PIGH-koy-toos-
AH-loo-ay] *n* parking zone

paimen [PIGH-mayn] *n* shepherd

painaa [PIGH-nar] *v* print

painaa muistiin [PIGH-nar MOOIS-
teen] *v* memorize

paine [PIGH-nay] *n* pressure

paino [PIGH-noa] *n* stress; weight

painos [PIGH-noas] *n* edition

painottaa [PIGH-noat-tar] *v* stress

paise [PIGH-say] *n* boil

paistaa [PIGHS-tar] *v* fry

paistettu [PIGHS-tayt-too] *adj*
fried

paistinpannu [PIGHS-tin-PAHN-
noo] *n* saucepan

paisua [PIGH-soo-ah] *v* swell

paita [PIGH-tah] *n* shirt

pakasteet [PAH-kahs-tayt] *pl*
frozen food

pakata [PAH-kah-tah] *v* pack up;
pack

paketti [PAH-kayt-ti] *n* package;
parcel

Pakistan [PAH-kis-tahn] *n*
Pakistan

pakistanilainen [PAH-kis-tah-ni-
ligh-nayn] *n* Pakistani

pakkasneste [PAHK-kahs-NAYS-
tay] *n* antifreeze

pakkaus [PAHK-kah-oos] *n*
packing

pakkilaatikko [PAHK-ki-LAR-tik-
koa] *n* packing case

pakolainen [PAH-koa-ligh-nayn]
n runaway

pakollinen [PAH-koal-li-nayn]
adj compulsory; obligatory

pakottaa [PAH-koat-tar] *v*
compel; force

paksu [PAHK-soo] *adj* thick;
bulky

paksuus [PAHK-soos] *n* thickness

pala [PAH-lah] *n* piece; scrap

palanen [PAH-lah-nayn] *n* slice;
bit

palata [PAH-lah-tah] *v* return; get
back

palatsi [PAH-laht-si] *n* palace

* palauttaa [PAH-lah-oot-tar] *v* bring back; send back

paljas [PAHL-yahs] *adj* bare

paljon [PAHL-yoan] *adv* much

paljous [PAHL-yoa-oos] *n* mass

palkattu [PAHL-kaht-too] *adj* salaried

palkinto [PAHL-kin-toa] *n* reward; prize

palkita [PAHL-ki-tah] *v* reward

palkka [PAHLK-kah] *n* salary; wages *pl*

palkkio [PAHLK-ki-oa] *n* fee; award

pallas [PAHL-lahs] *n* halibut

pallo [PAHL-loa] *n* ball

palmu [PAHL-moo] *n* palm

palohaava [PAH-loa-HAR-vah] *n* burn

palohälytys [PAH-loa-HÆ-lew-tews] *n* fire alarm

paloiteltu [PAH-loy-tayl-too] *adj* sliced

paloposti [PAH-loa-POAS-ti] *n* fire hydrant

palotikkaat [PAH-loa-TIK-kart] *n* fire escape

palsternakka [PAHLS-tayr-nahk-kah] *n* parsnip

paluu [PAH-loo] *n* return

paluumatka [PAH-loo-MAHT-kah] *n* return journey

palvelija [PAHL-vay-li-yah] *n* servant; attendant

palvella [PAHL-vayl-lah] *v* serve

palvelumaksu [PAHL-vay-loo-MAHK-soo] *n* service charge; cover charge

palvelus [PAHL-vay-loos] *n* service

palvelustyttö [PAHL-vay-loos-TEWT-tur] *n* maid

palvoa [PAHL-voa-ah] *v* worship

paneutua maata [PAH-nayoo-too-ah MAR-tah] *v* lie down

pankki [PAHNGK-ki] *n* bank

pankkiiri [PAHNGK-kee-ri] *n* banker

pankkitili [PAHNGK-ki-TI-li] *n* bank account; account

panna ehdoksi [PAHN-nah AYH-doak-si] *v* stipulate

panna jnk tilille [PAHN-nah YOAN-kin TI-lil-lay] *v* credit

panna johonkin [PAHN-nah YOA-hoang-kin] *v* insert

panna käyntiin [PAHN-nah KÆEWN-teen] *v* launch

panna pahakseen [PAHN-nah PAH-hahk-sayn] *v* resent

panna postiin [PAHN-nah POAS-teen] *v* post

pannu [PAHN-noo] *n* pot; pan

pantata [PAHN-tah-tah] *v* pawn

panttilainaaja [PAHNT-ti-LIGH-nar-yah] *n* pawnbroker

paperi [PAH-pay-ri] *n* paper

paperikantinen kirja [PAH-pay-ri-KAHN-ti-nayn KIR-yah] *n* paper-back

paperikassi [PAH-pay-ri-KAHS-si] *n* paper-bag

paperikauppa [PAH-pay-ri-KOWP-pah] *n* stationer

paperikori [PAH-pay-ri-KOA-ri] *n* wastepaper-basket

paperilautasliina [PAH-pay-ri-LOW-tahs-LEE-nah] *n* paper napkin

paperinenäliina [PAH-pay-ri-NAY-næ-lee-nah] *n* kleenex

papiljotit [PAH-pil-yoa-tit] *pl* hair rollers *pl;* curlers *pl*

pappi [PAHP-pi] *n* priest; minister

pappila [PAHP-pi-lah] *n* parsonage; rectory; vicarage

papu [PAH-poo] *n* bean

paraati [PAH-rar-ti] *n* parade

parannella [PAH-rahn-nayl-lah]
v touch up

parannettu [PAH-rahn-nayt-too]
adj improved

parannus [PAH-rahn-noos] *n*
improvement

parannuskeino [PAH-rahn-noos-
KAY-noa] *n* remedy; cure

parantaa [PAH-rahn-tar] *v* cure;
improve; heal

parantumaton [PAH-rahn-too-
mah-toan] *adj* incurable

paras [PAH-rahs] *adj* best

parempi [PAH-raym-pi] *adj*
better

parhaassa tapauksessa [PAHR-
hars-sah TAH-pah-ook-says-
sah] at best

pari [PAH-ri] *n* pair; couple

pariton [PAH-ri-toan] *adj* odd

parlamentti [PAHR-lah-maynt-ti]
n parliament

parranajokone [PAHR-rahn-ah-
yoa-KOA-nay] *n* electric razor;
razor; shaver; safety razor

parranajosaippua [PAHR-rahn-
AH-yoa-SIGHP-poo-ah] *n*
shaving-soap

parranajovaahdoke [PAHR-rahn-
AH-yoa-VARH-doa-kay] *n*
shaving-cream

parsa [PAHR-sah] *n* asparagus

parsia [PAHR-si-ah] *v* darn

parsinlanka [PAHR-sin-LAHNG-
kah] *n* darning wool

parta [PAHR-tah] *n* beard

partasuti [PAHR-tah-SOO-ti] *n*
shaving-brush

partaterä [PAHR-tah-TAY-ræ] *n*
razor-blade

partavesi [PAHR-tah-VAY-si] *n*
aftershave lotion

partio [PAHR-ti-oa] *n* patrol

parturi [PAHR-too-ri] *n* barber

parveke [PAHR-vay-kay] *n*
balcony

passi [PAHS-si] *n* passport

passiivinen [PAHS-see-vi-nayn]
adj passive

passikontrolli [PAHS-si-KOANT-
roal-li] *n* passport control

passikuva [PAHS-si-KOO-vah] *n*
passport photograph

pata [PAH-tah] *n* spades *pl*

patja [PAHT-yah] *n* mattress

pato [PAH-toa] *n* dam

patruuna [PAHT-roo-nah] *n*
cartridge

patteri [PAHT-tay-ri] *n* battery

paviljonki [PAH-vil-yoang-ki] *n*
pavilion

pehmentäjä [PAYH-mayn-tæ-yæ]
n softener

pehmeä [PAYH-may-æ] *adj* soft

pehmittää [PAYH-mit-tææ] *v*
soften

peili [PAY-li] *n* mirror; looking-
glass

peittää [PAYT-tææ] *v* cover

pekoni [PAY-koa-ni] *n* bacon

pelaaja [PAY-lar-yah] *n* player

pelastaa [PAY-lahs-tar] *v* rescue;
save

pelastaja [PAY-lahs-tah-yah] *n*
saviour

pelastaminen [PAY-lahs-tah-mi-
nayn] *n* rescue

pelata uhkapeliä [PAY-lah-tah
OOH-kah-PAY-li-æ] *v* gamble

peli [PAY-li] *n* game

pelikortit [PAY-li-KOAR-tit] *pl*
playing-cards *pl*

pelikortti [PAY-li-KOART-ti] *n* card

pelimarkka [PAY-li-MAHRK-kah] *n*
chip

pelko [PAYL-koa] *n* fear; fright

pelkuri [PAYL-koo-ri] *n* coward

pellava [PAYL-lah-vah] *n* linen

peloissaan [PAY-loys-sarn] *adj*
  afraid
pelto [PAYL-toa] *n* field
pelästynyt [PAY-læs-tew-newt]
  adj frightened
pelästyttää [PAY-læs-tewt-tææ] *v*
  frighten; scare; alarm
pelätä [PAY-læ-tæ] *v* fear
pengerrys [PAYNG-ayr-rews] *n*
  embankment
penisilliini [PAY-ni-sil-lee-ni] *n*
  penicillin
penkki [PAYNGK-ki] *n* bench
pensaikko [PAYN-sighk-koa] *n*
  scrub
pensas [PAYN-sahs] *n* shrub; bush
pensasaita [PAYN-sahs-IGH-tah] *n*
  hedge
pensseli [PAYNS-say-li] *n*
  paintbrush
perhe [PAYR-hay] *n* family
perheenemäntä [PAYR-hayn-AY-
  mæn-tæ] *n* housewife
perhonen [PAYR-hoa-nayn] *n*
  butterfly
periaate [PAY-ri-ARTAY] *n*
  principle
perinne [PAY-rin-nay] *n* tradition
perinpohjainen [PAY-rin-POAH-
  yigh-nayn] *adj* thorough
perinteellinen [PAY-rin-tayl-li-
  nayn] *adj* traditional
perjantai [PAYR-yahn-tigh] *n*
  Friday
permanentti [PAYR-mah-naynt-
  ti] *n* perm
permanto [PAYR-mahn-toa] *n*
  orchestra seat
persikka [PAYR-sik-kah] *n* peach
persilja [PAYR-sil-yah] *n* parsley
persoonallisuus [PAYR-soa-nahl-
  li-soos] *n* personality
peruna [PAY-roo-nah] *n* potato
perus- [PAY-roos] *pref* basic

perusaine [PAY-roos-IGH-nay] *n*
  element
perusta [PAY-roos-tah] *n* basis;
  base
perustaa [PAY-roos-tar] *v* found ;
  institute
peruukki [PAY-rook-ki] *n* wig
peruuttaa [PAY-root-tar] *v* cancel;
  reverse
peruutus [PAY-roo-toos] *n*
  cancellation
peruutusvaihde [PAY-roo-toos-
  VIGHH-day] *n* reverse
peräpuikko [PAY-ræ-POOIK-koa] *n*
  suppository
peräpukamat [PAY-ræ-POO-kah-
  maht] *plur* haemorrhoids *pl; pl*
  piles *pl*
peräsin [PAY-ræ-sin] *n* rudder
perävaunu [PAY-ræ-VOW-noo] *n*
  trailer
pestä [PAYS-tæ] *v* wash
pestä astiat [PAYS-tæ AHS-ti-aht]
  v wash up
pestä kemiallisesti [PAYS-tæ KAY-
  mi-ahl-li-says-ti] *v* dry-clean
pesuaine [PAY-soo-IGH-nay] *n*
  detergent
pesuallas [PAY-soo-AHL-lahs] *n*
  wash-stand; wash-basin
pesuhuone [PAY-soo-HOOOA-nay] *n*
  lavatory
pesujauhe [PAY-soo-YOW-hay] *n*
  washing-powder
pesukone [PAY-soo-KOA-nay] *n*
  washing-machine
pesula [PAY-soo-lah] *n* laundry
pesunkestävä [PAY-SOON-KAYS-
  tæ-væ] *adj* washable
pesupulveri [PAY-soo-POOL-vay-
  ri] *n* soap powder
pesusieni [PAY-soo-SIAY-ni] *n*
  sponge
pesä [PAY-sæ] *n* nest

pesäpallo [PAY-sæ PAHL-loa] *n*
baseball

petkuttaa [PAYT-koot-tar] *v* cheat

petos [PAY-toas] *n* fraud

petroli [PAYT-roa-li] *n* oil;
petroleum

petrooli [PAYT-roa-li] *n* paraffin

pettynyt [PAYT-tew-newt] *adj*
disappointed

pettää toiveet [PAYT-tææ TOY-
vayt] *v* disappoint

peukalo [PAYOO-kah-loa] *n*
thumb

peukalokyytiläinen [PAYOO-kah-
loa-KEW-ti-læi-nayn] *n*
hitchhiker

pian [PI-ahn] *adv* soon; shortly;
presently

pianisti [PI-ah-nis-ti] *n* pianist

piano [PI-ah-noa] *n* piano

pidellä [PI-dayl-læ] *v* handle;
keep

pidentää [PI-dayn-tææ] *v*
lengthen; renew

pidätetty [PI-dæ-tayt-tew] *adj*
detained

pidättää [PI-dæt-tææ] *v* arrest

pidätys [PI-dæ-tews] *n* arrest

piena [PIAY-nah] *n* spoke

pienen pieni [PIAY-nayn PIAY-ni]
adj minute; tiny

pieni [PIAY-ni] *adj* little; small

pieni kuorma-auto [PIAY-ni
KOOOAR-mah OW-toal] *n* pick-up

pieni matto [PIAY-ni MAHT-toa] *n*
rug

pieni sipuli [PIAY-ni SI-poo-li] *n*
scallion

pieni tynnyri [PIAY-ni TEWN-new-
ri] *n* keg

pienin [PIAY-nin] *adj* least

pienoiskuva [PIAY-noys-KOO-vah]
n miniature

piha [PI-hah] *n* yard

pihdit [PIH-dit] *pl* tongs *pl*

pihvipaisti [PIH-vi-PIGHS-ti] *n*
steak

piikivi [PEE-KI-vi] *n* flint

piikki [PEEK-ki] *n* thorn

piikkikampela [PEEK-ki-KAHM-
pay-lah] *n* turbot

piilolasit [PEE-loa-LAH-sit] *pl*
contact lenses *pl*

piilottaa [PEE-loat-tar] *v* hide

piippu [PEEP-poo] *n* pipe

piipputupakka [PEEP-poo-TOO-
pahk-kah] *n* pipe tobacco

piipunpuhdistaja [PEE-poon-
POOH-dis-tah-yah] *n* pipe
cleaner

piiri [PEE-ri] *n* sphere

piirtää [PEER-tææ] *v* draw

piirustus [PEE-roos-toos] *n*
drawing

piispa [PEES-pah] *n* bishop

pika [PI-kah] *pref* express

pika- [PI-kah] *pref* special
delivery

pikabaari [PI-kah-BAR-ri] *n*
snack-bar

pikajuna [PI-kah-YOO-nah] *n*
express train; through train

pikakirje [PI-kah-KIR-yay] *n*
express letter

pikakirjoittaja [PI-kah-KIR-yoyt-
tah-yah] *n* stenographer

pikakirjoitus [PI-kah-KIR-yoy-
toos] *n* shorthand

pikasanoma [PI-kah-SAH-noa-
mah] *n* despatch

pikaside [PI-kah-SI-day] *n* Band-
Aid

pikemmin [PI-kaym-min] *adv*
sooner; rather

pikkelsi [PIK-kayl-si] *n* pickles *pl*

pikkukivi [PIK-koo-KI-vi] *n*
pebble

pikkukylä [PIK-koo-KEW-læ] *n*

hamlet
pikkuraha [PIK-koo-RAH-hah] *n*
petty cash
pikkurahat [PIK-koo-RAH-haht]
plur small change
pikkusilli [PIK-koo-SIL-li] *n*
whitebait
pikkutakki [PIK-koo-TAHK-ki] *n*
jacket
pila [PI-lah] *n* joke
pilari [PI-lah-ri] *n* pillar
pilleri [PIL-lay-ri] *n* pill
pilvenpiirtäjä [PIL-vayn-PEER-tæ-yæ] *n* sky-scraper
pilvi [PIL-vi] *n* cloud
pilvinen [PIL-vi-nayn] *adj* cloudy
pimeä [PI-may-æ] *adj* dark
pinaatti [-pi-nart-ti] *n* spinach
pinsetti [PIN-sayt-ti] *n* tweezers
pl
pinta [PIN-tah] *n* surface
piparjuuri [PI-pahr-YOO-ri] *n*
horse-radish
piparminttu [PI-pahr-MINT-too] *n*
peppermint
pippuri [PIP-poo-ri] *n* pepper
piristysaine [PI-ris-tews-IGHNAY]
n stimulant
pirstoa [PIRS-toa-ah] *v* split
pirtelö [PIR-tay-lur] *n* milk-shake
piru [PI-roo] *n* devil
piste [PIS-tay] *n* full stop
pistemäärä [PIS-tay-MÆÆ-ræ] *n*
score
pisto [PIS-toa] *n* sting
pistooli [PIS-toa-li] *n* pistol
pistotulppa [PIS-toa-TOOLP-pah] *n*
plug
pistäytyä [PIS-tæew-tew-æ] *v* pop
in; drop in
pistää [PIS-tææ] *v* sting
pitempi [PI-taym-pi] *adj* longer
pitkin [PIT-kin] *prep* along
pitkittäin [PIT-kit-tæin] *adv*

lengthways
pitkulainen [PIT-koo-ligh-nayn]
adj oblong
pitkä [PIT-kæ] *adj* long
pitkät housut [PIT-kæt HOA-soot]
pl slacks *pl*
pitsi [PIT-si] *n* lace
pituus [PI-toos] *n* length
pituusaste [PI-toos-AHS-tay] *n*
longitude
pitäisi [PI-tæi-si] *v* ought
pitää [PI-tææ] *v* need; hold; shall
pitää jonakin [PI-tææ YOA-nah-kin] *v* regard; think
pitää jostakin [PI-tææ YOAS-tah-kin] *v* like
pitää kiinni [PI-tææ KEEN-ni] *v*
hold on
pitää paljon [PI-tææ PAHL-yoan]
v fancy
pitää parempana [PI-tæ PAH-raym-pah-nah] *v* prefer
pitää tauko [PI-tææ TOW-koa] *v*
pause
planeetta [PLAH-nayt-tah] *n*
planet
planetaario [PLAH-nay-tar-ri-oa]
n planetarium
platina [PLAH-ti-nah] *n* platinum
pohjakerros [POAH-yah-KAYR-roas] *n* ground-floor
pohjavirta [POAH-yah-VIR-tah] *n*
undertow
pohjoinen [POAH-yoy-nayn] *n*
north; *adj* northerly
pohjois- [POAHYOYS] *pref*
northern
pohjoiseen [POAH-yoy-sayn] *adv*
northwards
poika [POY-kah] *n* boy; lad; son
poikamies [POY-kah-MIAYS] *n*
bachelor
poikkeuksellinen [POYK-kay-ook-sayl-li-nayn] *adj*

exceptional
poikkeus [POYK-kay-oos] *n*
exception
poimia [POY-mi-ah] *v* pick up
poissa [POYS-sah] *adv* away
poissa näykinistä [POYS-sah NÆ-
kew-vis-tæ] out of sight
poissaoleva [POYS-sah-OA-lay-
vah] *adj* absent
poissaolo [POYS-sah-OALOA] *n*
absence
poissulkeva [POYS-SOOL-kay-vah]
adj exclusive
poistaa kansi [POYS-tar KAHN-si]
v uncover
poistaa korkki [POYS-tar KOARK-
ki] *v* uncork
poistoputki [POYS-toa-POOT-ki] *n*
exhaust
pojanpoika [POA-yahn-POY-kah]
n grandson
pojantytär [POA-yahn-TEW-tær] *n*
granddaughter
poletti [POA-layt-ti] *n* token
poliisi [POA-lee-si] *n* policeman
poliisiasema [POA-lee-si-AH-say-
mah] *n* police-station
poliisivoimat [POA-lee-si-VOY-
maht] *pl* police *inv*
poliitikko [POA-lee-tik-koa] *n*
politician
poliittinen [POA-leet-ti-nayn] *adj*
political
politiikka [POA-li-teek-kah] *n*
politics *pl*
poljin [POAL-yin] *n* pedal
polku [POAL-koo] *n* path; trail
polkupyörä [POAL-koo-PEWUR-ræ]
n bicycle
polttaa [POALT-tar] *v* burn
polttoaine [POALT-toa-IGH-nay] *n*
fuel
polttoöljy [POALT-toa-URL-yew] *n*
oil fuel

polvi [POAL-vi] *n* knee
polvistua [POAL-vis-too-ah] *v*
kneel
pommi [POAM-mi] *n* bomb
poni [POA-ni] *n* pony
ponnistus [POAN-nis-toos] *n*
effort
popliini [POAP-lee-ni] *n* poplin
pop-musiikki [POAP MOO-seek-ki]
n pop music
porkkana [POARK-kah-nah] *n*
carrot
pormestari [POAR-mays-tah-ri] *n*
mayor
porras [POAR-rahs] *n* step
porsliini [POARS-lee-ni] *n*
porcelain
portaat [POAR-tart] *pl* stairs *pl*
portaikko [POAR-tighk-koa] *n*
staircase
portinvartija [POAR-tin-VAHR-ti-
yah] *n* concierge
portti [POART-ti] *n* gate
Portugali [POAR-too-gah-li] *n*
Portugal
portugalilainen [POAR-too-gah-
li-ligh-nayn] *n* Portuguese; *adj*
Portuguese
positiivi [POA-si-tee-vi] *n* positive
poski [POAS-ki] *n* cheek
poskiparta [POAS-ki-PAHR-tah] *n*
sideburns *pl*
poskipuna [POAS-ki-POO-nah] *n*
rouge
poskipää [POAS-ki-PÆÆ] *n* cheek-
bone
posliiniesineet [POAS-lee-ni-AY-
si-nayt] *n* china
poste restante [POAS-tay RAYS-
tahn-tay] poste restante
posti [POAS-ti] *n* post; mail
postikortti [POAS-ti-KOART-ti] *n*
card; postcard
postilaatikko [POAS-ti-LAR-tik-

koa] *n* pillar-box; mail-box

postimaksu [POAS-ti-MAHK-soo] *n* postage

postimerkki [POAS-ti-MAYRK-ki] *n* postage stamp; stamp

postimerkkiautomaatti [POAS-ti-MAYRK-ki OW-toa-mart-ti] *n* stamp machine

postinkantaja [POAS-tin-KAHN-tah-yah] *n* postman

postinumero [POAS-ti-NOO-may-roa] *n* zip code

postiosoitus [POAS-ti-OA-soy-toos] *n* postal order

postipalvelu [POAS-ti-PAHL-vay-loo] *n* postal service

postitoimisto [POAS-ti-TOY-mis-toa] *n* post-office

postittaa [POAS-tit-tar] *v* mail

potilas [POA-ti-lahs] *n* patient

potkaista [POAT-kighs-tah] *v* kick

potkuri [POAT-koo-ri] *n* propeller

prepositio [PRAY-poa-si-ti-oa] *n* preposition

presidentti [PRAY-si-daynt-ti] *n* president

prinsessa [PRIN-says-sah] *n* princess

prinssi [PRINS-si] *n* prince

probleema [PROAB-lay-mah] *n* problem

professori [PROA-fays-soa-ri] *n* professor

pronomini [PROA-noa-mi-ni] *n* pronoun

pronssi [PROANS-si] *n* bronze

propaganda [PROA-pah-gahn-dah] *n* propaganda

prosentti [PROA-saynt-ti] *n* percent

prosenttimäärä [PROA-saynt-ti-MÆÆ-ræ] *n* percentage

prosessi [PROA-says-si] *n* process

protestanttinen [PROA-tays-tahnt-ti-nayn] *adj* Protestant

prässätty [PRÆS-sæt-tew] *adj* pressed

prässätä [PRÆS-sæ-tæ] *v* press

prässääminen [PRÆS-sææ-mi-nayn] *n* pressing

psykiatri [PSEW-ki-aht-ri] *n* psychiatrist

psykoanalyytikko [PSEW-koa-AH-nah-lew-tik-koa] *n* psychoanalyst; analyst

psykologi [PSEW-koa-loa-gi] *n* psychologist

psykologia [PSEW-koa-loa-gi-ah] *n* psychology

psykologinen [PSEW-koa-loa-gi-nayn] *adj* psychological

pudota [POO-doa-tah] *v* fall

pudottaa [POO-doat-tar] *v* drop

puhallettava [POO-hahl-layt-tah-vah] *adj* inflatable

puhaltaa ilmaa täyteen [POO-hahl-tar IL-mar TÆEW-tayn] *v* inflate

puhdas [POOH-dahs] *adj* clean; pure

puhdistaa [POOH-dis-tar] *v* clean

puhdistus [POOH-dis-toos] *n* cleaning

puhdistusaine [POOH-dis-toos-IGH-nay] *n* cleaning fluid

puhe [POO-hay] *n* speech

puheenjohtaja [POO-hayn-YOAH-tah-yah] *n* chairman

puhekyky [POO-hay-KEW-kew] *n* speech

puhelin [POO-hay-lin] *n* phone; telephone

puhelinkeskus [POO-hay-lin-KAYS-koos] *n* exchange

puhelinkoju [POO-hay-LIN-KOA-yoo] *n* telephone booth

puhelinluettelo [POO-hay-lin-LOO-ayt-tay-loa] *n* telephone directory; telephone book

puhelinneiti [POO-hay-lin-NAY-ti] *n* telephonist; telephone operator

puhelinsoitto [POO-hay-lin-SOYT-toa] *n* telephone call; call

puhelinvälittäjä [POO-hay-lin-VÆ-lit-tæ-yæ] *n* operator

puhkeaminen [POOH-kay-ah-mi-nayn] *n* puncture

puhki mennyt [POOH-ki MAYN-newt] *adj* punctured

puhua [POO-hoo-ah] *v* speak; talk

puhutella [POO-hoo-tayl-lah] *v* address

puinen [POOI-nayn] *adj* wooden

puisto [POOIS-toa] *n* park

puistotie [POOIS-toa-TIAY] *n* avenue

puitteet [POOIT-tayt] *pl* setting

pujottaa lanka [POO-yoat-tar LAHNG-kah] *v* thread

pukea [POO-kay-ah] *v* dress

pukea ylleen [POO-kay-ah EWL-layn] *v* put on

pukeutua hienoksi [POO-kayoo-too-ah HIAY-noak-si] *v* dress up

puku [POO-koo] *n* suit

pulisongit [POO-li-soang-it] *pl* whiskers *pl*

pulla [POOL-lah] *n* bun

Pullman makuuvaunu [POOL-mahn MAH-koo-vow-noo] *n* Pullman car

pullo [POOL-loa] *n* bottle

pullonavaaja [POOL-loan-AH-var-yah] *n* bottle opener

pulverimaito [POOL-vay-ri-MIGH-toa] *n* powdered milk

pumppernikkeli [POOMP-payr-NIK-kay-li] *n* pumpernickel

pumppu [POOMP-poo] *n* pump

pumputa [POOM-poo-tah] *v* pump

punainen [POO-nigh-nayn] *adj*

red

Punainen Risti [POO-nigh-nayn RIS-ti] Red Cross

punajuuri [POO-nah-YOO-ri] *n* beetroot

punakampela [POO-nah-KAHM-pay-lah] *n* plaice

punatauti [POO-nah-TOW-ti] *n* dysentery

punnita [POON-ni-tah] *v* weigh

punoa [POO-noa-ah] *v* weave

puoleensavetävä [POOOA-layn-sah-VAY-tæ-væ] *adj* attractive

puoleksi [POOOA-layk-si] *adv* half

puoli~ [POOOA-li] *pref* half

puoli [POOOA-li] *n* side

puolihinta [POOOA-li-HIN-tah] *n* half price

puolihoito [POOOA-li-HOY-toa] *n* bed and breakfast

puolikas [POOOA-li-kahs] *n* half

puolikuunmuotoinen [POOOA-li-KOON-MOOOA-toy-nayn] *adj* crescent

puolipiste [POOOA-li-PIS-tay] *n* semicolon

puolisukka [POOOA-li-SOOK-kah] *n* sock

puolitaksa [POOOA-li-TAHK-sah] *n* half fare

puolittaa [POOOA-lit-tar] *v* halve

puolivälissä [POOOA-li-VÆ-lis-sæ] midway

puoliympyrä [POOOA-li-EWM-pew-ræ] *n* semicircle

puolueeton [POOOA-loo-ay-toan] *adj* neutral

puolustaa [POOOA-loos-tar] *v* defend

puolustus [POOOA-loos-toos] *n* defence

purema [POO-ray-mah] *n* bite

pureskella [POO-rays-kayl-lah] *v* chew

pureva [POO-ray-vah] *adj* keen
purje [POOR-yay] *n* sail
purjehduskilpailu [POOR-yayh-doos-KIL-pigh-loo] *n* regatta
purjehtiminen [POOR-yayh-ti-mi-nayn] *n* yachting
purjelentokone [POOR-yay-LAYN-toa-KOA-nay] *n* glider
purjevene [POOR-yay-VAY-nay] *n* sailing boat
purkaa [POOR-kar] *v* unpack
purkaa lasti [POOR-kar-LAHS-ti] *v* unload
purkinavaaja [POOR-kin-AH-var-yah] *n* can opener
puro [POO-roa] *n* brook; stream
purolohi [POO-roa-LOA-hi] *n* trout
purppuranpunainen [POORP-poo-rahn-POO-nigh-nayn] *adj* purple
purra [POOR-rah] *v* bite
pursiseura [POOR-si-SAYOO-rah] *n* yacht club
purukumi [POO-roo-KOO-mi] *n* gum; chewing gum
pusero [POO-say-roa] *n* blouse
pusertaa [POO-sayr-tar] *v* press
pussi [POOS-si] *n* bag
putiikki [POO-teek-ki] *n* boutique
putki [POOT-ki] *n* pipe; tube
putkimies [POOT-ki-MIAYS] *n* plumber
puu [poo] *n* tree; wood
puuhassa oleva [POO-hahs-sah OA-lay-vah] *adj* busy
puuhiili [POO-HEE-li] *n* charcoal
puunrunko [POON-ROONG-koa] *n* trunk
puuseppä [POO-SAYP-pæ] *n* carpenter
puutarha [POO-tahr-hah] *n* garden
puutarhuri [POO-tahr-hoo-ri] *n* gardener

puute [POO-tay] *n* lack; shortage
puuterihuisku [POO-tay-ri-HOOIS-koo] *n* powder-puff
puuterirasia [POO-tay-ri-RAH-si-ah] *n* compact
puuttuva [POOT-too-vah] *adj* missing
puuvilla [POO-vil-lah] *n* cotton
puuvillasametti [POO-vil-lah-SAH-mayt-ti] *n* velveteen
pyhiinvaellusmatka [PEW-heen-VAH-ayl-loos-MAHT-kah] *n* pilgrimage
pyhiinvaeltaja [PEW-heen-VAH-ayl-tah-yah] *n* pilgrim
pyhimys [PEW-hi-mews] *n* saint
pyhä [PEW-hæ] *adj* sacred; holy
pyhäinjäännös [PEW-hæin-YÆÆN-nurs] *n* relic
pyhäinjäännöslipas [PEW-hæin-YÆÆN-nurs-LI-pahs] *n* shrine
pyhäpäivä [PEW-hæ-PÆI-væ] *n* holiday
pylväs [PEWL-væs] *n* column; post
pyrkiä [PEWR-ki-æ] *v* aim
pystysuora [PEWS-tew-SOOOA-rah] *adj* vertical
pystyttää [PEWS-tewt-tææ] *v* erect
pysyvä [PEW-sew-væ] *adj* fixed; stable; permanent
pysyä poissa [PEW-sew-æ POYS-sah] *v* keep off
pysähtyä [PEW-sæh-tew-æ] *v* halt; pull up
pysäkki [PEW-sæk-ki] *n* stop
pysäköidä [PEW-sæ-kuri-dæ] *v* park
pysäköimisaika [PEW-sæ-kuri-mis-IGH-kah] *n* parking time
pysäköimisalue [PEW-sæ-kuri-mis-AH-loo-ay] *n* car park
pysäköimispaikka [PEW-sæ-kuri-mis-PIGHK-kah] *n* park

pysäköinti [PEW-sæ-kurin-ti] *n*
parking

pysäköinti kielletty [PEW-sæ-
kurin-ti KIAYL-layt-tew] no
parking

pysäköintimaksu [PEW-sæ-
kurin-ti-MAHK-soo] *n* parking
fee

pysäköintimittari [PEW-sæ-
kurin-ti-MIT-tah-ri] *n* parking
meter

pysäköintivalo [PEW-sæ-kurin-
ti-VAH-loa] *n* parking light

pyyhekumi [PEW-hay-KOO-mi] *n*
rubber; eraser

pyyheliina [PEW-hay-LEE-nah] *n*
towel

pyyhkiä [PEWH-ki-æ] *v* wipe

pyykki [PEWK-ki] *n* washing;
laundry

pyyntö [PEWN-tur] *n* request

pyytää [PEW-tææ] *v* request; ask

pyytää anteeksi [PEW-tææ-AHN-
tayk-si] *v* apologize

pyöreä [PEWUR-ray-æ] *adj* round

pyöreä summa [PEWUR-ray-æ
SOOM-mah] *n* lump sum

pyöristetty [PEWUR-ris-taytt-tew]
adj rounded

pyörittää [PEWUR-rit-tææ] *v* spin

pyörremyrsky [PEWURR-ray-
MEWRS-kew] *n* hurricane

pyörtyä [PEWURR-tew-æ] *v* faint

pyörä [PEWUR-ræ] *n* wheel

pyöräilijä [PEWUR-ræi-li-yæ] *n*
cyclist

pyöränakseli [PEWUR-ræn-AHK-
say-li] *n* axle

pähkinä [PÆEH-ki-næ] *n* nut

päihtynyt [PÆIH-tew-newt] *adj*
intoxicated

päinvastainen [PÆIN-VAHS-tigh-
nayn] *adj* opposite; contrary

päivetys [PÆI-vay-tews] *n*
sunburn

päivittäin [PÆI-vit-tæin] *adv* per
day

päivittäinen [PÆI-vit-tæi-nayn]
adj daily

päivä [PÆI-væ] *n* day

päiväkirja [PÆI-væ-KIR-yah] *n*
diary

päivällinen [PÆI-væl-li-nayn] *n*
dinner

päivällä [PÆI-væl-læ] by day

päivämatka [PÆI-væ-MAHT-kah]
n day trip

päivän ruokalista [PÆI-væn
ROOOA-kah-LIS-tah] *n* table
d'hôte

päivänkoitto [PÆI-væn-KOY-toa]
n daybreak

päiväntasaaja [PÆI-væn-TAH-
sighah] *n* equator

päivänvalo [PÆI-væn-VAH-loa] *n*
daylight

pätevyys [PÆ-tay-vews] *n*
qualification

pävämäärä [PÆI-væ-MÆÆ-ræ] *n*
date

pää [PÆÆ] *n* end

pää- [PÆÆ] *pref* chief

pää [PÆÆ] *n* head

pää- [pææ] *pref* principal;
primary; main

päähänpisto [PÆÆ-hæn-PIS-toa]
n fancy

pääkatu [PÆÆ-KAH-too] *n* main
street

pääkaupunki [PÆÆ-KOW-poong-
ki] *n* capital

päällikkö [PÆÆL-lik-kur] *n* boss

päällystakki [PÆÆL-lews-TAHK-
ki] *n* overcoat; topcoat

päällä [PÆÆL-læ] *prep* on top of
upon

päämaja [PÆÆ-MAH-yah] *n*
headquarters

pääministeri [PÆÆ-MI-nis-lay-ri] *n* premier

päämäärä [PÆÆ-MÆÆ-ræ] *n* goal

päänsärky [PÆÆN-SÆR-kew] *n* headache

pääoma [PÆÆ-OA-mah] *n* capital

pääreitti [PÆÆ-RAYT-ti] *n* main line

päärme [PÆÆR-may] *n* hem

päärynä [PÆÆ-rew-næ] *n* pear

pääsiäinen [PÆÆ-si-æi-nayn] *n* Easter

päästää sisään [PÆÆS-tææ si-sææn] *v* admit

pääsy [PÆÆ-sew] *n* access; approach; *v* admittance

pääsy kielletty [PÆÆ-sew KIAYL-layt-tew] no admittance; no entry

pääteasema [PÆÆ-tay-AH-say-mah] *n* terminus

päätetty [PÆÆ-tayt-tew] *adj* decided

päätie [PÆÆ-TIAY] *n* main road

päättäväinen [PÆÆT-tæ-væi-nayn] *adj* determined

päättää [PÆÆT-tææ] *v* decide

pääty [PÆÆ-tew] *n* gable

päätös [PÆÆ-turs] *n* decision

pöly [PUR-lew] *n* dust

pölyinen [PUR-lewi-nayn] *adj* dusty

pölynimuri [PUR-lewn-I-moo-ri] *n* vacuum cleaner

pöytä [PUREW-tæ] *n* table

pöytälaatikko [PUREW-tæ-LAR-tik-koa] *n* drawer

pöytäliina [PUREW-tæ-LEE-nah] *n* tablecloth

pöytätennis [PUREW-tæ-TAYN-nis] *n* table tennis

raaja [RIGHAH] *n* limb

raaka [RAR-kah] *adj* uncooked; raw

raaka-aine [RAR-kah IGH-nay] *n* raw material

raamattu [RAR-maht-too] *n* Bible

raapia [RAR-pi-ah] *v* scrape; grate

radio [RAH-di-oa] *n* wireless; radio

radiolähetys [RAH-di-oa-LÆ-hay-tews] *n* broadcast

raesade [RAH-ay-SAH-day] *n* hail

raha [RAH-hah] *n* money

rahalähetys [RAH-hah-LÆ-hay-tews] *n* remittance

rahanvaihto [RAH-hahn-VIGHH-toa] *n* exchange office; money exchange

rahastaja [RAH-hahs-tah-yah] *n* conductor; ticket collector

rahdata [RAHH-dah-tah] *v* ship

rahti [RAHH-ti] *n* freight

rahvaanomainen [RAHH-varn-OA-migh nayn] *adj* vulgar

raide [RIGH-day] *n* track; rail

raijon [RIGH-yoan] *n* rayon

raita [RIGH-tah] *n* stripe

raitainen [RIGH-tigh-nayn] *adj* striped

raitiovaunu [RIGH-ti-oa-VOW-noo] *n* streetcar; tram

raitis [RIGH-tis] *n* teetotaller

raivoisa [RIGH-voy-sah] *adj* furious

raja [RAH-yah] *n* frontier; limit; boundary; border

rajaton [RAH-yah-toan] *adj* unlimited

rajoitettu [RAH-yoy-tayt-too] *adj* limited

rajoittaa [RAH-yoyt-tar] *v* limit

rakas [RAH-kahs] *adj* dear; *n* darling

rakastaa [RAH-kahs-tar] *v* love

rakastava [RAH-kahs-tah-vah]
adj affectionate

rakastunut [RAH-kahs-too-noot]
adj in love

rakenne [RAH-kayn-nay] *n*
texture

rakennus [RAH-kayn-noos] *n*
building; structure

rakennuskompleksi [RAH-kayn-
noos-KOAMP-layk-si] *n* complex

rakennuspuut [RAH-kayn-noos-
POOT] *pl* timber

rakentaa [RAH-kayn-tar] *v*
construct; build

rakentaminen [RAH-kayn-tah-
mi-nayn] *n* construction

rakkaus [RAHK-kah-oos] *n* love

rakkauskertomus [RAHK-kah-
oos-KAYR-toa-moos] *n* love-
story

rakkaussuhde [RAHK-kah-oos-
SOOH-day] *n* affair

rakkula [RAHK-koo-lah] *n* blister

rampa [RAHM-pah] *adj* lame

rangaista [RAHNG-ighs-tah] *v*
punish

rangaistus [RAHNG-ighs-toos] *n*
punishment

ranne [RAHN-nay] *n* wrist

rannekello [RAHN-nay-KAYL-loa]
n wrist-watch; watch

rannerengas [RAHN-nay-RAYNG-
ahs] *n* bracelet

rannikko [RAHN-nik-koa] *n* coast

Ranska [RAHNS-kah] *n* France

ranskalainen [RAHNS-kah-ligh-
nayn] *adj* French; *n*
Frenchman

ranta [RAHN-tah] *n* shore; beach

rantakotilo [RAHN-tah-KOA-ti-loa]
n winkle

raparperi [RAH-pahr-pay-ri] *n*
rhubarb

rapea [RAH-pay-ah] *adj* crisp

rapu [RAH-poo] *n* crayfish

rasitus [RAH-si-toos] *n* stress

raskaana oleva [RAHS-kar-nah
OA-lay-vah] *adj* pregnant

raskas [RAHS-kahs] *adj* heavy

rasva [RAHS-vah] *n* grease; fat

rasvainen [RAHS-vigh-nayn] *adj*
fat; fatty; greasy

rasvata [RAHS-vah-tah] *v* grease

rata [RAH-tah] *n* track

ratkaista [RAHT-kighs-tah] *v*
solve

ratkaisu [RAHT-kigh-soo] *n*
solution

ratsastaja [RAHT-sahs-tah-yah] *n*
rider

ratsastus [RAHT-sahs-toos] *n*
riding

ratsastuskilpailu [RAHT-sahs-
toos-KIL-pigh-loo] *n* horse-race

rattaat [RAHT-tart] *pl* cart

rauha [ROW-hah] *n* peace

rauhallinen [ROW-hahl-li-nayn]
adj peaceful; calm; restful

rauhanen [ROW-hah-nayn] *n*
gland

rauhantuomari [ROW-hahn-
TOOOA-mah-ri] *n* magistrate

rauhoittava lääke [ROW-hoyt-
tah-vah LÆÆ-kay] *n*
tranquilliser; sedative

rauhoittua [ROW-hoyt-too-ah] *v*
calm down

raunio [ROW-ni-oa] *n* ruins *pl*

rauta [ROW-tah] *n* iron

rautakauppa [ROW-tah-KOWP-
pah] *n* hardware store

rautatavara [ROW-tah-TAH-vah-
rah] *n* hardware

rautatehdas [ROW-tah-TAYH-
dahs] *n* ironworks

rautateitse [ROW-tah-TAYT-say]
by train

rautatie [ROW-tah-TIAY] *n*

railroad; railway
rautatievaunu [ROW-tah-TIAY-
VOW-noo] *n* coach
ravintoaineet [RAH-vin-toa-IGH-
nayt] *pl* food-stuffs *pl*
ravintola [RAH-vin-toa-lah] *n*
restaurant
ravintolavaunu [RAH-vin-toa-
lah-VOW-noo] *n* dining car
ravistaa [RAH-vis-tar] *v* shake
ravitseva [RAH-vit-say-vah] *adj*
nutritious
rehellinen [RAY-hayl-li-nayn] *adj*
honest
rehellisesti [RAY-hayl-li-says-ti]
adv honestly
rehellisyys [RAY-hayl-li-sews] *n*
honesty
rehtori [RAYH-toa-ri] *n*
headmaster; principal;
schoolmaster
reikä [RAY-kæ] *n* hole
reipas [RAY-pahs] *adj* brisk
reipastuttaa [RAY-pahs-toot-tar]
v cheer
reisi [RAY-si] *n* thigh
reki [RAY-ki] *n* sleigh; sledge
rengaspaine [RAYNG-ahs-PIGH-
nay] *n* tyre pressure
rengasrikko [RAYNG-ahs-RIK-koa]
n flat; blow-out
rentoutua [RAYN-toa-too-ah] *v*
relax
rentoutuminen [RAYN-toa-too-
mi-nayn] *n* relaxation
repeämä [RAY-pay-æ-mæ] *n* tear
repiä [RAY-pi-æ] *v* tear
reppu [RAYP-poo] *n* haversack
retiisi [RAY-tee-si] *n* radish
retkeillä [RAYT-kayl-læ] *v* hike
retkeilymaja [RAYT-kay-lew-
MAH-yah] *n* hostel
retki [RAYT-ki] *n* excursion
reumatismi [RAYOO-mah-tis-mi]

n rheumatism
reuna [RAYOO-nah] *n* edge; verge;
margin
reunama [RAYOO-nah-mah] *n* rim
revolveri [RAY-voal-vay-ri] *n* gun
revyy [RAY-vew] *n* revue
revyyteatteri [RAY-vew-TAYAHT-
tay-ri] *n* music hall
riepu [RIAY-poo] *n* rag
rihkamakorut [RIH-kah-mah-
KOA-root] *n* costume jewellery
riidellä [REE-dayl-læ] *v* quarrel
riippulukko [REEP-poo-LOOK-koa]
n padlock
riippumatto [REEP-poo-MAHT-toa]
n hammock
riipus [REE-poos] *n* pendant
riisi [REE-si] *n* rice
riista [REES-tah] *n* game
riisuutua [REE-soo-too-ah] *v*
undress
riita [REE-tah] *n* row; quarrel
riittämätön [REET-tæ-mæ-turn]
adj inadequate; insufficient
riittävä [REET-tæ-væ] *adj*
sufficient; adequate
riittää [REET-tææ] *v* suffice
rikas [RI-kahs] *n* rich
rikkaruoho [RIK-kah-ROOOA-hoa]
n weed
rikkaus [RIK-kah-oos] *n* riches *pl*
rikkomus [RIK-koa-moos] *n*
offence
rikollinen [RI-koal-li-nayn] *n*
criminal
rikos [RI-koas] *n* crime
rinne [RIN-nay] *n* ramp; hillside
rinta [RIN-tah] *n* chest; breast
rintaliivit [RIN-tah-LEE-vit] *pl*
bra; brassiere
rintaneula [RIN-tah-NAYOO-lah] *n*
brooch
ripeä [RI-pay-æ] *adj* prompt
ripuli [RI-poo-li] *n* diarrhoea

ripustaa [RI-poos-tar] *v* hang

ripustin [RI-poos-tin] *n* hanger

risiiniöljy [RI-see-ni-URL-yew] *n* castor-oil

risteily [RIS-tay-lew] *n* cruise

risteys [RIS-tay-ews] *n* cross-roads; junction

risti [RIS-ti] *n* cross

ristiinnaulitun kuva [RIS-teen-NOW-li-toon KOO-vah] *n* crucifix

ristikko [RIS-tik-koa] *n* grating

ristikortti [RIS-ti-KOART-ti] *n* club

ristimänimi [RIS-ti-mæ-NI-mi] *n* Christian name

riutta [rioot-tah] *n* reef

rivi [RI-vi] *n* line; rank; row

rock-and-roll [ROAK ÆND ROAL] *n* rock-and-roll

rohkea [ROAH-kay-ah] *adj* courageous; brave; bold

rohkeus [ROAH-kay-oos] *n* courage

rokottaa [ROA-koat-tar] *v* vaccinate; inoculate

rokotus [ROA-koa-toos] *n* inoculation; vaccination

romaani [ROA-mar-ni] *n* novel

romaanikirjailija [ROA-mar-ni-KIR-yigh-li-yah] *n* novelist

romahtaa [ROA-mahh-tar] *v* collapse

romanssi [ROA-mahns-si] *n* romance

romanttinen [ROA-mahnt-ti-nayn] *adj* romantic

romu [ROA-moo] *n* junk

roskat [ROAS-kaht] *pl* litter; rubbish

rosvo [ROAS-voa] *n* robber; bandit

rotta [ROAT-tah] *n* rat

rotu [ROA-too] *n* race

rotu- [ROA-too] *pref* racial

rotu [ROA-too] *n* breed

routa [ROA-tah] *n* frost

rouva [ROA-vah] *n* madam

rubiini [ROO-bee-ni] *n* ruby

ruiske [ROOIS-kay] *n* injection

ruisku [ROOIS-koo] *n* syringe

ruiskupullo [ROOIS-koo-POOL-loa] *n* atomizer

ruiskuttaa [ROOIS-koot-tar] *v* inject

rukoilla [ROO-koyl-lah] *v* pray

rukous [ROO-koa-oos] *n* prayer

rukousnauha [ROO-koa-oos-NOW-hah] *n* rosary

ruksi [ROOK-si] *n* tick

rulettipeli [ROO-layt-ti-PAY-li] *n* roulette

rulla [ROOL-lah] *n* roll

rullaluistelu [ROOL-lah-LOOIS-tay-loo] *n* roller-skating

rullaportaat [ROOL-lah-POAR-tart] *pl* escalator

ruma [ROO-mah] *adj* ugly

runo [ROO-noa] *n* verse; poem

runoilija [ROO-noy-li-yah] *n* poet

runous [ROO-noa-oos] *n* poetry

runsasväestöinen [ROON-sahs-VÆ-ays-turi-nayn] *adj* populous

runsaus [ROON-sah-oos] *n* plenty

ruoansulatus [ROO-ahn-SOO-lah-toos] *n* digestion

ruohoinen [ROOOA-hoy-nayn] *adj* grassy

ruoholaukka [ROOOA-hoa-LOWK-kah] *n* chives *pl*

ruoka [ROOOA-kah] *n* food

ruoka-annos [ROOOA-kah AHN-noas] *n* helping

ruokahalu [ROOOA-kah-HAH-loo] *n* appetite

ruokakaappi [ROOOA-kah-KARP-pi] *n* larder

ruokalaji [ROOOA-kah-LAH-yi] *n* dish; course

ruokalista [ROOOA-kah-LIS-tah] *n*

menu

ruokalusikka [ROOOA-kah-LOO-sik-kah] *n* tablespoon

ruokamyrkytys [ROOOA-kah-MEWR-kew-tews] *n* food poisoning

ruokaresepti [ROOOA-kah-RAY-sayp-ti] *n* recipe

ruokasali [ROOOA-kah-SAH-li] *n* dining room

ruokavati [ROOOA-kah-VAH-ti] *n* dish

ruokkia [ROOOAK-ki-ah] *v* feed

ruoska [ROOOAS-kah] *n* whip

ruoste [ROOOAS-tay] *n* rust

ruosteinen [ROOOAS-tay-nayn] *adj* rusty

ruostumaton teräs [ROOOAS-too-mah-toan TAY-ræs] *n* stainless steel

ruotsalainen [ROOOAT-sah-ligh-nayn] *adj* Swedish; *n* Swede

Ruotsi [ROOOAT-si] *n* Sweden

rusetti [ROO-sayt-ti] *n* bow tie

rusina [ROO-si-nah] *n* raisin

ruskcaverikkö [ROOS-kay-ah-VAY-rik-kur] *n* brunette

ruskea [ROOS-kay-ah] *adj* brown

ruskehtava [ROOS-kayh-tah-vah] *adj* tan

rusketus [ROOS-kay-toos] *n* suntan

rutiini [ROO-tee-ni] *n* routine

ruuanlaitto [ROO-ahn-LIGHT-toa] *n* cooking

ruuansulatushäiriö [ROO-ahn-soo-lah-toos-HÆI-ri-ur] *n* indigestion

ruuhka [ROOH-kah] *n* jam

ruuhka-aika [ROOH-kah IGH-kah] *n* rush-hour

ruukku [ROOK-koo] *n* jar

ruumis [ROO-mis] *n* body

ruusu [ROO-soo] *n* rose

ruusukaali [ROO-soo-KAR-li] *n* sprouts *pl*; Brussels-sprouts

ruusunpunainen [ROO-soon-POO-nigh-nayn] *adj* rose

ruutu [ROO-too] *n* diamonds *pl*

ruuvata [ROO-vah-tah] *v* screw

ruuvi [ROO-vi] *n* screw

ruuvipuristin [ROO-vi-POO-ris-tin] *n* clamp

ruuvitaltta [ROO-vi-TAHLT-tah] *n* screwdriver

ryhmä [REWH-mæ] *n* bunch; group

rynnätä [REWN-næ-tæ] *v* rush

rypistää [REW-pis-tææ] *v* crease

rysty [REWS-tew] *n* knuckle

rytmi [REWT-mi] *n* rhythm

ryyppy [REWP-pew] *n* tot

ryömiä [REWUR-mi-æ] *v* creep

ryöstää [REWURS-tææ] *v* rob

ryöstö [REWURS-tur] *n* robbery

räikeä valo [RÆI-kay-æ VAH-loa] *n* glare

räiskyttää [RÆIS-kewt-tææ] *v* splash

räjähdysaine [RÆ-yæh-dews-IGH-nay] *n* explosive

räjähtää [RÆ-yæh-tææ] *v* explode

räätäli [RÆÆ-tæ-li] *n* tailor

räätälintekemä [RÆÆ-tæ-lin-TAY-kay-mæ] *adj* tailor-made

röntgenkuva [RURNT-gayn-KOO-vah] *n* X-ray

röyhkeä [RUREWH-kay-æ] *adj* insolent

saada [SAR-dah] *v* get

saada alkunsa [SAR-dah AHL-koon-sah] *v* arise

saada mustelma [SAR-dah MOOS-tayl-mah] *v* bruise

saada oppiarvo [SAR-dah OAP-pi-

AHR-voa] v graduate

saada pisteitä [SAR-dah PIS-tay-tæ] v score

saada vakuuttuneeksi [SARDAH VAH-koot-too-nayk-si] v convince; persuade

saamaton [SAR-mah-toan] adj inefficient

saapas [SARPAHS] n boot

saapua [SAR-poo-ah] v arrive; pull in

saapuminen [SAR-poo-mi-nayn] n arrival

saapumisaika [SAR-poo-mis-IGH-kah] n time of arrival

saari [SAR-ri] n island

saastainen [SARS-tigh-nayn] adj filthy

saatavissa oleva [SAR-tah-vis-sah OALAY-vah] adj available

saattaa [SART-tar] v accompany; escort

saattaa . . . alaiseksi [SART-tar AH-ligh-sayk-si] v subject

saattaa hämilleen [SART-tar HÆ-mil-layn] v embarrass

saattaa päätökseen [SART-tar PÆÆ-turk-sayn] v accomplish

saattue [SART-too-ay] n escort

saavuttaa [SAR-voot-tar] v reach; achieve; obtain; gain

saavutus [SAR-voo-toos] n achievement

sade [SAH-day] n rain

sadekuuro [SAH-day-KOO-roa] n rainfall; shower

sadetakki [SAH-day-TAHK-ki] n raincoat; mackintosh

sadevesi [SAH-day-VAY-si] n rain-water

safiiri [SAH-fee-ri] n sapphire

saha [SAH-hah] n saw

saippua [SIGHP-poo-ah] n soap

sairaala [SIGH-rar-lah] n hospital

sairaanhoitaja [SIGH-rarn-HOY-tah-yah] n nurse

sairas [SIGH-rahs] adj ill; sick

sairaskohtaus [SIGH-rahs-KOAH-tah-oos] n stroke

sairastupa [SIGH-rahs-TOO-pah] n infirmary

sairaus [SIGH-rah-oos] n illness; sickness; disease

sakariini [SAH-kah-ree-ni] n saccharin

sakea [SAH-kay-ah] adj thick

šakkipeli [SHAHK-ki-PAY-li] n chess

sakko [SAHK-koa] n fine; penalty

Saksa [SAHK-sah] n Germany

saksalainen [sahk-sah-ligh-nayn] n German; adj German

saksanpähkinä [SAHK-sahn-PÆH-ki-næ] n walnut

sakset [SAHK-sayt] pl scissors pl

salaatti [SAH-lart-ti] n lettuce

salaattiöljy [SAH-lart-ti-URL-yew] n salad oil

salainen [SAH-ligh-nayn] adj secret

salaisuus [SAH-ligh-soos] n secret

salakuljettaa [SAH-lah-KOOL-yayt-tar] v smuggle

salama [SAH-lah-mah] n lightning

salamavalolamppu [SAH-lah-mah-VAH-loa-LAHMP-poo] n flash-bulb

salami-makkara [SAH-lah-mi MAHK-kah-rah] n salami

salaperäinen [SAH-lah-pay-ræi-nayn] adj mysterious

salapoliisiromaani [SAH-lah-POA-lee-si-ROA-mar-ni] n detective story

sali [SAH-li] n hall

salkku [SAHLK-koo] n briefcase

sallia [SAHL-li-ah] *v* allow; permit; let
sallittu [SAHL-lit-too] *adj* allowed
salonki [SAH-loang-ki] *n* salon
samalla tavalla [SAH-mahl-lah TAH-vahl-lah] *adv* alike
samanaikainen [SAH-mahn-igh-kigh-nayn] *adj* simultaneous; contemporary
samanarvoinen [SAH-mahn-AHR-voy-nayn] *adj* equivalent
samanlainen [SAH-mahn-ligh-nayn] *adj* similar; same
samanlaisuus [SAH-mahn-ligh-soos] *n* similarity
sametti [SAH-mayt-ti] *n* velvet
sammakko [SAHM-mahk-koa] *n* frog
sammutin [SAHM-moo-tin] *n* extinguisher
sammuttaa [SAHM-moot-tar] *v* put out
samoin [SAH-moyn] *adv* likewise; as well
sana [SAH-nah] *n* word
sanakirja [SAH-nah-kir-yah] *n* phrase book; dictionary
sanallinen [SAH-nahl-li-nayn] *adj* verbal
sananlasku [SAH-nahn-LAHS-koo] *n* proverb
sanansaattaja [SAH-nahn-SART-tah-yah] *n* messenger
sanavarasto [SAH-nah-VAH-rahs-toa] *n* vocabulary
sandaali [SAHN-dar-li] *n* sandal
sanella [SAH-nayl-lah] *v* dictate
sanelu [SAH-nay-loo] *n* dictation
sanelukone [SAH-nay-loo-KOA-nay] *n* dictaphone
sangat [SAHNG-aht] *pl* frames *pl*
sankari [SAHNG-kah-ri] *n* hero
sanko [SAHNG-koa] *n* pail; bucket
sanoa [SAH-noa-ah] *v* say

sanomalehdistö [SAH-noa-mah-LAYH-dis-tur] *n* press
sanomalehti [SAH-noa-mah-LAYH-ti] *n* paper; newspaper
sanomalehtiala [SAH-noa-mah-LAYH-ti-AH-lah] *n* journalism
sanomalehtikauppias [SAH-noa-mah-LAYH-ti-KOWP-pi-ahs] *n* news-agent
sanomalehtikoju [SAH-noa-mah-LAYH-ti-KOA-yoo] *n* news-stand
sanomalehtimies [SAH-noa-mah-LAYH-ti-MIAYS] *n* journalist
sanonta [SAH-noan-tah] *n* phrase
sarana [SAH-rah-nah] *n* hinge
sardiini [SAHR-dee-ni] *n* pilchard; sardine
sarja [SAHR-yah] *n* series
sata [SAH-tah] *adj* hundred
sataa [SAH-tar] *v* rain
sataa lunta [SAH-tar LOON-tah] *v* snow
satama [SAH-tah-mah] *n* harbour; port
satama-alue [SAH-tah-mah-AH-loo-ay] *n* docks *pl*
satamakaupunki [SAH-tah-mah-KOW-poong-ki] *n* seaport
satamalaituri [SAH-tah-mah-LIGH-too-ri] *n* quay
sateenkaari [SAH-tayn-KAR-ri] *n* rainbow
sateenpitävä [SAH-tayn-PI-tæ-væ] *adj* rainproof
sateensuoja [SAH-tayn-SOOOA-yah] *n* umbrella
sateinen [SAH-tay-nayn] *adj* rainy
sato [SAH-toa] *n* crop; harvest
sattuma [SAHT-too-mah] *n* chance
sattumalta [SAHT-too-mahl-tah] by chance

satula [SAH-too-lah] n saddle

satunnainen [SAH-toon-nigh-nayn] adj accidental; incidental

sauma [SOW-mah] n seam

saumaton [SOW-mah-toan] adj seamless

sauna [SOW-nah] n sauna

savi [SAH-vi] n clay

saviastia [SAH-vi-AHS-ti-ah] n earthenware

saviastiat [SAH-vi-AHS-ti-aht] pl crockery; pottery

savu [SAH-voo] n smoke; smog

savuke [SAH-voo-kay] n cigarette

savukekotelo [SAH-voo-kay-KOA-tay-loa] n cigarette-case

savukkeensuodatin [SAH-vook-kayn-SOOOA-dah-tin] n filter tip

savukkeensytytin [SAH-vook-kayn-SEW-tew-tin] n cigarette-lighter

savupiippu [SAH-voo-PEEP-poo] n chimney

savustettu [SAH-voos-tayt-too] adj smoked

savuton [SAH-voo-toan] adj smokeless

se [SAY] pron it

seerumi [SAY-roo-mi] n serum

seikkailu [SAYK-kigh-loo] n adventure

seinä [SAY-næ] n wall

seisoa [SAY-soa-ah] v stand

seisova pöytä [SAY-soa-vah PUREW-tæ] n cold buffet; buffet

seitsemän [SAYT-say-mæn] adj seven

seitsemänkymmentä [SAYT-say-mæn-KEWM-mayn-tæ] adj seventy

seitsemäntoista [SAYT-say-mæn-TOYS-tah] adj seventeen

seitsemäs [SAYT-say-mæs] adj seventh

seitsemästoista [SAYT-say-mæs-TOYS-tah] adj seventeenth

sekaantua [SAY-karn-too-ah] v interfere with; involve

sekalainen [SAY-kah-ligh-nayn] adj miscellaneous

sekasotku [SAY-kah-SOAT-koo] n mess

šekki [SHAYK-ki] n check; cheque

šekkivihko [SHAYK-ki-VIH-koa] n cheque-book; check-book

sekoitettu [SAY-koy-tayt-too] adj mixed

sekoittaa [SAY-koyt-tar] v mix; muddle up; shuffle

sekoittamaton [SAY-koyt-tah-mah-toan] adj neat

sekunti [SAY-koon-ti] n second

selittämätön [SAY-lit-tæ-mæ-turn] adj unaccountable

selittäväkuva [SAY-lit-tæ-væ-KOO-vah] n illustration

selittää [SAY-lit-tææ] v explain

selitys [SAY-li-tews] n explanation

selkä [SAYL-kæ] n back

selkäranka [SAYL-kæ-RAHNG-kah] n spine

selkäreppu [SAYL-kæ-RAYP-poo] n rucksack; knapsack

selkäsärky [SAYL-kæ-SÆR-kew] n backache

sellainen [SAYL-ligh-nayn] adj such

selleri [SAYL-lay-ri] n celery

selli [SAYL-li] n cell

selonteko [SAY-loan-TAY-koa] n account; record; report

selvittää [SAYL-vit-tææ] v clarify

selviytyä ilman [SAYL-vi-ew-tew-æ IL-mahn] v spare

selvä [SAYL-væ] adj evident

sementti [SAY-maynt-ti] *n*
cement
sen jälkeen [sayn YÆL-kayn]
conj after; since
sen jälkeen kun [SAYN YÆL-kayn
KOON] since
sen vuoksi [SAYN VOOOAK-si]
therefore
senaatti [SAY-nart-ti] *n* senate
senaattori [SAY-nart-toa-ri] *n*
senator
sensaatio [SAYN-sar-ti-oa] *n*
sensation
sensori [SAYN-soa-ri] *n* censor
sensuuri [SAYN-soo-ri] *n*
censorship
senttimetri [SAYNT-ti-MAYT-ri] *n*
centimetre
sentähden [SAYN-TÆH-dayn] *adv*
consequently
seos [SAY-oas] *n* mixture
seppä [SAYP-pæ] *n* blacksmith;
smith
septinen [SAYP-ti-nayn] *adj*
septic
serkku [SAYRK-koo] *n* cousin
sesonkiaika [SAY-soang-ki-IGH-
kah] *n* high season
seteli [SAY-tay-li] *n* bank-note;
note
setä [SAY-tæ] *n* uncle
seura [SAYOO-rah] company; *n*
society
seuraava [SAYOO-rar-vah] *adj*
subsequent; following; next
seurakunta [SAYOO-rah-KOON-
tah] *n* parish; congregation
seuramatka [SAYOO-rah-MAHT-
kah] *n* conducted tour
seurata [SAYOO-rah-tah] *v* follow
seuraus [SAYOO-rah-oos] *n* result
seurue [SAYOO-roo-ay] *n* party
seurustella [SAYOO-roos-tayl-lah]
v associate

seutu [SAYOO-too] *n* region
sianliha [SI-ahn-LI-hah] *n* pork
siannahka [SI-ahn-NAHH-kah] *n*
pigskin
side [SI-day] *n* band
siellä [SIAYL-læ] *adv* there
sielu [SIAY-loo] *n* soul
siemen [SIAY-mayn] *n* seed
sieni [SIAY-ni] *n* mushroom
sierain [SIAY-righn] *n* nostril
sietämätön [SIAY-tæ-mæ-turn]
adj unbearable
sievä [SIAY-væ] *adj* pretty
sifoni [SI-foa-ni] *n* syphon
sifooni [SI-foa-ni] *n* siphon
signaali [SING-nar-li] *n* signal
sihteeri [SIH-tay-ri] *n* secretary
siipi [SEE-pi] *n* wing
siipikarja [SEE-pi-KAHR-yah] *n*
fowl; poultry
siirappi [SEE-rahp-pi] *n* syrup
siirto [SEER-toa] *n* move
siirtokunta [SEER-toa-KOON-tah]
n colony
siirtolainen [SEER-toa-ligh-nayn]
n emigrant
siirtomaatavarakauppa [SEER-
toa-MAR-tah-vah-rah-KOWP-
pah] *n* grocery
siirtomaatavarakauppias [SEER-
toa-MAR-tah-vah-rah-KOWP-pi-
ahs] *n* grocer
siirtomaatavarat [SEER-toa-MAR-
tah-vah-raht] *pl* groceries *pl*
siirtäminen [SEER-tæ-mi-nayn] *n*
removal
siirtää [SEER-tææ] *v* remove;
transfer
siirtää tuonnemmaksi [SEER-
tææ TOOOAN-naym-mahk-si] *v*
postpone
siis [SEES] *conj* so; *adv* then
siisti [SEES-ti] *adj* tidy; neat
siitä asti [SEETÆ AHS-ti] since

siitä huolimatta [SEE-tæ-HOOOA-li-maht-tah] *adv* nevertheless

siivooja [SEE-voa-yah] *n* chambermaid

sijainen [SI-yigh-nayn] *n* deputy

sijainti [SI-yighn-ti] *n* location

sijaitseva [SI-yight-say-vah] *adj* situated

sijasta [SI-yahs-tah] *adv* instead of

sijoiltaan mennyt [SI-yoyl-tarn MAYN-newt] *adj* dislocated

sijoittaa [SI-yoyt-tar] *v* invest

sijoittaja [SI-yoyt-tah-yah] *n* investor

sijoitus [SI-yoy-toos] *n* investment

sika [SI-kah] *n* pig

sikari [SI-kah-ri] *n* cigar

sikarimyymälä [SI-kah-ri-MEW-mæ-læ] *n* cigar-store

sikotauti [SI-koa-TOW-ti] *n* mumps

sileä [SI-lay-æ] *adj* smooth

silittää [SI-lit-tæææ] *v* iron

silitysrauta [SI-li-tews-ROW-tah] *n* iron

silkki [SILK-ki] *n* silk

silkkinen [SILK-ki-nayn] *adj* silken

silkkipaperi [SILK-ki-PAH-pay-ri] *n* tissue paper

silkkiäismarja [SILK-ki-æis-MAHR-yah] *n* mulberry

silli [SIL-li] *n* herring

silloin [SIL-loyn] *adv* then

silloin tällöin [SIL-loyn TÆL-lurin] now and then; *adv* occasionally

sillä aikaa kun [SIL-læ IGH-kar koon] *conj* while

sillä välin [SIL-læ VÆ-lin] in the meantime; *adv* meanwhile

silminnäkijä [SIL-min-NÆ-ki-yæ] *n* witness

silmä [SIL-mæ] *n* eye

silmäehostus [SIL-mæ-AY-hoas-toos] *n* eye-shadow

silmäillä [SIL-mæil-læ] *v* glance

silmälasit [SIL-mæ-LAH-sit] *pl* glasses *pl;* spectacles *pl*

silmälääkäri [SIL-mæ-LÆÆ-kæ-ri] *n* oculist

silmämuna [SIL-mæ-MOO-nah] *n* eyeball

silmäripsi [SIL-mæ-RIP-si] *n* eyelash

silmäripsiväri [SIL-mæ-RIP-si-VÆ-ri] *n* mascara

silmätä taaksepäin [SIL-mæ-tæ TARK-say-PÆIN] *v* review

silmäys [SIL-mæ-ews] *n* glance

silokampela [SI-loa-KAHM-pay-lah] *n* brill

silta [SIL-tah] *n* bridge

simpukka [SIM-pook-kah] *n* mussel; shell; sea-shell; clams *pl*

sinappi [SI-nahp-pi] *n* mustard

sinfonia [SINF-oa-ni-ah] *n* symphony

sininen [SI-ni-nayn] *adj* blue

sinkki [SINGK-ki] *n* zinc

sinulle [SI-nool-lay] *pron* you

sinun [SI-noon] *adj* your

sinä [SI-næ] *pron* you

sipuli [SI-poo-li] *n* onion

sirkus [SIR-koos] *n* circus

sirotella [SI-roa-tayl-lah] *v* scatter

sirpale [SIR-pah-lay] *n* splinter

sisarenpoika [SI-sah-rayn-POY-kah] *n* nephew

sisarentytär [SI-sah-rayn-TEW-tær] *n* niece

sisko [SIS-koa] *n* sister

sisusta [SI-soos-tah] *n* interior

sisä- [SI-sæ] *pref* inside; indooɪ

sisälnen [SI sœi-nayn] adj
internal; inner

sisäinen linja [SI-sæi-nayn LIN-yah] n extension

sisäkatto [SI-sæ-KAHT-toa] n
ceiling

sisäkkö [SI-sæk-kur] n
housemaid

sisällys [SI-sæl-lews] n contents
pl

sisällytettynä [SI-sæl-lew-tayt-tew-næ] adj included

sisällyttää [SI-sæl-lewt-tææ] v
include

sisällä [SI-sæl-læ] adv indoors

sisälmykset [SI-sæl-mewk-sayt]
pl insides pl

sisältää [SI-sæl-tææ] v contain;
comprise

sisäpuolella [SI-sæ-POOOA-layl-lah] prep within

sisärengas [SI-sæ-RAYNG-ahs] n
inner tube

sisässä [SI-sæs-sœ] adv inside

sisään [SI-sææn] adv into; in

sisäänkirjoittautuminen [SI-sææn-KIR-yoytt-tow-too-mi-nayn] n registration

sisäänkäynti [SI-sææn-KÆEWN-ti] n entry; way in

sisäänkäytävä [SI-sææn-KÆEW-tæ-væ] n entrance

sisäänpäin [SI-sææn-PÆIN] adv
inwards

sisäänpääsy [SI-sææn-PÆÆ-sew]
n admission

sisääntuleva [SI-sææn-TOO-lay-vah] adj incoming

siteerata [SI-tay-rah-tah] v quote

siten [SI-tayn] adv so

sitkeä [SIT-kay-æ] adj tough

sitoa [SI-toa-ah] v tie; bind

sitoumus [SI-toa-moos] n
engagement

sitruuna [SIT-roo-nah] n lemon

sittenkin [SIT-tayng-kin] adv still

sitäpaitsi [SI-tæ-PIGHT-si] adv
besides

siunata [SIOO-nah-tah] v bless

siunaus [SIOO-nah-oos] n
blessing

siviili [SI-vee-li] adj civil

siviilihallinto [SI-vee-li-HAHL-lin-toa] n civil service

siviilihenkilö [SI-vee-li-HAYNG-ki-lur] n civilian

sivistynyt [SI-vis-tew-newt] adj
cultured

sivistys [SI-vis-tews] n
civilization

sivu [SI-voo] n page

sivujoki [SI-voo-YOA-ki] n
tributary

sivulle [SI-vool-lay] adv sideways

sivumennen sanoen [SI-voo-MAYN-nayn SAH-noa-ayn] by
the way

sivuun [SI-voon] adv aside

sivuvalo [SI-voo-VAH-loa] n
sidelight

skootteri [SKOAT-tay-ri] n scooter

Skotlanti [SKOAT-lahn-ti] n
Scotland

skotlantilainen [SKOAT-lahn-ti-ligh-nayn] n Scot; adj Scottish;
Scotch

slangi [SLAHNG-i] n slang

smaragdi [SMAH-rahg-di] n
emerald

smokki [SMOAK-ki] n dinner
jacket; tuxedo

sohva [SOAH-vah] n sofa

soikea [SOY-kay-ah] adj oval

soinen [SOY-nayn] adj marshy

sointuva [SOYN-too-vah] adj
tuneful

soitin [SOY-tin] n musical
instrument

soittaa [SOYT-tar] v phone; call; call up; ring

soittaa autontorvea [SOYT-tar OW-toan-TOAR-vay-ah] v hoot

soittaa puhelimella [SOYT-tar POO-hay-li-mayl-lah] v ring up

soitto [SOYT-toa] n ring

sokea [SOA-kay-ah] adj blind

sokeri [SOA-kay-ri] n sugar

sokerileipuri [SOA-kay-ri-LAY-poo-ri] n confectioner

sokeritauti [SOA-kay-ri-TOW-ti] n diabetes

sokeritautinen [SOA-kay-ri-TOW-ti-nayn] n diabetic

sola [SOA-lah] n pass

solakka [SOA-lahk-kah] adj slender; slim

solisluu [SOA-lis-loo] n collar-bone

solki [SOAL-ki] n buckle

solmio [SOAL-mi-oa] n necktie; tie

solmu [SOAL-moo] n knot

soodavesi [SOA-dah-VAY-si] n soda-water

sopia [SOA-pi-ah] v suit; fit

sopimaton [SOA-pi-mah-toan] adj improper; unsuitable

sopimus [SOA-pi-moos] n settlement; contract; agreement

sopiva [SOA-pi-vah] adj appropriate; proper; convenient; suitable

soppalautanen [SOAP-pah-LOW-tah-nayn] n soup-plate

soppalusikka [SOAP-pah-LOO-sik-kah] n soupspoon

sora [SOA-rah] n gravel

sormi [SOAR-mi] n finger

sormus [SOAR-moos] n ring

sormustin [SOAR-moos-tin] n thimble

šortsit [SHOART-sit] n shorts pl

sosiaalihuolto [SOA-si-ar-li-HOOOAL-toa] n welfare

sosialisti [SOA-si-ah-lis-ti] adj socialist

sota [SOA-tah] n war

sotaa edeltävä [SOA-tar AY-dayl-tæ-væ] adj pre-war

sotajoukko [SOA-tah-YOAK-koa] n troops pl

sotamies [SOA-tah-MIAYS] n jack; knave

sotilas [SOA-ti-lahs] pref military; n soldier

sotkea [SOAT-kay-ah] v mess up

sotku [SOAT-koo] n muddle

soutaa [SOA-tar] v row

soutuvene [SOA-too-VAY-nay] n rowing-boat

soveltaa [SOA-vayl-tar] v adjust

sovittaa ylleen [SOA-vit-tar EWL-layn] v try on

sovittu [SOA-vit-too] adj agreed

sovitus [SOA-vi-toos] n fitting

sovitushuone [SOA-vi-toos-HOOOA-nay] n fitting room

spriiliesi [SPREE-LIAY-si] n spirit stove

-ssa [sah] suf in

stadion [stah-di-oan] n stadium

-sta,stä [stah stæ] suf from

-sta,-stä [istah-ISTÆ] suf about

sterilisoida [STAY-ri-li-soy-dah] v sterilize

sterilisoitu [STAY-ri-li-soy-too] adj sterilized

substantiivi [SOOPS-tahn-tee-vi] n noun

suhde [SOOH-day] n proportion

suhdetoiminta [SOOH-day-TOY-min-tah] n public relations pl

suhteellinen [SOOH-tayl-li-nayn] adj relative

suhteet [SOOH-tayt] pl relations pl

suihku [SOOIH-koo] *n* shower

suihkukaivo [SOOIH-koo-KIGH-voa] *n* fountain

suihkulentokone [SOOIH-koo-LAYN-toa-KOA-nay] *n* jet

suin päin [SOOIN PÆIN] *adv* headlong

suippo [SOOIP-poa] *adj* pointed

sujuva [SOO-yoo-vah] *adj* fluent

sukeltaa [SOO-kayl-tar] *v* dive

sukka [SOOK-kah] *n* stocking

sukkahousut [SOOK-kah-HOA-soot] *pl* tights *pl;* panty-hose

sukkanauhaliivit [SOOK-kah-NOW-hah-LEE-vit] *pl* suspender belt

suklaa [SOOK-lar] *n* chocolate

suklaajuoma [SOOK-lar-YOOOA-mah] *n* chocolate

suksi [SOOK-si] *n* ski

suku [SOO-koo] *n* gender

sukua oleva [SOO-koo-ah OA-lay-vah] *adj* related

sukulainen [SOO-koo-ligh-nayn] *n* relative

sukunimi [SOO-koo-NI-mi] *n* surname; family name

sukupolvi [SOO-koo-POAL-vi] *n* generation

sukupuoli [SOO-koo-POOOA-li] *n* sex

sukupuolitauti [SOO-koo-poooa-li-TOW-ti] *n* venereal disease

sulaa [SOO-lar] *v* melt

sulake [SOO-lah-kay] *n* fuse

sulanut [SOO-lah-noot] *adj* melted

sulattaa [SOO-laht-tar] *v* digest

sulhanen [SOOL-hah-nayn] *n* fiancé

suljettu [SOOL-yayt-too] *adj* shut; closed

sulkea [SOOL-kay-ah] *v* close; shut; turn off

sulkea pois [SOOL-kay-ah-POYS] *v* exclude

sulkea sisään [SOOL-kay-ah SI-sæœn] *v* shut

sulkea syliinsä [SOOL-kay-ah SEW-leen-sæ] *v* hug

sulkemisaika [SOOL-kay-mis-IGH-kah] *n* closing time

sulo [SOO-loa] *n* grace

suloinen [SOO-loy-nayn] *adj* graceful

summa [SOOM-mah] *n* sum; amount

sumu [SOO-moo] *n* fog

sumuinen [SOO-mooi-nayn] *adj* foggy

sunnuntai [SOON-noon-tigh] *n* Sunday

suo [SOOOA] *n* marsh

suoda [SOOOA-dah] *v* grant

suodatin [SOOOA-dah-tin] *n* filter

suoja [SOOOA-yah] *n* shelter

suojakangas [SOOOA-yah-KAHNG-ahs] *n* tarpaulin

suojapuku [SOOOA-yah-POO-koo] *n* overalls *pl*

suojasää [SOOOA-yah-SÆÆ] *n* thaw

suojata [SOOOA-yah-tah] *v* shelter

suojatie [SOOOA-yah-TIAY] *n* cross-walk; pedestrian crossing

suojella [SOOOA-yayl-lah] *v* protect

suojelus [SOOOA-yay-loos] *n* protection

suojus [SOOOA-yoos] *n* screen; fender

suojussilmälasit [SOOOA-yoos-SIL-mæ-LAH-sit] *pl* goggles *pl*

suola [SOOOA-lah] *n* salt

suola-astia [SOOOA-lah AHS-ti-ah] *n* saltcellar

suolainen [SOOOA-ligh-nayn] *adj*

salty
suolet [SOOOA-layt] *pl* bowels *pl*
suolisto [SOOOA-lis-toa] *n*
intestine
suomalainen [SOOOA-mah-ligh-nayn] *adj* Finnish; *n* Finn
Suomi [SOOOA-mi] *n* Finland
suonenveto [SOOOA-nayn-VAY-toa] *n* cramp
suonikohju [SOOOA-ni-KOAH-yoo] *n* varicose vein
suora [SOOOA-rah] *adj* direct; straight
suoraan [SOOOA-rarn] *adv* straight
suoraan edessä [SOOOA-rarn AY-days-sæ] straight ahead
suoraan eteenpäin [SOOOA-rarn AY-tayn-PÆIN] straight on
suorakulmainen [SOOOA-rah-KOOL-migh-nayn] *adj* rectangular
suorakulmio [SOOOA-rah-KOOL-mi-oa] *n* rectangle
suorittaa takaisin [SOOOA-rit-tar TAH-kigh-sin] *v* refund; reimburse
suosikki [SOOOA-sik-ki] *n* favourite
suosionosoitus [SOOOA-si-oan-OA-soy-toos] *n* favour; applause
suositella [SOOOA-si-tayl-lah] *v* recommend
suositeltava [SOOOA-si-tayl-tah-vah] *adj* recommended
suosittelu [SOOOA-sit-tay-loo] *n* recommendation
suosittu [SOOOA-sit-too] *adj* popular
suostua [SOOOAS-too-ah] *v* agree; consent
suostumus [SOOOAS-too-moos] *n* consent

suotuisa [SOOOA-tooi-sah] *adj* favourable
superoksidi [SOO-pay-roak-si-di] *n* peroxide
suppilo [SOOP-pi-loa] *n* funnel
suru [SOO-roo] *n* grief; sorrow
surullinen [SOO-rool-li-nayn] *adj* sad
susi [SOO-si] *n* wolf
suu [SOO] *n* mouth
suudella [SOO-dayl-lah] *v* kiss
suudelma [SOO-dayl-mah] *n* kiss
suuhine [SOO-hi-nay] *n* reed
suukappale [SOO-KAHP-pah-lay] *n* nozzle
suullinen [SOOL-li-nayn] *adj* oral
suunnaton [SOON-nah-toan] *adj* enormous; huge
suunnistautua [SOON-nis-tow-too-ah] *v* orientate
suunnitella [SOON-ni-tayl-lah] *v* plan; design
suunnitelma [SOON-ni-tayl-mah] *n* scheme; plan; project
suunta [SOON-tah] *n* direction; way
suuntanumero [SOON-tah-NOO-may-roa] *n* area code
suuntaviitta [SOON-tah-VEET-tah] *n* trafficator; indicator
suupala [SOO-PAH-lah] *n* bite
suurempi [SOO-raym-pi] *adj* major
suurennus [SOO-rayn-noos] *n* enlargement
suurentaa [SOO-rayn-tar] *v* enlarge
suuri [SOO-ri] *adj* substantial; large; grand; great
suuri määrä [SOO-ri MÆÆRÆ] *n* lot
suurlähettiläs [SOOR-LÆ-hayt-ti-læs] *n* ambassador
suurlähetystö [SOOR-LÆ-hay-

tews tur] *n* embassy

suuruus [SOO-roos] *n* size

suutari [SOO-tah-ri] *n* shoemaker

suuttumus [SOOT-too-moos] *n* anger

suuvesi [SOO-VAY-si] *n* mouthwash

Sveitsi [SVAYT-si] *n* Switzerland

sveitsiläinen [SVAYT-si-læi-nayn] *n* Swiss; *adj* Swiss

sydämellinen [SEW-dæ-mayl-li-nayn] *adj* cordial; hearty

sydän [SEW-dæn] *n* heart

sydänsimpukka [SEW-dæn-SIM-pook-kah] *n* cockles *pl*

syksy [SEWK-sew] *n* autumn

syleillä [SEW-layl-læ] *v* embrace

sylinteri [SEW-lin-tay-ri] *n* cylinder

sylkeä [SEWL-kay-æ] *v* spit

synagooga [SEW-nah-goa-gah] *n* synagogue

synkkyys [SEWNGK-kews] *n* gloom

synkkä [SEWNGK-kæ] *adj* gloomy

synnyinmaa [SEWN-newin-MAR] *n* native country

synnynnäinen [SEWN-newn-NÆI-nayn] *adj* born

synonyymi [SEW-noa-new-mi] *n* synonym

synteettinen [SEWN-tayt-ti-nayn] *adj* synthetic

synty [SEWN-tew] *n* birth

syntymäpaikka [SEWN-tew-mæ-PIGHK-kah] *n* birthplace

syntymäpäivä [SEWN-tew-mæ-PÆI-væ] *n* birthday

syntymätodistus [SEWN-tew-mæ-TOA-dis-toos] *n* birth certificate

syntyperäinen [SEWN-tew-pay-ræi-nayn] *adj* native

syrjäinen [SEWR-yæi-nayn] *adj* out of the way

sytytin [SEW-tew-tin] *n* lighter

sytyttää [SEW-tewt-tææ] *v* light

sytytyslaite [SEW-tew-tews-LIGH-tay] *n* ignition

sytytystulppa [SEW-tew-tews-TOOLP-pah] *n* sparking-plug

syvyys [SEW-vews] *n* depth

syvä [SEW-væ] *adj* deep

syy [SEW] *n* reason; cause; blame

syyhy [SEW-hew] *n* itch

syyllinen [SEWL-li-nayn] *adj* guilty

syyskuu [SEWS-KOO] *n* September

syyttää [SEWT-tææ] *v* accuse

syödä [SEWUR-dæ] *v* eat

syödä liikaa [SEWUR-dæ LEE-kar] *v* overeat

syödä päivällistä [SEWUR-dæ PÆI-væl-lis-tæ] *v* dine

syödä ulkona [SEWUR-dæ OOL-koa-nah] *v* eat out

syöpä [SEWUR-pæ] *n* cancer

syötti [SEWURT-ti] *n* bait

syötävä [SEWUR-tæ-væ] *adj* edible

syötäväksi kelpaamaton [SEWUR-tæ-væk-si KAYL-par-mah-toan] *adj* inedible

säde [SÆ-day] *n* radius; ray

sähke [SÆH-kay] *n* telegram

sähkö- [SÆH-kur] *pref* electric

sähkö [SÆH-kur] *n* electricity

sähköasentaja [SÆH-kur-AH-sayn-tah-yah] *n* electrician

sähköjohdin [SÆH-kur-YOAH-din] *n* flex

sähkösanoma [SÆH-kur-SAH-noa-mah] *n* cable

sähköttää [SÆH-kurt-tææ] *v* cable; telegraph

säie [SÆI-ay] *n* fibre

säiliö [SÆI-li-ur] *n* container; tank

säiliöalus [SÆI-li-ur-AH-loos] *n* tanker

säilykerasia [SÆI-lew-kay-RAH-si-ah] *n* tin

säilykerasian avaaja [SÆI-lew-kay-RAH-si-ahn AH-var-yah] *n* tin-opener; opener

säilykeruoka [SÆI-lew-kay-ROOOA-kah] *n* tinned food

säilyttäminen [SÆI-lewt-tæ-mi-nayn] *n* preservation

säilyttää [SÆI-lewt-tææ] *v* preserve

säilytyshuone [SÆI-lew-tews-HOOOA-nay] *n* check-room

säilötty [sæi-lurt-tew] *adj* pickled

säkki [SÆK-ki] *n* sack

sälekaihdin [SÆ-lay-KIGHH-din] *n* blind

sämpylä [SÆM-pew-læ] *n* roll

* särkeä [SÆR-kay-æ] *v* break; ache

särki [SÆR-ki] *n* roach

särky [SÆR-kew] *n* ache

särkymätön [SÆR-kew-mæ-turn] *adj* unbreakable

sävel [SÆ-vayl] *n* tune; melody

sävellys [SÆ-vayl-lews] *n* composition

säveltäjä [SÆ-vayl-tæ-yæ] *n* composer

sää [SÆÆ] *n* weather

säädyllinen [SÆÆDEWL-li-nayn] *adj* decent

sääli [SÆÆ-li] *n* pity

sääntely [SÆÆN-tay-lew] *n* regulation

sääntää [SÆÆN-tææ] *v* regulate

sääri [SÆÆ-ri] *n* leg

sääskenpurema [SÆÆS-kayn-POO-ray-mah] *n* mosquito bite

sääski [SÆÆS-ki] *n* mosquito

säästää [SÆÆS-tææ] *v* save

säästöpankki [SÆÆS-tur-PAHNGK-ki] *n* savings bank

säästörahat [SÆÆS-tur-RAH-haht] *pl* savings *pl*

säätiedotus [SÆÆ-TIAY-doa-toos] *n* weather report

säätiö [SÆÆ-ti-ur] *n* foundation

taaksepäin [TARK-say-PÆIN] *adv* backwards

taas [TARS] *adv* again

taata [TAR-tah] *v* guarantee

taateli [TAR-tay-li] *n* date

tabletti [TAHB-layt-ti] *n* tablet

tahallinen [TAH-hahl-li-nayn] *adj* intentional

tahaton [TAH-hah-toan] *adj* unintentional

tahmea [TAHH-may-ah] *adj* sticky

tahna [TAHH-nah] *n* paste

tahra [TAHH-rah] *n* blot; stain; spot

tahrainen [TAHH-righ-nayn] *adj* stained

tahranpoistoaine [TAHH-rahn-POYS-toa-IGH-nay] *n* stain remover

tahrata [TAHH-rah-tah] *v* stain

tahraton [TAHH-rah-toan] *adj* spotless; stainless

tahti [TAHH-ti] *n* pace

tahto [TAHH-toa] *n* will

tahtoa [TAHH-toa-ah] *v* will

tai [TIGH] *conj* or

taide [TIGH-day] *n* art

taidegalleria [TIGH-day-GAHL-lay-ri-ah] *n* art gallery; gallery

taidekokoelma [TIGH-day-KOA-koa-ayl-mah] *n* art collection

taidenäyttely [TIGH-day-NÆEWT-tay-lew] *n* art exhibition

taideteos [TIGH-day-TAY-oas] *n* work of art

taika [TIGH-kah] *n* magic

taikina [TIGH-ki-nah] *n* dough

taipale [TIGH-pah-lay] *n* stretch

taistella [TIGHS-tayl-lah] *v* fight

taistelu [TIGHS-tay-loo] *n* fight; battle

taitava [TIGH-tah-vah] *adj* skillful; skilled

taiteellinen [TIGH-tayl-li-nayn] *adj* artistic

taiteilija [TIGH-tay-li-yah] *n* artist

taito [TIGH-toa] *n* skill

taittaa [TIGHT-tar] *v* fold

taivaallinen [TIGH-varl-li-nayn] *adj* heavenly

taivaanranta [TIGH-varn-RAHN-tah] *n* horizon

taivas [TIGH-vahs] *n* heaven; sky

taivuttaa [TIGH-voot-tar] *v* bend

taivutuspihdit [TIGH-voo-toos-PIH-dit] *pl* pliers *pl*

tajuton [TAH-yoo-toan] *adj* unconscious

takaaja [TAH-kar-yah] *n* guarantor

takaisin [TAH-kigh-sin] *adv* back

takaisinmaksu [TAH-kigh-sin-MAHK-soo] *n* repayment; refund

takana [TAH-kah-nah] *prep* behind

takaosa [TAH-kah-OA-sah] *n* rear

takapyörä [TAH-kah-PEWUR-ræ] *n* rear wheel

takaus [TAH-kah-oos] *n* bail

takavalo [TAH-kah-VAH-loa] *n* rear-light; tail-light

takia [TAH-ki-ah] because of

takka [TAHK-kah] *n* fireplace

takki [TAHK-ki] *n* coat

taksi [TAHK-si] *n* cab

taksiasema [TAHK-si-AH-say-mah] *n* taxi-stand; taxi-rank

taksinkuljettaja [TAHK-sin KOOL-

yayt-tah-yah] *n* cabdriver

takuu [TAH-koo] *n* guarantee

talkki [TAHLK-ki] *n* talcum powder

tallettaa [TAHL-layt-tar] *v* deposit

tallettaa pankkiin [TAHL-layt-tar PAHNGK-keen] *v* bank

talletus [TAHL-lay-toos] *n* deposit

talo [TAH-loa] *n* house

talonpoika [TAH-loan-POY-kah] *n* peasant

taloudellinen [TAH-loa-oo-dayl-li-nayn] *adj* economical

taloudellisuus [TAH-loa-oo-dayl-li-soos] *n* economy

taloudenhoitaja [TAH-loa-oo-dayn-HOY-tah-yah] *n* housekeeper

taloudenhoito [TAH-loa-oo-dayn-HOY-toa] *n* housekeeping

talous [TAH-loa-oos] *n* household

talousesine [TAH-loa-oos-AY-si-nay] *n* utensil

taloussprii [TAH-loa-oos-SPREE] *n* methylated spirits

taloustieteellinen [TAH-loa-oos-TIAY-tayl-li-nayn] *adj* economic

taloustieteilijä [TAH-loa-oos-TIAY-tay-li-yæ] *n* economist

taltta [TAHLT-tah] *n* chisel

talutushihna [TAH-loo-toos-HIH-nah] *n* lead

talvi [TAHL-vi] *n* winter

talvinen [TAHL-vi-nayn] *adj* wintry

talviurheilu [TAHL-vi-OOR-hay-loo] *n* winter sports *pl*

tammi [TAHM-mi] *n* oak

tammikuu [TAHM-mi-KOO] *n* January

tammipeli [TAHM-mi-PAY-li] *n* draughts *pl*

tamponi [TAHM-poa-ni] *n* tampon

tankata täyteen [TAHNG-kah-tah
TÆEW-tayn] v fill out
tanko [TAHNG-koa] n rod; bar
Tanska [TAHNS-kah] n Denmark
tanskalainen [TAHNS-kah-ligh-
nayn] adj Danish; n Dane
tanssi [TAHNS-si] n dance
tanssia [TAHNS-si-ah] v dance
tanssiaiset [TAHNS-si-igh-sayt] pl
ball
tanssija [TAHNS-si-yah] n dancer
tanssisali [TAHNS-si-SAH-li] n
ballroom
tapa [TAH-pah] n manner;
custom; way; habit
tapaaminen [TAH-par-mi-nayn]
n meeting; appointment
tapahtua [TAH-pahh-too-ah] v
occur; happen; take place
tapahtuma [TAH-pahh-too-mah]
n happening; incident;
occurrence; event
tapahtumapaikka [TAH-pahh-
too-mah-PIGHK-kah] n scene
tapaus [TAH-pah-oos] n case
tappaa [TAHP-par] v kill
tappi [TAHP-pi] n peg
taputtaa [TAH-poot-tar] v clap
tariffi [TAH-rif-fi] n tariff
tarina [TAH-ri-nah] n fiction
tarjoilija [TAHR-yoy-li-yah] n
waiter
tarjoilijatar [TAHR-yoy-li-yah-
tahr] n waitress; barmaid
tarjoilla [TAHR-yoyl-lah] v wait
upon
tarjota [TAHR-yoa-tah] v offer
tarjotin [TAHR-yoa-tin] n tray
tarjous [TAHR-yoa-oos] n offer
tarkastaa [TAHR-kahs-tar] v
overhaul; inspect
tarkastaja [TAHR-kahs-tah-yah]
n inspector
tarkastus [TAHR-kahs-toos] n

inspection; check-up
tarkata [TAHR-kah-tah] v watch
for
tarkemmat tiedot [TAHR-kaym-
maht TIAY-doat] plur
particulars pl
tarkistaa [TAHR-kis-tar] v check
in; verify; revise
tarkistettu painos [TAHR-kis-
tayt-too PIGH-noas] n revision
tarkka [TAHRK-kah] adj precise
tarkkaavaisuus [TAHRK-kar-
vigh-soos] n attention
tarkoittaa [TAHR-koyt-tar] v
mean
tarkoitus [TAHR-koy-toos] n
purpose
tarmokas [TAHR-moa-kahs] adj
energetic
tarpeellinen [TAHR-payl-li-nayn]
adj requisite
tarpeeton [TAHR-pay-toan] adj
unnecessary
tarttua [TAHRT-too-ah] v grip;
hold; grasp
tarttuva [TAHRT-too-vah] adj
infectious; contagious
tartunta [TAHR-toon-tah] n
infection
tartuttaa [TAHR-toot-tar] v infect
tarve [TAHR-vay] n want; need
tarvita [TAHR-vi-tah] v need
tasa-arvoisuus [TAH-sah AHR-
voy-soos] n equality
tasainen [TAH-sigh-nayn] adj
flat; level
tasanko [TAH-sahng-koa] n plain
tasapaino [TAH-sah-PIGH-noa] n
balance
tasavalta [TAH-sah-VAHL-tah] n
republic
tasavaltalainen [TAH-sah-vahl-
tah-ligh-nayn] adj republican
tasavirta [TAH-sah-VIR-tah] n

direct current

tasku [TAHS-koo] *n* pocket

taskukampa [TAHS-koo-KAHM-pah] *n* pocket-comb

taskukello [TAHS-koo-KAYL-loa] *n* pocket-watch

taskulamppu [TAHS-koo-LAHMP-poo] *n* flash-light; torch

taskuveitsi [TAHS-koo-VAYT-si] *n* pocket-knife

tasoittaa leikaten [TAH-soyt-tar LAY-kah-tayn] *v* trim

tasoylikäytävä [TAH-soa-EW-li-KÆEW-tæ-væ] *n* level crossing

tauko [TOW-koa] *n* pause

taulukko [TOW-look-koa] *n* table

tausta [TOWS-tah] *n* background

tauti [TOW-ti] *n* ailment

tavaaminen [TAH-var-mi-nayn] *n* spelling

tavallinen [TAH-vahl-li-nayn] *adj* ordinary; usual

tavanomainen [TAH-vahn-OA-migh-nayn] *adj* habitual; customary

tavara [TAH-vah-rah] *n* article

tavarajuna [TAH-vah-rah-YOO-nah] *n* goods-train

tavaralasku [TAH-vah-rah-LAHS-koo] *n* invoice

tavaralähetys [TAH-vah-rah-LÆ-hay-tews] *n* consignment

tavarasäiliö [TAH-vah-rah-SÆI-li-ur] *n* boot

tavarasäilö [TAH-vah-rah-SÆI-lur] *n* left luggage office

tavarat [TAH-vah-raht] *pl* goods *pl*

tavaratalo [TAH-vah-rah-TAH-loa] *n* department store

tavaratila [TAH-vah-rah-TI-lah] *n* trunk

tavaravaunu [TAH-vah-rah-VOW-noo] *n* luggage van

tavat [TAH-vaht] *pl* morals *pl*

tavata [TAH-vah-tah] *v* spell

tavoite [TAH-voy-tay] *n* aim

tavoiteltava [TAH-voy-tayl-tah-vah] *adj* desirable

tavoittaa [TAH-voy-tar] *v* overtake

tavu [TAH-voo] *n* syllable

te [TAY] *pron* you

teatteri [TAY-aht-tay-ri] *n* theatre

tee [TAY] *n* tea

teeastiasto [TAY-AHS-ti-ahs-toa] *n* tea-set

teekannu [TAY-KAHN-noo] *n* teapot

teekuppi [TAY-KOOP-pi] *n* teacup

teelusikallinen [TAY-LOO-si-kahl-li-nayn] *n* teaspoonful

teelusikka [TAY-LOO-sik-kah] *n* teaspoon

teemyymälä [TAY-MEW-mæ-læ] *n* tea-shop

teeskennellä [TAYS-kayn-nayl-læ] *v* pretend

teeskentely [TAYS-kayn-tay-lew] *n* pretence

teettää liikaa työtä [TAYT-tææ LEE-kar TEWUR-tæ] *v* overwork

teevati [TAY-vah-ti] *n* saucer

tehdas [TAYH-dahs] *n* factory

tehdasvalmisteinen [TAYH-dahs-VAHL-mis-tay-nayn] *adj* manufactured

tehdä [TAYH-dæ] *v* make; do

tehdä huviretki [TAYH-dæ HOO-vi-RAYT-ki] *v* picnic

tehdä kykeneväksi [TAYH-dæ KEW-kay-nay-væk-si] *v* enable

tehdä luonnos [TAYH-dæ LOOOAN-noas] *v* sketch

tehdä paksuksi [TAYH-dæ PAHK-sook-si] *v* thicken

tehdä tili [TAYH-dæ-TI-li] *v* account for

tehdä vaikutus [TAYH-dæ VIGH-
koo-toos] *v* impress
tehdä vääryyttä [TAYH-dæ VÆÆ-
rewt-tæ] *v* wrong
tehokas [TAY-hoa-kahs] *adj*
efficient; effective
tehty jostakin [TAYH-tew YOAS-
tah-kin] made of
tehtävä [TAYH-tæ-væ] *n* affair;
errand; task
teidän [TAY-dæn] *adj* your; *pl*
your
teidät [TAY-dæt] *pron* you
teille [TAYL-lay] *pron* you
teini-ikäinen [TAY-ni I-kæi-
nayn] *n* teenager
teippi [TAYP-pi] *n* scotch tape
tekniikka [TAYK-neek-kah] *n*
technique
teknikko [TAYK-nik-koa] *n*
technician
tekninen [TAYK-ni-nayn] *adj*
technical
teko [TAY-koa] *n* deed; act; action
tekohampaat [TAY-koa-HAHM-
part] *pl* denture; false teeth *pl*
tekotukka [TAY-koa-TOOK-kah] *n*
hair piece
teksti [TAYKS-ti] *n* text
tekstiili [TAYKS-tee-li] *n* textile
telakoida [TAY-lah-koy-dah] *v*
dock
teleobjektiivi [TAY-lay-OAB-yayk-
tee-vi] *n* telephoto lens *pl*
televisio [TAY-lay-vi-si-oa] *n*
television
televisiovastaanotin [TAY-lay-vi-
si-oa-VAHS-tarn-OA-tin] *n*
television set
telex [TAY-laykh] *n* telex
teltta [TAYLT-tah] *n* tent
telttailu [TAYLT-tigh-loo] *n*
camping
telttasänky [TAYLT-tah-SÆNG-

kew] *n* camp-bed; cot
temppeli [TAYMP-pay-li] *n* temple
tenhoava [TAYN-hoa-ah-vah] *adj*
glamorous
tennis [TAYN-nis] *n* tennis
tenniskenttä [TAYN-nis-KAYNT-
tæ] *n* tennis court; court
teollisuus [TAY-oal-li-soos] *n*
industry
teollisuus- [TAY-oal-li-soos] *pref*
industrial
teollisuuslaitos [TAY-oal-li-soos-
LIGH-toas] *n* plant
teoria [TAY-oa-ri-ah] *n* theory
terassi [TAY-rahs-si] *n* terrace
termi [TAYR-mi] *n* term
termospullo [TAYR-moas-POOL-
loa] *n* thermos; vacuum flask
teroitin [TAY-roy-tin] *n* pencil-
sharpener
teroittaa [TAY-royt-tar] *v* sharpen
terve [TAYR-vay] *adj* healthy
terveellinen [TAYR-vayl-li-nayn]
adj wholesome
tervehdys [TAYR-vayh-dews] *n*
greetings *pl*
tervehtiä [TAYR-vayh-ti-æ] *v*
greet
terveiset [TAYR-vay-sayt] *pl*
regards *pl*
tervetullut [TAYR-vay-TOOL-loot]
adj welcome
tervetulotoivotus [TAYR-vay-TOO-
loa-TOY-voa-toos] *n* welcome
terveys [TAYR-vay-ews] *n* health
terveys- [TAYR-vay-ews] *pref*
sanitary
terveyskylpylä [TAYR-vay-ews-
KEWL-pew-læ] *n* spa
terveysside [TAYR-vay-ews-SI-
day] *n* sanitary napkin
terveystodistus [TAYR-vay-ews-
TOA-dis-toos] *n* health
certificate

terylene [TAY-rew-lay-nay] *n*
Terylene

terä [TAY-ræ] *n* blade

terälehti [TAY-ræ-LAYH-ti] *n* petal

teräs [TAY-ræs] *n* steel

terävä [TAY-ræ-væ] *adj* sharp;
acute

testamentti [TAYS-tah-maynt-ti]
n will

teurastaja [TAYOO-rahs-tah-yah]
n butcher

tie [TIAY] *n* route; road

tiede [TIAY-day] *n* science

tiedekunta [TIAY-day-KOON-tah] *n*
faculty

tiedemies [TIAY-day-MIAYS] *n*
scientist

tiedoittaa [TIAY-doy-tar] *v* report;
inform

tiedoksianto [TIAY-doak-si-AHN-
toa] *n* announcement

tiedonanto [TIAY-doan-AHN-toa] *n*
notice

tiedonantotoimisto [TIAY-doan-
AHN-toa-TOY-mis-toa] *n* inquiry
office; enquiry-office

tiedonhaluinen [TIAY-doan-HAH-
looi-nayn] *adj* inquisitive

tiedonvälitys [TIAY-doan-VÆ-li-
tews] *n* communication

tiedot [TIAY-doat] *pl* knowledge

tiedoton [TIAY-doa-toan] *adj*
unaware

tiedustella [TIAY-doos-tayl-lah] *v*
inquire; enquire

tiedustelu [TIAY-doos-tay-loo] *n*
enquiry; query; inquiry

tiekartta [TIAY-KAHRT-tah] *n* road
map

tiemaksu [TIAY-mahk-soo] *n* toll

tienvieri [TIAYN-VIAY-ri] *n*
wayside

tienviitta [TIAYN-VEET-tah] *n*
signpost

tiepuoli [TIAY-POOOA-li] *n*
roadside

tieteellinen [TIAY-tayl-li-nayn]
adj scientific

tieteellinen tutkimus [TIAY-tayl-
li-nayn TOOT-ki-moos] *n*
research

tietenkin [TIAY-tayng-kin] *adv* of
course

tieto [TIAY-toa] *n* information

tietoinen [TIAY-toy-nayn] *adj*
aware; conscious

tietokilpailu [TIAY-toa-KIL-pigh-
loo] *n* quiz

tietosanakirja [TIAY-toa-SAH-
nah-KIR-yah] *n* encyclopaedia

tietyö [TIAY-TEWUR] *n* road up

tietämätön [TIAY-tæ-mæ-turn]
adj ignorant

tietää [TIAY-tææ] *v* know

tiheä [TI-hay-æ] *adj* dense

tiili [TEE-li] *n* brick

tiistai [TEES-tigh] *n* Tuesday

tiivistetty maito [TEE-vis-tayt-
tew MIGH-toa] *n* condensed
milk

tikapuut [TI-kah-POOT] *pl* ladder

tila [TI-lah] *n* state

tilaisuus [TI-ligh-soos] *n*
occasion; opportunity

tilanne [TI-lahn-nay] *n* situation

tilata [TI-lah-tah] *v* order

tilauksesta valmistettu [TI-lah-
ook-says-tah VAHL-mis-tayt-
too] *adj* made-to-order

tilaus [TI-lah-oos] *n* order

tilava [TI-lah-vah] *adj* roomy;
spacious

tilinpäätös [TI-lin-PÆÆ-turs] *n*
balance sheet

timantti [TI-mahnt-ti] *n* diamond

timjami [TIM-yah-mi] *n* thyme

tina [TI-nah] *n* pewter

tinapaperi [TI-nah-PAH-pay-ri] *n*

tinfoil
tipat [TI-paht] *pl* drops *pl*
tippa [TIP-pah] *n* drop
tislattu vesi [TIS-laht-too VAY-si] *n* distilled water
titteli [TIT-tay-li] *n* title
tiukan tarkka [TIOO-kahn TAHRK-kah] *adj* strict
tiukasti [TIOO-kahs-ti] *adv* tight
tiukka [TIOOK-kah] *adj* tight
toalettilaukku [TOA-ah-layt-ti-LOWK-koo] *n* toilet-case
toalettitarvikkeet [TOA-ah-layt-ti-TAHR-vik-kayt] *pl* toiletry
todella [TOA-dayl-lah] *adv* indeed; really
todellinen [TOA-dayl-li-nayn] *adj* real; actual
todennäköinen [TOA-dayn-næ-kuri-nayn] *adj* probable
todennäköisesti [TOA-dayn-NÆ-kuri-says-ti] *adv* likely
todistaa [TOA-dis-tar] *v* prove
todiste [TOA-dis-tay] *n* proof
toffeekaramelli [TOAF-fay-KAH-rah-mayl-li] *n* toffee
tohveli [TOAH-vay-li] *n* slipper
toiletti [TOY-layt-ti] *n* wash-room
toimeenpanija [TOY-mayn-PAH-ni-yah] *n* executive
toimeton [TOY-may-toan] *adj* idle
toimi [TOY-mi] *n* job; employment; occupation; business
toimia [TOY-mi-ah] *v* operate; work
toiminta [TOY-min-tah] *n* function; operation; activity
toimisto [TOY-mis-toa] *n* office
toimistoaika [TOY-mis-toa-IGH-kah] *n* office hours *pl*
toimistotyö [TOY-mis-toa-TEWUR] *n* office work
toimittaminen [TOY-mit-tah-mi-

nayn] *n* transaction
toinen [TOY-nayn] *adj* other; another; second
toinen toistaan [TOY-nayn TOYS-tarn] *pron* each other
toipua [TOY-poo-ah] *v* recover
toipuminen [TOY-poo-mi-nayn] *n* recovery
toisarvoinen [TOYS-AHR-voy-nayn] *adj* secondary
toisella puolella [TOY-sayl-lah POOOA-layl-lah] *prep* across; *adv* across; beyond
toisen luokan- [TOY-sayn LOOOA-kahn] *pref* second-class
toisin [TOY-sin] *adv* otherwise
toisinaan [TOY-si-narn] *adv* sometimes
toistaa [TOYS-tar] *v* repeat
toistaminen [TOYS-tah-mi-nayn] *n* repetition
toistuminen [TOYS-too-mi-nayn] *n* frequency
toistuva [TOYS-too-vah] *adj* frequent
toiveikas [TOY-vay-kahs] *adj* hopeful
toivo [TOY-voa] *n* hope
toivoa [TOY-voa-ah] *v* hope; want
toivomus [TOY-voa-m-oos] *n* wish
toivottaa tervetulleeksi [TOY-voat-tar TAYR-vay-TOOL-layk-si] *v* welcome
tomaatti [TOA-mart-ti] *n* tomato
tonni [TOAN-ni] *n* ton
tonnikala [TOAN-ni-KAH-lah] *n* tuna
tontti [TOANT-ti] *n* site
tori [TOA-ri] *n* market
toriaukio [TOA-ri-ow-ki-oa] *n* square
torni [TOAR-ni] *n* tower
torstai [TOARS-tigh] *n* Thursday
torua [TOA-roo-ah] *v* scold

tosi [TOA-si] *adj* true

tosiasia [TOA-si-AH-si-ah] *n* fact

tosiasiallinen [TOA-si-AH-si-ahl-li-nayn] *adj* factual

totalisaattori [TOA-tah-li-sart-toa-ri] *n* totalizator

totella [TOA-tayl-lah] *v* obey

toteuttaa [TOA-tay-oot-tar] *v* carry out

tottelevainen [TOAT-tay-lay-vigh-nayn] *adj* obedient

tottelevaisuus [TOAT-tay-lay-vigh-soos] *n* obedience

tottumaton [TOAT-too-mah-toan] *adj* unaccustomed

tottunut [TOAT-too-noot] *adj* accustomed

totuudenmukainen [TOA-too-dayn-MOO-kigh-nayn] *adj* truthful

totuus [TOA-toos] *n* truth

toukokuu [TOA-koa-KOO] *n* May

traaginen [TRAR-gi-nayn] *adj* tragic

traktori [TRAHK-toa-ri] *n* tractor

transistori [TRAHN-sis-toa-ri] *n* transistor

trikootavarat [TRI-koa-TAH-vah-raht] *pl* hosiery

trooppinen [TROAP-pi-nayn] *adj* tropical

tropiikki [TROA-peek-ki] *n* tropics *pl*

tuberkuloosi [TOO-bayr-koo-loa-si] *n* tuberculosis

tuhat [TOO-haht] *adj* thousand

tuhka [TOOH-kah] *n* ashes *pl*

tuhkakuppi [TOOH-kah-KOOP-pi] *n* ashtray

tuhkarokko [TOOH-kah-ROAK-koa] *n* measles

tuhlaavainen [TOOH-lar-vigh-nayn] *adj* wasteful

tuhlata [TOOH-lah-tah] *v* waste; spend

tuhlaus [TOOH-lah-oos] *n* waste

tuhma [TOOH-mah] *adj* naughty

tuho [TOO-hoa] *n* disaster

tuhota [TOO-hoa-tah] *v* ruin; wreck

tuijottaa [TOOI-yoat-tar] *v* gaze; stare

tukahduttaa [TOO-kahh-doot-tar] *v* extinguish

tukankuivaaja [TOO-kahn-KOOI-var-yah] *n* hair-dryer

tukanleikkuu [TOO-kahn-LAYK-koo] *n* haircut

tukanpesuaine [TOO-kahn-PAY-soo-IGH-nay] *n* shampoo

tukea [TOO-kay-ah] *v* support; hold up

tukeva [TOO-kay-vah] *adj* stout

tuki [TOO-ki] *n* support

tukisukat [TOO-ki-SOO-kaht] *pl* support hose *pl*

tukka [TOOK-kah] *n* hair

tukkia [TOOK-ki-ah] *v* block

tukkukauppa [TOOK-koo-KOWP-pah] *n* wholesale

tulehdus [TOO-layh-doos] *n* inflammation

tulenarka [TOO-layn-AHR-kah] *adj* inflammable

tulenkestävä [TOO-layn-KAYS-tæ-væ] *adj* fireproof

tulensammutin [TOO-layn-SAHM-moo-tin] *n* fire extinguisher

tulevaisuus [TOO-lay-vigh-soos] *n* future

tuli [TOO-li] *n* fire

tulisija [TOO-li-SI-yah] *n* hearth

tulitikku [TOO-li-TIK-koo] *n* match

tulitikkulaatikko [TOO-li-TIK-koo-LAR-tik-koa] *n* match-box

tulivuori [TOO-li-VOOOA-ri] *n* volcano

tulkinta [TOOL-kin-tah] *n* version
tulkita [TOOL-ki-tah] *v* interpret
tulkki [TOOLK-ki] *n* interpreter
tulla [TOOL-lah] *v* come
tulla joksikin [TOOL-lah-YOAK-si-kin] *v* become
tulla näkyviin [TOOL-lah NÆ-kew-veen] *v* appear
tulla toimeen ilman [TOOL-lah TOY-mayn IL-mahn] *v* do without
tulli [TOOL-li] *n* duty; Customs *pl*
tulli-ilmoitus [TOOL-li IL-moy-toos] *n* declaration
tullikamari [TOOL-li-KAH-mah-ri] *n* Customs house
tullimaksu [TOOL-li-MAHK-soo] *n* Customs duty
tullinalainen [TOOL-lin-AH-ligh-nayn] *adj* dutiable
tullitarkastus [TOOL-li-TAHR-kahs-toos] *n* Customs examination
tulliton [TOOL-li-toan] *adj* duty-free
tullivirkamies [TOOL-li-VIR-kah-MIAYS] *n* Customs officer
tulot [TOO-loat] *pl* revenue; income
tulovero [TOO-loa-VAY-roa] *n* income-tax
tulppa [TOOLP-pah] *n* stopper
tulva [TOOL-vah] *n* flood
tungettelija [TOONG-ayt-tay-li-yah] *n* trespasser
tunika [TOO-ni-kah] *n* tunic
tunkea [TOONG-kay-ah] *v* pierce
tunkeutua [TOONG-kayoo-tooah] *v* trespass
tunne [TOON-nay] *n* feeling; sensation
tunneli [TOON-nay-li] *n* tunnel
tunnettu [TOON-nayt-too] *adj* well-known; noted

tunnistaa [TOON-nis-tar] *v* recognise
tunnistaminen [TOON-nis-tah-mi-nayn] *n* identification
tunnistus [TOON-nis-toos] *n* recognition
tunnus [TOON-noos] *n* sign
tunnustus [TOON-noos-toos] *n* confession
tuntea [TOON-tay-ah] *v* feel; know
tunteellinen [TOON-tayl-li-nayn] *adj* sentimental
tunteeton [TOON-tay-toan] *adj* insensible
tuntematon [TOON-tay-mah-toan] *adj* unknown
tunti [TOON-ti] *n* hour
tunto [TOON-toa] *n* touch
tuo [TOOOA] *pron* that; *adj* that
tuoda [TOOOA-dah] *v* bring
tuoda sisään [TOOOA-dah si-sæen] *v* introduce
tuokio [TOOOA-ki-oa] *n* while
tuoli [TOOOA-li] *n* chair
tuolla [TOOOAL-lah] *adv* over there
tuolla puolen [TOOOAL-lah POOOA-layn] *prep* beyond
tuomari [TOOOA-mah-ri] *n* judge
tuomaristo [TOOOA-mah-ris-toa] *n* jury
tuomio [TOOOA-mi-oa] *n* verdict; judgment; sentence
tuomioistuin [TOOOA-mioa-IS-tooin] *n* court
tuomita [TOOOA-mi-tah] *v* sentence; judge
tuontitavarat [TOOOAN-ti-TAH-vah-raht] *pl* imports *pl*
tuontitulli [TOOOAN-ti-TOOL-li] *n* import duty
tuore [TOOOA-ray] *adj* fresh
tuotanto [TOOOA-tahn-toa] *n* output; production

tuote [TOOOA-tay] *n* product; produce

tuotettu [TOOOA-tayt-too] *adj* imported

tuottaa [TOOOAT-tar] *v* generate; produce

tuottaa maahan [TOOOAT-tar MAR-hahn] *v* import

tuottaja [TOOOAT-tah-yah] *n* producer

tuottamaton [TOOOAT-tah-mah-toan] *adj* unproductive

tuottoisa [TOOOAT-toy-sah] *adj* profitable

tupakka [TOO-pahk-kah] *n* tobacco

tupakkahuone [TOO-pahk-kah-HOOOA-nay] *n* smoke-room

tupakkakauppias [TOO-pahk-kah-KOWP-pi-ahs] *n* tobacconist

tupakkakukkaro [TOO-pahk-kah-KOOK-kah-roa] *n* tobacco pouch

tupakka-osasto [TOO-pahk-kah-OA-sahs-toa] *n* smoking compartment

tupakoida [TOO-pah-koy-dah] *v* smoke

tupakointi kielletty [TOO-pah-koyn-ti KIAYL-layt-tew] no smoking

tupakoitsija [TOO-pah-koyt-si-yah] *n* smoker

turbiini [TOOR-bee-ni] *n* turbine

turbiinilentokone [TOOR-bee-ni-LAYN-toa-KOA-nay] *n* turbo-jet

turistiluokka [TOO-ris-ti-LOOOAK-kah] *n* tourist class

turistitoimisto [TOO-ris-ti-TOY-mis-toa] *n* tourist office

turkis [TOOR-kis] *n* fur

turkki [TOORK-ki] *n* fur coat

Turkki [TOORK-ki] *n* Turkey

turkkilainen [TOORK-ki-lighnayn] *n* Turk; *adj* Turkish

turkkilainen sauna [TOORK-ki-ligh-nayn sow-nah] *n* Turkish bath

turkkuri [TOORK-koo-ri] *n* furrier

turmella [TOOR-mayl-lah] *v* spoil

turska [TOORS-kah] *n* cod

turta [TOOR-tah] *adj* numb

turvallisuus [TOOR-vahl-li-soos] *n* safety

turvassa oleva [TOOR-vahs-sah OA-lay-vah] *adj* safe

turvaton [TOOR-vah-toan] *adj* unprotected

turvavyö [TOOR-vah-VEWUR] *n* safety belt; seat belt

turvotus [TOOR-voa-toos] *n* swelling

tusina [TOO-si-nah] *n* dozen

tuskallinen [TOOS-kahl-li-nayn] *adj* distressing; painful

tuskaton [TOOS-kah-toan] *adj* painless

tuskin [TOOS-kin] *adv* scarcely; hardly

tutkia [TOOT-ki-ah] *v* investigate; explore; examine

tutkimusretki [TOOT-ki-moos-RAYT-ki] *n* expedition

tutkinto [TOOT-kin-toa] *n* examination

tuttava [TOOT-tah-vah] *n* acquaintance

tuttu [TOOT-too] *adj* familiar

tuulenpuuska [TOO-layn-POOS-kah] *n* gust

tuuletin [TOO-lay-tin] *n* ventilator; fan

tuuletinremmi [TOO-lay-tin-RAYM-mi] *n* fan-belt

tuulettaa [TOO-layt-tar] *v* ventilate; air

tuuletus [TOO-lay-toos] *n*

ventilation

tuuli [TOO-li] *n* wind

tuulilasi [TOO-li-LAH-si] *n*
windscreen; windshield

tuulimylly [TOO-li-MEWL-lew] *n*
windmill

tuulinen [TOO-li-nayn] *adj* windy;
gusty

tuulla [TOOL-lah] *v* blow

tveedikangas [TVAY-di-KAHNG-
ahs] *n* tweed

tyhjiö [TEWH-yi-ur] *n* vacuum

tyhjä [TEWH-yæ] *adj* vacant;
blank; empty

tyhmä [TEWH-mæ] *adj* stupid

tykki [TEWK-ki] *n* gun

tylsä [TEWL-sæ] *adj* blunt

tynnyri [TEWN-new-ri] *n* barrel;
cask

typerä [TEW-pay-ræ] *adj* silly

tyrä [TEW-ræ] *n* hernia

tyttärenpoika [TEWT-tæ-rayn-
POY-kah] *n* grandson

tyttärentytär [TEWT-tæ-rayn-TEW-
tær] *n* granddaughter

tyttö [TEWT-tur] *n* girl

tyttönimi [TEWT-tur-NI-mi] *n*
maiden name

tytär [TEW-tær] *n* daughter

tyydyttää [TEW-dewt-tææ] *v*
satisfy

tyydytys [TEW-dew-tews] *n*
satisfaction

tyyli [TEW-li] *n* style

tyyni [TEW-ni] *adj* sedate;
tranquil

Tyyni Valtameri [TEW-ni VAHL-
tah-MAY-ri] *n* Pacific Ocean

tyyny [TEW-new] *n* pillow;
cushion

tyynyliina [TEW-new-LEENAH] *n*
pillowcase

tyypillinen [TEW-pil-li-nayn] *adj*
typical

tyyppi [TEWP-pi] *n* type

tyytymätön [TEW-tew-mæ-turn]
adj dissatisfied; discontented;
displeased

tyytyväinen [TEW-tew-væi-nayn]
adj content; contented;
satisfied; pleased

työ [TEWUR] *n* work; labour

työhuone [TEWUR-HOOOA-nay] *n*
study

työkalu [TEWUR-KAH-loo] *n* tool

työkalulaatikko [TEWUR-KAH-loo-
LARTIK-koa] *n* tool-kit

työlupa [TEWUR-LOO-pah] *n* work
permit; labour permit

työläinen [TEWUR-læi-nayn] *n*
labourer

työmies [TEWUR-MIAYS] *n*
workman

työnantaja [TEWURN-AHN-tah-
yah] *n* employer

työnjohtaja [TEWURN-YOAH-tah-
yah] *n* foreman

työntekijä [TEWURN-TAY-ki-yæ] *n*
worker; employee

työntää [TEWURN-tææ] *v* push;
propel

työpaja [TEWUR-PAH-yah] *n*
workshop

työpäivä [TEWUR-PÆI-væ] *n*
working day

työryhmä [TEWUR-REWH-mæ] *n*
team

työskennellä [TEWURS-kayn-
nayl-læ] *v* work

työttömyys [TEWURT-tur-mews] *n*
unemployment

työtäsäästävä [TEWUR-tæ-sÆÆS-
tæ-væ] *adj* labour-saving

työtön [TEWUR-turn] *adj*
unemployed

työväline [TEWUR-væ-li-nay] *n*
instrument; implement

tähti [TÆH-ti] *n* star

tähtitorni [TÆH-ti-toar-ni] n
observatory

tähän asti [TÆ-hæn AHS-ti] adv
so far

täkki [TÆK-ki] n quilt

tämä [TÆ-mæ] adj this; pron this

tänä iltana [TÆ-næ IL-tah-nah]
adv tonight

tänään [TÆ-nææn] adv today

täpö täysi [TÆ-pur TÆEW-si] adj
crowded

täpötäynnä [TÆ-pur-TÆEWN-næ]
adj full up

tärkeys [TÆR-kay-ews] n
importance

tärkeä [TÆR-kay-æ] adj
important

tärkki [TÆRK-ki] n starch

tärkätä [TÆR-kæ-tæ] v starch

tärpätti [TÆR-pæt-ti] n
turpentine

täsmälleen [TÆS-mæl-layn] adv
exactly

täsmällinen [TÆS-mæl-li-nayn]
adj exact; punctual; accurate

täten [TÆ-tayn] adv thus

täti [TÆ-ti] n aunt

täydellinen [TÆEW-dayl-li-nayn]
adj perfect; complete

täysihoito [TÆEW-si-HOY-toa] n
room and board; bed and
board; board and lodging; full
board

täysihoitola [TÆEW-si-HOY-toa-
lah] n guest-house; boarding
house; pension

täysihoitolainen [TÆEW-si-HOY-
toa-ligh-nayn] n boarder

täysin [TÆEW-sin] adv quite;
entirely

täysinäinen [TÆEW-si-næi-nayn]
adj full

täyte [TÆEW-tay] n filling;
stuffing; pad

täytekynä [TÆEW-tay-KEW-næ] n
fountain pen

täytetty [TÆEW-tayt-tew] adj
stuffed

täyttää [TÆEWT-tææ] v fill up; fill
in; fill

täytyä [TÆEW-tew-æ] v have to;
must

täällä [TÆÆL-læ] adv here

tölkitetty [TURL-ki-tayt-tew] adj
canned

tölkki [TURLK-ki] n can

törmätä [TURR-mæ-tæ] v bump;
knock against

törmätä yhteen [TURR-mæ-tæ
EWH-tayn] v collide

törmäys [TURR-mæ-ews] n crash;
bump

töyräs [TUREW-ræs] n bank

uhkaava [OOH-kar-vah] adj
threatening

uhkailla [OOH-kighl-lah] v
threaten

uhkapeli [OOH-kah-PAY-li] n
gambling

uhkaus [OOH-kah-oos] n thread

uhraus [OOH-rah-oos] n sacrifice

uhri [OOH-ri] n casualty

uida [OOI-dah] v swim

uima-allas [OOI-mah-AHL-lahs] n
swimming pool

uimahousut [OOI-mah-HOA-soot]
pl swimming trunks pl

uimalakki [OOI-mah-LAHK-ki] n
bathing cap

uimapuku [OOI-mah-POO-koo] n
bathing suit; swim-suit

uimari [OOI-mah-ri] n swimmer

uinti [OOIN-ti] n swimming

ujo [OO-yoa] adj timid; shy

ukkonen [OOK-koa-nayn] n
thunder

ukkosenkaltainen [OOK-koa-sayn-KAHL-tigh-nayn] *adj* thundery

ukonilma [oo-koan-il-mah] *n* thunderstorm

ulko~ [OOL-koa] *pref* exterior

ulkoa [OOL-koa-ah] *adv* by heart

ulkolaita- [OOL-koa-LIGH-tah] *pref* outboard

ulkomaalainen [OOL-koa-MAR-ligh-nayn] *adj* alien; foreign; *n* foreigner

ulkomaanvaluutta [OOL-koa-MARN-VAH-loot-tah] *n* foreign currency

ulkomailla [OOL-koa-MIGHL-lah] abroad

ulkona [OOL-koa-nah] *adv* outside; outdoors; open air

ulkonäkö [OOL-KOA-NÆ-kur] *n* appearance; look

ulos [oo-loas] *adv* out

uloskäynti [oo-loas-KÆEWN-ti] *n* way out

uloskäytävä [oo-loas-KÆEW-tæ-væ] *n* exit

ulospäin [oo-loas-PÆIN] *adv* outwards

ulostusaine [oo-loas-toos-IGH-nay] *n* laxative

ultravioletti [OOLT-rah-VIOA-layt-ti] *adj* ultra-violet

ummehtunut [OOM-mayh-too-noot] *adj* stuffy

ummettunut [OOM-mayt-too-noot] *adj* constipated

ummetus [OOM-may-toos] *n* constipation

umpikuja [OOM-pi-KOO-yah] *n* cul-de-sac

umpisuolen tulehdus [OOM-pi-soooa-layn TOO-layh-doos] *n* appendicitis

unessa [oo-nays-sah] *adj* asleep

unettomuus [oo-nayt-toa-moos] *n* insomnia

uni [oo-ni] *n* sleep

uninen [oo-ni-nayn] *adj* sleepy

unipilleri [oo-ni-PIL-lay-ri] *n* sleeping-pill

universumi [oo-ni-vayr-soo-mi] *n* universe

univormu [oo-ni-voar-moo] *n* uniform

Unkari [OONG-kah-ri] *n* Hungary

unkarilainen [OONG-kah-ri-ligh-nayn] *n* Hungarian; *adj* Hungarian

unohtaa [oo-noah-tar] *v* forget

untuvapeite [OON-too-vah-PAY-tay] *n* eiderdown

upea [oo-pay-ah] *adj* magnificent

upseeri [OOP-say-ri] *n* officer

urheilija [OOR-hay-li-yah] *n* sportsman

urheilu [OOR-hay-loo] *n* sport

urheiluasusteet [OOR-hay-loo-AH-soos-tayt] *pl* sportswear

urheiluauto [OOR-hay-loo-OW-toa] *n* sports car

urheilutakki [OOR-hay-loo-TAHK-ki] *n* sports jacket; blazer

useammat [oo-say-ahm-maht] *adj* more

useat [oo-say-aht] *adj* several

useimmat [oo-saym-maht] *adj* most

usein [oo-sayn] *adv* often

uskaltaa [oos-kahl-tar] *v* dare

usko [oos-koa] *n* faith; belief

uskoa [oos-koa-ah] *v* believe

uskoa jollekin [oos-koa-ah YOAL-lay-kin] *v* commit

uskollinen [oos-koal-li-nayn] *adj* faithful; loyal

uskomaton [oos-koa-mah-toan] *adj* incredible

uskonnollinen [OOS-koan-noal-li-nayn] *adj* religious

uskonto [OOS-koan-toa] *n* religion

uskoton [OOS-koa-toan] *adj* unfaithful

usva [OOS-vah] *n* haze; mist

usvainen [OOS-vigh-nayn] *adj* misty; hazy

utelias [OO-tay-li-ahs] *adj* curious

uudenvuodenpäivä [OO-dayn-voooa-dayn-PÆI-væ] *n* New Year's Day

uudistaa [OO-dis-tar] *v* renew

uuni [OO-ni] *n* oven

uupunut [OO-poo-noot] *adj* exhausted; weary

uurre [OOR-ray] *n* groove

uusi [OO-si] *adj* recent; new

uusi vuosi [OO-si voooA-si] *n* New Year

uutinen [OO-ti-nayn] *n* news

uutisfilmi [OO-tis-FIL-mi] *n* newsreel

uutislähetys [OO-tis-LÆ-hay-tews] *n* news

vaahtoava [VARH-toa-ah-vah] *adj* sparkling

vaaka [VAR-kah] *n* weighing machine; scales *pl*

vaakasuora [VAR-kah-SOOOA-rah] *adj* horizontal

vaalea [VAR-lay-ah] *adj* light

vaaleanpunainen [VAR-lay-ahn-POO-nigh-nayn] *adj* pink

vaaleatukkainen [VAR-lay-ah TOOK-kigh-nayn] *adj* fairhaired

vaaleaverikkö [VAR-lay-ah-VAY-rik-kur] *n* blonde

vaalit [VAR-lit] *n* election

vaara [VAR-rah] *n* danger; risk

vaarallinen [VAR-rahl-li-nayn] *adj* risky; dangerous

vaaraton [VAR-rah-toan] *adj* harmless

vaateharja [VAR-tay-HAHR-yah] *n* clothes-brush

vaatekomero [VAR-tay-KOA-may-roa] *n* closet

vaateripustin [VAR-tay-RI-poos-tin] *n* coat-hanger

vaatesäilö [VAR-tay-SÆI-lur] *n* cloak-room

vaatevarasto [VAR-tay-VAH-rahs-toa] *n* wardrobe

vaatia [VAR-ti-ah] *v* claim; demand; require; charge

vaatia liikaa [VAR-ti-ah LEE-kar] *v* overcharge

vaatimaton [VAR-ti-mah-toan] *adj* modest

vaatimus [VAR-ti-moos] *n* requirement; claim

vaatteet [VART-tayt] *pl* clothes *pl*

vadelma [VAH-dayl-mah] *n* raspberry

vaeltaa [VAH-ayl-tar] *v* wander; tramp

vaha [VAH-hah] *n* wax

vahakabinetti [VAH-hah-KAH-bi-nayt-ti] *n* waxworks *pl*

vahingoittaa [VAH-hing-oyt-tar] *v* harm; injure

vahingoittumaton [VAH-hing-oyt-too-mah-toan] *adj* intact; unhurt

vahingollinen [VAH-hing-oal-li-nayn] *adj* toxic; harmful; hurtful

vahingon korvaus [VAH-hing-oan KOAR-vah-oos] *n* indemnity

vahinko [VAH-hing-koa] *n* harm; pity

vahva [VAHH-vah] *adj* strong

vahvistaa [VAHH-vis-tar] *v*
confirm

vahvistava lääke [VAHH-vis-tah-
vah LÆÆ-kay] *n* tonic

vahvistus [VAHH-vis-toos] *n*
confirmation

vaieta [VIGH-ay-tah] *v* keep quiet

vaihde [VIGHH-day] *n* gear

vaihdelaatikko [VIGHH-day-LAR-
tik-koa] *n* gear-box

vaihdella [VIGHH-dayl-lah] *v* vary

vaihdetanko [VIGHH-day-TAHNG-
koa] *n* gear-lever

vaihe [VIGH-hay] *n* stage

vaihtaa [VIGHH-tar] *v* exchange;
switch; change

vaihtaa osoite [VIGHH-tar OA-soy-
tay] *v* readdress

vaihtaa rahaksi [VIGHH-tar RAH-
hahk-si] *v* cash

vaihtoehto [VIGHH-toa-AYH-toa] *n*
alternative

vaihtoraha [VIGHH-toa-RAH-hah]
n change

vaihtovirta [VIGHH-toa-VIR-tah] *n*
alternating current

vaikea [VIGH-kay-ah] *adj* difficult

vaikeus [VIGH-kay-oos] *n*
difficulty

vaikka [VIGHK-kah] *conj*
although; though

vaikutelma [VIGH-koo-tayl-mah]
n impression

vaikuttaa [VIGH-koot-tar] *v*
influence; affect

vaikuttava [VIGH-koot-tah-vah]
adj imposing; impressive

vaikutus [VIGH-koo-toos] *n*
influence; effect

vaikutusvaltainen [VIGH-koo-
toos-VAHL-tigh-nayn] *adj*
influential

vaimo [VIGH-moa] *n* wife

vaivannäkö [VIGH-vahn-NÆ-kur]

n pains *pl*

vaivata [VIGH-vah-tah] *v* bother;
trouble

vaja [VAH-yah] *n* shed

vajaus [VAH-yah-oos] *n* deficit

vajota [VAH-yoa-tah] *v* sink

vakanssi [VAH-kahns-si] *n*
vacancy

vakaumus [VAH-kah-oo-moos] *n*
conviction

vakava [VAH-kah-vah] *adj*
serious; severe; grave

vakinainen [VAH-ki-nigh-nayn]
adj regular

vakinainen asukas [VAH-ki-
nigh-nayn AH-soo-kahs] *n*
resident

vakio- [VAH-ki-oa] *pref* standard

vakioasiakas [VAH-ki-oa-AH-si-
ah-kahs] *n* patron

vakosametti [VAH-koa-SAH-mayt-
ti] *n* corduroy

vakuuttaa [VAH-koot-tar] *v*
assure; insure

vakuuttunut [VAH-koot-too-noot]
adj sure

vakuutus [VAH-koo-toos] *n*
insurance

vakuutuskirja [VAH-koo-toos-
KIR-yah] *n* insurance policy;
policy

vakuutusmaksu [VAH-koo-toos-
MAHK-soo] *n* premium

valaista [VAH-lighs-tah] *v*
illuminate; illustrate

valaistus [VAH-lighs-toos] *n*
illumination; lighting

valehteleminen [VAH-layh-tay-
lay-mi-nayn] *n* lying

valhe [VAHL-hay] *n* lie

valheellinen [VAHL-hayl-li-nayn]
adj untrue

valikoida [VAH-li-koy-dah] *v* pick

valikoima [VAH-li-koy-mah] *n*

assortment; variety

valikoitu [VAH-li-koy-too] *adj* assorted; select

valinnais- [VAH-lin-nighs] *pref* optional

valinta [VAH-lin-tah] *n* pick; selection; choice

valintamyymälä [VAH-lin-tah-MEW-mæ-læ] *n* supermarket

* **valita** [VAH-li-tah] *v* choose; elect

valita numero [VAH-li-tah NOO-may-roa] *v* dial

valitettavasti [VAH-li-tayt-tah-vahs-ti] *adv* unfortunately

valittaa [VAH-lit-tar] *v* complain

valitus [VAH-li-toos] *n* complaint

valkaista [VAHL-kighs-tah] *v* bleach

valkoinen [VAHL-koy-nayn] *adj* white

valkoisuus [VAHL-koy-soos] *n* whiteness

valkokangas [VAHL-koa-KAHNG-ahs] *n* screen

valkosipuli [VAHL-koa-SI-poo-li] *n* garlic

valkoturska [VAHL-koa-TOORS-kah] *n* whiting

vallankumous [VAHL-lahn-KOO-moa-oos] *n* revolution

vallaton [VAHL-lah-toan] *adj* mischievous

vallattomuus [VAHL-laht-toa-moos] *n* mischief

valli [VAHL-li] *n* mound

valmennus [VAHL-mayn-noos] *n* training

valmentaa [VAHL-mayn-tar] *v* train

valmis [VAHL-mis] *adj* prepared; ready

valmis yhteistyöhön [VAHL-mis EWH-tays-TEWUR-hurn] *adj* co-operative

valmistaa [VAHL-mis-tar] *v* prepare; manufacture

valmistaja [VAHL-mis-tah-yah] *n* manufacturer

valmistamaton [VAHL-mis-tah-mah-toan] *adj* unprepared

valmistaminen [VAHL-mis-tah-mi-nayn] *n* preparation

valmistella [VAHL-mis-tayl-lah] *v* arrange

valmistelut [VAHL-mis-tay-loot] *pl* arrangements *pl*

valmisvaate [VAHL-mis-VAR-tay] *adj* ready-made

valo [VAH-loa] *n* light

valoisa [VAH-loy-sah] *adj* bright; luminous

valokopiokone [VAH-loa-KOA-pi-oa-KOA-nay] *n* photostat

valokuva [VAH-loa-KOO-vah] *n* photo; photograph; snapshot

valokuvaaja [VAH-loa-KOO-var-yah] *n* photographer

valokuvata [VAH-loa-KOO-vah-tah] *v* photograph

valokuvaus [VAH-loa-KOO-vah-oos] *n* photography

valokuvausliike [VAH-loa-KOO-vah-oos-LEE-kay] *n* photo store; camera store

valotus [VAH-loa-toos] *n* exposure

valotusmittari [VAH-loa-toos-MIT-tah-ri] *n* exposure metre

valssi [VAHLS-si] *n* waltz

valtakirja [VAHL-tah-KIR-yah] *n* credentials *pl*

valtakunnan- [VAHL-tah-KOON-nahn] *pref* imperial

valtameri [VAHL-tah-MAY-ri] *n* ocean

valtatie [VAHL-tah-TIAY] *n* thoroughfare

valtava [VAHL-tah-vah] *adj*
tremendous; vast; immense
valtimo [VAHL-ti-moa] *n* pulse;
artery
valtio [VAHL-ti-oa] *n* state
valtiomies [VAHL-ti-oa-MIAYS] *n*
statesman
valtion virkamies [VAHL-ti-oan
VIR-kah-MIAYS] civil servant
valtiovarainministeriö [VAHL-ti-
oa-VAH-righn-MI-nis-tay-ri-ur]
n treasury
valtti [VAHLT-ti] *n* trump
valurauta [VAH-loo-ROW-tah] *n*
cast-iron
valvoa [VAHL-voa-ah] *v* supervise
valvoja [VAHL-voa-yah] *n*
supervisor; warden
vamma [VAHM-mah] *n* injury
vangita [VAHNG-i-tah] *v* imprison
vangitseminen [VAHNG-it-say-
mi-nayn] *n* imprisonment
vanha [VAHN-hah] *adj* old
vanhahko [VAHN-hahh-koa] *adj*
elderly
vanhanaikainen [VAHN-hahn-
IGH-kigh-nayn] *adj* old-
fashioned
vanhemmat [VAHN-haym-maht]
pl parents *pl*
vanhempi [VAHN-haym-pi] *adj*
older; elder
vanhentunut [VAHN-hayn-too-
noot] *adj* stale; out of date
vanhin [VAHN-hin] *adj* oldest;
eldest
vanilja [VAH-nil-yah] *n* vanilla
vanki [VAHNG-ki] *n* prisoner
vankila [VAHNG-ki-lah] *n* prison;
jail; gaol
vanne [VAHN-nay] *n* rim
vanu [VAH-noo] *n* cotton-wool
vapaa [VAH-par] *adj* free;
unoccupied

vapaa-aika [VAH-par IGH-kah] *n*
leisure
vapaaehtoinen [VAH-par-ayh-
toy-nayn] *n* volunteer; *adj*
voluntary
vapaalippu [VAH-par-LIP-poo] *n*
free ticket
vapaamielinen [VAH-par-MIAY-li-
nayn] *adj* liberal
vapaus [VAH-pah-oos] *n* liberty;
freedom
vapauttaa [VAH-pah-oot-tar] *v*
vacate; exempt; discharge
vapista [VAH-pis-tah] *v* tremble
vapunpäivä [VAH-poon-PÆI-væ] *n*
May Day
varakas [VAH-rah-kahs] *adj*
wealthy
varallisuus [VAH-rahl-li-soos] *n*
wealth
varaosa [VAH-rah-OA-sah] *n*
spare part
varaosat [VAH-rah-OA-saht] *pl*
spares *pl*
varapresidentti [VAH-rah-PRAY-
si-daynt-ti] *n* vice-president
varapyörä [VAH-rah-PEWUR-ræ] *n*
spare wheel
vararengas [VAH-rah-RAYNG-ahs]
n spare tyre
varas [VAH-rahs] *n* thief
varastaa [VAH-rahs-tar] *v* steal
varasto [VAH-rahs-toa] *n* store;
stock; warehouse
varastoida [VAH-rahs-toy-dah] *v*
store; stock
varastointi [VAH-rahs-toyn-ti] *n*
storage
varasäiliö [VAH-rah-SÆI-li-ur] *n*
refill
varat [VAH-raht] *pl* means *pl*;
assets *pl*
varata [VAH-rah-tah] *v* book;
reserve; engage

varattu [VAH-raht-too] *adj*
engaged; reserved; occupied

varattu paikka [VAH-raht-too
PIGHK-kah] *n* reserved seat

varauloskäytävä [VAH-rah-oo-
loas-KÆEW-tæ-væ] *n*
emergency exit

varaus [VAH-rah-oos] *n*
reservation; booking

varhainen [VAHR-high-nayn] *adj*
early

varietee [VAH-ri-ay-tay] *n* variety
theatre

varietee-esitys [VAH-ri-ay-tay-
AY-si-tews] *n* variety show

varjo [VAHR-yoa] *n* shadow;
shade

varjoisa [VAHR-yoy-sah] *adj*
shady

varkaus [VAHR-kah-oos] *n* theft

varma [VAHR-mah] *adj* secure;
certain

varmasti [VAHR-mahs-ti] *adv*
surely; without fail

varoa [VAH-roa-ah] *v* mind;
beware

varoittaa [VAH-royt-tar] *v*
caution; warn

varoitus [VAH-royt-toos] *n*
warning

varovainen [VAH-roa-vigh-nayn]
adj careful

varovaisuus [VAH-roa-vigh-soos]
n caution

varovaisuustoimenpide [VAH-
roa-vigh-soos-TOY-mayn-PI-
day] *n* precaution

varpu [VAHR-poo] *n* twig

vartio [VAHR-ti-oa] *n* guard

vartioida [VAHR-ti-oy-dah] *v*
guard

varustaa [VAH-roos-tar] *v*
provide; equip

varustaa nimilipulla [VAH-roos-
tar NI-mi-LI-pool-lah] *v* label

varustaa postimerkillä [VAH-
roos-tar POAS-ti-MAYR-kil-læ] *v*
stamp

varusteet [VAH-roos-tayt] *pl*
equipment; provisions *pl*,
outfit; *plur* kit

varvas [VAHR-vahs] *n* toe

vasara [VAH-sah-rah] *n* hammer

vaseliini [VAH-say-lee-ni] *n*
vaseline

vasen [VAH-sayn] *adj* left; left-
hand

vasikanliha [VAH-si-kahn-LI-
hah] *n* veal

vasikannahka [VAH-si-kahn-
NAHH-kah] *n* calfskin

vasikka [VAH-sik-kah] *n* calf

vaskipiirros [VAHS-ki-PEER-roas]
n print

vasta-alkaja [VAHS-tah AHL-kah-
yah] *n* beginner

vastaan [VAHS-tarn] *prep* against;
versus

vastaanottaa [VAHS-tarn-OAT-tar]
v receive

vastaanottaja [VAHS-tarn-OAT-
tah-yah] *n* addressee

vastaanotto [VAHS-tarn-oat-toa]
n reception

vastaanottoapulainen [VAHS-
tarn-OAT-toa-AH-poo-ligh-
nayn] *n* receptionist

vastaanottohuone [VAHS-tarn-
OAT-toa-HOOOA-nay] *n*
reception office; surgery

vastahakoinen [VAHS-tah-hah-
koy-nayn] *adj* unwilling

vastakohta [VAHS-tah-KOAH-tah]
n contrast

vastalause [VAHS-tah-low-say] *n*
protest

vastapäätä [VAHS-tah-PÆÆ-tæ]
prep opposite

vastata [VAHS-tah-tah] *v* answer; reply

vastaukseksi [VAHS-tah-ook-sayk-si] *adv* in reply

vastaus [VAHS-tah-oos] *n* reply; answer

vastavirtaan [VAHS-tah-VIR-tarn] *adv* upstream

vastenmielinen [VAHS-tayn-MIAY-li-nayn] *adj* repellent

vastoinkäyminen [VAHS-toyn-KÆEW-mi-nayn] *n* reverse

vastustaa [VAHS-toos-tar] *v* contradict; object; oppose

vastustus [VAHS-toos-toos] *n* objection

vastuunalainen [VAHS-toon-AH-ligh-nayn] *adj* responsible

vastuussa [VAHS-toos-sah] *adj* liable

vastuuvelvollisuus [VAHS-too-VAYL-voal-li-soos] *n* liability

vati [VAH-ti] *n* basin

vatkain [VAHT-kighn] *n* mixer

vatkata [VAHT-kah-tah] *v* whip

vatsa~ [VAHT-sah] *pref* gastric

vatsa [VAHT-sah] *n* stomach

vatsahaava [VAHT-sah-HAR-vah] *n* gastric ulcer

vatsakipu [VAHT-sah-KI-poo] *n* stomach ache

vatti [VAHT-ti] *n* watt

vaunu [VOW-noo] *n* wagon

vauraus [VOW-rah-oos] *n* prosperity

vaurio [VOW-ri-oa] *n* damage

vaurioittaa [VOW-ri-oyt-tar] *v* damage

vaurioitunut [VOW-ri-oy-too-noot] *adj* damaged

vauva [VOW-vah] *n* baby

vauvanvaippa [VOW-vahn-VIGHP-pah] *n* diaper

vedenalainen [VAY-dayn-AH-ligh-nayn] *adj* underwater

vedenlämmittäjä [VAY-dayn-LÆM-mit-tæ-yæ] *n* immersion heater

vedenpitävä [VAY-dayn-PI-tæ-væ] *adj* waterproof

vedonlyönnin välittäjä [VAY-doan-LEWURN-nin VÆ-lit-tæ-yæ] *n* bookmaker

vedonlyönti [VAY-doan-LEWURN-ti] *n* bet

vedonlyöntitoimisto [VAY-doan-LEWURN-ti-TOY-mis-toa] *n* betting office

vehnä [VAYH-næ] *n* wheat

veistos [VAYS-toas] *n* carving; sculpture

veistää [VAYS-tææ] *v* carve

veitsi [VAYT-si] *n* knife

vekotin [VAY-koa-tin] *n* gadget

vekseli [VAYK-say-li] *n* draft

velaksi [VAY-lahk-si] on credit

veli [VAY-li] *n* brother

veljenpoika [VAYL-yayn-POY-kah] *n* nephew

veljentytär [VAYL-yayn-TEW-tær] *n* niece

velka [VAYL-kah] *n* debt

veltto [VAYLT-toa] *adj* limp

velvollisuus [VAYL-voal-li-soos] *n* dues *pl*

vene [VAY-nay] *n* boat

venemies [VAY-nay-MIAYS] *n* boatman

venttiili [VAYNT-teeli] *n* valve

venyttää [VAYNEWT-tææ] *v* stretch

verbi [VAYR-bi] *n* verb

verenkierto [VAY-rayng-KIAYR-toa] *n* circulation

verenmyrkytys [VAY-rayn-MEWR-kew-tews] *n* blood-poisoning

verenpaine [VAY-rayn-PIGH-nay] *n* blood-pressure

verenvuoto [VAY-rayn-VOOOA-toa]

n haemorrhage

verho [VAYR-hoa] *n* drapes *pl;* curtain

veri [VAY-ri] *n* blood

verisuoni [VAY-ri-SOOOA-ni] *n* blood-vessel

verkko [VAYRK-koa] *n* net; mesh

verkkoryhmä [VAYRK-koa-REWH-mæ] *n* network

vernissa [VAYR-nis-sah] *n* varnish

vero [VAY-roa] *n* tax

verottaa [VAY-roat-tar] *v* tax

verotus [VAY-roa-toos] *n* taxation

verovapaa [VAY-roa-VAH-par] *adj* tax-free

verrata [VAYR-rah-tah] *v* compare

vertaansa vailla oleva [VAYR-tarn-sah VIGHL-lah OA-lay-vah] *adj* superlative

vertaus [VAYR-tah-oos] *n* comparison

vesi [VAY-si] *n* water

vesimeloni [VAY-si-MAY-loa-ni] *n* watermelon

vesipannu [VAY-si-PAHN-noo] *n* kettle

vesipullo [VAY-si-POOL-loa] *n* water-canteen

vesiputous [VAY-si-POO-toa-oos] *n* waterfall

vesirokko [VAY-si-ROAK-koa] *n* chicken-pox

vesisukset [VAY-si-SOOK-sayt] *pl* water skis *pl*

vesisäiliö [VAY-si-SÆI-li-ur] *n* reservoir

vesivärimaalaus [VAY-si-VÆ-ri-MAR-lah-oos] *n* water-colour

vesiväylä [VAY-si-VÆEW-læ] *n* waterway

vessapaperi [VAYS-sah-PAH-pay-ri] *n* toilet-paper

veto [VAY-toa] *n* draught

vetoketju [VAY-toa-K∧YT-yoo] *n* zipper; zip

vetoomus [VAY-toa-moos] *n* appeal

vetovoima [VAY-toa-VOY-mah] *n* attraction

veturi [VAY-too-ri] *n* locomotive

vety [VAY-tew] *n* hydrogen

vetää [VAY-tææ] *v* pull; draw

vetää pois [VAY-tææ POYS] *v* extraction

vetää puoleensa [VAY-tææ POOOA-layn-sah] *v* attract

vetää takaisin [VAY-tææ TAH-kigh-sin] *v* withdraw

vetää ulos [VAY-tææ OO-loas] *v* extract

viaton [VI-ah-toan] *adj* innocent

viedä maasta [VIAY-dæ MARs-tah] *v* export

viedä pois [VIAY-dæ POYS] *v* take away

viedä säilytykseen [VIAY-dæ-SÆI-lew-tewk-sayn] *v* check

viedä ulos [VIAY-dæ OO-loas] *v* take out

viehättävä [VIAY-hæt-tæ-væ] *adj* lovely

vielä [VIAY-læ] *adv* yet; still

vielä yksi [VIAY-læ EWK-si] another

viemäri [VIAY-mæ-ri] *n* drain

vieno tuuli [VIAY-noa TOO-li] *n* breeze

vientitavarat [VIAYN-ti-TAH-vah-raht] *pl* exports *pl*

vieraanvarainen [VIAY-rarn-VAH-righ-nayn] *adj* hospitable

vieraanvaraisuus [VIAY-rarn-VAH-righ-soos] *n* hospitality

vierailija [VIAY-righ-li-yah] *n* visitor

vierailla [VIAY-righl-lah] *v* visit

vierailu [VIAY-righ-loo] *n* visit

vierailuaika [VIAY-righ-loo-IGH-kah] *n* visiting hours *pl*

vieras [VIAY-rahs] *n* guest; *adj* strange

vierashuone [VIAY-rahs-HOOOA-nay] *n* spare room; guest-room

vieraskäynti [VIAY-rahs-KÆEWN-ti] *n* call

vieressä [VIAY-rays-sæ] *prep* beside; *adv* next to

viesti [VIAYS-ti] *n* message

viettää [VIAYT-tææ] *v* spend

viha [VI-hah] *n* hate

vihainen [VI-high-nayn] *adj* angry

vihannekset [VI-hahn-nayk-sayt] *pl* greens *pl*

vihannes [VI-hahn-nays] *n* vegetable

vihanneskauppias [VI-hahn-nays-KOWP-pi-ahs] *n* greengrocer

vihastus [VI-hahs-toos] *n* temper

vihata [VI-hah-tah] *v* hate

vihellyspilli [VI-hayl-lews-PIL-li] *n* whistle

viheltää [VI-hayl-tææ] *v* whistle

vihjata [VIH-yah-tah] *v* imply

vihkisormus [VIH-ki-SOAR-moos] *n* wedding ring

vihollinen [VI-hoal-li-nayn] *n* enemy

vihreä [VIH-ray-æ] *adj* green

viidakko [VEE-dahk-koal] *n* jungle

viides [VEE-days] *adj* fifth

viidestoista [VEE-days-TOYS-tah] *adj* fifteenth

viihde [VEEH-day] *n* entertainment

viihdyttävä [VEEH-dewt-tæ-væ] *adj* entertaining

viikko__ [VEEK-koa] *pref* weekly

viikko [VEEK-koa] *n* week

viikonloppu [VEE-koan-LOAP-poo] *n* weekend

viikset [VEEK-sayt] *pl* moustache

viikuna [VEE-koo-nah] *n* fig

viila [VEE-lah] *n* file

viileys [VEE-lay-ews] *n* chill

viileä [VEE-lay-æ] *adj* cool

viime aikoina [VEE-may IGH-koy-nah] *adv* lately

viimein [VEE-mayn] at last

viimeinen [VEE-may-nayn] *adj* last; final; *adv* latest

viimeistään [VEE-mays-tææn] *adv* at the latest

viini [VEE-ni] *n* wine

viinikauppias [VEE-ni-KOWP-pi-ahs] *n* wine-merchant

viinikellari [VEE-ni-KAYL-lah-ri] *n* wine-cellar

viiniköynnös [VEE-ni-KUREWN-nurs] *n* vine

viinilasi [VEE-ni-LAH-si] *n* wineglass

viinilista [VEE-ni-LIS-tah] *n* wine-list

viinipullo [VEE-ni-POOL-loa] *n* wine bottle

viinirypäleet [VEE-ni-REW-pæ-layt] *pl* grapes *pl*

viinisato [VEE-ni-SAH-toa] *n* vintage

viinitarha [VEE-ni-TAHR-hah] *n* vineyard

viinitarjoilija [VEE-ni-TAHR-yoy-li-yah] *n* wine-waiter

viipale [VEE-pah-lay] *n* rasher

viipymättä [VEE-pew-mæt-tæ] *adv* right away

viiriäinen [VEE-ri-æi-nayn] *n* quail

viisas [VEE-sahs] *adj* wise

viisaus [VEE-sah-oos] *n* wisdom

viisi [VEE-si] *adj* five

viisikymmentä [VEE-si-KEWM-mayn-tæ] *adj* fifty

viisisataa [VEE-si-SAH-tar] *adj* five hundred

viisitoista [VEE-si-TOYS-tah] *adj* fifteen

viisumi [VEE ɛoo mi] *n* visa

viite [VEE-tay] *n* reference

viivoitin [VEE-voy-tin] *n* ruler

viivyttää [VEE-vewt-tææ] *v* delay

viivytys [VEE-vew-tews] *n* delay

vika [VI-kah] *n* fault

vilahdus [VI-lahh-doos] *n* glimpse

viljapelto [VIL-yah-PAYL-toa] *n* cornfield

viljelemätön [VIL-yay-lay-mæ-turn] *adj* uncultivated

viljellä [VIL-yayl-læ] *v* cultivate

viljelty [VIL-yayl-tew] *adj* cultivated

viljelys [VIL-yay-lews] *n* plantation

villa [VIL-lah] *n* wool

villainen [VIL-ligh-nayn] *adj* woollen

villapaita [VIL-lah-PIGH-tah] *n* jersey; pullover

villatakki [VIL-lah-TAHK-ki] *n* cardigan

villi [VIL-li] *adj* wild; savage; fierce

vilpillinen [VIL-pil-li-nayn] *adj* insincere

vilpitön [VIL-pi-turn] *adj* sincere

vilustuminen [VI-loos-too-mi-nayn] *n* cold

vinokirjaimet [VI-noa-KIR-yigh-mayt] *plur* italics *pl*

vinosti poikittainen [VI-noas-ti-POY-kit-tigh-nayn] *adj* diagonal

vipu [VI-poo] *n* lever

virallinen [VI-rahl-li-nayn] *adj* official

virhe [VIR-hay] *n* mistake

virheellinen [VIR-hayl-li-nayn] *adj* mistaken; wrong; incorrect; defective; faulty

virkavaltaisuus [VIR-kah-VAHL-tigh-soos] *n* bureaucracy

virkaveli [VIR-kah-VAY-li] *n* colleague

virkistys [VIR-kis-tews] *n* refreshment; recreation

virkistyskeskus [VIR-kis-tews-KAYS-koos] *n* recreation centre

virkistää [VIR-kis-tææ] *v* refresh

virnistys [VIR-nis-tews] *n* grin

virnistää [VIR-nis-tææ] *v* grin

virrata [VIR-rah-tah] *v* flow

virta [VIR-tah] *n* current

virtsa [VIRT-sah] *n* urine

vitamiini [VI-tah-mee-ni] *n* vitamin

vitsi [VIT-si] *n* joke

viulu [VIOO-loo] *n* violin

vivahdus [VI-vahh-doos] *n* shade

vohlannahka [VOAH-lahn-NAHH-kah] *n* kid

vohveli [VOAH-vay-li] *n* wafer; waffle

voi [VOY] *n* butter

voida [VOY-dah] *v* can; may

voide [VOY-day] *n* ointment; salve; cream

voidella [VOY-dayl-lah] *v* lubricate

voileipä [VOY-LAY-pæ] *n* sandwich

voileipäkeksi [VOY-LAY-pæ-KAYK-si] *n* cracker

voima [VOY-mah] *n* strength; power; force

voimakas [VOY-mah-kahs] *adj* powerful

voimalaitos [VOY-mah-LIGH-toas] *n* power station

voimistelija [VOY-mis-tay-li-yah]

n gymnast

voimistelu [VOY-mis-tay-loo] *n* gymnastics *pl*

voimistelusali [VOY-mis-tay-loo-SAH-li] *n* gymnasium

voimistelutossut [VOY-mis-tay-loo-TOAS-soot] *pl* gym shoes *pl*

voitelu [VOY-tay-loo] *n* lubrication

voitelukoneisto [VOY-tay-loo-KOA-nays-toa] *n* lubrication system

voiteluöljy [VOY-tay-loo-URL-yew] *n* lubrication oil

voittaa [VOYT-tar] *v* beat; win; defeat

voittaja [VOYT-tah-yah] *n* winner

voittava [VOYT-tah-vah] *adj* winning

voitto [VOYT-toa] *n* victory; profit

voittoisa [VOYT-toy-sah] *adj* triumphant

voittosumma [VOYT-toa-SOOM-mah] *nsing* wish; *n* winnings *pl*

vokaali [VOA-kar-li] *n* vowel

voltti [VOALT-ti] *n* volt

vuode [VOOOA-day] *n* bed

vuodenaika [VOOOA-dayn-IGH-kah] *n* season

vuodevaatteet [VOOOA-day-VART-tayt] *pl* bedding

vuohi [VOOOA-hi] *n* goat

vuokra- [VOOOAK-rah] *pref* rental

vuokra [VOOOAK-rah] *n* rent

vuokra-asunto [VOOOAK-rah-AH-soon-toa] *pl* lodgings *pl*

vuokra-auto [VOOOAK-rah-ow-toa] self-drive

vuokra-autoilija [VOOOAK-rah ow-toy-li-yah] *n* taxi-driver

vuokraemäntä [VOOOAK-rah-AY-mæn-tæ] *n* landlady

vuokraisäntä [VOOOAK-rah-I-sæn-tæ] *n* landlord

vuokralainen [VOOOAK-rah-ligh-nayn] *n* tenant; lodger

vuokrasopimus [VOOOAK-rah-SOA-pi-moos] *n* lease

vuokrata [VOOOAK-rah-tah] *v* hire; let; rent; charter

vuokratalo [VOOOAK-rah-TAH-loa] *n* apartment house

vuokrattavana [VOOOAK-raht-tah-vah-nah] for hire

vuono [VOOOA-noa] *n* fjord

vuoraus [VOOOA-rah-oos] *n* lining

vuorenharjanne [VOOOA-rayn-HAHR-yahn-nay] *n* ridge

vuori [VOOOA-ri] *n* mountain

vuorijono [VOOOA-ri-YOA-noa] *n* mountain range

vuorinen [VOOOA-ri-nayn] *adj* mountainous

vuoristokiipeily [VOOOA-ris-toa-KEE-pay-lew] *n* mountaineering

vuoroittainen [VOOOA-royt-tigh-nayn] *adj* alternate

vuorolaiva [VOOOA-roa-LIGH-vah] *n* liner

vuorovesi [VOOOA-roa-VAY-si] *n* tide

vuosi [VOOOA-si] *n* year

vuosipäivä [VOOOA-si-PÆI-væ] *n* anniversary

vuosisata [VOOOA-si-SAH-tah] *n* century

vuosittain [VOOOA-sit-tighn] *adv* per annum

vuotaa [VOOOA-tar] *v* leak

vuotaa verta [VOOOA-tar VAYR-tah] *vi* bleed

vuoto [VOOOA-toa] *n* leak

vuotuinen [VOOOA-tooi-nayn] *adj* yearly

vyö [VEWUR] *n* belt

vyöhyke [VEWUR-hew-kay] *n* zone

vyötärö [VEWUR-tæ-rur] *n* waist

väestö [VÆ-ays-tur] *n* population

vähemmistö [VÆ-haym-mis-tur] *n* minority

vähemmän [VÆ-haym-mæn] *adv* less

vähennys [VÆ-hayn-news] *n* decrease

vähentää [VÆ-hayn-tææ] *v* deduct; decrease; subtract; lessen

vähin [VÆ-hin] *n* least

vähitellen [VÆ-hi-tayl-layn] little by little

vähittäiskauppa [VÆ-hit-tæis-KOWP-pah] *n* retail trade

vähittäiskauppias [VÆ-hit-tæis-KOWP-pi-ahs] *n* retailer

vähittäismaksujärjestelmä [VÆ-hit-tæis-MAHK-soo-YÆR-yays-tayl-mæ] *n* hire-purchase

vähäinen [VÆ-hæi-nayn] *adj* slight; minor

vähäinen määrä [VÆ-hæi-nayn MÆÆ-ræ] *n* a little

vähän lisää [VÆ-hæn LI-sæææ] some more

vähäpätöinen [VÆ-hæ-pæ-turi-nayn] *adj* petty

väitellä [VÆI-tayl-læ] *v* argue

väittely [VÆIT-tay-lew] *n* argument; dispute

väittää [VÆIT-tææ] *v* insist

väkivalta [VÆ-ki-VAHL-tah] *n* violence

väkivaltainen [VÆ-ki-VAHL-tigh-nayn] *adj* violent

väkivipu [VÆ-ki-VI-poo] *n* jack

väli [VÆ-li] *n* interval; space

väliaika [VÆ-li-IGH-kah] *n* interlude; intermission

väliaikainen [VÆ-li-IGH-kigh-nayn] *adj* temporary

väliaikais∼ [VÆ-li-IGH-kighs]

pref interim

väliintulo [VÆ-leen-TOO-loa] *n* interference

välikerros [VÆ-li-KAYR-roas] *n* mezzanine

Välimeri [VÆ-li-MAY-ri] *n* Mediterranean

välipala [VÆ-li-PAH-lah] *n* snack

välissä [VÆ-lis-sæ] *prep* between

välittää [VÆ-lit-tææ] *v* care for

välittää tietoa [VÆ-lit-tææ TIAY-toa-ah] *v* communicate

välittömästi [VÆ-lit-tur-mæs-ti] *adv* instantly; immediately

välitysliike [VÆ-li-tews-LEE-kay] *n* agency

välitön [VÆ-li-turn] *adj* immediate

välttämättömyys [VÆLT-tæ-mæt-tur-mews] *n* necessity

välttämätön [VÆLT-tæ-mæ-turn] *adj* necessary

välttää [VÆLT-tææ] *v* avoid

väri [VÆ-ri] *n* colour; dye

väriaine [VÆ-ri-IGH-nay] *n* colourant

värifilmi [VÆ-ri-FIL-mi] *n* colour-film

värihuuhtelu [VÆ-ri-HOOH-tay-loo] *n* rinse

värikäs [VÆ-ri-kæs] *adj* colourful

värillinen [VÆ-ril-li-nayn] *adj* coloured

värisevä [VÆ-ri-say-væ] *adj* shivery

väristä [VÆ-ris-tæ] *v* shiver

värjätä [VÆR-yæ-tæ] *v* dye

värähdellä [VÆ-ræh-dayl-læ] *v* vibrate

värähtely [VÆ-ræh-tay-lew] *n* vibration

väsynyt [VÆ-sew-newt] *adj* tired

väsyttävä [VÆ-sewt-tæ-væ] *adj* tiring

väsyä [VÆ-sew-æ] *v* tire

vävy [VÆ-vew] *n* son-in-law

vääntyä [VÆÆN-tewæ] *v* twist

väärinkäsitys [VÆÆ-rin-KÆ-si-tews] *n* misunderstanding

vääryys [VÆÆ-rews] *n* wrong; injustice

väärä [VÆÆ-ræ] *adj* wrong; false

ydin [EW-din] *n* substance

ydin- [EW-din] *pref* nuclear

yhdeksän [EWH-dayk-sæn] *adj* nine

yhdeksänkymmentä [EWH-dayk-sæn-KEWM-mayn-tæ] *adj* ninety

yhdeksäntoista [EWH-dayk-sæn-TOYS-tah] *adj* nineteen

yhdeksäs [EWH-dayk-sæs] *adj* ninth

yhdeksästoista [EWH-dayk-sæs-TOYS-tah] *adj* nineteenth

yhden hengen- [EWH-dayn HAYNG-ayn] *pref* single

yhden hengen huone [EWH-dayn HAYNG-ayn HOOOA-nay] *n* single room

yhden hengen sänky [EWH-dayn HAYNG-ayn SÆNG-kew] *n* single bed

yhdensuuntainen [EWH-dayn-SOON-tigh-nayn] *adj* parallel

yhdessä [EWH-days-sæ] *adv* together; jointly

yhdestoista [EWH-days-toys-tah] *adj* eleventh

yhdistelmä [EWH-dis-tayl-mæ] *n* combination

yhdistys [EWH-dis-tews] *n* association

yhdistää [EWH-dis-tææ] *v* combine; connect; unite

yhdysside [EWH-dews-SI-day] *n* link

Yhdysvallat [EWH-dews-VAHL-laht] *pl* United States; States, the *pl*

yhdysviiva [EWH-dews-VEE-vah] *n* hyphen

yhteenlasku [EWH-tayn-LAHS-koo] *n* addition

yhteentörmäys [EWH-tayn-TURR-mæ-ews] *n* collision

yhteenveto [EWH-tayn-VAY-toa] *n* summary

yhteiskunnallinen [EWH-tays-KOON-nahl-li-nayn] *adj* social

yhteiskunta [EWH-tays-KOON-tah] *n* society

yhteistyö [EWH-tays-TEWUR] *n* co-operation

yhteisö [EWH-tay-sur] *n* community

yhteydessä [EWH-tayew-days-sæ] connected with

yhteydet [EWH-tayew-dayt] *pl* connections *pl*

yhteys [EWH-tay-ews] *n* connection

yhtiö [EWH-ti-ur] *n* company

yhtye [EWH-tew-ay] *n* band

yhtäläinen [EWH-tæ-læi-nayn] *adj* equal

yhä enemmän [EW-hæ AY-naym-mæn] more and more

yksi [EWK-si] *adj* one

yksikkö [EWK-sik-kur] *n* singular; unit

yksilö [EWK-si-lur] *n* individual

yksilöllinen [EWK-si-lurl-li-nayn] *adj* individual

yksin [EWK-sin] *adv* alone

yksinkertainen [EWK-sin-kayr-tigh-nayn] *adj* plain; simple

yksinkertaisesti [EWK-sin-kayr-tigh-says-ti] *adv* simply

yksinoikeus [EWK-sin-OY-kayoosl *n* monopoly

yksinäinen [EWK-si-næi-nayn] *adj* lonely

yksinään [EWK-si-næææn] by oneself

yksisuuntainen [EWK-si-EOON tigh-nayn] *n* one-way traffic

yksitoikkoinen [EWK-si-toyk-koy-nayn] *adj* monotonous

yksitoista [EWK-si-toys-tah] *adj* eleven

yksityinen [EWK-si-tewi-nayn] *adj* private

yksityinen talo [EWK-si-tewi-nayn TAH-loa] *n* private house

yksityiselämä [EWK-si-tewis-AY-læ-mæ] *n* privacy

yksityiskohta [EWK-si-tewis-KOAH-tah] *n* detail

yksityiskohtainen [EWK-si-tewis-KOAH-tigh-nayn] *adj* detailed

yksityisomaisuus [EWK-si-tewis-OA-migh-soos] *n* private property

yksityisopettaja [EWK-si-tewis-OA-payt-tah-yah] *n* tutor

yleensä [EW-layn-sæ] *adv* in general; as a rule

yleinen [EW-lay-nayn] *adj* general

yleislääkäri [EW-lays-LÆÆ-kæ-ri] *n* general practitioner

yleismaailmallinen [EW-lays-MAR-il-mahl-li-nayn] *adj* universal

yleisurheilu [EW-lays-OOR-hay-loo] *n* athletics *pl*

yleisö [EW-lay-sur] *n* audience; public

ylellinen [EW-layl-li-nayn] *adj* luxurious

ylellisyys [EW-layl-li-sews] *n* luxury

ylempi [EW-laym-pi] *adj* upper;

superior

ylempi makuusija [EW-laym-pi MAH-koo-si-yah] *n* upper berth

ylenkatse [EW-layn-KAHT-say] *n* scorn

yli [EW-li] *adv* over; *prep* above

yli laidan [EW-li LIGH-dahn] *adv* overboard

yli yön [EW-li EWURN] *adv* overnight

yliaika [EW-li-IGH-kah] *n* overtime

ylijäämä [EW-li-YÆÆ-mæ] *n* surplus

ylikuormitus [EW-li-KOOOAR-mi-toos] *n* surcharge

ylimääräinen [EW-li-mæææ-ræi-nayn] *adj* spare; extra

ylimääräinen maksu [EW-li-mæææ-ræi-nayn MAHK-soo] *n* extras *pl*

ylin [EW-lin] *adj* top

ylin parvi [EW-lin PAHR-vi] *n* gallery

yliopisto [EW-li-OA-pis-toa] *n* university

ylistys [EW-lis-tews] *n* praise

ylistää [EW-lis-tæææ] *v* praise

ylittää [EW-lit-tæææ] *v* exceed; cross over

ylityspaikka [EWLI-tews-PIGHK-kah] *n* crossing

yliväsynyt [EW-li-VÆ-sew-newt] *adj* overtired

ylläpito [EWL-læ-PI-toa] *n* maintenance

ylläpitää [EWL-læ-PI-tæææ] *v* maintain

yllättynyt [EWL-læt-tew-newt] *adj* surprised

yllättävä [EWL-læt-tæ-væ] *adj* surprising

yllättää [EWL-læt-tæææ] *v* surprise

yllätys [EWL-læ-tews] *n* surprise

yllätyskutsut [EWL-læ-tews-KOOT-soot] *pl* party

ylpeys [EWL-pay-ews] *n* pride

ylpeä [EWL-pay-æ] *adj* proud

yläkerrassa [EW-læ-KAYR-rahs-sah] *adv* upstairs

ylämaa [EW-læ-MAR] *n* upland

ylämäkeä [EW-læ-mæ-kay-æ] *adv* uphill

yläpuolella [EW-læ-POOOA-layl-lah] *adv* overhead; above; *prep* over

yläpuoli [EW-læ-POOOA-li] *n* upside

ylävuode [EW-læ-VOOOA-day] *n* upper bed

ylös [EW-lurs] *adv* up

ylös ja alas [EW-lurs yah AH-lahs] up and down

ylösalaisin [EW-lurs-AH-ligh-sin] upside down

ylöspäin [EW-lurs-PÆIN] *adv* upwards

ymmärrys [EWM-mær-rews] *n* understanding; sense

ymmärtää [EWM-mær-tææ] *v* understand; take in

ympäri [EWM-pæ-ri] *adv* around; *prep* around

ympäristö [EWM-pæ-ris-tur] *n* surroundings *pl*

ympäröidä [EWM-pæ-ruri-dæ] *v* surround; encircle; circle

ympäröivä [EWM-pæ-ruri-væ] *adj* surrounding

ynnä [EWN-næ] *prep* plus

yritteliäs [EW-rit-tay-li-æs] *adj* enterprising

yrittää [EW-rit-tææ] *v* attempt; try

yritys [EW-ri-tews] *n* undertaking; enterprise; concern

yrtti [EWRT-ti] *n* herb

yskiä [EWS-ki-æ] *v* cough

yskä [EWS-kæ] *n* cough

yskänlääke [EWS-kæn-LÆÆ-kay] *n* cough-mixture

yskänpastillit [EWS-kæn-PAHS-til-lit] *pl* cough-drops *pl*; cough-lozenges *pl*

ystävyys [EWS-tæ-vews] *n* friendship

ystävä [EWS-tæ-væ] *n* friend

ystävällinen [EWS-tæ-væl-li-nayn] *adj* friendly; kind

yö [EWUR] *n* night

yöjuna [EWUR-YOO-nah] *n* night train

yökerho [EWUR-kayr-hoa] *n* night-club

yölento [EWUR-LAYN-toa] *n* night-flight

yöllä [EWURL-læ] by night

yöpaita [EWUR-PIGH-tah] *n* nightdress

yöpuku [EWUR-POO-koo] *n* pyjamas *pl*

yötaksa [EWUR-TAHK-sah] *n* night-rate

yövoide [EWUR-VOY-day] *n* night-cream

zoom-objektiivi [ZOOM OAB-yayk-tee-vi] *n* zoom lens *pl*

äidinkieli [ÆI-din-KIAY-li] *n* native language; mother tongue

äiti [ÆI-ti] *n* mother

äkillinen [Æ-kil-li-nayn] *adj* sudden

äkkijyrkkä [ÆK-ki-YEWRK-kæ] *adj* steep

äly [Æ-lew] *n* intellect

älykkyys [Æ-lewk-kews] *n*

intelligence
älykäs [Æ-lew-kæs] *adj*
intelligent; smart; bright
älyllinen [Æ-lewl-li-nayn] *adj*
intellectual
ärsyttää [ÆR-sewt-tæææ] *v* irritate
ärtyisä [ÆR-tewi-sæ] *adj*
irritable
ässä [Æs-sæ] *n* ace
ääneen [ÆÆ-nayn] *adv* aloud
äänekäs [ÆÆ-nay-kæs] *adj* loud
äänensävy [ÆÆ-nayn-sÆ-vew] *n*
tone
äänenvaimennin [ÆÆ-nayn-
VIGH-mayn-nin] *n* silencer
äänestää [ÆÆ-nays-tæææ] *v* vote
äänetön [ÆÆ-nay-turn] *adj*
silent
ääni [ÆÆ-ni] *n* sound; voice; vote
äänieristetty [ÆÆ-ni-AY-ris-tayt-
tew] *adj* soundproof

äänilevy [ÆÆ-ni-LAY-vew] *n*
record; disc
äänilevykauppa [ÆÆ-ni-LAY-
vew-KOWP-pah] *n* record shop
äänitorvi [ÆÆ-ni-TOAR-vi] *n* horn
ääntäminen [ÆÆN-tæ-mi-nayn]
n pronunciation
ääntää [ÆÆN-tæææ] *v* pronounce
ääntää väärin [ÆÆN-tæææ VÆÆ-
rin] *v* mispronounce
äärimmäinen [ÆÆ-rim-mæi-
nayn] *adj* utmost; extreme

öljyinen [URL-yewi-nayn] *adj* oily
öljylähde [URL-yew-LÆH-day] *n*
oil-well
öljymaalaus [URL-yew-MAR-lah-
oos] *n* oil-painting
öljypaine [URL-yew-PIGH-nay] *n*
oil pressure

Menu reader

FOOD

aamiainen breakfast
ahven perch
alkupalat appetizers
ananas pineapple
anjovis anchovies
ankanpoika duckling
ankerias eel
ankka duck
appelsiini orange
aprikoosi apricot
Aura blue-veined cheese, variety
of *roquefort*
blinit thin pancakes of buck-
wheat flour; generally ac-
companied by wild berries or
by caviar
bortschkeitto bortscht(t); a beet-
root soup containing cabbage
and meat, topped with sour
cream
etikka vinegar
grapehedelmä grapefruit
grillattu grilled
hampurilainen hamburger
hanhi goose
hapankaali sauerkraut
hapankorppu a variety of crisp-
bread, hardtack
hauki pike
uunissa paistettu ~ oven-baked
pike
hedelmä fruit
~salaatti fruit cocktail

herkkusienet button mushrooms
herneet peas
hernekeitto pea soup
hillo jam, marmalade
hirvenliha elk
Hovi a mild, soft cheese similar
to *petit-suisse*
hummeri lobster
hunaja honey
hyvin paistettu well-done (of
meat)
hyytelö jelly, gelatine
häränfilee fillet of beef
häränhäntä oxtail
inkivääri ginger
jauheliha minced beef, hash
~ pihvi beefburger
Juhla a hard cheese not unlike
cheddar
juusto cheese
jälkiruoka dessert, sweet
jänis hare
~paisti casserole of hare
jää ice
~telö ice-cream
kaali cabbage
~kääryleet cabbage leaves
stuffed with minced meat and
rice
kahvikakku coffee cake
kakku cake
hedelmä~ fruit cake
kahvi~ coffee cake

sokeri~ sponge cake
suklaa~ chocolate cake
täyte~ layer cake
kala fish
　~**keitto** fish soup
　~**kukko** a loaf of alternating
　　layers of fish and pork (Savo)
　~**pihvit** fish cakes, patties
　~**pullat** fish cakes, fish balls
kalkkuna turkey
kana, kananpoika chicken
　paistettu ~ fried chicken
　~**paisti** roast chicken
　~**n rinta** chicken breast
kananmuna(t) egg(s)
kaneli cinnamon
Kappeli a soft but strong, creamy
　cheese
karhunpaisti bear meat
karjalanpaisti pork, beef and
　mutton stew
karjalanpiirakat pasties served
　with butter or chopped eggs
　and butter
karpalot cranberries
Kartano a cheese similar to *gouda*
　but milder
karviaismarjat gooseberries
kastike sauce, gravy
kateenkorvat sweetbreads
katkaravut shrimp
kaurapuuro oatmeal porridge
keitetty boiled, cooked
keitto soup
　herne~ peas and pork
　kaali~ cabbage
　kala ~ fish
　kana ~ chicken
　kesä~ "summer soup"; fresh
　　vegetables, flour, milk
　kukkakaali~ cauliflower
　liha~ a stew of beef, potatoes,
　　carrots
　pinaatti~ spinach

tomaatti~ tomato
vihannes~ vegetable
keksit biscuits (US cookies,
　crackers)
kerma cream
　~**kastike** cream sauce
Kesti a strong, caraway-flavoured
　cheese
kieli tongue
kiisseli dish made of fruit and
　fruit juice thickened with pota-
　to flour
kilohailit sprats
kinkku ham
　raakasuolattu ~ cured ham
　savustettu ~ smoked ham
kirsikat cherries
kohokas soufflé
　juusto~ cheese soufflé
　luumu~ prune soufflé
　pinaatti~ spinach soufflé
　suklaa~ chocolate soufflé
kolja haddock
korppu rusk (US zwieback)
korvapuusti coffee bun, coffee roll
korvasienet morel mushrooms
Kreivi a strong cheese similar to
　tilsit
kuha pike perch
kuivatut luumut prunes
kukkakaali cauliflower
kumina caraway
kuoreet smelt
kurkku cucumber
kylkipaisti rib steak
kypsä well-done (of meat)
kääresyltty brawn, head cheese
köyhät ritarit "poor knights";
　slices of bread dipped in egg
　and milk and fried; topped
　with jam
lahna bream
lakka, lakat arctic cloudberries
lammas lamb, mutton

~**kaali** mutton stew and cabbage

lampaankotletti ~ lamb cutlet

lampaankyljys ~ mutton chop

lanttu swede

~**laatikko** swedes mashed and baked in the oven

lehtisalaatti lettuce

leikkeleet cold meats

leipä bread

hapan~ rye bread

hijva~ white bread

ranskan~ french bread

ruis~ rye bread

valkoinen ~ white bread

leivokset pastries

liemi soup, broth

liha meat

~**liemi** meat broth

~**piirakka** meat pastry

~**pyörykät** meat balls

limppu large, round loaf of rye bread, sometimes slightly sweet

Lindströmin pihvi diced beef, beetroot, potatoes and other vegetables served with fried onions and a piquant cream sauce

lipeäkala codfish soaked in lye solution

lohi salmon

paistettu ~ fried salmon

savustettu ~ smoked salmon

lounasmakkara luncheon sausage

Luostari soft cheese similar to *port salut*

luumut plums

made burbot (fish)

maito milk

makaroni macaroni

makeiset sweets, confectionary (US candy)

makkarat sausages

makrilli mackerel

maksa liver

~**laatikko** baked liver purée with rice and raisins

mansikat strawberries

mansikkatorttu strawberry tart

mantelit almonds

marengit meringue

marjat berries

marmelaati, marmeladi marmalade

mateenmäti caviar (from burbot fish)

mehukeitto a berry-juice soup with potato flour and sugar

meloni melon

mesimarjat arctic brambleberries

metso capercaillie

metsämansikat wild strawberries

metvursti salami

muhennettu stewed

muhennos stew

muikku, muikut small whitefish

muna(t) egg(s)

kovaksi keitetyt ~ hard-boiled eggs

~**kokkeli** scrambled eggs

munia ja kinkkua ham and eggs

munia ja pekonia eggs and bacon

paistetut ~ fried eggs

pehmeäksi keitetyt ~ softboiled eggs

munakas omelet

hillo~ jam omelet

juusto~ cheese omelet

kinkku~ ham omelet

pekoni~ bacon omelet

sieni~ mushroom omelet

munavoi finely-chopped hardboiled egg with butter

munkki (munkit) doughnut(s)

munuaiset kidneys

mustikat blueberries, whortleber-

---

ries
mustikkakeitto a dessert of blueberries in gelatine
mustikkapiirakka blueberry tart
muuraimet arctic cloudberries
mämmi a Finnish Easter speciality consisting of rye-malt, rye-meal, treacle, orange peel; eaten with cream and sugar
mäti roe
nakit frankfurters
naudanliha beef
näkkileipä crispbread, hardtack
ohra barsley
~**ryynipuuro** barley porridge
ohukas, ohukkaat small, thin pancakes
oliiviöljy olive oil
omena apple
~**piirakka** apple pie
~**sose** apple sauce
~**torttu** apple tart
~**vanukas** apple pudding
paahdettu toasted, roasted
paahtoleipä toast
paistettu fried
paisti steak or fillet cut from any kind of meat
pannukakku thick pancake
paperissa savustettu kala fish wrapped in parchment paper and smoked on hot embers
papu bean
pariloitu grilled
parsa asparagus
patakukko fish pie
patapaisti pot roast
pekoni bacon
peltopyy partridge
persilja parsley
peruna(t) potato(es)
keitetyt ~ stewed potatoes
kuori~ potatoes baked in their

jackets
~ **kuutiot** diced potatoes
paahdetut ~ roast potatoes
paistetut ~ fried potatoes
ranskalaiset ~ chips (US french fries)
~**salaatti** potato salad
~**sose** mashed potatoes
täytetyt ~ stuffed potatoes
uunissa paistetut ~ baked potatoes
pihvi beef, steak
piimäjuusto a variety of sour milk cheese produced from skimmed milk
piimäpiirakka pie made with oven-baked curdled milk, eggs, vanilla, raisins
piirakka pie or pasty with filling of meat, fish, fruit or rice
piiras, piiraat pasty, pasties
pikkuleipä(~**leivät**) biscuit(s) (US cookies)
pinaatti spinach
piparjuuri horseradish
~**liha** boiled beef with horseradish sauce
piparkakku gingerbread
pippuri pepper
porkkana carrot
poro reindeer
~**nkieli** reindeer tongue
~**nkäristys** reindeer stew (Lapland)
~**nliha** reindeer meat (fillet or diced and stewed)
porsas pork
porsaankyljys pork chop
porsaanpaisti roast pork
porsaansorkat, siansorkat pig's feet, trotters
pulla bun, coffee cake
punajuuri beetroot
puolikypsä medium-done

puolukat lingonberries
puolukkapuuro porridge made with semolina and lingonberries
puuro porridge
pyy hazel hen
pähkinäkakku cake made of ground walnuts and whipped cream
pähkinät nuts
päivän erikoisruoka speciality of the day
päärynä(t) pear(s)
rahkapiirakka pie made with oven-baked curdled milk, eggs, vanilla, raisins
raparperi rhubarb
ravut crayfish
retiisit radishes
riekko ptarmigan
~paisti roast ptarmigan
rieska scone, small roll (unleavened) (US biscuit)
riisi rice
~puuro rice pudding
rosolli salad with diced vegetables, hard-boiled eggs, herring in sour-cream sauce
ruispuuro rye porridge
rusinat raisins, sultanas
savusilakka smoked Baltic herring
savustettu smoked
sianliha pork
sianlihakastike a gravy made with sliced pork
sieni, sienet mushroom(s)
siika whitebait
silakka Baltic herring, sprats
~laatikko potato and Baltic herring stew
savu~ smoked Baltic herring
silli herring
suola~ soused, marinated herring

sinappi mustard
sipuli(t) onion(s)
~pihvi steak and onions
Siro a hard cheese with a strong tang
sisälmykset giblets
sitruuna lemon
sokeri sugar
~kakku sponge cake
sorsa wild duck
stroganoff chunks of beef and onions browned in a casserole, seasoned, braised in bouillon with tomato juice and sour cream
suklaa chocolate
~kakku chocolate cake
~kastike chocolate sauce
suola salt
~kurkku gherkin, pickle
~liha corned beef
~silli soused, marinated herring
suomuuraimet arctic cloudberries
suutarinlohi "cobbler's salmon"; Baltic herring marinated in vinegar
sämpylä roll
särki roach (fish)
tahkojuusto type of *emmenthal*, swiss cheese
taimen trout
teeri black grouse
tilli dill
~lammas boiled mutton in dill sauce
~liha boiled lamb or veal flavoured with dill sauce
~silli herring in dill sauce
tomaatti tomato
tonnikala tunny (US tuna)
turska cod
Turunmaa a mild, creamy cheese

täyte stuffing, filling, forcemeat
  ~**kakku** layer cake
uunipuuro baked barley or rice
  porridge
uunissa paistettu baked
vadelmat raspberries
vanilja vanilla
  ~ **kastike** custard
vanukas pudding
vasikanliha veal
vasikanpaisti roast veal
vasikansyltty veal brawn
vatkattu kerma whipped cream
vehnä wheat
  ~**korput** wheat rusks (often
  served with fruit soup)
velli gruel (usually rice gruel)
veriohukaiset thin pancakes made
  with blood, eaten with lingon-
  berries
veripalttu blood pudding (US

  black pudding)
vihannekset vegetables
viinimarjat currants
viinirypäleet grapes
viipurin rinkelit type of cake or
  bun in the shape of a figure 8
vohvelit waffles
voi butter
voileipä, voileivät sandwich(es),
  usually open-faced
voileipäpöytä smörgåsbord; a
  luncheon or supper buffet
  offering a wide variety of foods
  and dishes (appetizers, hot and
  cold dishes, fish, cheese, salads,
  relishes, desserts)
vähän paistettu raw, rare
välikyljys rib or rib-eye steak
wienerleipä danish coffee rolls,
  pastry
öljy oil

DRINK

akvaviitti brandy, often flavoured
  with caraway
aperitiivi aperitif
appelsiinijuoma orange squash
  (*US* orange drink)
gini gin
  ~ **ja lime** gin and lime
  ~ **ja tonic** gin and tonic
hedelmämehu fruit juice
jaloviina a strong, yellow liquor
  distilled from potatoes
jäävesi iced water
kaakao cocoa
kahvi coffee
  ~ **kerman (ja sokerin) kera** cof-

  fee with cream (and sugar)
  maito~ coffee with milk
  musta ~ black coffee
kalja a type of beer, but non-alco-
  holic
kerma cream
(kirnu)piimä buttermilk, curdled
  milk
kivennäisvesi mineral water
kokkelipiimä a beverage made
  from curdled sour milk
konjakki brandy
Koskenkorva a strong brandy with
  a grain base
kuiva dry

Lakka liqueur distilled from arctic cloudberries
likööri liqueur
limonaadi limonade
maito milk
makea sweet
mehu juice
  ananas~ pineapple juice
  appelsiini~ orange juice
  grape~ grapefruit juice
  sitruuna~ lemon juice
  tomaatti~ tomato juice
Mesimarja arctic bramble liqueur
mineraalivesi mineral water
olut beer
  E ~ "export"; the strongest beer available
  keski~ a medium-strong beer
  lager~ lager
  tumma ~ dark
  vaalea ~ light
piimä buttermilk, curdled milk
pilsneri a very mild, light beer
portviini port wine
pöytäviina a strong brandy
rommi rum
shamppanja champagne
sherry sherry
siideri cider

sima a refreshing beverage produced from powdered and brown sugar, lemon, yeast, hops and water
Suomuurain cloudberry liqueur
tee tea
  ~ **maison kanssa** with milk
  ~ **sitruunan kanssa** with lemon
tonic-vesi tonic water
tuoremehu juice
tähkäviina a brandy distilled from grain
Vaakuna a liquor distilled from wood alcohol
vermutti vermouth
vesi water
viina liquor
virvoitusjuoma 1) lemonade 2) soft drink(s)
viini wine
  kuiva ~ dry
  makea ~ sweet
  puna~ red
  rosé~ rosé
  valko~ white
viski whisky
  ~ **ja sooda** and soda
  ~ **ja vettä** and water
väkijuomat liquor

FINNISH ABBREVIATIONS

AK	Autoklubi	Finnish Automobile Club
ao.	asianomainen	person or thing in question
ap.	aamupäivällä	a.m.
as.	asema	railway station
ed.	edellinen	former, above-mentioned
eKr.	ennen Kristuksen syntymää	B.C.
em.	edellä mainittu	afore-mentioned
ent.	entinen	former
esim.	esimerkiksi	for instance
fil. tri	filosofian tohtori	Ph.D.
Hki	Helsinki	Helsinki
HKL	Helsingin Kaupungin Liikennelaitos	Helsinki Municipal Transport Company
hra	herra	Mr.
huom.	huomaa, huomautus	note
hv.	hevosvoima(a)	horsepower
ip.	iltapäivällä	p.m.
JK, PS	jälkikirjoitus	postscript
jKr.	jälkeen Kristuksen syntymän	A.D.
jne.	ja niin edelleen	and so on
joht.	johtaja	director
kk.	1) kuukausi, kuukautta	month
	2) kansakoulu	elementary school
	3) kirkonkylä	small municipality, township
klo	kello	o'clock
ko.	kyseessä oleva	in question, under discussion
kpl	kappaletta	pieces
ks.	katso	see
l.	eli	or
lääket. tri	lääketieteen tohtori	medical doctor
lvv.	liikevaihtovero	turnover tax
maist.	maisteri	master's degree, used as title
min.	minuutti(a)	minute(s)
mk	markka(a)	Finnish mark(s)
mm	muun muassa	among other things
muist.	muistutus	reminder
n.	noin	approximately
nim.	nimittäin	namely
nk.	niin kutsuttu	so-called

no.	numero	number
ns.	niin sanottu	so-called
nti.	neiti	Miss
oik.	oikeastaan	really, properly, actually
os.	osoite	address
OY, O.y.	osakeyhtiö	Ltd., Inc.
p	penni(ä)	penny, subdivision of the mark
p.o.	pitää olla	in corrections: must be
puh	puhelin	telephone
puh. joht.	puheenjohtaja	chairman
pv.	päivä	day
pvm.	päivämäärä	date
rva	rouva	Mrs.
s., ss.	sivu, sivut	page, pages
sek.	sekunti(a)	second(s)
seur.	seuraava	following
t	tunti(a)	hour(s)
t.	tai	or
tav.	tavallisesti	usually
tk.	tämän kuun	of the month
toim. joht.	toimitusjohtaja	managing director
tuom.	tuomari	lawyer, barrister
tus.	tusina	dozen
v.	vuosi, vuonna	year
vk.	viikko(a)	week(s)
VP	vastausta pyydetään	please reply
VR	Valtion Rautatiet	Finnish State Railways
vrk	vuorokausi, vuorokautta	day(s), unit(s) of 24 hours
vrt.	vertaa	reference, cf.
YK	Yhdistyneet Kansakunnat	United Nations
yl.	yleensä	generally
ym.	ynnä muuta	etc.

TIME AND MONEY

Time. The twelve-hour system is used in Finland in everyday speech. Time-tables use the 24-hour system.

Note that *kello* corresponds to "o'clock":
  kello kuusi   six o'clock

If you want to say: " It is...", you say:
  Kello on puoli seitsemän.   It's half past six.

If it is necessary to indicate whether it is a.m. or p.m., add *aamulla* (morning, midnight-6 a.m.), *aamupäivällä* (forenoon), *iltapäivällä* (afternoon) or *illalla* (evening):
  kello kahdeksan aamulla   eight a.m.
  kello kaksi iltapäivällä   two p.m.
  kello puoli kymmenen illalla   nine thirty p.m.

Dates. For days of the month, use ordinal numbers:
  kesäkuun kuudestoista päivä   (lit.: the 16th of June)

The year is indicated like any number:
  tuhat yhdeksänsataa seitsemän kymmentäkolme   1973

Currency. The basic unit is the Finnish mark (*markka*; abb.: mk), divided into 100 pennis (*penniä*; abb.: p.). When indicating amounts, these nouns are inflected:

kaksi markkaa	2 marks
viisikymmentä penniä	50 pennis

Coins: 1, 5, 10, 20 and 50 p.; 1 and 5 mk.
Bank-notes: 1, 5, 10, 50 and 100 mk.

Since the rates of exchange fluctuate frequently, consult a bank for currency information.

BUSINESS HOURS

Banks:
Banks are open from 9 a.m. to 4.15 p.m. from Monday to Friday and are closed on Saturdays. The bank at the railway station in Helsinki is open for changing currency from 8.30 a.m. to 8 p.m., and from 12.30 till 7 p.m. on Sundays.

Post offices:
The post offices are generally open:

9 a.m.–5 p.m.	Mondays–Thursdays
9 a.m.–6 p.m.	Fridays

Most of them are closed on Saturdays. There is a limited postal service at the railway station in Helsinki from 7 a.m. to 9 p.m. from Monday to Saturday and from 9 a.m. to 9 p.m. on Sundays.
Stamps are also available at the stationer's and bookshop.

Shops:
Shops are usually open in summer from 9 a.m. to 5 or 6 p.m. on weekdays and from 9 a.m. to 3 p.m. on Saturdays. In winter store hours are: 9 a.m. to 6 p.m. on weekdays, and 9 a.m. to 4 p.m. on Saturdays. Several big shops and department stores are open until 8 p.m. on Mondays and/or Fridays.

Offices:
Monday through Friday: 8.30 or 9 a.m. to 4 or 4.30 p.m. Offices are closed on Saturday.

HOLIDAYS

Although Saturdays are not working days in most branches of industry and commerce, the Saturday following certain holidays has been a working day. Now it is planned, however, to transfer such holidays to a Saturday. Thus, Epiphany and Ascension will be on the Saturday of the week on which they would normally fall, and Whit Monday on the previous Saturday.

January 1	**Uudenvuodenpäivä**	New Year's Day
January 6	**Loppiainen**	Epiphany
May 1	**Vappu**	Labour Day
December 6	**Itsenäisyyspäivä**	National Day
December 25	**Joulupäivä**	Christmas
December 26	**Toinen joulupäivä**	Boxing Day
	(*or:* **tapaninpäivä**)	
Movable	**Pitkäperjantai**	Good Friday
holidays:	**Toinen pääsiäispäivä**	Easter Monday
	Helatorstai	Ascension Thursday
	Toinen helluntaipäivä	Whit Monday
	Juhannuspäivä	Midsummer Day
	(*Saturday nearest June 24*)	
	Pyhäinpäivä	All Saints' Day
	(*first Saturday of November*)	

TRAINS

Most long-distance trains in Finland are modern diesel trains. At present, electric trains make only certain short-distance runs from Helsinki. The main types of trains are the following:

Kiitojuna	Long-distance express train between larger cities, stops only at main stations; luxury coaches; seat reservation required (2 marks)
Pikajuna	Long-distance train; stops at larger stations
Paikallisjuna	Local train, stops at all stations

Kiskobussi	Small diesel train used on short runs
Sähköjuna	Electric train
Makuuvaunu	Sleeping-car with individual compartments (2nd class: 10 marks, 1st class: 15 marks).
Lepovaunu	Berths with blankets and pillows (5 marks in a 6-berth compartment)
Ravintolavaunu	Dining-car
Kahvilavaunu	Buffet car
Junailijanvaunu	Guard's van or baggage car; only registered luggage permitted

ROAD SIGNS

There are few written road signs in Finland. You may, however, come across these:

Aja hitaasti	Drive slowly
Ajo sallittu omalla vastuulla	Drive at own risk
Ajo sallittu tonteille	Access to residents only
Aluerajoitus	Local speed.limit
Heikko tienreuna	Soft shoulders
Irtokiviä	Loose stones
Kapea silta	Narrow bridge
Kelirikko	Ice damage
Kokeile jarruja	Test your brakes
Liukas tie	Slippery road
Lossi	Ferry
Suositeltu nopeus	Recommended speed
Tie savettu	Newly-surfaced road
Tietyö	Road works
Tulli	Customs
Yksityistie	Private road

TELEPHONING

There are two systems of telephoning in Finland. The greater part of the country is reached automatically, and instructions are given in every call box and in the telephone directory (in English); you will find the dialling codes in the directory or you can get them from the inquiry number 020. Some eastern and northern parts of the country can only be reached through the operator; for this, dial 09.

For international calls you have to go through the operator, number 92022 (except Sweden 92024 and USSR 131 183).

In call boxes you use either a 50-*penni* coin or a 1-*mark* coin (longer calls or long-distance calls).

Telephone numbers are grouped in threes in writing, but pronounced separately:

> *Saanko Tampere yhdeksän kolme yksi, kaksi neljä kuusi, seitsemän seitsemän kahdeksan?*
> "I want Tampere 931-246-778, please."

Spelling code

A	Anna	H	Heikki	O	Otto	V	Väinö
B	Bertta	I	Iivari	P	Pekka	X	Xerxes
C	Cecilia	J	Jaakko	Q	Quintus	Y	Yrjö
D	Daavid	K	Kalle	R	Risto	Z	Zeppelin
E	Erkki	L	Lauri	S	Sakari	Z	ruotsalainen o
F	Faarao	M	Mikko	T	Taneli	Ä	Äiti
G	Gabriel	N	Niilo	U	Urho	Ö	Öljy

Personal Data

Passport Nos. ....

....

Checking Account No. ....

Credit Card Nos. ....

....

Car Insurance : Company ....

    Policy No. ....

Travel Insurance : Company ....

    Policy No. ....

Blood Type ....

Licence Plates Car ....

Chassis No. Car ....

....

....

....

....

....

Henkilö tiedot

Passin numero ....

....

Shekkitilin numero ....

Luottokortin numero ....

....

Auton vakuutus : Yhtiö..

    Vakuutuskirjan No...

Matkavakuutus : Yhtiö ....

    Vakuutuskirjan No. ....

Veriryhmä..

Sairaus vakuutus kortin No. ....

Auton rekisterin No. ....

Auton rungon No. ....

Huomautuksia : ....

....

....

....

....